LA LITTÉRATURE FRANÇAISE DU MOYEN ÂGE

La littérature du Moyen Âge
dans la même collection

LA LITTÉRATURE FRANÇAISE
DU MOYEN ÂGE

I. ROMANS ET CHRONIQUES

*Présentation, traduction, choix de textes,
notices et notes, chronologie et bibliographie
par*

Jean DUFOURNET
et
Claude LACHET

GF Flammarion

© Éditions Flammarion, 2003.
ISBN : 978-2-0807-1083-3

À notre ami Marcel Faure

Si ot uns angres de par Deu devisé
La compaingnie par moult grant loiauté.
                    Ami et Amile, v. 20-21

Froments nouveaux
Si tu sèmes ;
Le monde est beau
Si tu l'aimes.

                                        Norge

INTRODUCTION

I

L'appellation de Moyen Âge a été longtemps péjorative, et encore plus celle de « déclin du Moyen Âge », qui désignait les XIVᵉ et XVᵉ siècles. Il serait vain de relever tous les jugements négatifs qui ont été portés sur cette période par les humanistes de la Renaissance, les critiques du classicisme et les philosophes du XVIIIᵉ siècle, jusqu'à ce que Goethe, Mme de Staël, Chateaubriand, Victor Hugo et bien d'autres au long du XIXᵉ siècle, dont Verlaine et Wagner, nous aient incités à jeter un nouveau regard sur des monuments, des légendes et des textes que, de leur côté, des générations d'érudits et de savants nous ont aidés à découvrir et à déchiffrer[1]. Même dans les collèges et les lycées, la littérature médiévale tend à reprendre sa place, petite encore, et insuffisante, mais riche de promesses.

Il reste que le Moyen Âge a suscité, et suscite encore, de vifs débats et de violentes passions, quelquefois chez le même homme. Il suffit, pour s'en convaincre, de suivre l'itinéraire de Michelet, guidé par Jacques Le Goff[2], qui distingue, pour l'essentiel, trois Moyen Âge dans l'œuvre de l'historien.

1. Voir Ch. Ridoux, *Évolution des études médiévales en France de 1860 à 1914*, Paris, Champion, 2001 (« Nouvelle Bibliothèque du Moyen Âge », n° 56).
2. « Le Moyen Âge de Michelet », *Pour un autre Moyen Âge*, Paris, Gallimard, 1977, p. 19-45. Jacques Le Goff a été et demeure pour nous le maître dont les travaux n'ont cessé de nous inspirer.

Celui de 1833-1844, beau et positif, matériel et spirituel, lumineux et vivant, joyeux et festif, le Moyen Âge des croisades, des Jacques et de Jeanne d'Arc, d'une Église force de progrès, de l'union de la religion et du peuple ; Michelet discerne « deux poésies, deux littératures : l'une chevaleresque, guerrière, amoureuse, celle-ci est de bonne heure aristocratique, l'autre religieuse et populaire. [...] La première aussi est populaire à sa naissance », autrement dit, elle dérive non seulement de la littérature orale celtique, mais aussi du grand courant folklorique.

Celui de 1855, sombre antithèse de la Renaissance et de la Réforme, bizarre et monstrueux, prodigieusement artificiel, un Moyen Âge de l'antinature, du jeûne, de la tristesse et de l'ennui, de la stérilité, de la répétition et de l'enflure.

Enfin, celui de 1862, à nouveau positif, le Moyen Âge de Satan, de la liberté créatrice et de la sorcière, c'est-à-dire de la fécondité et de la chaleur, de la nature et du corps, de la médecine et des sciences naturelles.

Aujourd'hui, nous connaissons mieux le Moyen Âge, un Moyen Âge des profondeurs – éloigné de sa légende noire comme de son image dorée dont certains se sont entichés –, grâce aux patients efforts de nombreux historiens qui ont fait appel à d'autres disciplines (sociologie, anthropologie, ethnologie, folklore, etc.) pour accéder aux habitudes, aux croyances, aux comportements et aux mentalités des hommes de ces temps lointains. Certains, parmi les plus grands, nous ont appris à intégrer dans nos recherches le vaste domaine de l'imaginaire, à abolir les barrières entre l'histoire proprement dite et la littérature, à donner à celle-ci, ainsi qu'à toutes les formes de la création artistique, une place aussi importante qu'aux documents d'archives, car, comme l'a dit Mario Vargas Llosa :

> Une époque historique, ce n'est pas seulement ce qui se passe, mais aussi ce qu'on rêve, ce qu'on invente pour remplir toutes les déficiences de la vie. Je crois

que ça, c'est la matière avec laquelle la grande littérature est construite.

Dans cette longue période, il est bon de continuer à distinguer : un haut Moyen Âge (VIIIe-Xe siècles) ; un Moyen Âge central, des environs de l'an Mil, début de l'extraordinaire essor médiéval qui se traduit en particulier par la naissance de notre littérature et de notre culture, au milieu du XIVe siècle ; un Moyen Âge tardif, de la Grande Peste et des jacqueries au début du XVIe siècle « où, plus que l'incertaine Renaissance, la Réforme met fin au monopole du christianisme médiéval[1] ». Jacques Le Goff nous propose même un très long Moyen Âge, dont les structures évoluent lentement du IIIe au XIXe siècle, et qui s'achève avec le monde nouveau, né de la révolution industrielle, de la domination de l'Europe et de la vraie naissance de la démocratie. Pour lui, il est incongru de parler de Renaissance :

> La plupart des signes caractéristiques à l'aide desquels on a voulu la reconnaître sont apparus bien avant l'époque (XVe-XVIe siècles) où on la situe. Le « retour à l'Antique » est là dès le XIIIe siècle, de l'invasion d'Aristote dans les universités aux formes sculpturales des chaires des Pisano, à Pistoia et à Florence. L'État « machiavélien » existe dans la France de Philippe le Bel. La perspective s'introduit en optique comme en peinture à la fin du XIIIe siècle. La lecture se répand bien avant la galaxie Gutenberg et l'alphabétisation – le phénomène culturel qui compte – n'attend pas l'imprimerie. Au tournant du XIIe siècle au XIIIe siècle l'individu s'affirme avec autant de force que dans l'Italie du Quattrocento[2].

Dès le XIIIe siècle, on a valorisé le travail qui transforme l'homme et la nature, et l'action des ordres mendiants a changé la face de l'Église.

1. J. Le Goff, *L'Imaginaire médiéval*, Paris, Gallimard, « Bibliothèque des histoires », 1985, p. XII.
2. *Ibid.*, p. XI.

Le Moyen Âge, qui est pour nous nos racines et notre enfance tout autant qu'un rêve de vie primitive et heureuse, est cette partie du passé où notre identité a acquis plusieurs de ses traits distinctifs. Il paraît lointain, étrange, exotique, dans la mesure où la société paysanne traditionnelle qui le caractérisait est moribonde, où les mentalités dépendent aujourd'hui beaucoup moins du terrain physique et naturel, où des personnages emblématiques, comme le saint, le moine et le chevalier, ont disparu de notre univers. Mais il demeure familier par tous les monuments que nous avons conservés, très proche et vivant dans nos structures mentales et sociales, puisqu'il « a créé la ville, la nation, l'État, l'université, le moulin et la machine, l'heure et la montre, le livre, la fourchette, le linge, la personne, la conscience et finalement la révolution[1] ».

II

Un lieu commun a imprégné la littérature et la pensée médiévales : la division de la société en trois ordres, qui apparaît dès le IXe siècle dans une traduction de Boèce par le roi Alfred le Grand, dans des textes d'Abbon de Fleury, vers 995, et d'Adalbert de Laon, en 1025-1027. Ces auteurs distinguaient, d'une part, les *oratores*, les ordres monastiques, qui obtiennent par la prière l'aide divine pour la collectivité et le monarque ; d'autre part, les *bellatores*, la nouvelle noblesse où la fonction guerrière est prépondérante ; enfin, les *laboratores*, les travailleurs agricoles, artisans et bénéficiaires du progrès économique. La distinction de ces fonctions répondait à des exigences profondes : on considérait la prière, le combat et le travail de la terre comme les piliers du monde chrétien, l'équilibre entre la valeur religieuse, la valeur guerrière et la valeur économique permet-

1. J. Le Goff, *Pour un autre Moyen Âge, op. cit.*, p. 10.

tant d'exprimer l'harmonie et la solidarité entre les classes [1].

Nous nous servirons de ce schéma pour présenter quelques figures essentielles de la société médiévale [2].

Pour le Moyen Âge, le saint est, selon Jacques Le Goff, « la plus haute réalisation de l'homme », dont plusieurs types se sont succédé au fil des siècles : martyrs des premiers siècles ; ascètes du désert qui refusent le monde pour se consacrer à la pénitence dans la solitude ; confesseurs de la foi ; fondateurs d'églises et de monastères, souvent de haute naissance, engagés dans la vie active et soutenant les faibles ; rois justes ; réformateurs du monachisme ; ermites et moines adeptes de la pauvreté mendiante et du renoncement, par imitation du Christ du Calvaire souffrant et compatissant ; prédicateurs qui pacifiaient les familles et remédiaient aux malheurs des pauvres et des exclus. Ces morts illustres ont souffert dans leur corps, qui souvent a été préservé de la décomposition et répand une suave odeur ; leurs reliques, omniprésentes, sont vitales pour la communauté. Jouissant en permanence de la grâce divine, séparés des autres humains par une vie de privation et de dénuement, faiseurs de miracles, ils établissent un contact entre le ciel et la terre. Ils disposent d'un pouvoir surnaturel sur la nature. Libres d'entraves terrestres et sociales, ils restaurent l'ordre du monde et, par leur vie autant que par leurs miracles, ils jouent un rôle providentiel. Surtout, ils continuent à exercer un patronage spécial sur les lieux qui conservent leurs reliques, sur les confréries, les groupes, les dynasties et les individus.

---

1. À lire : G. Duby, *Les Trois Ordres ou l'Imaginaire du féodalisme*, Paris, Gallimard, « Bibliothèque des histoires », 1978 ; G. Dumézil, *L'Idéologie tripartie des Indo-Européens*, *Latomus*, t. XXXI, Bruxelles, 1958 ; la synthèse de J. Le Goff, « Note sur société tripartie, idéologie monarchique et renouveau économique dans la chrétienté du IXᵉ au XIIᵉ siècle », *Pour un autre Moyen Âge*, *op. cit.*, p. 80-89.

2. Pour les paragraphes suivants, nous avons utilisé l'ouvrage dirigé par J. Le Goff, *L'Homme médiéval* (Paris, Le Seuil, 1989), dont nous avons repris certaines réflexions et formules.

L'on comprend qu'ils aient inspiré une abondante littérature hagiographique en latin et en français [1].

Si moines et monastères ne font plus partie de l'expérience des Français (les ermites ont quasiment disparu), s'il n'en reste que d'imposants vestiges et une présence silencieuse, le véritable christianisme se réduisit, entre les Xe et XIIe siècles, pour une large part, à la vie monastique, authentique voie chrétienne de la pénitence et du rachat, toute tournée vers le salut. Elle proposait un modèle de perfection fondé sur le célibat, l'ascèse, le renoncement à toute propriété privée et la mise en commun des biens, l'élection de la pauvreté volontaire, le don total de soi et l'abandon de la société profane ; elle contestait la réalité ecclésiastique environnante en menant une vie communautaire de discipline et d'obéissance. Selon saint Anselme, « dans le christianisme, il y a l'état monastique ; au-dessus de celui-ci, il y a seulement la vie des anges ». Forteresse contre le démon, dont les agressions sont constantes, et préambule du paradis, lieu et foyer de culture, centre de prière et de sanctification, le monastère participe au salut de la communauté, dont il est solidaire ; c'est aussi un centre d'exploitation agricole et le siège du renforcement politique des rois et des grands seigneurs qui utilisent les moines comme conseillers et médiateurs. L'architecture, la sculpture et la musique ont longtemps été à leur service [2].

Le chevalier, qui prend place dans le système hiérarchique de la féodalité, est un cavalier qui porte des armes caractéristiques, offensives (*espié, espee, brant, lance*) et défensives (*heaume, haubert, broigne, escu*) ; c'est un guerrier professionnel qui doit avoir des qua-

1. À lire : P. Brown, *Le Culte des saints, son essor et sa fonction dans la chrétienté latine*, Paris, Le Cerf, 1984, et A. Vauchez, *La Sainteté en Occident aux derniers siècles du Moyen Âge*, Paris-Rome, De Boccard, 1988 (2e éd.).

2. À lire : P. Bretel, *Les Ermites et les moines dans la littérature française du Moyen Âge (1150-1250)*, Paris, Champion, 1995 (« Nouvelle Bibliothèque du Moyen Âge », n° 32) ; A. Vauchez, *La Spiritualité du Moyen Âge occidental, VIIIe-XIIe siècles*, Paris, PUF, 1975 ; M. Pacaut, *Les Ordres monastiques et religieux au Moyen Âge*, Paris, Nathan, 1970.

lités physiques et morales et faire l'apprentissage de
son métier. Les chevaliers formaient une corporation
qui avait ses maîtres (les seigneurs chevaliers), ses
compagnons (les simples chevaliers), ses apprentis
(les écuyers), ses saints patrons et son rite d'initiation
(l'adoubement). Au-dessus, couronnant le système,
l'empereur ou le roi, suzerain autant que souverain,
dont Charlemagne et Arthur sont les figures idéales[1].
Par un long processus, la guerre et le guerrier ont été
valorisés, si bien qu'apparaît une éthique plus proprement chevaleresque, celle du *miles* [soldat] *Christi*, ou
plutôt du *miles sancti Petri*, qui met son épée au service
du sacerdoce. L'expression de la chrétienté occidentale au XIᵉ siècle favorise l'essor d'un « christianisme
de guerre » qui s'exprime dans la chanson de geste, et
tout d'abord dans le chef-d'œuvre du genre, *La
Chanson de Roland*. Toutefois, si l'épopée exalte souvent les saints vassaux d'un Dieu guerrier et si elle
emprunte, au départ, motifs et formules aux textes
hagiographiques, elle témoigne d'une culture laïque
ancienne, folklorique et germanique, qui tente de
concilier dans le compagnonnage et l'amitié frater-
nelle la prouesse et la sagesse (« *Rollant est proz e
Oliver est sage* ») et qui s'exalte dans la fureur (*furor*) et
la transe, voire dans la cruauté des jeunes guerriers, au
service du nouvel idéal religieux et de la défense du
Saint Sépulcre de Jérusalem.

La *militia Christi* des moines chevaliers s'oppose
à la *militia saeculi* qui n'est souvent que *malitia*
(méchanceté) et qu'a dénoncée saint Bernard. Cette
chevalerie « mondaine », qui connut son âge d'or
aux XIIᵉ et XIIIᵉ siècles, a largement contribué à l'élaboration et à la diffusion de la poésie et de la culture
courtoises où le concept de service s'applique non
plus à Dieu ou à la Vierge, mais à la Dame, supérieure
et inaccessible. Dans le roman arthurien, le chevalier,
qui demeure un guerrier, recherche son identité à

1. Voir D. Boutet, *Charlemagne et Arthur ou le Roi imaginaire*,
Paris, Champion, 1992.

travers l'aventure et la quête qui peut devenir humani-
taire (*Le Chevalier au lion*), puis mystique et « célestielle » (*Le Conte du graal, La Quête du saint graal*). Dans
la réalité, ces *bachelers*, ces *juvenes*, chers à Georges
Duby, aspirent à contracter un bon mariage avec une
femme plus noble et plus fortunée, à trouver des engagements et de nouvelles sources de richesses ; ils louent
leurs services, fascinés par l'Espagne, par Byzance, par
l'Orient lointain et l'Asie profonde qu'on retrouve dans
les versions du *Roman d'Alexandre* ou la lettre du Prêtre
Jean. À défaut de croisade et de guerre lointaine, l'aventure se vit dans la chasse (à l'ours, au cerf et au sanglier)
qui peut prendre un caractère initiatique, et surtout dans
le tournoi, dont il ne faut pas méconnaître la tension
érotique : exalté par les ménestrels et les poètes comme
une école de courage et de loyauté, mais vilipendé par les
prédicateurs et les moralistes comme Jean de Vitry selon
qui l'on commettait les sept péchés capitaux dans un
tournoi, celui-ci donne naissance à un genre particulier
(*Le Tournoi de Chauvency*, de Jacques Bretel) qui peut
prendre une forme allégorique (*Le Tournoiement Antéchrist*, de Huon de Méry) ou théâtrale dans les pas
d'armes.

La culture chevaleresque a contribué à civiliser le
monde occidental par l'idéal de *prud'homie* dont les composantes sont issues, les unes de l'espace épique (courage, impavidité devant la mort, endurance, force physique, fidélité au suzerain, sens de l'honneur), les autres
de l'espace courtois (culture intellectuelle et musicale,
largesse, conduite irréprochable fondée sur une moralité
exemplaire, noblesse de la naissance et du comportement), d'autres enfin de l'espace religieux (pureté des
mœurs, charité active, crainte de Dieu, piété) [1].

1. Sur la chevalerie, on pourra lire : M.-L. Chênerie, *Le Chevalier
errant dans les romans arthuriens en vers des XIIe et XIIIe siècles*, Genève,
Droz, 1986 (« Publications romanes et françaises », n° 172) ;
G. Duby, *Guillaume le Maréchal ou le Meilleur Chevalier du monde*,
Paris, Fayard, 1984 ; J. Flori, *Chevaliers et chevalerie au Moyen Âge*,
Paris, Hachette-Littératures, 1998 ; E. Köhler, *L'Aventure chevale-
resque. Idéal et réalité dans le roman courtois*, Paris, Gallimard,
« Bibliothèque des idées », 1974.

Le troisième pilier de la société médiévale était le paysan, avant tout préoccupé de sa sécurité alimentaire toujours menacée par les soubresauts de la nature, la faiblesse des rendements, les incursions des pillards et des animaux sauvages. Entre le seigneur et sa communauté rurale, il pratique une résistance passive qui peut se déchaîner en révoltes violentes. À l'écart de la culture dominante, cléricale ou chevaleresque, il demeure très longtemps un adepte des croyances et des rites magiques, venus du paganisme. Si les peintures des travaux des mois donnent de lui une image assez fidèle, en revanche la littérature brosse de lui un portrait caricatural. Plus proche de la bête que de l'homme, c'est une sorte de Caliban, vicieux, dangereux, illettré, englué dans la luxure et l'ivrognerie, rustre au double point de vue moral et social, sale, peu soigné, couvert de vêtements courts et déchirés, d'une laideur épouvantable par sa taille gigantesque, sa difformité bestiale, ses traits empruntés au monde animal dont il partage le mutisme. Il tend à se confondre avec des exclus comme le géant, le Sarrasin, l'homme sauvage, le diable. L'impression de force brute qui se dégage de son apparence le sépare de la communauté humaine et suscite la crainte de ses interlocuteurs [1].

Bien entendu, dans chacune de ces trois fonctions, d'autres personnages jouent un rôle qui n'est pas négligeable : à côté du moine, l'évêque, le prêtre séculier et le frère des ordres mendiants (Dominicains, Franciscains, Augustins et Carmes) ; parmi les guerriers, le mercenaire (*sodoier*), le soldat de métier ; avec les paysans, les ouvriers et les artisans.

Le développement de la ville – qui connaît son apogée au XIIIe siècle, suscitant l'orgueil ou l'horreur, lieu de tous les vices pour les uns et, pour les autres,

---

1. À lire : G. Duby, *L'Économie rurale et la vie des campagnes dans l'Occident médiéval (France, Angleterre, Empire, IXe-XIVe siècles)*, Paris, Aubier, 1962 ; R. Fossier, *Paysans d'Occident, XIe-XIVe siècles*, Paris, PUF, 1984 ; G. Fourquin, *Le Paysan d'Occident au Moyen Âge*, Paris, Nathan, 1972.

de la science, du débat et du savoir-vivre – met au premier plan l'argent, le marché, le profit, et d'autres
types d'hommes : les citadins, qu'on peut classer en
gras et maigres, en grands, moyens et petits[1], et le
marchand dont le statut s'améliore à tous les points de
vue (économique, social, intellectuel, idéologique),
mais qui demeure suspect, resté proche de l'usurier[2].
Cette bourgeoisie urbaine participe à son tour à l'activité poétique et littéraire, d'abord en se conformant au
modèle chevaleresque, puis en constituant, comme à
Arras, sa propre littérature, plus réaliste et satirique,
qui donne naissance au théâtre profane.

Aux marges de cette société, tout un monde d'exclus n'a cessé d'exercer sa pression sur les villes et les
campagnes : vagabonds, clercs vagants, fous, lépreux,
juifs, hérétiques et sorcières.

Dans ce monde de moines, de guerriers et de paysans, quelle est la situation de la femme ? Elle apparaît
très ambiguë. D'un commun accord, l'aristocratie et
le clergé ont placé la femme sous la dépendance de
l'homme. Son infériorité, qui paraît naturelle, se
retrouve à l'intérieur du mariage par l'idéal d'une
obéissance absolue. Victime des contraintes de la
parenté, dominée par les hommes, elle est l'objet de
tractations entre les familles. Maîtresse de l'espace
domestique, elle est surtout un ventre qui doit procurer de nombreux rejetons dont beaucoup meurent
en bas âge. Dans la littérature courtoise, dans le
roman et le grand chant, elle est la dame, la suzeraine,
dont il faut mériter l'amour par un service constant
fait d'attente, de patience, de prouesses et de souffrances. Sa sacralisation devient une véritable religion,
un culte d'adoration fondé sur un rituel qui s'accom-

1. À lire : B. Chevalier, *Les Bonnes Villes de France*, Paris, Aubier-
Montaigne, 1982 ; *Histoire de la France urbaine*, sous la direction de
G. Duby, t. II : *La Ville médiévale des Carolingiens à la Renaissance*,
dirigé par J. Le Goff, Paris, Le Seuil, 1980.
2. À lire : J. Le Goff, *Marchands et banquiers au Moyen Âge*, Paris,
PUF, 1956 ; *La Bourse et la Vie, économie et religion au Moyen Âge*,
Paris, Hachette, 1986.

pagne de contemplation et de méditation, de ferveurs et de doutes, de moments d'extase et de déréliction. En revanche, les fabliaux illustrent les rapports de force entre les sexes : du côté masculin, l'autorité et la répression ; du côté féminin, la subversion. La femme se libère par l'adultère : entre les amants règne une entente sentimentale et sensuelle qui évacue toute notion de pouvoir et permet de supporter le système oppressif du mariage que, d'ailleurs, on ne remet pas en cause. Il ressort des fabliaux une image composite de la féminité à travers des regards masculins. La femme est tantôt un instrument du diable, une chose inférieure et dangereuse, rusée, accablée de tous les vices, tantôt un être désirable, doté d'un réel pouvoir, quasi magique, comme la fée, création du Moyen Âge. Partagé entre la peur et le désir, l'homme, face à l'altérité, rêve de répression ou d'évasion. Les clercs eux-mêmes l'ont répété, à la suite d'Isidore de Séville :

> Eva est *vae*, le malheur, mais aussi *vita*, la vie, et selon l'hymne fameux *Ave Maris Stella* attesté à partir du IXᵉ siècle, en *Eva* se lit l'anagramme d'*Ave* jadis lancé par Gabriel à la nouvelle Ève. En un mot, évoquer Ève, c'est déjà invoquer Marie et signifier avec Jérôme : « Mort par Ève, vie par Marie » ou, avec Augustin : « Par la femme la mort, par la femme la vie [1]. »

III

À côté de ces figures emblématiques, il est nécessaire de placer celles du clerc et du jongleur, dont l'influence a été décisive pour l'éclosion, le développement et les mutations de la littérature française du Moyen Âge.

Le clerc (ou l'intellectuel) faisait partie de la minorité des *litterati*, qui savaient lire et écrire, maîtrisaient le latin et le monde des mots dans le discours, le

---

1. J. Dalarun, *Histoire des femmes en Occident*, t. II, *Le Moyen Âge*, Paris, Plon, 1990, p. 39.

prêche, la leçon ou le traité. Voyageur célibataire qui travaille « avec la parole et avec l'esprit », commentant (et contestant) les « autorités », c'est souvent un enseignant qui transmet un savoir et une méthode et peut, à l'occasion, assumer des fonctions politiques. Si, au XIe siècle, la culture est diffusée par les abbayes et quelques cathédrales, au XIIe siècle, grâce à la paix et à l'expansion économique, souvent sous l'impulsion des évêques, l'enseignement se développa dans les écoles des villes, dont chacune brillait par une spécialité : la théologie à Laon, la philosophie naturelle et l'exégèse des textes à Chartres, la poésie à Orléans, la rhétorique, la dialectique et la théologie à Paris. C'est dans ces conditions que naquit l'université, où les disciplines étaient organisées selon la structure des sept arts libéraux, le *trivium* (grammaire, logique, rhétorique) et le *quadrivium* (arithmétique, géométrie, musique, astronomie), qui menaient à la science maîtresse : la théologie. Mais assez vite, par la multiplication des sources et des domaines de recherche, certaines disciplines (arts, droit, médecine) acquièrent leur autonomie. L'omniprésence du latin favorisait la circulation des idées, des maîtres et des étudiants qui, de toutes parts, convergeaient vers Paris, regroupés en « nations ». Si l'on redécouvrit la beauté des œuvres antiques, des intellectuels, comme Abélard, se distinguèrent tant par leur confiance dans la méthode de recherche, rationnelle, que par la conscience de ne pouvoir atteindre que l'ombre de la vérité. D'autre part, on assista dès le XIIe siècle au retour d'Aristote qui, en 1255, entra officiellement à la faculté des arts de Paris, suivi de près par les commentaires de l'Arabe Averroès, et Siger de Brabant n'hésitait pas à affirmer : « Le devoir du philosophe est d'exposer l'enseignement d'Aristote, non de corriger ou de cacher sa pensée même quand elle est contraire à la vérité (*théologique*). » L'étude est glorifiée ; l'intellectuel incarne désormais la vraie noblesse, à en croire Jean de Meun : « Les savants sont plus nobles que ceux qui passent leur vie à chasser le lièvre ou à s'occuper

des propriétés et des porcheries dont ils ont hérité. »
Plus tard, les clercs s'engageront dans l'action politique,
comme John Wycliffe, Jean Hus, Coluccio Salutati ou
Lorenzo Valla. Quoi qu'il en soit, du XIIᵉ au XVᵉ siècle,
la plupart des clercs auraient admis avec Siger de
Brabant :

> La seule autorité n'est pas suffisante pour la recherche
> de la vérité de cette thèse. Tous ceux qui l'ont sou-
> tenue furent poussés par quelque raison. Mais nous,
> nous sommes des hommes exactement comme eux.
> Pourquoi alors ne devrions-nous pas comme eux
> nous engager dans la recherche rationnelle[1] ?

Mais qu'aurait été la littérature française sans les
jongleurs qui étaient en rapport, par leur formation,
avec les clercs et, par leur vie quotidienne, avec l'aristocratie et le peuple ? Personnages aux multiples
talents, ils pouvaient être des musiciens, des poètes et
des interprètes de chansons de geste, de romans, de
lais bretons et de fabliaux, des auteurs et des acteurs,
des mimes, des bateleurs, des joueurs de vielle, des
enchanteurs et des acrobates... Le même jongleur
pouvait chanter des lais d'amour et se livrer à des culbutes, jouer de la harpe, aux échecs et aux dés,
déclamer des laisses épiques et montrer des singes,
raconter une vie de saint et escamoter des objets. Ani-
mateurs des réjouissances populaires, les jongleurs ont
été à même de recueillir toute une littérature orale et
folklorisante (danse, musique, contes, chansons) dont
ils devinrent les détenteurs. Errants, se métamorpho-
sant facilement, ils étaient des suspects qu'on accusait
de boire, de jouer, de mentir, d'avoir des mœurs irré-
gulières, et qu'on dénonçait dans les prêches comme
des suppôts du diable. Mais à la fin du XIIᵉ siècle et

1. Les citations de Siger de Brabant sont empruntées à l'article de
M. Fumagalli et B. Brocchieri, « L'Intellectuel », in *L'Homme médiéval*,
sous la direction de J. Le Goff, Paris, Le Seuil, 1989, p. 201-232. À
lire aussi : J. Le Goff, *Les Intellectuels au Moyen Âge*, Paris, Le Seuil,
1976 ; J. Vergez, *Les Universités du Moyen Âge*, Paris, PUF, 1973 ;
Le Clerc au Moyen Âge, Senefiance n° 37, Aix-en-Provence, Université de Provence-CUERMA, 1995.

au XIIIe siècle, on les accueillait partout favorablement, car ils symbolisaient l'imprévu et la fête. Ils s'introduisirent vite dans les cours, dont ils devinrent l'ornement et où, mieux payés par des seigneurs qui tenaient à faire preuve de largesse, ils trouvaient des connaisseurs capables d'apprécier leur art. S'attachant à un maître, ils devenaient ménestrels, comme Jouglet dans *Le Roman de la Rose* ou de *Guillaume de Dole* de Jean Renart : habile dans son métier pour déclamer chansons, contes et fabliaux, ou pour jouer de la vielle, il est le compagnon, le confident et le conseiller de l'empereur Conrad. La sécurité et la stabilité de leur situation permettaient aux ménestrels de s'adonner au goût des lettres dans la dignité et l'indépendance[1]. Jongleurs et ménestrels ont donc été les dépositaires de toutes les formes de la culture : aristocratique (grand chant courtois, roman...), cléricale (vies de saints...), populaire (chansons à danser).

On peut d'ailleurs soutenir que certains ménestrels, voire des jongleurs, ont eu une formation de clerc, et qu'il s'est développé d'étroites relations culturelles entre les uns et les autres : les clercs, qui s'exprimaient en latin et avaient été formés dans les lettres antiques et les arts libéraux, occupaient des fonctions religieuses ou enseignaient ; les jongleurs et les ménestrels, qui utilisaient la langue d'oc ou d'oïl et qui avaient fait leur apprentissage poétique auprès de leurs aînés, avaient en charge les divertissements dans les cours ou ailleurs.

IV

C'est de la rencontre et du dialogue entre la culture savante des clercs et la culture populaire des jongleurs qu'est née, à partir du Xe siècle, la littérature française, restée longtemps une littérature de l'oral et de la

1. À lire : E. Faral, *Les Jongleurs en France au Moyen Âge*, Paris, Champion, 1910.

mémoire. Ce sont d'abord des contes immémoriaux, des vies de saints, des chansons rustiques, de petits poèmes héroïques que les jongleurs diffusent sans les fixer par écrit. Ils véhiculent de vieux motifs folkloriques enracinés dans les campagnes, des légendes qui investissent les espaces de la forêt, des champs et des jardins, et qui expriment les rêves, les peurs, les désirs des hommes. Les clercs, tenants du latin, ont tendance à les mépriser, mais, à leur tour, à la fin du XIe siècle et au XIIe siècle, ils se mettent à écrire en français en suivant les maîtres antiques comme Virgile, Stace ou Ovide, en reprenant des procédés de la rhétorique et de la poétique enseignées en latin dans les écoles. Ils transmettent un savoir de plus en plus riche et diversifié, et quelques-unes de leurs obsessions, comme celles du péché et de l'action incessante de Satan.

Surgissent alors des œuvres inaugurales qui sont à elles-mêmes leur propre origine : ni latines, ni antiques, ni religieuses, ni savantes, elles rompent avec les autres discours et suscitent une tradition (*La Chanson de Roland*, romans de Chrétien de Troyes, lyrique des troubadours, fabliaux, premières branches du *Roman de Renart*, *Jeu de saint Nicolas*...). La littérature française acquiert son autonomie et sa dignité, même si certains textes, comme les romans d'Antiquité, semblent n'être que des adaptations de poèmes latins. Les plus anciennes œuvres relèvent du genre hagiographique (*Séquence de sainte Eulalie*, *Vie de saint Léger*, l'occitane *Chanson de sainte Foy*) et de l'épopée : c'est le cas du chef-d'œuvre initial, *La Chanson de Roland*, qui crée la chanson de geste, texte fondateur de notre histoire et de notre culture en même temps que première manifestation créatrice de notre langue.

C'est une poésie vivante, constamment remaniée, en perpétuelle évolution (pour qui la regarde de près), changeant de visage à chaque génération. Dans la société médiévale, restée semi-nomade, le mouvement prédomine. Issue de versions (orales) plus anciennes, transformée par le génie de Turold entre 1087 et 1095, *La Chanson de Roland* est d'abord un poème de la croisade, tout pénétré des rêves et des préjugés des combattants qui luttent autour de Saragosse, au moment où la société guerrière prend conscience d'elle-même et se définit dans le culte de ses héros passés. Puis, s'enrichissant d'apports qui l'éloignent du seul horizon de Roncevaux, elle devient un poème de propagande capétienne sous la régence de l'abbé de Saint-Denis, Suger (1147-1149), avant d'être anglicisée, mise au goût du jour, dans l'entourage d'Henri II Plantagenêt, à en juger par le manuscrit d'Oxford que l'on date de 1170-1180. Elle sera, par la suite, encore remaniée, comme tous les textes du Moyen Âge que l'on ne considérait pas comme des pièces intouchables, mais que l'on adaptait et revivifiait inlassablement selon les goûts du public. Incessante déchéance qui est la preuve d'une vie constante !

La qualité de la plupart des chansons de geste et des romans témoigne d'un souci de composition formelle interdisant de croire à toute espèce d'improvisation : la *création* des œuvres ressortit à l'écrit. Leur *transmission* a pu, au début, être orale, mais elle est rapidement devenue écrite. Quant à la *consommation*, elle a longtemps été orale et collective ; mais la lecture individuelle s'est progressivement imposée.

On a beaucoup recopié les textes en les transformant par des additions, des suppressions, des résumés et des interpolations. Ainsi a-t-on, pour les romans en prose du XIIIᵉ siècle, des versions longues et des versions courtes, et il s'est produit, d'un manuscrit à l'autre, des contaminations, si bien qu'il peut être difficile de retrouver l'archétype. Il est arrivé qu'on rajeunisse et qu'on rationalise un texte, qu'on le transforme quand on le comprenait mal, qu'on le transcrive dans un autre dialecte. Par exemple, le manuscrit B de *La Conquête de Constantinople* de Villehardouin est linguistiquement le plus cohérent en français central et le plus dépourvu d'influences dialectales. Les œuvres ont été soumises à de nombreuses retouches aux différents moments de leur existence, des originaux aux récritures, qui représentent tous les degrés de la variation, de la dégradation et de l'amélioration ; certains remanieurs les ont altérées par défaillance, d'autres les ont entièrement récrites. De ces métamorphoses, il a pu sortir plusieurs versions d'un même texte. Peut-être a-t-on aussi voulu occulter des écrits jugés subversifs. Comment expliquer qu'un petit chef-d'œuvre comme *Aucassin et Nicolette* n'existe que dans un seul manuscrit, et que, des *Tristan* de Béroul et de Thomas, nous n'avons que des fragments ? D'autres œuvres paraissent inachevées, comme le mystérieux *Conte du graal* de Chrétien de Troyes ou le picaresque *Joufroi de Poitiers*. S'agit-il d'un accident matériel, d'une censure, ou de la volonté d'auteurs qui souhaitaient que leur roman demeurât à jamais ouvert, instable, indéchiffrable ? En revanche, *Le Roman de la Rose* a accédé, dès le Moyen Âge, au statut de chef-d'œuvre ; de là, les très nombreux manuscrits d'un poème qu'on apprend par cœur dans de vastes milieux, qu'on reproduit fidèlement dans des éditions complètes ou dont on constitue des anthologies comportant différents chapitres (Raison, Ami, Faux Semblant, Nature…), et qui devient une somme à lire et à relire pour en tirer des développements, des exemples, des maximes, pour faire le tour de la réalité vécue et imaginée, pour s'interroger sur la place et le rôle en ce monde de l'homme riche des dons de Nature et de Dieu mais en butte aux caprices de Fortune et tenté par l'exercice de sa liberté.

Ces œuvres mouvantes sont complexes, souvent subtiles, où se fondent, de façon inextricable, de multiples traditions qu'on découvre peu à peu, à force de lectures et d'enquêtes. Par exemple, le merveilleux médiéval, qui peut être quotidien, symbolique, scientifique, puise dans divers réservoirs : biblique, antique, folklorique, barbare, oriental… Chrétien de Troyes a conservé toutes les possibilités symboliques du graal et de la lance : au couple celtique de la lance enflammée et du chaudron à mixture empoisonnée se superpose le couple chrétien d'objets liés à la Passion du Christ, et la sexualité transparaît dans l'union de l'arme portée par un jeune homme et de la coupe que tient la demoiselle. De son côté, la rose, symbole divin, christique et marial, peut suggérer la plénitude divine, l'épanouissement de la jeunesse, et spécialement de la jeune fille, la beauté, le raffinement et la grâce, l'achèvement de la recherche spirituelle et la perfection à atteindre [1]. Dans un monde qui est celui du miroir, du reflet, où s'est constitué tout un jeu de correspondances entre l'homme et l'univers, le microcosme et le macrocosme, l'ici-bas et l'au-delà, tout tend à être symbolique : les nombres, les couleurs, les animaux, les plantes, les noms, les objets, l'espace et le temps [2]. L'homme médiéval voit des signes de réalités cachées, qu'il lui faut déchiffrer avec l'aide des clercs. Événements et personnages de l'Ancien Testament et du Nouveau Testament se répondent en des concordances lourdes de sens. La symbolique se retrouve partout : dans l'architecture, la sculpture et le vitrail, dans les emblèmes et les armoiries et, tout autant, dans la littérature.

Il n'y a pas de frontière entre le visible et l'invisible, le naturel et le surnaturel, qui se manifeste par de fréquentes apparitions, entre notre univers et l'au-delà. Dieu rompt fréquemment l'ordre du monde par ses miracles que sollicitent pour les humains la Vierge, les grands saints ou les saints locaux. Dans le cadre de cette pensée symbolique, le rêve est appelé à jouer un rôle important, surtout à partir du XIIᵉ siècle : on se met à interpréter et à faire interpréter les songes à partir de schémas fournis par Guillaume de Conches et Jean de Salisbury, qui ont repris les distinctions de Macrobe (*Commentaire sur Le Songe de Scipion*) entre rêves sans signification (*insomnium* et *visum*) et rêves signifiants (*oraculum*, *visio* et *somnium*) [3].

1. R.-P. Louvel, *Rose mystique*, Lyon, Éditions de l'Abeille, 1943.
2. À lire : J. Ribard, *Le Moyen Âge. Littérature et symbolisme*, Paris, Champion, 1984.
3. À lire : H. Braet, *Le Songe dans la chanson de geste au XIIᵉ siècle*, Gand, 1975 (« Romanica Gandensia », 15) ; *I sogni nel Medioevo*, Rome, 1985.

Cette vision symbolique a pris, au XIIIe siècle, la forme de l'allégorie, qui remplace la mythologie comme figuration littéraire et artistique de la nature et de la moralité. Loin d'être simplement un procédé d'écriture, le mode allégorique correspond à une représentation du réel : c'est non seulement un outil intellectuel, mais tout autant un élément constitutif des structures mentales. L'allégorie associe quelques métaphores de base qu'elle prolonge (la guerre, le siège d'une ville, le voyage, le mariage) et des personnifications de notions abstraites qu'elle dramatise. L'œuvre peut se déployer sur quatre niveaux de signification[1]. Ainsi *Le Roman de la Rose*, de Guillaume de Lorris : au sens *littéral*, un jeune homme, dans un verger, découvre un bouton de rose et veut le cueillir ; au sens *allégorique* ou *typologique*, c'est une histoire d'amour, qui contient un art d'aimer (sens *tropologique* ou *moral*), et la rose annonce la Rose mystique promise au sein de la joie d'amour (sens *mystique* ou *anagogique*).

À tout le moins, la complexité, et même l'ambiguïté, peuvent naître de la polyvalence sémantique et de l'ambivalence qui contaminent tous les éléments du discours (les phonèmes, la syntaxe, les noms propres et communs, les symboles, les personnages…) et donnent à certaines œuvres comme *Le Jeu de la Feuillée* d'Adam de la Halle et surtout, au XVe siècle, *La Farce de Maître Pierre Pathelin* ou *Le Testament* de Villon, un côté carnavalesque qui, par l'animalisation et la métamorphose, tend à désacraliser, à travers le rire et la parodie, la société, les princes, les individus et même la mort. Il en résulte, masqué par la joie des corps, un sentiment d'incertitude qui fonde la philosophie et le comportement politique du temps.

Cette littérature, qui requiert la glose et le commentaire, est d'autant plus complexe qu'elle est souvent le lieu d'affrontements ouverts ou masqués (par exemple, sur l'amour), qui s'expriment sous diverses formes,

---

1. À lire : F. Pomel, *Les Voies de l'au-delà et l'essor de l'allégorie au Moyen Âge*, Paris, Champion, 2001 ; A. Strubel, *La Rose, Renart et le Graal*, Paris, Champion, 1989.

lyriques, narratives, didactiques, si bien qu'à partir
du XIIIe siècle des poètes, des clercs et des chevaliers,
nourris de références savantes et antiques, d'une plura-
lité de modèles, de langues et de discours, s'essaient,
entre lyrisme, roman, art d'aimer et encyclopédie, à des
synthèses et à des sommes dont *Le Roman de la Rose* est
un bon exemple, puisque Jean de Meun développe
l'œuvre de Guillaume de Lorris pour en faire une vaste
encyclopédie sur l'amour et l'art d'aimer.

Cette littérature vivante et complexe se déploie
entre réception d'une tradition et création, entre res-
sassement et innovation, entre imitation des modèles
et exploration de nouveaux territoires. *Trover*, au
Moyen Âge, c'est découvrir et retrouver, composer
selon les règles d'un art qui se précise de plus en plus.
L'écrivain médiéval joue avec les textes anciens, il
les manipule en se servant de leur autorité : elle lui
permet des audaces qu'il ne peut exprimer directement. Composer ne se fait qu'en se mesurant aux
écrits des prédécesseurs et des contemporains dans un
dialogue fécond. Comme l'a écrit Cioran [1], « l'important est d'*approfondir*, non d'inventer des formes nouvelles. En art, inventer, c'est désintégrer les formules
de la génération précédente. Inventer, c'est posséder
le génie de la désintégration. Faire exploser une forme
rigide, *consacrée* ». Adam de la Halle l'a suggéré à deux
reprises dans *Le Jeu de la Feuillée* par la métaphore des
pots brisés : il faut briser les anciens pots, puis, non
pas en rassembler les morceaux, mais en fabriquer un
nouveau. Sans doute faut-il déceler dans la création
littéraire un jeu subtil de va-et-vient entre plusieurs
avant-textes. Ainsi la pièce anonyme *Courtois d'Arras*
(XIIIe siècle) est-elle la mise en théâtre de la parabole
de l'Enfant prodigue, dans le sillage d'un modèle, *Le
Jeu de saint Nicolas* de Jean Bodel, tout en étant la
parodie brillante d'un contre-texte, *Le Conte du graal*.
Son auteur dialogue avec ses auditeurs autant qu'avec
ses trois avant-textes.

---

1. *Cahiers, 1957-1972*, Paris, Gallimard, 1997, p. 811.

Dès lors, on comprend que, si la plupart des textes étaient destinés à l'origine à un même public d'aristocrates et de clercs, puis de bourgeois, on en découvre d'un niveau moins élaboré, plus fruste. Les auteurs et les adaptateurs, aux talents inégaux, ont écrit pour des publics divers, qu'ils rencontrent dans les grandes salles des châteaux ou sur les places publiques. Les mêmes sujets de fabliaux ont pu être représentés, dans le même temps, à des niveaux d'élaboration et d'écriture très différents.

La littérature médiévale, qui évolue entre l'oralité et l'écriture, relève, pour une large part, de l'altérité. Si elle dialogue avec d'autres réalités, si c'est le lieu où se transforment les messages de la société, elle n'est pas un miroir : elle est d'abord esthétique et culturelle, et de ce fait déformante. C'est, a écrit Daniel Poirion, « la conscience de l'imaginaire ». Il faut certes s'interroger sur les idées et la mentalité, sur le groupe social, mais surtout analyser les œuvres pour en définir les intentions, aller de l'une à l'autre, en élucider la lettre, sans oublier que la littérature envoie au monde un message durable. Ne minimisons pas le formalisme des œuvres ni les contraintes des genres, mais rappelons-nous que ce sont des œuvres d'art qui ont leurs propres règles et dont la richesse supporte et appelle toutes sortes d'interprétation, voire une approche anthropologique. Des vestiges barbares ne doivent pas masquer l'humanisme qui imprègne ces textes, ni la vigueur et l'audace d'une littérature qui se détache du latin des clercs et, d'emblée, affirme son originalité. Il paraît difficile de parler de littérature française sans en connaître les débuts, et que serait la France sans les châteaux forts, les cathédrales et les abbayes, sans *La Chanson de Roland*, *Le Conte du graal*, *Le Roman de la Rose* et *Le Testament* de Villon, sans la chevalerie et la courtoisie ?

V

Comme toujours dans les anthologies, nos choix ont été subjectifs, liés à nos goûts, à nos recherches, à nos centres d'intérêt, à nos coups de cœur. Mais nous avons tenu à ce que, dans cet ouvrage, les lecteurs trouvent, ou retrouvent, des textes connus, rares il est vrai, qu'ils ont pu rencontrer au cours de leurs études, et qu'ils en découvrent d'autres, souvent inattendus, sans nous limiter à des auteurs qui nous touchent encore par leur personnalité, comme Rutebeuf, Adam de la Halle ou Villon, et sans jamais oublier de privilégier la qualité littéraire. Nous avons voulu que les époques, les régions, les genres et leurs variétés, les grandes légendes soient équitablement représentés, du texte initial des *Serments de Strasbourg* aux prouesses verbales de Jean Molinet, afin que ce florilège soit tout à fait représentatif d'une littérature de cinq siècles, abondante, diverse et complexe.

Nous avons souhaité mettre les lecteurs au contact des premiers états de notre langue, de l'ancien français (XIe-XIIIe siècles) et du moyen français (XIVe-XVe siècles). Pour ce faire, nous avons eu recours à ce qui nous semblait être le texte le plus sûr, le manuscrit le meilleur, que nous signalons dans les notes et que nous avons transcrit selon les règles mises au point par Joseph Bédier, Mario Roques et Félix Lecoy. Nous avons aussi indiqué pour chaque extrait une édition de qualité, qui souvent nous a été très utile.

Mais il fallait aider, autant que possible, les lecteurs à déchiffrer l'ancienne langue dont les graphies, que nous avons respectées, peuvent surprendre et dérouter. Aussi avons-nous mis en regard une traduction en français moderne, en nous efforçant de rester fidèles à la concision, à la vivacité, à la vigueur et à la poésie des originaux, en tâchant de respecter les reprises, le mouvement, l'ordre des propositions et des mots, car nous estimons, avec Vladimir Nabokov, que le traducteur doit se garder de trois péchés capitaux : commettre des erreurs par ignorance, s'estimer supérieur aux auteurs, enjoliver et modifier les œuvres selon ses propres goûts.

D'autre part, comme nous aimerions que ce florilège devînt un livre d'initiation à la civilisation, à la littérature et à la langue du Moyen Âge, nous l'avons pourvu d'une chronologie qui situe les textes dans l'histoire, et surtout de notes abondantes dont deux index faciliteront l'utilisation. Les unes ressortissent à la philologie et à la lexicologie, expliquant certaines formes, précisant le sens de mots fréquemment employés, attirant l'attention sur des termes rares, ou qui ont disparu, ou encore que le français contemporain a conservés avec une acception différente de celle de nos textes. Les autres, qui relèvent de l'histoire, commentent certains faits de civilisation, en particulier tout ce qui a trait à l'organisation féodale, à l'amour courtois, au costume, à la symbolique, etc. D'autres encore, plus proprement littéraires, visent à présenter les motifs et les thèmes, à élucider les allusions et personnifications, à signaler les vers qui font écho à d'autres textes, à éclairer la structure et la composition des extraits, à indiquer des lectures complémentaires.

Enfin, chaque texte est précédé d'une notice, qui renseigne sur l'auteur, l'œuvre et le genre, et d'une bibliographie, voire d'une filmographie sommaires, tandis qu'une bibliographie plus générale permettra aux lecteurs de poursuivre l'enquête à leur gré et selon leurs goûts.

Il reste que notre premier objectif a été de « réveiller » les textes, de les faire revivre, de les tirer de leur ensevelissement, comme nous l'a recommandé Michelet.

Jean DUFOURNET,
Claude LACHET.

NB : Par commodité technique, les notes ont été placées après la notice de présentation de chaque œuvre et avant le texte choisi.

I

PREMIERS TEXTES
ET VIES DE SAINTS

LES SERMENTS DE STRASBOURG

Même s'ils relèvent plus de l'histoire politique que de la littérature, les *Serments de Strasbourg* offrent le plus ancien texte conservé en langue française. À la mort de leur père Louis le Pieux, Louis le Germanique et Charles le Chauve refusent de reconnaître leur frère Lothaire comme empereur. Après leur victoire de Fontenoy en 841, ils décident de sceller leur alliance contre leur aîné par un serment solennel. Et pour donner plus d'autorité et de majesté à leur engagement réciproque, ils rassemblent à Strasbourg leurs soldats en tant que témoins et garants de cet accord. Le 14 février 842, quatre serments sont prononcés, deux individuels et deux collectifs. Louis le Germanique et les hommes de Charles s'expriment en *romana lingua*, en langue romane, en français, alors que Charles puis les troupes de Louis parlent en *teudisca lingua*, en langue tudesque, c'est-à-dire en francique rhénan.

Ces serments furent transmis par un chroniqueur du IXe siècle, nommé Nithard, sans doute cousin germain des fils de Louis le Pieux. Il inséra ce document tel quel dans l'ouvrage qu'il composa en latin sur les rivalités des petits-fils de Charlemagne. Contemporain des événements rapportés avec fidélité et rigueur, ayant connu personnellement plusieurs acteurs du conflit, Nithard est considéré à juste titre comme l'un des meilleurs historiens de son temps.

Bibliographie

Histoire des fils de Louis le Pieux par Nithard, éd. et trad. de P. Lauer, Paris, Champion, « Classiques de l'Histoire de France au Moyen Âge », 1964.

G. de Poerck, « Le manuscrit BN lat. 9768 et *Les Serments de Strasbourg* », *Vox romanica*, t. XV, 1956, p. 188-214 ; A. Castellani, « Nouvelles remarques au sujet de la langue des *Serments de Strasbourg* », in *Mélanges Jean Rychner*, Strasbourg, 1978, p. 61-73.

Notes

Le texte est établi à partir du manuscrit BN lat. 9768 qui date du Xe siècle et de l'éd. de P. Lauer.

Bien que ces engagements solennels constituent plus un spécimen de la langue juridique, officielle et figée qu'un exemple de la langue parlée spontanément au IXe siècle, ils témoignent d'évolutions linguistiques. On remarque ainsi les formes de futur périphrastique (infinitif du verbe + *habeo*) dans *salvarai* et *prindrai*, la déclinaison à deux cas et l'absence d'article.

dunat : il peut s'agir soit du présent soit du passé simple de l'indicatif (en latin classique *donavit*) du verbe *donare*.

fradre : issue du latin *fratrem*, cette forme atteste la sonorisation de la consonne sourde [t] placée entre deux phonèmes sonores.

dift : ce mot semble représenter la troisième personne du singulier de l'indicatif présent du verbe devoir, *debet* en latin.

fazet : il s'agit de la troisième personne du singulier du subjonctif présent du verbe faire, *faciat* en latin.

meon uol : hérité de l'ablatif absolu du latin, ce complément circonstanciel sans préposition, signifiant « par ma volonté », « selon mon désir », est fréquent en ancien français.

Lodhuuuigs : la lettre u marque tantôt un [u] tantôt un [v]. Ainsi le nom cité qui comporte trois fois la lettre u se lit *Lodhuwigs*, c'est-à-dire Louis.

sendra : si les vocables *sire* et *sieur* proviennent respectivement des formes réduites de la langue parlée *seior* et *seiorem*, les substantifs *sendra* et *seigneur* sont issus des formes pleines du latin classique *senior* et *seniorem*. Comparatif de *senex* (vieux, vieillard), *senior* devient à l'époque impériale un terme de respect à l'égard de personnages de haut rang. Durant la période féodale, *sire/seigneur* remplace *dominus* et désigne le maître, le chef, le suzerain, le riche propriétaire terrien qui concède des tenures à ses feudataires. Par cette appellation, empreinte de déférence et de dignité, un vassal s'adresse à son souverain, un prévenu au juge, une femme à son mari, un chrétien à son Dieu.

non lo s[uon] tanit : cette expression a suscité de nombreux commentaires. Faut-il comprendre *se tenet* ou *teneat* voire *tenebat* avec un « pronom pléonastique » (« ne le tient pas ») ? Faut-il corriger en *non lo s[os]tanit* ou en *non lo s[uon] tanit*, comme nous l'avons fait ?

iu er : tandis que *iu* provient de l'adverbe latin *ibi*, *er* constitue la première personne du futur de l'indicatif du verbe être, *ero* en latin.

1. [Le serment de Louis le Germanique]

Pro deo amur et pro christian poblo et nostro commun saluament, d'ist di in auant, in quant Deus sauir et podir me dunat★, si saluarai eo cist meon fradre★ Karlo, et in adiudha et in cadhuna cosa, si cum om per dreit son fradra saluar dift★, in o quid il mi altresi fazet★. Et ab Ludher nul plaid nunquam prindrai qui meon uol★ cist meon fradre Karle in damno sit.

[Le serment des soldats de Charles]

Si Lodhuuuigs★ sagrament que son fradre Karlo iurat conseruat, et Karlus, meos sendra★, de suo part non lo s[uon] tanit★, si io returnar non l'int pois, ne io ne neuls cui eo returnar int pois, in nulla aiudha contra Lodhuuuigs nun li iu er★.

★ Les astérisques signalent les mots annotés dans la notice introductive de l'extrait.

1. Le serment de Louis le Germanique

Pour l'amour de Dieu et pour le salut du peuple chrétien et notre salut commun, à partir de ce jour et dorénavant, autant que Dieu m'en donne le savoir et le pouvoir, je soutiendrai mon frère Charles, ici présent, de mon aide et en chaque chose, comme on doit légitimement soutenir son frère, à condition qu'il agisse de même envers moi. Et avec Lothaire je ne prendrai jamais aucun accord qui, par ma volonté, soit au préjudice de mon frère Charles, ici présent.

Le serment des soldats de Charles

Si Louis respecte le serment qu'il jure à son frère Charles, et que Charles, mon seigneur, de son côté, ne respecte pas le sien, si je ne puis l'en détourner, ni moi ni aucun de ceux que j'en pourrai détourner, je ne lui serai d'aucune aide contre Louis.

LA VIE DE SAINT ALEXIS

Écrite vers le milieu du XIᵉ siècle, en 125 laisses de décasyllabes assonancés, par un clerc normand ou anglo-normand, *La Vie de saint Alexis* est un récit hagiographique d'une simplicité cristalline, qui s'inspire sans doute d'une *Vie* latine fondée sur une légende syrienne. Elle inaugure la littérature française en langue d'oïl, employant un certain nombre de procédés lyriques et narratifs dont la chanson de geste fera son profit.

Le poème, qui commence par un regret du temps passé (*Bons fut li secles al tens ancïenur,/Quer feit i ert e justise ed amur*), raconte d'abord la naissance d'Alexis, puis son mariage. La nuit de ses noces, il quitte son épouse pour se consacrer à Dieu. Ses parents le font chercher partout, mais en vain ; toute la famille se désole. Après avoir vécu dix-sept ans à Édesse, Alexis, de plus en plus pauvre, s'enfuit pour échapper à la dévotion des fidèles qui reconnaissent déjà sa sainteté, et il revient à Rome où il vit misérablement sous un escalier, inconnu dans la propre maison de son père. Sur le point de mourir, il écrit son histoire sur une chartre qui, trouvée après sa mort, lui vaut d'être honoré comme un saint par Rome tout entière. Le texte initial a été remanié plusieurs fois aux XIIᵉ et XIIIᵉ siècles ; il existe d'autre part des versions en vers et en prose, inspirées directement de l'original latin. *La Vie de saint Alexis*, reproduite dans de nombreuses langues, a été renouvelée par Henri Ghéon dans *Le Pauvre sous l'escalier* (1920).

Les strophes que nous avons retenues racontent la vie que mène incognito Alexis dans la maison de ses parents.

Bibliographie

La Vie de saint Alexis, éd. de Ch. Storey, Genève, Droz, 1968 (« Textes littéraires français », n° 148).

Ch. Storey, *La Vie de saint Alexis*, Oxford, 1968 ; *An Annotated Bibliography and Guide to Alexis Studies* (*La Vie de saint Alexis*), Genève, Droz, 1987.

Filmographie

Le Voyage étranger, S. Roullet, 1991.

Notes

Texte établi d'après le manuscrit de Hildesheim en Hanovre (L), écrit en Angleterre au début du XIIe siècle.

deduit : verbe transitif, « passer », « vivre ».

parage : origine, naissance.

linage : lignage, ensemble des ascendants et des descendants.

musgode : « trésor caché ». Le germanique *mosgada* a donné *musgode*, puis *musgot*, « provision de vivres » et « lieu où l'on conserve les fruits ». Peut-être est-ce de là que vient *magot* (attesté en 1640), par un croisement inexpliqué.

ledement, liedement : formes anciennes de *lieement, liement* (du latin **laeta mente*), « joyeusement ».

maisnede : forme ancienne de *maisniee, mesnie...*, « maison qui abrite un ménage », « famille », « gens qui habitent avec le chef de famille, ensemble des familiers et des serviteurs ».

liçon : « petit et mauvais lit, grabat ».

2. [Le pauvre sous l'escalier]

50

Soz le degrét ou il gist sur sa nate,
Iluec paist l'um del relef de la tabla.
A grant poverte deduit* sun grant parage* ;
Ço ne volt il que sa mere le sacet :
250 Plus aimet Deu que [tres]tut sun linage*.

51

De la viande ki del herberc li vint,
Tant an retint dunt sun cors an sustint :
Se lui'n remaint, sil rent as pov[e]rins ;
N'en fait musgode* pur sun cors engraisser,
255 [Mais as plus povres le dunet a manger].

52

En sainte eglise converset volenters ;
Cascune feste se fait acomunier ;
Sainte escriture ço ert ses conseilers :

2. Le pauvre sous l'escalier

50

Sous l'escalier où il gît sur sa natte,
là on le nourrit des reliefs de la table.
À grande pauvreté se réduit son haut rang ;
cela, il ne veut pas que sa mère le sache :
Il aime plus Dieu que tout son lignage.

51

Des vivres qui lui viennent du logis,
il retient seulement de quoi soutenir sa vie :
S'il lui en reste, il le rend aux pauvres.
Il n'en fait pas une réserve pour engraisser son corps,
mais aux plus pauvres il le donne à manger.

52

En sainte église il séjourne volontiers ;
à chaque fête il reçoit la communion ;
la Sainte Écriture, voici son conseiller :

Del Deu servise se volt mult esforcer ;
260 Par nule guise ne s'en volt esluiner.

53

Suz le degrét ou il gist e converset,
Iloc deduit ledement★ sa poverte.
Li serf sum pedre, ki la maisnede★ servent,
Lur lavadures li getent sur la teste :
265 Ne s'en corucet net il nes en apelet.

54

Tuz l'escarnissent, sil tenent pur bricun ;
L'egua li getent, si moilent sun liçon★ ;
Ne s'en corucet giens cil saintismes hom,
Ainz priet Deu quet il le lur parduinst
270 Par sa mercit, quer ne sevent que funt.

55

Iloc conversct eisi dis e set anz ;
Nel reconut nuls sons apartenanz,
Ne n[e]üls hom ne sout les sons ahanz,
[Fors sul le lit u il ad jeü tant :
275 Ne puet muer ne seit aparissant.]

Au service de Dieu il veut tout entier s'appliquer :
D'aucune manière il ne veut s'en écarter.   260

53

Sous l'escalier où il gît et séjourne,
là il vit dans la joie sa pauvreté.
Les serviteurs de son père, au service de ménage,
lui jettent à la tête leurs lavures de vaisselle :
Il ne s'en courrouce pas ni ne les en accuse.   265

54

Tous l'outragent et le tiennent pour fou ;
ils lui jettent de l'eau et mouillent son grabat.
Ce très saint homme ne s'en courrouce en rien,
mais il prie Dieu de le leur pardonner
dans sa miséricorde, car ils ne savent pas ce qu'ils font. 270

55

Là il vit ainsi pendant dix-sept ans,
sans qu'aucun de ses parents le reconnût,
ni que personne vît ses souffrances,
sinon le lit où il a couché si longtemps :
Il ne put empêcher qu'on ne le vît.   275

Guillaume de Berneville

LA VIE DE SAINT GILLES

Guillaume de Berneville, chanoine anglais ou normand, composa vers 1170 une *Vie de saint Gilles*, de 3 794 octosyllabes à rimes plates, d'après une *Vita Sancti Aegidii* du Xe siècle.

Cette *Vie* est un des chefs-d'œuvre de la littérature hagiographique du Moyen Âge en langue vernaculaire, et un exemple de cette littérature seconde qui acquiert son autonomie par rapport aux *Vitae* latines dont elle s'inspire, et où le plaisir de raconter se mêle à la veine didactique, en tendant vers plus de romanesque et de concret, en soulignant l'exemplarité et les mérites des saints : saint Gilles, en particulier, est un être profondément incarné. L'auteur a largement modifié son modèle par souci de vraisemblance, pour mettre en valeur les miracles conservés, établissant entre eux une gradation qui marque des paliers dans la conquête du salut.

Influencée par *La Chanson de Roland*, en particulier pour le personnage de Charlemagne, *La Vie de saint Gilles* reflète son environnement littéraire, social et politique, et spécialement le contritionnisme qui apparaît au XIIe siècle : cette mise en valeur du repentir témoigne de la sensibilité religieuse tout en ayant une valeur dramatique. La liste des malades suggère le visage de l'univers urbain du XIIᵉ siècle et rend compte de l'évolution en matière de charité chrétienne : aux « œuvres de Dieu » s'ajoutent les « œuvres de miséricorde » envers les pauvres, les estropiés, les lépreux. D'autre part, cette *Vie* atteste la diminution du pouvoir épiscopal et la primauté des réguliers sur les séculiers : Charlemagne n'est pas absous par l'évêque, mais par un simple moine. Ce texte est une œuvre charnière entre l'hagiographie du haut Moyen Âge qui tend à faire des saints des êtres d'exception et l'hagiographie du bas Moyen Âge qui, soucieuse de rapprocher les saints des fidèles, met l'accent sur ce qu'ils ont de commun avec l'humanité moyenne.

Guillaume a doté le saint de qualités inédites qui enrichissent sa personnalité, et il en a présenté les actions d'une façon telle que l'argument religieux est soutenu par une logique tout humaine. D'une sollicitude quasi franciscaine à l'égard des animaux, très modeste, Gilles porte témoignage d'une humanité souffrante et manifeste une rare bonne humeur. Dans cet ensemble unifié qui trouve son sens dans la conjointure du religieux et du romanesque, on décèle l'influence de saint Bernard et de l'esprit cistercien, l'écho du culte de Marie, de l'exaltation de l'humilité et de l'évolution réformatrice par la stricte observance de la règle de saint Benoît. De là, le retrait de l'hagiographe qui, par ce moyen, maintient la linéarité et la dynamique de son récit.

Nous avons retenu le passage où la biche se rend dans la hutte de l'ermite.

Bibliographie

La Vie de saint Gilles, éd. et trad. de F. Laurent, Paris, Champion, 2003.

E.-C. Jones, *Saint Gilles, Essai d'histoire littéraire*, Paris, Champion, 1914 ; F. Laurent, *Plaire et édifier. Les récits* *hagiographiques composés en Angleterre aux XIIe et XIIIe siècles*, Paris, Champion, 1998.

Notes

Texte établi d'après le manuscrit de Florence, Laurentienne, Conventi soppressi 99, fol. III v°, et l'éd. de F. Laurent, Paris, Champion, 2003.

Gilles a quitté l'ermite Vérédôme et, désireux de fuir le monde, s'est enfoncé dans la forêt de Septimanie. Il découvre alors une véritable grotte de verdure où il vivra durant trois années du lait de sa biche. Cet extrait est caractéristique de l'écriture de Guillaume de Berneville qui, en véritable compilateur, s'approprie le *locus amoenus*, ce qui n'est pas rare dans cette littérature, où le site de l'ermitage peut être décrit comme participant à la beauté du paradis. Voir P. Bretel, *Les Ermites et les moines dans la littérature française du Moyen Âge (1150-1250)*, Paris, Champion, 1995, p. 405.

boscage : ici, « large étendue de bois », à la différence du français moderne *bocage*.

hermitage : sur la vie de l'ermite, voir P. Bretel, *op. cit.*

gastine : de *vastare*, « dévaster » : « terrain sans culture, lieu en friche ».

desertine : « désert, solitude ».

converser : du latin *conversari*, « vivre avec, demeurer, se trouver », « avoir des relations charnelles ». Ce sens ancien est attesté jusqu'au XVIIe siècle. Le sens actuel de « s'entretenir avec quelqu'un » date, sous l'influence de *conversation*, de la fin du XVIIe siècle.

duital, duitel, doitel : diminutif de *duit, doit* (du lat. *ductum*) : « conduit, canal, courant d'eau ».

Gires : Gilles. Ermite grec installé en France, dans le Midi. Sa vie dans les textes hagiographiques n'a rien d'historique. Saint patron des bois et des cultures, il aurait reçu la confession de Charlemagne qui lui aurait avoué son inceste avec sa sœur, dont serait né Roland. Cet épisode a connu un grand retentissement au Moyen Âge. Voir *La Légende dorée*.

garisun : « provisions, vivres ». Voir *garir, guérir*.

abitacle : « sorte de cabane, cellule d'ermite ». Voir G. Gougenheim, *Études de grammaire et de vocabulaire français*,
Paris, Picard, 1970. Il y avait deux mots *habitacle* en ancien
français : le premier, purement littéraire, en contact avec
le latin *habitaculum*, a un sens très général ; le second,
emprunté au latin du Moyen Âge, a le sens particulier
d'« habitation d'ermite ».

loge : ici, « abri de feuillage ». Selon L. Foulet dans *Glossary
of the First Continuation* (Philadelphie, The American Philosophical Society, 1955), p. 167-168 : « [...] loge semble
avoir voulu dire d'abord "lieu où l'on loge en passant",
généralement en pleine campagne ; puis le terme est
devenu un mot à la mode pour désigner de petites pièces
complémentaires, flanquant un château ou établies devant
le château avec lequel elles communiquent, mais toujours
ouvertes sur l'extérieur et par là rappelant la campagne, et
d'autre part ajoutant à la beauté d'un édifice ou à l'agrément de la vie qu'on y mène ; enfin, on finit par installer
de ces loges permanentes en dehors du château même,
sur une rivière ou sur la mer, pour y aller passer des
heures de distraction. »

suschad : « soupçonna ».

3. [La rencontre du saint et de la biche]

1455 A tant s'est mis enz el chemin.
  Or le conduie seint Martin !
  Sa voie acoilt par le boscage★
  e veit querant un hermitage★
  u il eüst tel eisement
1460 ke il ne fust hansté de gent.
  Tant est alez par la gastine★
  k'il vint a une desertine★ :
  trove une fosse ben cavee ;
  de sus esteit large l'entree.
1465 Bel converser★ i fust jadis,
  meis buissun unt le liu purpris,
  e eglenter e arbreissal.
  Devant l'entree out un duital★
  d'une funtaine ki la surst :
1470 bels est li duiz ki aval curt ;
  sur la gravele del duitel
  est li kersun coluré bel.
  Gires★ veit le liu aeisé,
  nostre Sire en ad gracië :
1475 mut se feit lez k'il l'ad trové ;
  il n'en changast pur nul cunté.
  Tute noit ad iloc jeü
  k'il nen ad mangé ne beü.
  L'endemain quant vit le jur cler,
1480 si començad a essarter.
  Dedenz icele fosse bele
  currut l'ewe sur la gravele :

3. La rencontre du saint et de la biche

Sur ces mots, Gilles se mit en route.   1455
Que saint Martin le conduise désormais !
Il se fraya un chemin à travers la forêt
à la recherche d'un ermitage
où il pourrait vivre agréablement
à l'écart des gens.   1460
Il marcha longtemps dans les friches
avant d'arriver en un lieu écarté
où il trouva une cavité profondément creusée,
mais dont l'ouverture était large.
Autrefois agréable à habiter,   1465
le lieu était envahi de buissons,
d'églantiers et d'arbrisseaux.
À l'entrée, un ruisselet s'échappait
d'une source qui y jaillissait :
fraîche était l'eau qui en coulait,   1470
et sur le gravier poussait
du cresson d'une belle couleur.
Quand il vit ce lieu agréable,
Gilles remercia Notre Seigneur :
il se réjouit de l'avoir trouvé   1475
et ne l'aurait pas échangé pour un comté.
Il y passa la nuit
sans manger ni boire.
Le lendemain, à la clarté du jour,
il commença à défricher le sol,   1480
et à l'intérieur de la belle fosse,
l'eau se mit à courir sur le gravier.

a une part sa loge ad feit,
del ramill k'il i ad atreit :
1485 de l'herbe coilt, si la covri
pur aver enz greignur abri.
Treis anz fud Gire en cel desert :
Deu sul aüre e creit e sert ;
de ces treis anz ke il i fud
1490 nen ad hume oï ne veüd,
ne ne mangad mie de pain,
ne nule ren ki fust de grein,
ne il ne vit char ne peissun ;
de racines e de kerssun
1495 enz el desert vesqui meint jur.
Ore oez cum Nostre Seignur
lui trovat bel sa garisun★.
Quant il out feite sa meisun,
Nostre Seignur ad depreié
1500 ke il eüst de lui pité
e tel conseill lui tramesist
ke il del tut ne lui fausist.
Seigneur, oez un bel miracle :
iloc u ert en s'abitacle★
1505 e en sa loge★ u il urout
e Nostre Seignur depreiout,
si vit une bisse sauvage
tut dreit errante a l'hermitage.
La bisse fud durement bele
1510 e vint tut dreit a la venele
par la sente k'ele trovad :
entre les branches se muscat,
ne dutet pas, meis dreit enz veit.
Gros out le piz e plein de leit :
1515 as pez Gire se veit gesir,
presente sei de lui servir.
Gires ad la bisse veüe
ki a ses pez est estendue :
mult se feit lez, kar ben suschad★
1520 ke Dampnedeus lui enveiad.

Il apporta des ramilles
et se bâtit dans un coin une hutte
qu'il recouvrit d'herbe   1485
pour mieux s'y abriter.
Pendant trois ans, Gilles vécut dans ce lieu isolé
où il consacra son temps à adorer Dieu, à le prier et à
    le servir.
Pendant ces trois années,
il ne vit ni n'entendit personne,   1490
il ne mangea jamais de pain,
ni aucun aliment à base de blé,
et il ne se nourrit ni de viande ni de poisson.
Et, pendant de nombreux jours, il vécut
dans son désert de racines et de cresson.   1495
Écoutez donc quelle fut la protection
dont Notre-Seigneur le fit bénéficier.
Quand il eut fini de s'installer,
il pria Notre-Seigneur
d'avoir pitié de lui   1500
et de le guider de telle façon
qu'il ne commît pas de fautes envers lui.
Seigneurs, écoutez un beau miracle :
alors qu'il était chez lui,
en train d'adorer et de prier Dieu   1505
dans son abri de feuillage,
il vit une biche sauvage
arriver tout droit à son ermitage.
La biche qui était d'une très grande beauté
vint directement à l'entrée de la grotte   1510
par le sentier qu'elle avait trouvé.
Elle se cacha au milieu des branches
et sans crainte pénétra à l'intérieur.
Les pis gonflés de lait,
elle alla se coucher aux pieds de Gilles   1515
et lui offrit ses services.
Quand il vit la biche
étendue à ses pieds,
Gilles fut rempli de joie, car il savait bien
que c'était Dieu qui la lui avait envoyée.   1520

Guernes de Pont-Sainte-Maxence

LA VIE DE SAINT THOMAS BECKET

Né en 1118 à Londres, Thomas Becket, ami du roi Henri II Plantagenêt, fut nommé chancelier du royaume en 1155 puis archevêque de Cantorbéry en 1162. Mais loin de servir la politique du souverain qui cherchait à limiter l'indépendance de l'Église, il s'y opposa vigoureusement, allant jusqu'à excommunier le roi. À l'instigation de ce dernier, Thomas Becket fut assassiné dans sa cathédrale, le 29 décembre 1170. Canonisé dès 1173, il suscita plusieurs œuvres glorifiant sa sainteté.

Guernes de Pont-Sainte-Maxence (dans l'Oise) est un clerc *vagant*, allant de monastère en monastère. Pour écrire la vie de Thomas Becket (1174), il s'inspire non seulement de témoignages directs recueillis sur place auprès des amis du saint et des moines de Cantorbéry, mais aussi des *Vitae sancti Thomae*, dues à Edouard Grim (1172) et à Guillaume de Cantorbéry (entre 1172 et 1174).

La biographie poétique de Thomas Becket, qui comprend 6 180 alexandrins répartis en quintils monorimes, tient à la fois de l'historiographie et de l'hagiographie. L'auteur, relatant la vie du saint, son enfance, ses fonctions politiques, son exil, ses tourments, son assassinat et ses miracles, n'hésite pas à insérer des documents officiels, tels que l'édit de Henri II (v. 2681-2745) et plusieurs lettres, comme les missives envoyées par Becket au souverain (v. 2851-3040 et 3048-3180). Soucieux d'exalter le martyr et d'édifier les fidèles, il développe aussi des réflexions morales et religieuses. Enfin, loin d'être un juge impartial, il exprime son indignation pour les adversaires de l'archevêque mais son admiration et sa sympathie émue pour le représentant de l'Église. Thomas Stearns Eliot, avec *Meurtre dans la cathédrale* (1935), et Jean Anouilh avec *Becket ou l'Honneur de Dieu* (1959) ont adapté l'histoire du saint au théâtre.

Le texte choisi se situe au moment où quatre chevaliers armés ont pénétré dans la cathédrale, menaçant de mort Thomas Becket qui a refusé de s'enfuir.

Bibliographie

Guernes de Pont-Sainte-Maxence, *La Vie de saint Thomas Becket*, éd. de E. Walberg, Paris, Champion, 1936 ; trad. de J.-G. Gouttebroze et A. Queffelec, Paris, Champion, 1990 («Traductions des classiques français du Moyen Âge », n° 39).

P. Aubé, *Thomas Becket*, Paris, Fayard, 1988 ; R. Foreville, *Thomas Becket dans la tradition historique et hagiographique*, Londres, 1981 ; F. Laurent, *Plaire et édifier. Les récits hagiographiques composés en Angleterre aux XIIe et XIIIe siècles*, Paris, Champion, 1998 ; *Thomas Becket. Actes du colloque international de Sédières*, éd. de R. Foreville, Paris, 1975 ; E. Walberg, *La Tradition hagiographique de saint Thomas Becket avant la fin du XIIe siècle*, Genève, Droz, 1929.

Filmographie

Becket, P. Glenville, 1964 (scénario de E. Enhalt, d'après la pièce de J. Anouilh).

Notes

Le texte est établi d'après le manuscrit B (Wolfenbüttel, Bibl. duc de Brunswick, August. in-4°, 34. 6, début du XIIIᵉ siècle) et l'éd. de E. Walberg.

En historien soucieux d'exactitude, Guernes de Pont-Sainte-Maxence dénonce nommément les meurtriers de Thomas Becket, quatre chevaliers appartenant à la *maisnie* du roi Henri II : Guillaume de Tracy (v. 5594), Renaud Fils-Ours (v. 5593), Richard le Breton (v. 5606), Hugues de Moreville (v. 5621), ainsi que l'infâme Hugues Mauclerc (v. 5631) qui s'acharna sur le cadavre de l'archevêque. Seul Edouard Grim (v. 5566) s'efforça en vain de protéger saint Thomas. La scène devient pathétique parce que l'auteur sait opposer l'attitude calme, digne et pieuse de saint Thomas au comportement violent et odieux des assassins, frappant dans un lieu saint un homme incapable de se défendre.

Prenant parti pour Thomas Becket, dont la mort est magnifiée par l'image finale des roses et des lys (v. 5636-5640), Guernes qualifie les assassins de locutions péjoratives comme : *li fil a l'aversier* (v. 5546), *cele malveise gent* (v. 5562), *enragié* (v. 5572), *li felun* (v. 5596 et 5611).

De surcroît, l'hagiographe exalte l'archevêque en esquissant un parallèle entre le martyre du saint et la Passion du Christ (v. 5538-5545, 5551-5555 et 5616-5620).

Willaume : il s'agit de Guillaume de Tracy, l'un des meurtriers de Thomas Becket. Il possédait des domaines dans les comtés de Gloucester, de Somerset et de Devon. Après l'assassinat de l'archevêque, il est, comme ses complices, recueilli et protégé par le roi.

piler : l'auteur passe du sens propre de colonne à laquelle s'agrippe Thomas au sens figuré de soutien, défenseur que représente le Christ pour tout fidèle.

errer : provenant du latin médiéval *iterare*, lui-même formé sur *iter* (« chemin », « voyage »), « errer » signifie tout d'abord « aller, cheminer, voyager », puis « agir, se conduire, se comporter ». Encore attesté au XVIᵉ siècle avec le sens de « gouverner, administrer », le verbe a ensuite disparu à cause de son homonymie avec « errer » (« aller çà et là, s'égarer, se tromper ») issu du latin *errare*. De la famille du premier, ne subsistent que le substantif « errements » (« manières d'agir habituelles ») et les expressions : « chevalier errant » et « Juif

errant », personnage légendaire, condamné à marcher
continuellement pour avoir outragé le Christ portant la
Croix.

Eduvard Grim : clerc originaire de Cambridge, Edouard
Grim est le seul à protéger Thomas quand surviennent ses
assassins. Il s'interpose et est grièvement blessé. En 1172,
il rédige une *Vita* du saint dont Guernes s'est inspiré.

saint Denis : saint Denis est le premier évêque de Paris et le
saint patron de la royauté carolingienne. La légende a
confondu l'évangélisateur de Paris avec Denis l'Aréopa-
gite, le disciple de saint Paul.

Reinalz li fiz Urs : Renaud Fils-Ours est l'un des meurtriers
de Thomas. Fils de Richard Fils-Ours et de Sibylle de
Bollers, il était par sa mère parent du roi Henri II.

Johan de Salesbire : né en Angleterre vers 1120, Jean de Salisbury fut le secrétaire et le compagnon de Thomas Becket.
Évêque de Chartres en 1176, il y mourut en 1180. Ce
philosophe érudit composa, à la demande de son ami, un
ouvrage politique, le *Policraticus* ; il brossa également le
tableau de la vie intellectuelle de son temps dans le *Meta-
golicon*.

Hue de Morevile : Hugues de Moreville est l'un des assassins
de Thomas Becket. Ce juge itinérant perdit son office
après le meurtre de l'archevêque, puis fut excommunié
ainsi que ses complices.

Hue Malclerc : il s'agit de Hugues de Horsea, dit Mauclerc
(un surnom révélateur de sa félonie). Il était sous-diacre
et clerc de Robert du Broc, lui-même huissier du roi
Henri II.

4. [Meurtre dans la cathédrale]

Fait il : « De voz manaces ne sui espoentez ;
Del martire suffrir sui del tut aprestez ;
Mais les miens en laissiez aler, nes adesez,
E faites de mei sul ço que faire en devez. »
5540 N'ad les suens li bons pastre a la mort oblïez.
   Einsi avint de Deu, quant il ala orer
Desur Munt Olivete la nuit a l'avesprer,
E cil li comencierent quil quistrent, a crïer :
« U est li Nazareus ? – Ci me poëz trover,
5545 Fist lur Deus ; mais les miens en laissiez tuz aler. »
   Dunc l'unt saisi as puinz li fil a l'aversier,
Sil comencent forment a traire e a sachier,
E sur le col Willaume★ le voldrent enchargier ;
   Car la hors le voleient u oscire u lïer.
5550 Mais del pilier nel porent oster ne esluignier.
Car sainz Thomas s'esteit apuiez al piler★
Qui suffri mort en cruiz pur s'iglise estorer ;
Ne l'en poeit nuls huem esluignier ne oster.
Mais ore en coveneit un sul a mort livrer,
5555 Al piler del mustier, pur le pueple salver.
   Car cil qui mielz deüssent saint'iglise tenser
La voldrent, e ses menbres, del tut agraventer,
Le piler e le chief qu'il sustint, aterrer.
Icel sanc de pechié covint par sanc laver,
5560 Pur relever le chief, le chief del chief doner.
   Mais Deus ne voleit pas qu'il fust traitiez vilment ;
E sil fist pur prover cele malveise gent,
S'osassent el mustier errer★ si cruelment.
Car il n'a si felun entresqu'en Orïent
5565 Qui en oie parler, qu'il ne s'en espoent.

4. Meurtre dans la cathédrale

[Thomas] dit : « Vos menaces ne m'épouvantent pas ;
je suis tout prêt à souffrir le martyre ;
mais laissez partir les miens, ne les touchez pas,
et faites à moi seul ce que vous devez faire. »
Face à la mort, le bon pasteur n'a pas oublié les siens.   5540
   C'est ce que fit Dieu, quand il alla prier
sur le mont des Oliviers, à la tombée de la nuit,
et ceux qui le cherchaient se mirent à crier :
« Où est le Nazaréen ? – Vous pouvez me trouver ici,
leur répondit Dieu, mais laissez partir tous les miens. »   5545
   Alors les fils du diable ont empoigné l'archevêque,
ils commencèrent à le tirer et le traîner violemment,
et voulurent le charger sur les épaules de Guillaume,
car ils voulaient le tuer ou l'attacher hors de la cathédrale.
Mais ils ne purent le détacher ni l'éloigner du pilier.   5550
   Car saint Thomas s'était appuyé sur ce pilier
qui avait souffert la mort sur la croix pour fonder son
   Église ;
personne ne pouvait l'en éloigner ni l'en détacher.
Désormais un seul homme devait être livré à la mort,
près du pilier de la cathédrale, pour sauver la communauté.   5555
   Car ceux qui auraient dû défendre au mieux la sainte Église
voulurent l'abattre complètement ainsi que ses fidèles,
renverser le pilier et la voûte qu'il soutenait.
Il fallut laver par le sang le sang du péché,
et, pour relever la tête de l'Église, donner la tête de son chef.   5560
   Mais Dieu ne voulait pas que Thomas fût traité indigne-
   ment ;
pourtant il laissa faire pour mettre à l'épreuve ces scélérats
et savoir s'ils oseraient agir aussi cruellement dans la cathédrale.
Car d'ici jusqu'en Orient il n'y a pas d'homme si méchant
qui ne s'épouvante au récit de ce crime.   5565

E maistre Eduvard Grim* l'aveit forment saisi,
Enbracié par desus, quant l'orent envaï.
Contre els tuz le retint, de rien ne s'esbahi,
Ne pur les chevaliers ne l'aveit pas guerpi.
5570 Clerc e moine e sergant s'en erent tuit fuï.
　　Maistre Eduvard le tint, que qu'il l'unt desachié.
« Que volez, fait il, faire ? Estes vus enragié ?
Esguardez u vus estes e quel sunt li feirié.
Main sur vostre arcevesque metez a grant pechié ! »
5575 Mais pur feirié ne l'unt, ne pur mustier, laissié.
　　Or veit bien sainz Thomas sun martire en present.
Ses mains juint a sun vis, a Damnedeu se rent.
Al martyr saint Denis*, qui dulce France apent,
E as sainz de l'iglise se comande erramment,
5580 La cause saint'iglise e la sue ensement.
　　Vuillaumes vint avant, n'i volt Deu aürer !
Pur estre plus legiers n'i volt hauberc porter.
Le traïtur lu rei comence a demander.
Quant ne porent le saint hors del mustier geter,
5585 Enz el chief de l'espee grant colp li vait duner,
　　Si que de la corune le cupel en porta
E la hure abati e granment entama.
Sur l'espaule senestre l'espee li cula,
Le mantel e les dras tresqu'al quir encisa,
5590 E le braz Eduvard pres tut en dous colpa.
　　Dunc l'aveit a cel colp maistre Eduvarz guerpi.
« Ferez, ferez ! » fait il ; mais idunc le feri
Danz Reinalz li fiz Urs*, mais pas ne l'abati.
Idunc le referi Willaumes de Traci,
5595 Que tut l'escervelad, e sainz Thomas chaï.
　　(A Saltewode sunt li felun returné.
De lur grant felunie se sunt la nuit vanté ;
Vuillaumes de Traci a dit e afermé
Johan de Salesbire* aveit le braz colpé :
5600 Par ço savum qu'il eut maistre Eduvard nafré.)
　　Pur ço qu'iert desarmez, tut premiers le siwi,
E bien fu coneüz e al vis e al cri.

Maître Édouard Grim avait étreint Thomas avec force
et l'avait couvert de son corps au moment de l'attaque.
Il le protégea contre eux tous, sans la moindre frayeur,
et malgré les chevaliers, il ne l'abandonna pas.
Clercs, moines et serviteurs s'étaient tous enfuis.   5570
   Maître Édouard le retenait pendant que les autres le tiraient.
« Que voulez-vous faire ? dit-il. Êtes-vous enragés ?
Regardez où vous êtes et considérez la fête célébrée en ces jours.
Vous faites un grave péché en levant la main sur votre arche-
   vêque ! »
Toutefois ni la fête ni le lieu sacré ne les ont incités à le   5575
   laisser.
   Maintenant saint Thomas voit bien que son martyre
   approche.
Il joint ses mains devant son visage et s'en remet à Dieu.
À saint Denis le martyr protecteur de la douce France,
et aux saints de la chrétienté, il se recommande en hâte,
et leur confie la cause de la sainte Église ainsi que sa per-   5580
   sonne.
   Guillaume s'avança, il ne voulait pas prier Dieu !
Pour être plus léger, il ne voulait pas porter de haubert.
il se met à appeler le traître au roi.
Puisqu'ils n'ont pu expulser le saint hors de l'église,
il vint lui donner un grand coup de son épée sur la tête,   5585
   de sorte qu'il arracha le haut de sa tonsure,
renversa son bonnet à poil et le blessa grièvement.
l'épée glissa sur l'épaule gauche,
fendit le manteau et les vêtements jusqu'à la peau ;
peu s'en fallut qu'elle ne coupât en deux le bras d'Édouard.   5590
   À ce coup, maître Édouard avait abandonné Thomas.
« Frappez, frappez », dit Guillaume ; alors messire Renaud
   Fils-Ours
le frappa sans parvenir à l'abattre.
Puis Guillaume de Tracy le frappa à nouveau
de sorte qu'il lui fit jaillir la cervelle, et saint Thomas tomba.   5595
   Les criminels sont retournés à Saltwood.
la nuit, ils se sont vantés de leur crime odieux ;
Guillaume de Tracy a dit et affirmé
qu'il avait coupé le bras de Jean de Salisbury ;
par cet aveu, nous savons qu'il avait blessé maître Édouard.   5600
   Parce qu'il était dépourvu de haubert, il atteignit Thomas
   le premier,
et fut bien reconnu à son visage et à sa voix.

Une cote vert out e mantel miparti.
Quant il vit que Reinalz li fiz Urs resorti,
5605 Dous feiz, si cum j'ai dit, le saint el chief feri.
   Mais quant Richarz li Brez le vit si abatu
E sur le pavement gesir tut estendu,
Un poi en bescoz l'ad des autres colps feru,
Qu'a la pierre ad brisié en dous sun brant molu.
5610 Al Martire en baise un la piece tut a nu.
   Que que li felun l'unt feru e detrenchié
E del ferir se sunt durement esforcié,
N'aveit brait ne groni ne crïé ne huchié,
Ne pié ne main n'aveit a sei trait ne sachié ;
5615 Car a Deu out del tut sun corage apuié.
   E si cum en Calvaire unt Deu crucifié
Gïeu, qui si fil erent, e pur l'umain pechié,
La u li forfait erent par justise adrecié,
Unt pur les clers cestui si fil martirizié
5620 La u li mesfait sunt osté e esneié.
   Hue de Morevile★ esteit ultre curuz ;
Chaçout le pueple ariere qui esteit survenuz,
Cremi que l'arcevesques ne lur fust dunc toluz.
Puet cel estre qu'il s'est en sei reconeüz,
5625 E de la felunie s'est einsi defenduz.
   Quant en Jersalem fu ocis li fiz Rachel,
Li chevalier Herode, la lignie Ysmael,
Ne li sevrerent pas del chief tut le cupel,
Mais al carnail del frunt retint e a la pel,
5630 Que tut a descovert veïssiez le cervel.
   E cil Hue Malclerc★, qui aprés els entra,
Sur le col saint Thomas mist sun pié e ficha ;
Le cervel od l'espee hors del chief li geta
Desur le pavement, e a cels s'escria :
5635 « Alum nus en, fait il ; ja mais ne resurdra ! »
   Qui dunc veïst le sanc od le cervel chaïr
E sur le pavement l'un od l'autre gesir,
De roses e de lilies li peüst sovenir :
Car dunc veïst le sanc el blanc cervel rovir,
5640 Le cervel ensemble el vermeil sanc blanchir.

Il portait une tunique verte et un manteau bicolore.
Quand il vit se retirer Renaud Fils-Ours,
il frappa deux fois le saint à la tête, comme je l'ai dit.   5605
    Et quand Richard le Breton vit Thomas ainsi abattu
et étendu de tout son long sur le dallage,
il le frappa un peu en travers des autres coups,
de sorte que sur les pierres il brisa en deux sa lame tranchante.
On baise à même le sol le lieu du martyre.   5610
    Pendant que les scélérats le frappaient et le taillaient en
        pièces,
le battant à qui mieux mieux,
il n'émit ni gémissement, ni soupir, ni cri, ni appel,
il ne se protégea ni du pied ni de la main,
car il avait mis toute sa confiance en Dieu.   5615
    Et de même que les juifs qui étaient ses fils
ont, pour le rachat du genre humain, crucifié Dieu au Cal-
        vaire,
le lieu où la justice obtenait réparation des forfaits,
de même pour sauver les clercs, ce saint fut martyrisé par
        ses fils
à l'endroit même où les méfaits sont remis et absous.   5620
    Hugues de Moreville était plus que furieux ;
il repoussait le peuple qui était apparu,
craignant que l'archevêque ne leur fût arraché.
Peut-être avait-il recouvré ses esprits,
se gardant ainsi de cette félonie.   5625
    Quand, à Jérusalem, fut tué le fils de Rachel,
les chevaliers d'Hérode et la lignée d'Ismaël
ne lui séparèrent pas de la tête le sommet du crâne ;
mais celui-ci resta attaché à la chair et à la peau du front,
de sorte qu'on aurait pu voir la cervelle de manière très visible.   5630
    Quant à Hugues Mauclerc, qui entra à leur suite,
il appuya son pied sur le cou de saint Thomas ;
avec son épée il fit jaillir la cervelle hors du crâne
sur le dallage, et cria aux autres :
« Allons-nous-en, jamais il ne se relèvera ! »   5635
    Qui aurait vu tomber et se répandre sur le sol dallé
le mélange de sang et de cervelle,
aurait pu se souvenir des roses et des lys :
en effet il aurait vu alors le sang rougir la blanche cervelle
ainsi que la cervelle blanchir le sang vermeil.   5640

Benedeit

LE VOYAGE DE SAINT BRANDAN

Benedeit ou Benoît, sans doute un clerc vivant en Angleterre, adapte en 1834 octosyllabes anglo-normands, dans le premier quart du XIIᵉ siècle, la *Navigatio Sancti Brendani*, un texte latin dont la version la plus ancienne remonte au IXᵉ siècle et qui relate les aventures fabuleuses vécues par un abbé irlandais du VIᵉ siècle et son équipage de moines partis à la recherche de la « Terre promise des Saints ». Le récit trouve son modèle à la fois dans l'*Odyssée* et dans les *immrama* celtiques (c'est-à-dire les « navigations » vers un lieu paradisiaque).

Le Voyage de saint Brandan raconte l'expédition maritime de sept années entreprise par le célèbre abbé et ses quatorze moines, désireux de visiter l'Enfer et le Paradis. Au cours de leur longue traversée et des escales déterminées par la Providence, ils font d'étonnantes découvertes : l'île-baleine où ils célèbrent la fête de Pâques, l'île aux oiseaux qui sont des anges déchus dans une sorte de Purgatoire, un iceberg, une montagne fumante, semblable à un volcan ; ils croisent des monstres tels que griffon et dragon, rencontrent Judas le supplicié, cramponné à un rocher battu par les flots, puis Paul l'Ermite revêtu de ses seuls cheveux blancs, avant d'accéder au Paradis d'où, après une brève visite, ils retournent en Irlande.

Dans ce récit hagiographique et poétique, d'aventures et de quête, l'auteur mêle harmonieusement évocations fantastiques et merveilleuses, paysages imaginaires et réels, expériences humaines et mystiques. Malgré les périls encourus, Brandan demeure serein, confiant en l'aide divine. Comme le note Ernest Renan dans ses *Essais de morale et de critique* : « Tout y est beau, pur, innocent : jamais regard si bienveillant et si doux n'a été jeté sur le monde : pas une idée cruelle, pas une trace de faiblesse ou de repentir. C'est le monde vu à travers le cristal d'une conscience sans tache. »

L'extrait suivant se situe au moment où les pèlerins, laissant le brouillard derrière eux, arrivent en vue du Paradis.

Bibliographie

Benedeit, *Le Voyage de saint Brandan*, éd. et trad. de I. Short, Paris, UGE, « 10/18 », 1984 ; *Navigatio Sancti Brendani Abbatis*, éd. de C. Selmer, University of Notre Dame, 1959.

F. Bar, *Les Routes de l'autre monde*, Paris, PUF, 1946 ; F. Pomel, *Les Voies de l'au-delà et l'essor de l'allégorie au Moyen Âge*, Paris, Champion, 2001 (« La Nouvelle Bibliothèque du Moyen Âge », n° 57).

Notes

Le texte est établi d'après le manuscrit Cotton Vesparien B.X. de la British Library de Londres, datant de la fin du XIIe ou du début du XIIIe siècle (en anglo-normand), et l'éd. de I. Short.

On se souvient que dans la Genèse (2, 8-15) le jardin d'Éden comporte des arbres délicieux, un fleuve divisé en quatre bras, or et pierres précieuses. Après avoir constaté la désobéissance d'Adam et d'Ève, Dieu annonce à l'homme que le sol produira « épines et chardons » (3, 18). Le tableau que Benedeit brosse du Paradis est inspiré de ce récit biblique.

La description éveille les cinq sens, la vue (*veient* v. 1732, 1777 et 1779, *veit* v. 1767, *vedeir* v. 1769), l'odorat (*flairent* v. 1735, *udurs* v. 1738, *süaté* v. 1742), l'ouïe (*oient* v. 1779 et 1781, *melodie* v. 1781), le toucher (*chalz*, *freiz* v. 1761) et le goût (*delicïus* v. 1737). Véritable pays de cocagne, le lieu se caractérise par la beauté, la profusion de fleurs, de fruits, de gibiers, de poissons, de lait, de miel et d'or, et par la pérennité de ces richesses (on notera la répétition de la locution *tuz dis* aux v. 1734, 1745 et 1766). De surcroît, le plaisir de l'endroit tient à la négation de tous les malheurs d'ici-bas : les ronces, les chardons, les orties, le vent, les nuages, l'orage, la chaleur, le froid, la maladie, la faim, la soif et la privation sont à tout jamais bannies du Paradis.

arivent : du latin populaire **arripare*, le verbe *ariver* signifie « mener/toucher à la rive », « aborder au rivage ». Cette signification maritime a coexisté jusqu'au XVᵉ siècle avec l'acception plus générale de « parvenir dans un lieu de destination ».

draguns : le terme *dragon/dragun* vient du latin *draconem*, qui désigne un animal fabuleux. Gigantesque et hideuse, cette bête est décrite au Moyen Âge avec une énorme tête, des yeux rouges, des dents pointues, un corps volumineux, des ailes, des pattes pourvues de griffes acérées et une longue queue. Féroce, dévastateur, anthropophage, ce monstre terrifiant fait jaillir le feu par sa gueule et ses naseaux. Il peut donner des coups, griffer, déchirer, mordre, piquer, étouffer, engloutir, sucer le sang, inoculer son venin, infecter l'air, brûler. S'il symbolise le plus souvent le mal et le diable, il représente parfois, comme dans ce texte, un gardien farouche et particulièrement vigilant. Voir les vers 1704-1706 : « Mais l'entree mult ert forte :/ Draguns i at qui la gardent/Si cume fus trestut ardent. »

Sur le dragon, on consultera notamment M.-F. Gueusquin, *Le Mois des dragons*, Paris, Berger-Levrault, 1981 ; J. Le Goff, « Culture ecclésiastique et culture folklorique au Moyen Âge : saint Marcel de Paris et le dragon », in *Un autre Moyen Âge*, Paris, Gallimard, « Quarto », 1999, p. 229-268 ; Ph. Ménard, « Le dragon, animal fantastique de la littérature française », *Revue des langues romanes*, t. XCVIII, 1994, p. 247-268 ; *Dans la gueule du dragon,* textes recueillis par Jean-Marie Privat, Sarreguemines, Pierron, 2000.

Et le glaive fait retenir : cette arme tranchante qui défend l'accès du Paradis est effrayante puisqu'elle ne cesse de se balancer et de tournoyer, la pointe en bas. (*Le Voyage de saint Brandan*, v. 1707-1714). Benedeit a pu s'inspirer de la Genèse, 3, 24 : « Il bannit l'homme et il posta devant le jardin d'Éden les chérubins et la flamme du glaive fulgurant pour garder le chemin de l'arbre de vie. »

veneisun : provenant du latin *venationem* (« chasse », « gibier », « chair d'animaux sauvages tués à la chasse »), ce substantif n'a conservé dans la langue médiévale que les deux dernières acceptions, en les spécialisant pour le gros gibier. Le mot désigne donc le grand gibier (en général sangliers et cervidés) et la chair de ces bêtes après qu'elles ont été abattues.

lait, mel : le lait et le miel semblent des réminiscences de l'Exode (3, 8) où Dieu promet à Moïse « une contrée plantureuse et vaste [...] où ruissellent lait et miel ». Au demeurant, le personnage de Brandan conduisant ses compagnons vers le Paradis n'est-il pas proche de Moïse menant son peuple jusqu'à la Terre promise ?

tolget : il s'agit de la troisième personne du présent du subjonctif du verbe *toldre* (« enlever, ôter »). Cette forme en *ge* est fréquente à l'ouest, en Normandie et en Picardie. Quant au *t* désinentiel, il s'est maintenu en anglo-normand bien au-delà du XIᵉ siècle.

sis : par le phénomène de l'enclise, le pronom personnel atone *les* s'abrège et prend appui sur l'adverbe *si* (*sic* en latin). *Sis = si + les*.

5. [La découverte du Paradis]

1715 Puis unt veüd un juvencel
Qui veint cuntre eals, forment bel ;
E cil se fait Deu message,
Dist que vengent a rivage.
Il arivent* ; cil les receit,
1720 Tuz les numet par lur nun dreit ;
Puis dulcement les ad baisez,
E les draguns* tuz apaisez :
Fait les gesir cuntre terre
Mult humlement e sanz guerre ;
1725 Et le glaive fait retenir*
A un angele qu'il fait venir ;
E l'entree est uverte :
Tuit entrent en glorie certe.
Avant en vait cil juvenceals,
1730 Par paraïs vait ovoec eals.
De beals bois e de rivere
Veient terre mult plenere.
Gardins est la praierie
Qui tuz dis est beal flurie.
1735 Li flur süef mult i flairent,
Cum la u li piu repairent,
D'arbres, de flurs delicïus,
De fruit, d'udurs mult precïus ;
De runceie ne de cardunt
1740 Ne de orthie n'i ad fusun ;
D'arbre n'erbe n'i ad mie

5. La découverte du Paradis

Puis les moines ont vu un jeune homme
venir à leur rencontre : il était très beau.
C'est un messager de Dieu
qui les invite à accoster.
À leur arrivée, il les accueille
en les appelant chacun par leur vrai nom,   1720
puis il les embrasse avec tendresse ;
il calme tous les dragons
qu'il fait se coucher par terre,
très humblement et sans résistance ;
il fait retenir le glaive   1725
par un ange qu'il fait venir.
La porte est ouverte :
ils entrent tous dans la vraie gloire.
Le jeune homme les précède
et les guide par le Paradis.   1730
Ils voient une terre bien pourvue
de beaux arbres et de rivières.
La prairie est un jardin
toujours joliment fleuri.
Les fleurs y embaument   1735
comme il convient au séjour des saints,
plein d'arbres et de fleurs délicieux,
de fruits et de parfums très précieux ;
ni ronces ni chardons
ni orties n'y foisonnent ;   1740
il n'y a pas d'arbre ni d'herbe

Ki süaté ne rechrie.
Flurs e arbres tuz dis chargent,
Ne pur saisun unc ne targent ;
1745 Estét süef tuz dis i est,
Li fruiz de arbres e de flurs prest,
Bois repleniz de veneisun★,
E tut li flum de bon peisun.
Li flum i sunt qui curent lait★.
1750 Cele plentét par tut en vait :
La ruseie süet le mel★
Par le ruseit qui vient del cel.
Si munt i at, cil est de or,
Si grande pere, i a tensor.
1755 Sanz fin i luist li clers soleil,
Ne venz n'orez n'i mot un peil,
N'i vient nule nue de l'air
Qui del soleil tolget★ le clair.
Chi ci estrat, mal n'i avrat,
1760 Ne de mals venz ja ne savrat,
Ne chalz ne freiz ne dehaite
Ne faim ne seit ne suffraite.
De tuz ses bons avrat plentét.
Ço que plus est sa voluntét,
1765 Cel ne perdrat, süurs en est ;
Tuz dis l'avrat e truvrat prest.
Bien veit Brandans cele goie.
L'ure li semblet forment poie
Qu'il i estait a ço vedeir ;
1770 Lunges voldrat iloec sedeir.
Mult bien avant l'ad cil menét,
De multes riens l'ad asenét :
Bien diviset e si li dit
De quel avrat chascuns delit.
1775 Vait cil avant e cist aprés
Sur un halt munt cume ciprés ;
D'ici veient avisïuns.
Dum ne sevent divisïuns.
Angeles veient e sis★ oient
1780 Pur lur venir cum s'esgoient.

qui n'exhale une senteur suave.
Toujours les fleurs sont épanouies et les arbres chargés
  de fruits
sans tenir compte de la saison ;
c'est toujours un doux été,   1745
les arbres fructifient et les fleurs grènent,
les bois sont giboyeux
et les fleuves regorgent de bons poissons.
Il y a des rivières où coule le lait.
Cette abondance règne partout :   1750
les roselières exsudent du miel
grâce à la rosée qui descend du ciel.
Pas de montagne qui ne soit d'or
ni de grosse pierre qui ne vaille un trésor.
Le clair soleil ne cesse d'y briller,   1755
aucun souffle de vent n'agite un cheveu,
aucun nuage dans le ciel ne vient
masquer la clarté du soleil.
Qui y sera n'endurera aucun mal,
il ne connaîtra jamais d'orage,   1760
il ignorera chaud, froid et maladie,
faim, soif et privation.
Il aura en abondance tout ce qu'il souhaite.
Ce qu'il désire le plus
il n'en sera jamais privé, il en est certain ;   1765
il l'aura toujours à sa disposition.
Brandan observe cette félicité.
Il trouve le temps très court,
absorbé par sa contemplation ;
il voudrait demeurer longtemps en ce lieu.   1770
Le jeune homme l'a mené plus avant
et l'a informé de maintes choses :
il lui décrit en détail
les délices dont jouira chacun.
Suivi par Brandan, il gravit   1775
un tertre aussi haut qu'un cyprès ;
de là ils ont des visions
qu'ils ne peuvent décrire.
Ils voient des anges et les entendent
se réjouir de leur venue.   1780

Oient lur grant melodie,
Mais nel poient suffrir mie :
Lur nature ne poet prendre
Si grant glorie, ne entendre.

Ils écoutent leurs chants mélodieux,
mais ne peuvent pas les supporter :
leur nature ne saurait soutenir
ni comprendre une telle gloire.

LA VIE DE SAINT EUSTACHE

La légende de saint Eustache a été très prisée au Moyen
Âge : on en compte, pour le moins, onze versions en vers
et dix en prose, issues d'un texte en prose latine, *Passio
S. Eustachii cum sociis suis*, dont les manuscrits remontent jusqu'au Xᵉ siècle.

Placide, noble Romain et sénéchal de l'empereur
Trajan, est un homme vertueux et charitable, bien que
demeuré païen. Au cours d'une chasse, il rencontre un
cerf de grande taille qui porte un crucifix entre ses
bois et qui lui adresse la parole, l'amenant à embrasser
la foi chrétienne. Lors de son baptême, il prend le
nom d'Eustache. Le récit devient ensuite un roman
d'aventures riche en rebondissements : des pirates se
saisissent de la femme d'Eustache ; des bêtes sauvages
lui enlèvent ses enfants ; après de nouvelles prouesses
guerrières, il retrouve toute sa famille, avant de subir
le martyre sous l'empereur Hadrien.

Notre texte est extrait de la deuxième version de *La
Vie de saint Eustache* (en 2 052 octosyllabes) qui date
du début du XIIIᵉ siècle et a sans doute été composée
par un religieux normand.

Bibliographie

La Vie de saint Eustache, poème français du XIIIᵉ siècle, éd. de
H. Petersen-Dyggve, Paris, Champion, 1928 (« Classiques

français du Moyen Âge », n° 58), et version en prose française du XIIIᵉ siècle, éd. de J. Murray, Paris, Champion, 1929 (« Classiques français du Moyen Âge », n° 60).
H. Petersen-Dyggve, « Les origines de la légende de saint Eustache », *Neuphilologische Mitteillungen*, t. XXVI, 1925, p. 65-86. F. Laurent, *Plaire et édifier. Les récits hagiographiques composés en Angleterre aux XIIᵉ et XIIIᵉ siècles*, Paris, Champion, 1998 (« Nouvelle Bibliothèque du Moyen Âge », n° 45).

Notes

Texte établi d'après le manuscrit 9446 de la Bibliothèque nationale de Madrid, qui date du milieu du XIIIᵉ siècle.

ennee : forme normande de *ennoie*, « ennuie ».
vee : « « voie », mot du vocabulaire cynégétique : « chemin parcouru par le gibier ; ensemble des traces permettant de déceler le passage d'un animal ; piste ».
le cerf : le cerf était au Moyen Âge un animal initiateur, intermédiaire entre l'humain et le sacré, instrument du salut de l'homme en ce monde et en l'autre. On le voit dans des contextes magiques (*Graelent, Floriant et Florete, Meliador*), mais aussi dans une atmosphère chrétienne. Il indique un gué dans un fleuve en crue, un passage dans une montagne enneigée. Il fraie la voie vers un au-delà. Lié au changement et à la métamorphose, il fait passer de l'indifférence à l'amour, du paganisme à la foi chrétienne, du monde humain à l'Autre Monde, etc. C'est souvent un cerf blanc qui sert de messager divin. Ce motif s'est répandu dans les vies de saints à partir de la légende de saint Eustache : ainsi dans les multiples récits de la vie de saint Hubert.
ymage : désigne aussi bien une statue qu'une peinture. Le mot était encore fréquemment masculin au XVIᵉ siècle.
v. 339 : thème fréquent dans les vies de saints : si Dieu a créé l'homme à son image, les idolâtres ont érigé des statues qui leur ressemblent, mais qui ne sont que des formes dégradées et altérées de l'homme, des infirmes incapables de parler, d'entendre ou de voir. Le dieu est « mu, ciu e surt », muet, aveugle et sourd ; « il ne veit, ne n'ot ne parole », il ne voit, n'entend ni ne parle (Simon de Freine, *Vie de saint Georges*, v. 171-174, 900-903). L'idolâtre est un jouet dans les mains des démons qui ont inventé l'idolâtrie pour séduire les hommes et, pour ce faire, ils emploient la magie, la divination et l'astrologie.

6. [La rencontre avec le cerf]

Placidus est en la valee,
La montaigne a avironnee.
295 Mont li pese, mont li ennee⋆
Ke il n'i a vee⋆ trouvee ;
Irez en est, tant nel sai dire.
Vers le cerf⋆ sovent ses euz mire,
Ker mont li plot a esgarder,
300 Quer n'i vit omques mes som per.
Desus le cerf entre les cors,
Qui ierent gros et lons et fors,
Un signe li est apparu :
Omques plus bel ne fu veü,
305 Ker une croiz resplendissant,
Plus clere que soleil luissant,
Et um ymage⋆ de desus
Qui luissoit autretant ou plus,
Desus le cerf li aparut ;
310 Omques plus bel signe ne fust.
L'ymage qui iert en la croiz
Au cerf donne raison et voiz,
A Placidum le fait parler,
Si conme ja m'orrez conter :
315 « O, Placidé, que as eü ?
Por quoi m'as hui tant enseü ?
Por moi prendre t'es traveillié,
Or n'en soiez mes engregié.
A toi me sui venu moustrer

6. La rencontre avec le cerf

Placide est dans la vallée,
il a parcouru la montagne.
Il se désole et s'afflige fort   295
de ne pas avoir trouvé de piste.
Il en est excédé, plus que je ne sais le dire.
Vers le cerf souvent il tourne ses regards,
car il a grand plaisir à le contempler :
Il n'a jamais vu son semblable.   300
Au-dessus du cerf, entre les bois
qui étaient gros, longs et forts,
voici une miraculeuse apparition,
jamais on n'en vit de plus belle :
Une croix resplendissante,   305
plus éclatante que la lumière du soleil,
et, sur la croix, une statue
qui brillait tout autant ou plus,
lui apparurent au-dessus du cerf.
Jamais il n'y eut plus belle apparition.   310
La statue qui était sur la croix
donna au cerf discours et voix.
Elle le fit parler à Placide,
comme vous m'entendrez le raconter.
« Ô Placide, que s'est-il passé ?   315
Pourquoi m'as-tu aujourd'hui tant pourchassé ?
Tu t'es épuisé à me prendre.
N'en sois donc plus accablé.
Je suis venu me manifester à toi

320 En cest cerf et a toi parler.
    Je sui li sauverez Jhesus
    Qui des cieuz descendi cha jus
    Por raaindre l'umain lignage.
    Si comme il pert en cest ymage,
325 Voil soffrir mort et passïon
    Por a touz estre raanchon
    Et por euz de Sathan garder,
    Qu'il nes puisse mes devorer.
    Ne me quenoissïez noient,
330 Si m'as servi mont longuement.
    Les almosnes que tu faissoiez,
    K'es mains de mes pouvres metoiez,
    Sont presentees devant moi.
    Por cen me vien monstrer a toi,
335 Ker ge ne woil mes que Sathan
    De toi face eschar n'emgam,
    Ke il te plus face aorer
    Ses ydoles ne cultiver,
    Ke riens n'oient, ne riens ne sentent*,
340 Ne ver ne dïent, ne ne mentent.
    N'est plus droiz qu'en mon soudoier
    Soit le deable parchonnier.
    Mien est le bien, suen est le mal
    Dont il est seignor primcipal. »
345 Placidus la parole oï,
    A merveilles s'em esbahi.
    Tel peor a ne soit que fait,
    Les resnes de son cheval lait ;
    Conme espasmé de son cheval
350 Chaï a terre contrewal.
    Kant il fu a soi repairié,
    De la terre s'est redrechié,
    Merveille soi qu'ill a eü,
    Por qu'il chaï et qu'a veü.
355 Aprismié s'est, et neporquant,
    Del cerf, sil li a dit itant...

et te parler sous la forme de ce cerf.   320
Je suis le sauveur Jésus
qui des cieux descendit ici-bas
pour racheter le genre humain.
Comme il se voit en cette statue,
je voulus souffrir la mort et la passion   325
pour la rédemption de tous
et pour les garder de Satan,
afin qu'il ne puisse plus les détruire.
Vous ne me connaissiez pas,
et pourtant tu m'as servi de longue date.   330
Les aumônes que tu faisais
et mettais dans les mains des pauvres
sont présentées devant moi.
C'est pourquoi je viens me manifester à toi,
car je ne veux plus que Satan   335
se moque de toi ni qu'il te trompe
en te faisant plus longtemps adorer
et honorer ses idoles,
qui n'entendent rien ni ne sentent rien,
qui ne disent pas la vérité ni ne mentent.   340
Il n'est pas juste qu'en mon soldat
le diable ait sa part.
À moi le bien, à lui le mal
dont il est le suzerain. »
Placide entendit les paroles,   345
il en fut frappé de stupeur.
Il eut si peur qu'il ne sut que faire.
Il abandonna les rênes de son cheval.
Comme évanoui, de son cheval
il tomba à terre.   350
Quand il fut revenu à lui,
il se redressa,
s'émerveillant de son aventure,
de sa chute et de sa vision.
Il s'est malgré tout approché   355
du cerf, et lui a dit ces mots…

II
ROMANS

LE ROMAN DE THÈBES

Composé vers 1150, *Le Roman de Thèbes*, libre adaptation de *La Thébaïde* de Stace, est le premier roman en langue française. Il nous est parvenu grâce à cinq manuscrits représentant deux versions différentes, l'une courte de 10 562 octosyllabes, l'autre longue de 14 626 vers. L'auteur commence par relater l'histoire d'Œdipe, afin d'expliquer que la terrible haine animant les deux frères, Étéocle et Polynice, et déclenchant la guerre entre les Argiens (c'est-à-dire les Grecs) et les Thébains, résulte du double péché de leur père, parricide et incestueux. Il est convenu entre les deux frères une alternance dans l'exercice du pouvoir. Mais, au terme de la première année, Étéocle refuse de céder son trône à Polynice qui cependant avait épousé la fille du roi d'Argos, Adraste. C'est pourquoi Polynice et ses alliés argiens mettent le siège devant Thèbes. Après d'âpres batailles au cours desquelles les deux frères s'entre-tuent, les Grecs sont massacrés mais la cité est détruite.

Si l'auteur supprime ou abrège nombre de scènes mythologiques, il ajoute des épisodes entiers, comme le ravitaillement de l'armée, la prise du château de Montflor, l'élection d'un archevêque, la trahison et le procès féodal de Daire le Roux. *Le Roman de Thèbes* tient encore de la chanson de geste par des motifs épiques (ambassades, conseils et combats en particulier), des répétitions de vers et des formules stéréotypées. Pourtant on devine l'émergence d'un nouveau genre aux multiples descriptions de fêtes, de parures et d'objets insolites (la tente d'Adraste ou le char d'Amphiaraüs), aux notations concrètes et aux croquis pittoresques, à la peinture variée des personnages masculins (Tydée, un rude mais généreux guerrier, Hippomédon, un fin stratège, Parthénopée, le séduisant chevalier), à l'importance accordée aux personnages féminins, aux intrigues sentimentales entre Athon et Ismène, Antigone et Parthénopée, Étéocle et Salemandre.

Le texte choisi se situe au moment où les Thébains viennent de décider d'envoyer Jocaste et ses filles au camp des Argiens afin de leur proposer un accord politique.

Bibliographie

Le Roman de Thèbes, éd. de G. Raynaud de Lage, Paris, Champion, 2 tomes, 1966 et 1968 ; trad. de A. Petit, Paris, Champion, 1991 ; éd. bilingue de F. Mora-Lebrun, Paris, Le Livre de poche, « Lettres gothiques », 1995.

L.G. Donovan, *Recherches sur le Roman de Thèbes*, Paris, SEDES, 1975 ; A. Petit, *L'Anachronisme dans les romans antiques du XIIᵉ siècle*, Lille, Centre d'études médiévales et dialectales de l'université de Lille III, 1985, et *Naissances du roman : les techniques littéraires dans les romans antiques du XIIᵉ siècle*, Genève, Slatkine, 1985, 2 vol.

Notes

Le texte est établi d'après le manuscrit BN fr. 784 (milieu du XIIIᵉ siècle) et l'éd. de G. Raynaud de Lage, Paris, Champion, 1966.

Il s'agit d'une scène galante et courtoise, la rencontre de deux jeunes gens dotés des mêmes qualités : noblesse, jeunesse, beauté et courtoisie. Leur affinité, rendue notamment par la construction symétrique des vers 4127 à 4138, explique ce coup de foudre qui les frappe simultanément ; en effet, dès le premier regard, ils éprouvent l'un pour l'autre un amour aussi ardent que soudain. Si Parthénopée déclare aussitôt sa flamme et demande à Jocaste la main de sa fille, Antigone est partagée entre la pudeur de son sexe et de son rang (elle confie à l'inconnu sa crainte de la mésalliance et sa peur du qu'en-dira-t-on) et son désir sensuel d'assouvir sa passion.

L'amour, qui unit un Grec et une Thébaine, représente également l'espoir d'une réconciliation entre les deux camps ennemis. En se rendant avec ses filles, Antigone et Ismène, dans le camp des Argiens et de Polynice, malgré l'opposition furieuse d'Étéocle, Jocaste veut négocier un accord. L'annonce des fiançailles d'Antigone et de Parthénopée est une promesse de paix, qui hélas restera sans lendemain.

cortois : provenant du substantif *cort*, cet adjectif désigne d'abord celui qui vit à la cour. Prenant ensuite une signification morale, il s'applique aux qualités de cette élite aristocratique, dans le cadre féodal (« valeureux, vaillant ») et surtout dans la vie mondaine (« généreux », « raffiné », « élégant », puis « gracieux », « policé »). À partir du XVIᵉ siècle, où apparaît le terme « courtisan », « courtois » s'affaiblit, ne qualifiant plus que des personnes polies, civiles ou affables. Voir G.-S. Burgess, *Contribution à l'étude du vocabulaire pré-courtois*, Genève, Droz, 1970, p. 20-34.

un/unne : comme son étymon latin *unus/una*, l'article indéfini *un/unne* possède ici le sens fort de « un seul », « le même ».

merveille : issu du neutre pluriel substantivé *mirabilia* (« choses étonnantes », et en langue ecclésiastique « miracles ») de l'adjectif latin *mirabilis*, lequel appartient à la même famille que *mirari* (« s'étonner »), *merveille* désigne tout ce qui s'écarte de la norme sur tous les plans – spatial, temporel, physique, animal et humain. Si, dans les romans d'Antiquité, le terme s'applique souvent à des prodiges naturels ou techniques, ailleurs il qualifie des événements étranges, des faits ou des choses extraordinaires.

Le mot entre aussi dans de multiples locutions telles que : *a merveille* (« extraordinairement »), *c'est merveille* (« c'est incroyable »), *n'est merveille si* (« il n'est pas étonnant que »). Depuis le XVIIe siècle, le sème d'étonnement, propre au Moyen Âge, est remplacé par celui d'admiration. Sur la merveille, voir F. Dubost, *Aspects fantastiques de la littérature médiévale (XIIe-XIIIe siècles)*, Paris, Champion, 1991, t. I, p. 60-92.

ost : du latin *hostem* (« ennemi »), l'*ost/olz* (v. 4206) possède trois valeurs essentielles en ancien français : l'armée, les troupes ; la guerre, l'expédition militaire et même le combat ; le camp, le siège. Le tour *cil de l'ost* ou *l'ost* désigne, comme la locution *cil dehors*, les assiégeants, par opposition à *cil del chastel* ou *cil dedens*, les assiégés.

lecherie : au terme *legerie* qui nous semble répéter le vers précédent, nous avons préféré la leçon d'une autre copie, le manuscrit S (Londres, British Library, Add. 34114), à savoir le mot *lecherie* que le scribe du manuscrit BN fr. 784 a peut-être jugé inconvenant dans la bouche d'Antigone. En effet, ce substantif, qui se rattache au verbe *lechier*, lui-même dérivé du francique **lekkon*, présente des acceptions péjoratives : gourmandise excessive, amour sensuel et impudique, « débauche », « tromperie », « perfidie », « impertinence ».

gent : dérivé du participe passé latin *genitum* (« né », puis « bien né ») du verbe *gignere* (« engendrer »), l'adjectif est laudatif dans l'ancienne langue. Il indique la haute naissance (« noble »), la beauté physique et morale (« joli, gracieux, aimable »), la richesse et l'élégance de la toilette (« distingué »). Il n'est plus en usage depuis le XVIe siècle.

enseingna : issu du latin vulgaire **insignare*, altération d'*insignire* (« signaler, désigner »), le verbe *ensei(n)gn(i)er* signifie « faire connaître par un signe », « montrer », « marquer », « indiquer » ; par extension « instruire », le seul sens qu'il ait gardé à notre époque.

piece : ce substantif qui remonte au gaulois **pettia* conserve d'abord sa valeur étymologique de « morceau, fragment ». Il s'emploie aussi pour désigner « la distance parcourue ou à parcourir, en somme un fragment de l'espace ». Mais, jusqu'au XVIIe siècle, il offre surtout une acception temporelle : un bout de temps, un moment. Le terme figure dans plusieurs expressions : *grant piece*

(« un long moment, longtemps »), *piece a/pieça* (« il y a longtemps, depuis longtemps, jadis »), *a chief de piece* (« après un certain temps »), *a/de piece* (« pendant un moment »).

1. [L'idylle d'Antigone et de Parthénopée]

Parthonopiex fu uns des trois :
mout riches hom, d'Arcade ert rois.
Bien fu sages, preuz et cortois★,
vestuz en guise de François.
4125 Un mul chevauchoit espanois,
de par biauté semble bien rois.
Souz ciel n'a fame, s'el le voit,
qui mout vers lui ne s'asoploit.
Anthigoné, quant el le vit,
4130 forment en son cuer le couvit.
Riens ne couvoite fors que lui ;
mout fussent bien jousté andui,
car andui furent d'un★ aage,
d'unne★ biauté et d'un courage.
4135 Parthenopiex vit la pucele,
souz ciel n'en ot une tant bele.
S'il la couvoite, n'est merveille★,
car souz ciel n'avoit sa pareille.
Vers lui en vet isnelement,
4140 salua la courtoisement :
« Dame, fet il, nel me celez
qui vous estes et ou alez. »
Li danziaux respont qui la meine :
« Seur est, fet il, le roi germeine,
4145 et ele et cele autre meschine
qui a la manche destre hermine.
En cest ost★ viennent a lor frere,

1. L'idylle d'Antigone et de Parthénopée

Parthénopée était l'un des trois Grecs :
personnage très puissant, il était roi d'Arcadie.
Il était très sage, vaillant et courtois,
vêtu à la mode française.
Il chevauchait un mulet d'Espagne,   4125
et sa beauté lui donnait bien l'air d'un roi.
Il n'existe aucune femme au monde
qui, en le voyant, ne succombe à son charme.
Antigone, dès qu'elle le vit,
le désira ardemment dans son cœur.   4130
Elle ne désire personne d'autre que lui ;
et tous les deux auraient été bien assortis
car ils avaient tous les deux le même âge,
la même beauté et les mêmes sentiments.
Parthénopée vit la jeune fille,   4135
il n'en existait pas d'aussi belle au monde.
Rien d'étonnant s'il la désire,
car elle n'avait pas sa pareille au monde.
Il se dirige rapidement vers elle
et la salue courtoisement :   4140
« Dame, dit-il, ne me cachez pas
qui vous êtes ni où vous allez. »
Le jeune homme qui l'escorte répond :
« C'est, dit-il, la propre sœur du roi,
ainsi que cette autre jeune fille   4145
à la manche droite fourrée d'hermine.
Elles viennent rencontrer leur frère dans ce camp,

et cele dame est leur mere.
Mout voudroient cerchier et querre
4150 conme il fust fin de ceste guerre. »
O lui tourna Parthonopiex
et conduit la en l'ost des Griex.
Il meïsmes la dame enmeine,
de lui servir forment se paine.
4155 Il la mena com faire sot,
tant franchement conme il plus pot.
Onques en cele compaingnie
n'i ot parlé de vilannie
ne de grant senz ne de sarmon,
4160 se d'amitié et de gas non.
Parthonopiex pas ne s'oublie,
prie lui mout qu'el soit s'amie.
« Par Dieu, ce respont la pucele,
ceste amour seroit trop isnele !
4165 Pucele sui, fille de roi,
legierement amer ne doi.
Ne doi amer par lecherie★
dont l'em puisse dire folie ;
ainsi doit on prier berchieres
4170 ou ces autres fames legieres.
Ne vous connois n'onc ne vous vi,
ne mes ore que vous voi ci.
Se or vous doing d'amer parole,
bien me pouez tenir pour fole.
4175 Pour ce ne di, celer nel quier,
ne vos eüsse forment chier
s'estïez de si haut linage
que vous fussiez de mon parage
et ce fust chose destinnee
4180 qu'a fame vous fusse donnee.
Car biaux estes sor toute gent,
onc ne vi mes houme tant gent★.
Parlez ent, fet ele, a ma mere,
et par le conseill de mon frere,
4185 qui voz parens connoist et vos,
soit acordez le plet de nous.
Se il l'agreent, je l'otroi,

et cette dame est leur mère.
Elles voudraient bien explorer et chercher
les moyens de mettre fin à cette guerre. »   4150
Parthénopée s'en retourna avec elle
et la conduisit au camp des Grecs.
Il guide lui-même la dame,
et déploie tous ses efforts pour la servir.
Il l'escorta du mieux qu'il sut,   4155
le plus noblement possible.
Jamais dans cette compagnie,
on ne tint des propos grossiers
ni de graves discours ni des sermons,
seulement des paroles amicales et plaisantes.   4160
Parthénopée, sans perdre de temps,
la prie instamment d'être son amie.
« Par Dieu, répond la jeune fille,
cet amour serait trop rapide !
Je suis vierge et fille de roi,   4165
je ne dois pas aimer à la légère.
Je ne dois pas aimer avec une sensualité
qui susciterait des médisances insensées ;
c'est ainsi que l'on doit prier les bergères
ou ces autres femmes légères.   4170
Je ne vous connais pas ni ne vous ai jamais vu,
avant de vous rencontrer ici.
Si dès maintenant je vous promets de vous aimer,
vous pouvez bien me tenir pour une débauchée.
Cela ne veut pas dire, je ne cherche pas à vous le cacher,   4175
que je ne vous chérirais pas
si vous étiez d'un lignage assez haut
pour être de mon rang,
et ce serait une chose décidée
que de vous être donnée pour épouse.   4180
Car vous êtes plus beau que tous les autres,
jamais je n'ai vu d'homme aussi gracieux.
Parlez-en, dit-elle, à ma mère,
et sur les conseils de mon frère,
qui vous connaît ainsi que vos parents,   4185
que soit arrangée notre union.
S'ils donnent leur accord, j'y consens,

ja n'en seront desdit par moi. »
A la mere cil em parla,
4190 si com ele li enseingna*.
Forment l'ama, ne s'en pot tere,
a lui parla de cest afere.
Dist dont il est et de quel terre,
conmença lui sa fille a querre.
4195 Ele cognut bien son linage,
bien otroie le marïage.
Mout volentiers la li dorra,
mes a son filz em parlera.
Tant ont parlé priveement
4200 d'amitié font alïement.
Atant sont tuit en l'ost entré,
mes ce fu tout estre leur gré :
que pour rire, que pour jouer,
que pour priveement parler,
4205 ne leur pesast, ainz vosissant,
que li olz fust granz piece* avant.

je ne m'opposerai pas à leur décision. »
Parthénopée alla parler à la mère de la jeune fille,
comme elle le lui avait suggéré.   4190
Incapable de taire son amour ardent,
il lui parla de ce projet.
Il lui révéla son origine et son pays,
et se mit à lui demander la main de sa fille.
Connaissant bien son lignage,   4195
elle consentit au mariage.
Elle la lui donnera très volontiers,
mais elle en parlera à son fils.
Au terme de ces entretiens privés,
on scelle une alliance amoureuse.   4200
Alors ils sont tous entrés dans le camp,
mais ce fut tout à fait contre leur gré :
tant pour rire que pour badiner,
ou pour parler en tête à tête,
il ne leur aurait pas déplu mais ils auraient souhaité   4205
que le camp fût encore bien loin.

LE ROMAN D'ÉNÉAS

L'auteur anonyme, sans doute un clerc normand attaché à la cour des Plantagenêts, a composé, vers 1160, une libre adaptation de l'*Énéide* de Virgile. Il garde, dans les 10 156 octosyllabes, la trame de l'épopée latine : la destruction de Troie par les Grecs venus reprendre Hélène enlevée par Pâris, la fuite d'Énéas dont la flotte, victime de la tempête provoquée par la colère de Junon, échoue sur les côtes libyennes, l'accueil de Didon qui tombe amoureuse du héros et se suicide quand il la quitte, contraint par les dieux de reprendre la mer, la visite d'Énéas aux Enfers, les batailles contre Turnus et, au terme d'un combat singulier, la victoire du protagoniste qui épouse Lavine, la fille du roi de Lombardie.

Toutefois le trouvère, soucieux de clarifier et d'actualiser, ne conserve guère l'esprit dynastique, national ni religieux de l'*Énéide*. Il réduit ainsi la mythologie et les interventions divines, élimine les personnages secondaires et supprime le troisième chant, résumé en quatre vers. En revanche il accorde une plus grande place à l'amour – dont il dépeint, avec une rhétorique d'inspiration ovidienne, les symptômes et les tourments à l'aide de dialogues animés et de monologues intérieurs – et à la femme dont il propose trois figures différentes : Didon, reine de Carthage, veuve sensuelle et coupable, passionnément éprise du héros au point qu'elle en oublie sa fidélité à son époux défunt et ses fonctions royales, Camille, reine des Volsques, chaste et vertueuse, qui meurt en vierge guerrière, et Lavine, tendre et innocente jeune fille qui découvre le mal d'amour, héritière du roi Latinus, offrant par le mariage une terre au héros et donnant naissance à une illustre descendance.

Enfin le poète s'attarde à décrire les prodiges de la nature (petits poissons fournissant la pourpre, crocodile dormant la gueule ouverte, oiseau pondant au fond de la mer) et les merveilles de l'art (remparts magnétiques et somptueux palais de Carthage, automates du tombeau de Camille).

L'extrait proposé se situe juste après le départ des navires troyens. Didon s'apprête à se donner la mort.

Bibliographie

Le Roman d'Énéas, éd. de J.-J. Salverda de Grave, Paris, Champion, 2 tomes, 1925 et 1929 ; trad. de M. Thiry-Stassin, Paris, Champion, 1985 ; *Le Roman d'Énéas*, éd. de A. Petit, Paris, Le Livre de poche, « Lettres gothiques », 1997.

J.-Ch. Huchet, *Le Roman médiéval*, Paris, PUF, 1984 ; Ph. Logié, *L'Énéas, une traduction au risque de l'invention*, Paris, Champion, 1999 ; F. Mora-Lebrun, *L'Énéide médiévale et la naissance du roman*, Paris, PUF, « Perspectives littéraires », 1994 ; A. Petit, *Naissances du roman. Les techniques littéraires dans les romans antiques du XIIᵉ siècle*, Genève, Slatkine, 1985, 2 vol. ; *Relire le Roman d'Énéas*, études recueillies par J. Dufournet, Paris, Champion, 1985 (« Unichamp », n° 8).

Notes

Nous transcrivons le texte du manuscrit A Bibl. Laurent., Florence, Plut. XLI, cod. 44 (qui date de la fin du XIIᵉ siècle ou du début du XIIIᵉ) et de l'édition de J.-J. Salverda de Grave, Paris, Champion, 1925.

Afin de mieux saisir l'originalité du *Roman d'Énéas,* nous reproduisons la traduction du passage correspondant de l'*Énéide* :

> Aussitôt, frémissante, farouche de sa terrible résolution, Didon, des lueurs sanglantes dans les yeux, les joues tremblantes et marbrées, pâle de sa mort prochaine, se précipite à l'intérieur de son palais, gravit d'un élan désespéré les hauts degrés du bûcher et tire l'épée du Dardanien. Ah, ce n'était pas pour cet usage qu'il lui en avait fait présent. Elle a regardé les vêtements d'Ilion et la couche si familière ; elle a donné un instant aux larmes et au rêve ; puis elle s'est jetée sur le lit et elle prononce ces dernières paroles : « Vêtements qui me furent chers tant que les destins et la divinité le permirent, recevez mon âme et libérez-moi de mes souffrances. J'ai fini de vivre ; j'ai accompli la route que m'avait tracée la fortune. C'est une grande ombre qui maintenant va descendre sous la terre. J'ai fondé une ville magnifique ; j'ai vu mes remparts ; j'ai vengé mon mari et puni le crime de mon frère. Heureuse, hélas, trop heureuse si seulement les vaisseaux dardaniens n'avaient jamais touché nos rivages ! » Elle dit, et collant ses lèvres sur le lit : « Je mourrai sans vengeance ; mais mourons. Il m'est doux d'aller ainsi, oui même ainsi, chez les Ombres. Que de la haute mer le cruel Dardanien repaisse ses yeux des flammes de mon bûcher et qu'il emporte avec lui le mauvais présage de ma mort » (*Énéide* de Virgile, livre IV, traduction d'André Bellessort, Paris, Les Belles Lettres, 1964, t. I, p. 123-124).

Si l'on retrouve bien d'un texte à l'autre le bûcher, l'épée, les vêtements et le lit d'Énée, dans le roman médiéval la grandeur de Didon tient moins au décorum royal et à la malédiction qu'elle jette sur le perfide Troyen qu'au pardon et au baiser de paix qu'elle lui accorde dans un élan de charité quasi chrétienne (v. 2064 à 2067).

desverie : déverbal de *desver/derver* issu de **de-ex-vagare* et signifiant « devenir fou », le substantif *desverie/derverie* s'applique à une folie plus ou moins violente ; il peut aussi qualifier une douleur ou des remords qui font perdre la raison. L'auteur chrétien désapprouve par ce terme le suicide de la reine qui, de son côté, dénonce sa folie amoureuse par les mots : *fole* (v. 2047) et *rage* (v. 2058).

deüst : le verbe *devoir* à la troisième personne du singulier de l'imparfait du subjonctif indique ici un futur inéluctable.

el ré/que sa suer li ot apresté : Didon fait croire à sa sœur qu'elle suit les recommandations d'une sorcière ; elle demande alors à Anna de dresser un bûcher où elle fera brûler tout ce qui a appartenu au Troyen. Ses tourments amoureux cesseront avec cette destruction par le feu (v. 1905-1954). Pour le trouvère, il ne s'agit pas, comme chez Virgile, d'un bûcher funéraire destiné au cadavre de la reine. Didon se précipite, encore vivante, dans les flammes (v. 2115-2116). Comme l'écrit M.-N. Lefay-Toury, « le feu achève l'œuvre de l'épée » (*La Tentation du suicide dans le roman français du XIIᵉ siècle*, Paris, Champion, 1979, p. 86, « Essais sur le Moyen Âge », n° 4).

adanz : venant du latin *ad dentes* (littéralement : « sur les dents »), l'adverbe *adanz/adenz* signifie « la face contre terre », « à plat ventre ». Antonyme de *envers* (« sur le dos »), il peut qualifier plusieurs attitudes : la défaite d'un chevalier désarçonné, la contrition ou le désespoir de l'amoureux.

garnemenz : dérivé du verbe *garnir*, issu lui-même du francique *warnjan* (« prendre garde »), le substantif *garnement* ressortit à la défense et à la protection en général, il désigne plus spécifiquement la forteresse, la garnison ; l'équipement, l'armure ; les vêtements, les ornements ; le défenseur, le soldat, le mercenaire ; à partir du XIVᵉ siècle, le mauvais garçon, le souteneur ; au XVIᵉ siècle, le voyou, le vaurien. Dès le XVIIᵉ siècle, à la suite d'un affaiblissement sémantique, *garnement* se dit d'un garçon turbulent et polisson.

dras : issu du bas latin *drappus*, le substantif *drap* veut dire d'abord « étoffe », puis, par métonymie et en général au pluriel, « vêtements, habits ». Remplaçant le terme *linceul*, il désigne enfin « la pièce de toile qui garnit le lit ».

enor : issu du latin *honorem* aux sens variés (« hommage », « gloire », « charge », « magistrature »), le substantif *enor/anor / (h)onor* présente au XIIᵉ siècle deux significations principales : une morale – « considération », « estime », « sentiment de sa dignité » – et une concrète – « fief », « domaine ».

vials non : issu du latin *vel* (« ou plutôt ») auquel on joint le *s* adverbial, *vials/vels*, parfois suivi de *non*, se traduit par « du moins ».

pros : le latin vulgaire avait déformé la forme verbale de latin classique *prodest* en **prode est*, créant ainsi un terme neutre *prode* à l'origine du substantif médiéval *preu* qui signifie « profit », « avantage », « intérêt », et de l'adverbe *preu/prou* au sens de « beaucoup ». L'adjectif *pros/preuz*, issu de **prodis*, tiré lui-même du mot *prode*, souligne l'utilité des choses et la qualité des êtres humains. Toujours valorisant, il signifie, selon les contextes et les époques, « qui a de la valeur », « courageux », « avisé », « vertueux », « pieux ».

2. [Le suicide de Didon]

2025 En la chanbre est tot solement,
n'i a qui li destort noiant
la desverie* qu'el velt faire,
de l'espee al Troïen traire :
quant li dona, ne quida mie
2030 par li deüst* perdre la vie.
El tint l'espee tote nue,
soz la memelle s'est ferue.
O tot le cop salt anz el ré
que sa suer li ot apresté* ;
2035 el lit desor les garnemenz
al Troïen se colche adanz*,
el sanc se voltre et demoine.
Ele parla asez a poine :
« Ces garnemenz* ai molt amez,
2040 tant com Dé plot, les ai gardez ;
ne puis avant ma vie estandre,
desor ces dras* voil l'ame randre.
Mar vi onques ces garnemenz,
il me furent comancemanz
2045 de mort et de destrucïon ;
mar vi celui qui m'en fist don,
come fole l'ai tant amé,
a grant contraire m'est torné.
Sor ces dras voil fenir ma vie
2050 et sor le lit ou fui honie ;
ci lais m'enor* et mon barnage,

2. Le suicide de Didon

Didon est toute seule dans la chambre,   2025
il n'est personne pour la détourner
de la folie qu'elle veut commettre,
tirer l'épée du Troyen :
en la lui donnant, il ne pensait pas
que cette arme lui ferait perdre la vie.   2030
Tenant l'épée nue,
elle s'est frappée sous le sein.
En même temps elle saute dans le bûcher
que sa sœur lui avait préparé ;
dans le lit, sur les vêtements   2035
du Troyen, elle se couche à plat ventre,
se roule et s'agite dans son sang.
Elle parla à grand-peine :
« Ces vêtements, je les ai chéris,
tant que Dieu l'a voulu, je les ai gardés ;   2040
je ne puis plus prolonger ma vie,
sur ces habits je veux rendre l'âme.
C'est pour mon malheur que je les ai vus,
ils furent pour moi le début
de la mort et de l'anéantissement ;   2045
c'est pour mon malheur que j'ai vu celui qui m'en fit don,
je l'ai aimé à la folie,
pour mon plus grand malheur.
Je veux finir ma vie sur ces habits
et sur le lit où je fus déshonorée ;   2050
ici je laisse mon royaume et ma puissance,

et deguerpis sanz oir Cartage,
ci perc mon nom, tote ma glore,
mais ne morrai si sanz memore
2055 qu'en ne parolt de moi toz tens,
vials non★ antre les Troïens.
Molt fui ançois et pros★ et sage
que me donast amor tel rage,
et molt fusse buene eüree,
2060 se ne venist an ma contree
li Troïens qui m'a traïe,
par cui amor ge perc la vie.
Il m'a ocise a molt grant tort ;
ge li pardoins ici ma mort ;
2065 par nom d'accordement, de pais,
ses garnemenz an son lit bais.
Gel vos pardoins, sire Eneas. »

et j'abandonne sans héritier Carthage,
ici je perds mon renom, toute ma gloire,
mais je ne mourrai pas ainsi sans qu'on se souvienne
ni qu'on parle de moi toujours,   2055
du moins parmi les Troyens.
J'étais pleine de vertu et de sagesse avant
que l'amour ne m'inspire cette rage,
et j'aurais été très heureuse,
s'il n'était pas venu dans mon pays,   2060
ce Troyen qui m'a trahie,
et pour l'amour duquel je perds la vie.
Il m'a très injustement donné la mort
qu'à présent je lui pardonne ;
en signe de réconciliation et de paix,   2065
je baise ses vêtements dans son lit.
Je vous pardonne, seigneur Énéas. »

Benoît de Sainte-Maure

LE ROMAN DE TROIE

Avant d'écrire, vers 1170, l'*Histoire des ducs de Normandie*, une œuvre inachevée de 43 000 octosyllabes, à partir des chroniques latines de Dudon de Saint-Quentin et de Guillaume de Jumièges, Benoît de Sainte-Maure (ville située entre Chinon et Loches), clerc tourangeau sans doute au service du roi d'Angleterre Henri II Plantagenêt et de son épouse Aliénor d'Aquitaine, compose, en 1165, *Le Roman de Troie* (30 316 vers), inspiré de deux récits de la fin de l'Antiquité, l'*Historia de excidio Trojae* de Darès le Phrygien (VIe siècle) pour les deux premiers tiers du récit, et l'*Ephemeris belli Trojani* de Dictys le Crétois (IVe siècle) pour le dernier tiers.

Benoît de Sainte-Maure raconte les principaux épisodes de l'histoire de Troie, depuis la conquête de la Toison d'or par Jason, l'enlèvement d'Hésione par les Grecs qui détruisent Troie, reconstruite par Priam, dont le fils Pâris enlève ensuite Hélène, jusqu'à la prise de la ville favorisée par l'immense cheval de bois. Il relate vingt-trois batailles, évoquant les prouesses et la mort des héros : Patrocle, Hector, Troïlus, Achille et Pâris. Il entrelace les mêlées guerrières et les scènes sentimentales. À travers les divers couples (Jason et

Médée, Pâris et Hélène, Briséida et ses deux soupi-
rants successifs, le Troyen Troïlus puis le Grec Dio-
mède, Achille et Polyxène, Ulysse et Circé, Hector et
Andromaque), le trouvère porte un regard pessimiste
sur l'amour, marqué par la trahison, l'inconstance,
l'inquiétude et le malheur.

Le Roman de Troie se caractérise aussi par des
réflexions didactiques sur l'exercice du pouvoir, et surtout par l'art de la description (de villes, de tombeaux,
de « merveilles »). Ainsi le poète s'attarde-t-il longuement (v. 14631-14958) sur les richesses et les prodiges
de la Chambre de Beautés, chambre nuptiale donnée
par Priam à Pâris et Hélène. De fascinants automates
sont disposés aux quatre angles de cette pièce taillée
dans l'albâtre : deux jeunes filles (l'automate au miroir
et l'automate aux jeux) et deux jeunes hommes (l'automate musicien et l'automate arbitre des manières courtoises). Le texte retenu est relatif à la troisième statue.

Bibliographie

Le Roman de Troie par Benoît de Sainte-Maure, éd. de
   L. Constans, Paris, SATF, 1904-1912, 6 vol., Le Roman de
   Troie par Benoît de Sainte-Maure, trad. de E. Baumgartner,
   éd. partielle, Paris, UGE, « 10/18 », 1987 ; Benoît de
   Sainte-Maure, Le Roman de Troie, éd. bilingue partielle de
   E. Baumgartner et F. Vielliard, Paris, Le Livre de poche,
   « Lettres gothiques », 1998.
E. Baumgartner, De l'histoire de Troie au livre du Graal. Le
   temps, le récit, Orléans, Paradigme, 1994 ; C. Croizy-
   Naquet, Thèbes, Troie et Carthage. Poétique de la ville dans le
   roman antique au XIIᵉ siècle, Paris, Champion, 1994 ; A. Petit,
   Naissances du roman : les Techniques littéraires dans les romans
   antiques du XIIᵉ siècle, Paris, Champion, 1985, 2 vol.

Notes

Texte établi à partir du manuscrit D 55 de la Bibliothèque
   ambrosienne de Milan (M2) qui date de la fin du XIIᵉ siècle

ou du début du XIIIe siècle, et de l'éd. de E. Baumgartner et F. Vielliard, Paris, Le Livre de poche, 1998.

Au Moyen Âge, les Occidentaux furent souvent éblouis par le raffinement et l'invention des artistes et ingénieurs orientaux. Ainsi l'automate musicien et fleuriste de la Chambre de Beautés fascine parce qu'il offre le luxe des matières précieuses (or, émeraude, rubis, obsidienne) et charme les sens : la vue, l'ouïe (il convient de remarquer tous les termes appartenant à ce champ lexical : *conseiller*, *escoutanz, escouter, haut, oïr, son, soner*) et l'odorat avec les parfums des fleurs. D'autre part, cette statue merveilleuse supprime la douleur, délivre des mauvaises pensées et des désirs insensés, préserve les secrets des amoureux, rajeunit ceux qui la regardent et l'écoutent.

L'auteur crée ainsi une sorte de « paradis artificiel » où tous les plaisirs (esthétique, sensuel, moral, spirituel) sont réunis et où le spectateur-auditeur se trouve pour ainsi dire hors du temps, dans un univers éternel et céleste.

danzeus : provenant du latin *dominicellus*, le substantif *danzeus/damoiseau* désigne un jeune homme noble, célibataire, qui le plus souvent n'est pas encore adoubé. S'il s'applique à un chevalier, le terme souligne la jeunesse et l'ardeur du personnage. Selon Lucien Foulet, il est parfois « synonyme de *valet* avec cette différence que *valet* insiste sur une naissance masculine et *damoisel* sur une naissance noble » (*Glossary of the First Continuation*, Philadelphie, The American Philosophical Society, 1955, p. 57).

faudestuel : issu du francique **faldistol* (« siège pliant »), le substantif *faudestuel*, qui apparaît sous sa forme moderne *fauteuil* à partir du XVIe siècle, désigne au Moyen Âge d'abord un siège pliant richement décoré, transporté en voyage pour les grands personnages, puis « un siège de parade », « un siège de cour », « un trône ». Depuis le XVIIe siècle, il s'applique à un siège confortable à dossier et à bras.

livres : pour garantir la véracité de sa description, Benoît de Sainte-Maure évoque le texte source qu'il nomme *livre*, *escrit* ou *estoire*, c'est-à-dire le récit de Darès.

Daviz : selon une tradition biblique, David est appelé comme ménestrel à la cour de Saül, qu'il apaise en lui jouant de la cithare (Livre de Samuel I, 16). Musicien et poète, il passe aussi pour l'initiateur du psaume. Le psaume 150 se plaît à faire résonner divers instruments

comme le cor, la harpe, la lyre, le tambourin, les cordes et
les flûtes, les cymbales sonores et retentissantes, pour
louer Yahvé. D'après le *Premier Livre des Chroniques*, 25,
David aurait confié les instruments de musique à différentes familles organisées en vingt-quatre groupes de
douze musiciens chacun. Voir É. Brisson, *La Musique*,
Paris, Belin, 1993, p. 30-31.

doze estrument : tous les instruments cités sont à corde :
l'(h)*armonie* et la *symphonie*, deux instruments à cordes
frottées donnant simultanément plusieurs sons, la *cithare*,
la *harpe* (qui comprend de six à vingt-cinq cordes), la *lyre*,
le *monocorde* (avec une seule corde tendue sur la caisse de
résonance), la *gigue* et la *vielle*, deux instruments à cordes
frottées avec un archet, le premier pourvu de trois cordes,
le second de cinq et d'un manche, le *psaltérion* (on joue de
cet instrument de forme triangulaire, rectangulaire ou tra-
pézoïdale, en pinçant les cordes avec les doigts ou un
plectre), la *rote* (instrument à cordes pincées), enfin le
tympanon et les *cymbales*, deux instruments à cordes frap-
pées avec des martelets ou des baguettes. Voir le *Guide de
la musique au Moyen Âge*, sous la direction de F. Ferrand,
Paris, Fayard, 1999.

corage : dérivé de *cuer/cœur*, le substantif *co(u)rage* désigne le
« siège des sentiments » ; par métonymie, il peut aussi
s'appliquer aux dispositions de l'âme ou de l'esprit, d'où
les sens de : « opinion », « jugement », « pensée », « intention, envie, désir », « sentiments » et notamment le sentiment amoureux. À partir du XVIIᵉ siècle, le terme se restreint aux sens de « force d'âme devant le danger »,
« bravoure » et « énergie ».

3. [L'automate musicien]

Uns des danzeus★ de l'autre part
14760 Fu tresjetez par grant esgart.
Sor le piler esteit asis
En un faudestuel★ de grant pris ;
D'une ofïane esteit ovrez :
C'est une pierre riche assez.
14765 Cil qui la veit auques sovent,
Ce dit li livres★ qui ne ment,
En refreschist e renovele,
E la colors l'en est plus bele,
Ne grant ire ja n'en avra
14770 Le jor q'une feiz la verra.
L'image ot son chief coroné
D'un cercle d'or molt bien ovré
O esmaraudes, o rubins,
Qui molt li escleirent le vis.
14775 Estrumenz tint, genz et petiz,
E si n'en sot onc tant Daviz★,
Quis fist e quis apareilla,
N'onques se bien ne les sona
Come l'image, sans desdit.
14780 Iluec par ot si grant delit
Que gigue, harpe e sinphonie,
Rote, vïele e armonie,
Sautier, cinbales, tinpanon,
Monacorde, lyre, coron,
14785 Ice sunt les doze estrument★,

3. L'automate musicien

De l'autre côté l'un des deux jeunes gens
avait été magistralement sculpté.   14760
Il était assis au sommet de la colonne,
sur un magnifique trône,
taillé dans l'obsidienne,
une pierre très précieuse.
Celui qui la voit assez souvent   14765
– je le tiens de source sûre –
retrouve fraîcheur et jeunesse,
son teint est plus beau ;
et il n'éprouvera plus de colère
le jour où il la verra, même une fois.   14770
La statue avait la tête couronnée
d'un cercle d'or finement ouvragé
d'émeraudes et de rubis
qui illuminaient son visage.
Elle tenait de jolis et petits instruments de musique   14775
et jamais David qui les fabriqua
et les mit au point ne sut aussi bien en jouer
ni n'en tira des sons aussi mélodieux
que la statue, sans contredit.
Quel plaisir suprême de l'entendre   14780
jouer de la gigue, de la harpe et de la symphonie,
de la rote, de la vielle, de l'harmonie,
du psaltérion, des cymbales, du tympanon,
du monocorde, de la lyre et de la cithare,
tels sont les douze instruments.   14785

Tant par les sone doucement
Que l'armonie esperitaus
Ne li curres celestiaus
N'est a oïr si delitable :
14790 Tot senble chose esperitable.
Quant cil de la chanbre conseillent,
A l'endormir e quant il veillent,
Sone e note tant doucement,
Ne treit dolor ne mal ne sent
14795 Quis puet oïr e escouter.
Fol corage★ ne mal penser
N'i prent as genz, ne fols talanz.
Mout funt grant bien as escoutanz,
Quar auques haut poënt parler :
14800 Ja nes porra nus escouter.
Ice agreë as plusors
Qui sovent conseillent d'amors
E de segrez e d'autres diz
Qui ne volent mie a estre oïz.
14805 Li damaiseus, qui tant est genz,
Après le son des estrumenz
Prent flors de molt divers senblanz,
Beles e fresches, bien olanz ;
Adoncs les giete a tiel planté
14810 Desus le pavement listé
Que toz en est des flors coverz,
C'est en esté e en yverz.

La statue en tire des sons si doux
que ni l'harmonie des sphères célestes
ni le chœur des anges
ne sont aussi agréables à entendre :
tout semble une création céleste.   14790
Quand les occupants de la chambre chuchotent
et veillent au moment de dormir,
elle joue si doucement
qu'on ne ressent ni douleur ni mal
quand on peut les entendre et écouter.   14795
Là ni folles opinions ni mauvaises pensées,
ni désirs insensés ne s'emparent des gens.
Les instruments sont très bénéfiques à leurs auditeurs,
car ils auront beau parler à voix haute,
personne ne pourra les écouter.   14800
Voilà qui plaît à la plupart
de ceux qui parlent souvent d'amour,
échangent des paroles et des secrets,
sans vouloir qu'on les entende.
Le jeune homme, qui est la beauté même,   14805
après avoir joué des instruments,
prend des fleurs d'espèces très différentes,
belles, fraîches, parfumées ;
puis il les répand si abondamment
sur le pavage orné d'une bordure   14810
qu'il est recouvert de fleurs,
été comme hiver.

LE ROMAN D'ALEXANDRE

Regroupant ce qui fut relaté aux XIIᵉ et XIIIᵉ siècles sur la vie et les exploits d'Alexandre le Grand, *Le Roman d'Alexandre* s'est constitué peu à peu par apports, remaniements et continuations successifs. La légende du conquérant macédonien fut transmise à l'Occident par des adaptations latines d'un roman grec composé au IIᵉ siècle après Jésus-Christ et attribué au Pseudo Callisthène. Les plus anciennes versions médiévales sont l'*Alexandre* d'Albéric de Pisançon (premier tiers du XIIᵉ siècle), dont il ne reste qu'un fragment de 105 octosyllabes répartis en quinze laisses, et l'*Alexandre décasyllabique*, composé entre 1160 et 1165, dont nous ne possédons que 785 vers, rassemblés en soixante-seize laisses.

Alexandre de Paris, né à Bernay en Normandie, compile, unifie et réécrit les récits de ses prédécesseurs pour former, vers 1180, un roman biographique de 16 000 dodécasyllabes en laisses monorimes, divisé en quatre branches : si la première raconte les « enfances » d'Alexandre (sa naissance, le dressage du fabuleux cheval Bucéphale, son adoubement, la guerre contre le roi Nicolas de Césarée), la deuxième rapporte la prise de Tyr, celle de Gaza, l'entrée à Jérusalem et la défaite de Darius. La troisième, qui représente à elle seule la moitié de l'ouvrage, narre les victoires du conquérant sur Darius et Porus, ses deux voyages extraordinaires sous la mer et dans les airs, son idylle avec la reine Candace ; elle décrit en outre les merveilles de l'Orient (richesses et luxe du palais de Porus, animaux monstrueux lors de la traversée du désert indien, les trois fontaines de jouvence, d'immortalité et de résurrection, la forêt enchantée des filles-fleurs, les arbres prophétiques du Soleil et de la Lune, la rencontre avec les Amazones). La dernière branche relate l'empoisonnement et la mort du protagoniste.

Le *Roman d'Alexandre* est une œuvre hybride : chanson de geste par son écriture (marques de l'oralité, techniques d'enchaînement des laisses et formules stéréotypées) et la présence de nombreux motifs épiques (adoubement, armement, bataille, combats singuliers et mêlées), « manuel de politique et livre de sapience », il est encore un roman d'aventures, exotique (avec un merveilleux onirique), retraçant la destinée d'un individu ambivalent. Parangon de prouesse et de largesse, disciple d'Aristote, assoiffé de connaissances, savant lui-même, figure idéale alliant la clergie et la chevalerie, le héros incarne aussi la démesure, lui dont l'orgueil est tel qu'il ose défier les dieux.

Le texte proposé se situe dans la troisième branche. Malgré l'opposition de ses hommes qui craignent pour sa vie, Alexandre décide d'explorer les fonds marins.

Bibliographie

The Medieval French Roman d'Alexandre, éd. de E.C. Armstrong *et al.*, Princeton, Elliot Monographs, 1937-1976, 7 vol. (les vol. 1, 2, 3, 4, 5 et 7 ont été réédités, New York, Kraus Reprints, 1965) ; Alexandre de Paris, *Le Roman d'Alexandre*, éd. bilingue de L. Harf-Lancner, Paris, Le Livre de poche, « Lettres gothiques », 1994.

A. Abel, *Le Roman d'Alexandre, légendaire médiéval*, Bruxelles, 1955 ; *Alexandre le Grand dans les littératures occidentales et proche-orientales*, université de Paris X-Nanterre, 1999 ; « Le Roman d'Alexandre », *Bien dire et bien aprandre*, n° 6,

et « Autour d'Alexandre », *Bien dire et bien aprandre*, n° 7,
Centre d'études médiévales et dialectales de Lille III, 1988
et 1989 ; F. Dubost, *Aspects fantastiques de la littérature
médiévale (XIIᵉ-XIIIᵉ siècles)*, Paris, Champion, 1991, p. 256-
282 ; C. Gaullier-Bougassas, *Les Romans d'Alexandre. Aux
frontières de l'épique et du romanesque*, Paris, Champion,
1998.

Notes

Le texte est établi d'après le manuscrit BN fr. 25517 qui date
  de la seconde moitié du XIIIᵉ siècle et l'éd. de E.C. Armstrong, D.L. Buffum, B. Edwards et L.F.H. Lowe, Princeton, 1937, Elliott Monographs 37.
Cette aventure illustre la toute-puissance d'Alexandre qui ne
  se contente pas de conquérir l'espace horizontal jusqu'aux limites orientales du monde (les bornes d'Her-
  cule), mais cherche à étendre sa domination dans l'espace
  vertical. D'ailleurs, après avoir observé les fonds marins,
  il s'envolera vers le ciel, placé dans une nacelle tirée par
  des griffons (branche III, v. 4949-5061).
Lors de son voyage sous la mer, cet ancêtre du commandant
  Cousteau observe attentivement le comportement des
  poissons dont il tire aussitôt un enseignement moral :
  constatant ainsi que les gros poissons engloutissent toujours les petits, incapables d'échapper à la destruction, il
  en déduit que sous la mer, comme sur terre, règne la loi
  du plus fort et qu'en cas d'échec de la force, c'est la ruse
  qui triomphe. Dominé par la violence et la convoitise,
  l'univers lui semble perdu et damné. L'auteur met en
  valeur ces leçons par tout un système de reprises initiales
  (v. 449, 465, 481) ou bifurquées (v. 430, 434 ; 428, 436 ;
  444-445, 449-450), de vers (440-443, 468-470, 483-
  485 ; 445-446, 453-457, 471-475, 485-489 ; 458, 476)
  ou de laisses (22 à 25) similaires, procédés caractéristiques de la chanson de geste.

vaissel : issu du bas latin *vascellum* (« petit vase »), le substantif offre plusieurs acceptions. Il s'emploie non seulement pour un récipient quelconque (ciboire, écuelle,
  cuve, bassin, tonneau, chaudière), mais aussi pour un

cercueil. Il signifie de surcroît un navire et remplace peu à peu le terme *nef.*

notonier : emprunté à l'ancien provençal *nautanier,* lui-même dérivé du latin vulgaire **nautonem* à côté du latin classique *nauta,* le *notonier* désigne le marin. Le terme s'emploie encore en poésie et dans la périphrase *le nautonier des Enfers* qui s'applique à Charon.

soi tiers : le pronom réfléchi (forme tonique au cas régime) s'allie à l'ordinal pour exprimer l'accompagnement. *Soi tiers* signifie littéralement « lui troisième ». Autrement dit, deux hommes entrent avec Alexandre dans cette sorte de bathysphère.

avalés : tandis que *descendre* s'applique en général à un cavalier qui met pied à terre, le verbe *avaler,* formé sur l'adverbe *aval,* indique l'action de « descendre ou de faire descendre », puis, par restriction sémantique, le fait de « faire descendre un aliment par le gosier ».

choisis : issu du gotique **kausjan* (« goûter », « examiner »), le verbe *choisir* présente deux sens principaux dans l'ancienne langue dont seul le second s'est conservé en français moderne : « distinguer par la vue », « apercevoir », « découvrir », « remarquer » ; « prendre de préférence », « élire ».

voiers : provenant du latin *vicarius* (« remplaçant »), un *voiers/voyer* qualifie un officier de justice, puis un agent « préposé à la police des voies publiques et des chemins ».

mui : issu du latin *modium,* le substantif *mui/muid* est une ancienne mesure de capacité, variable selon les régions, utilisée pour les grains et les liquides ; il désigne aussi une futaille capable de contenir cette mesure.

besans dis sestiers : dérivé du latin *sextarius* (« sixième partie », « un sixième »), un *sestier/setier* dénomme une autre mesure de capacité pour les grains, variant, selon les époques et les contrées, de 150 à 300 litres ; c'est également « une mesure pour les liquides correspondant à huit pintes ». L'instauration du système métrique provoquera la disparition de tous ces termes de mesure. Quant au *besans/besant,* emprunté au latin tardif *byzantius nummus,* il désigne une monnaie byzantine d'or, répandue en Europe au temps des croisades. Voir É. Fournial, *Histoire monétaire de l'Occident médiéval,* Paris, Nathan, 1970, p. 73.

ensaigne : venant du latin *insignia,* neutre pluriel de *insigne* (« signe distinctif »), le substantif féminin *ensaigne,* tout en conservant sa valeur étymologique de « marque », prend les sens de « preuve », « signal », « indication ». Il revêt d'autre part les acceptions très concrètes d'« étendard, banderole de la lance », et de « cri de ralliement », « cri de guerre » ; enfin, à partir du XVᵉ siècle, le mot se dit d'un panneau portant un emblème ou une inscription. Au XVIᵉ siècle il s'applique à l'officier porte-drapeau avant de qualifier un sous-lieutenant ou un lieutenant de la marine de guerre.

4. [Exploration sous-marine]

21

Li ouvrier li ont fait un molt riche vaissel⋆,
Tous iert de voirre blanc, ainc hom ne vit si bel.
De meïsme font lampes environ le tounel,
425 Qui la dedens ardoient a joie et a revel,
Que ja n'avra en mer tant petit poissoncel
Que li rois bien ne voie, ne agait ne cembel.
Qant il fu entrés ens et li dui damoisel,
Autresi fu seürs comme en tor de chastel.
430 Li notonier⋆ l'en portent en mer en un batel,
Que il ne puist hurter a roche n'a quarrel.
Ens el pommel desus ot fondu un anel,
Iluec tient la chaene, dont fort sont li clavel.

22

Li touniaus fu en l'eaue en un batel portés
435 Et fu de toutes pars a plonc bien seelés.
Alixandres li rois i fu soi tiers⋆ entrés
Et fu des notoniers en haute mer menés,
Et commande a ses homes que il soit devalés.
Et qant li touniaus fu la dedens avalés⋆,

4. Exploration sous-marine

21

Les ouvriers lui ont fabriqué un magnifique vaisseau,
tout en verre transparent, on n'en vit jamais de si beau.
Ils garnissent aussi le tour intérieur du tonneau
de lampes dont la vive clarté réjouit,   425
de sorte qu'en mer aucun poisson, aussi petit soit-il,
n'échappera au regard du roi, ni un piège ni un combat.
Quand il s'y installa avec deux jeunes chevaliers,
il se trouva autant en sécurité que dans un donjon.
Les marins le transportent dans une barque en mer   430
pour lui éviter de heurter un rocher ou un récif.
Au sommet est fixé un anneau
où est accrochée la chaîne aux solides maillons.

22

Le tonneau est transporté en barque sur l'eau,
et bien scellé de plomb de tous les côtés.   435
Le roi Alexandre y est entré avec deux compagnons,
et les marins l'emmènent en haute mer ;
il ordonne à ses hommes de le descendre au fond de
    l'eau.
Le tonneau une fois descendu,

440 Des lampes qui ardoient fu molt grans la clartés.
     Assés fu li touniaus des poissons esgardés,
     Ains n'i ot si hardi n'en fust espoëntés
     Por la grant resplendor dont n'iert acostumés.
     Alixandres li rois les a bien avisés
445 Et vit les grans poissons vers les petits mellés ;
     Qant li petis est pris sempres est devourés.
     Qant ce vit Alixandres, adont s'est porpensés
     Que tous cis siecles est et peris et dampnés.

                              23

     Alixandres li rois ne fu mie esbahis,
450 Bien a tous les poissons esgardés et choisis*,
     Mais onques n'i ot un qui ains fust si hardis
     Vers le tounel de voirre n'alast molt a envis.
     Il vit les plus petis des gregnors envaïs ;
     Qant il un en prenoient, lors estoit trangloutis,
455 Et qant pooit tant faire qu'il s'en iert departis,
     Adonques li estoit autres agais bastis
     Tant que pris iert par force et par engien traïs.
     Qant ce vit Alixandres, molt s'en est esjoïs,
     A ciaus qui o lui ierent en vint tous esbaudis
460 Et dist : « Se la sus iere a ma gent revertis,
     Ja mais n'iere de guerre engigniés ne aflis.
     Je voi ces mons, ces vaus, ces plains et ces laris,
     De grans poissons de mer bien estruis et garnis :
     Qui bien se puet deffendre des autres est garis. »

                              24

465 Alixandres li rois o les deus chevaliers
     Est el fons de la mer, dont clers est li graviers,
     Ens el vaissel de voirre qui bons est et entiers.
     Ardent les lampes cler, car ce lor est mestiers ;
     Onques poisson n'i ot, tant fust ne gros ne fiers,

les lampes répandent une immense clarté.   440
Les poissons regardent attentivement le tonneau,
même les plus hardis sont épouvantés
à cause de cette vive clarté dont ils n'ont pas l'habitude.
Le roi Alexandre les a bien observés :
il a vu le combat des gros poissons contre les petits ;   445
le petit une fois pris est aussitôt dévoré.
Devant ce spectacle, Alexandre a alors jugé
que le monde entier est perdu et damné.

23

Sans crainte, le roi Alexandre
a bien observé et examiné tous les poissons ;   450
même les plus hardis
s'approchent à contrecœur du tonneau de verre.
Il voit les plus petits attaqués par les plus gros ;
quand ceux-ci en prennent un, alors ils l'engloutissent,
et quand un petit parvient à s'échapper,   455
il tombe dans un autre piège,
tant et si bien qu'il est pris par la force et trahi par la ruse.
Ce spectacle comble Alexandre de joie.
Il se dirige tout heureux vers ses compagnons
et leur dit : « Si j'étais revenu là-haut, auprès de mes   460
     gens,
jamais plus je ne serais trompé ni abattu à la guerre.
Je vois ces monts, ces vallées, ces plaines et ces landes
bien garnis de gros poissons :
qui peut se défendre des autres est sauvé. »

24

Le roi Alexandre et les deux chevaliers   465
sont au fond de la mer au sable clair,
à l'intérieur du vaisseau de verre, solide et intact.
Les lampes répandent une clarté qui leur est nécessaire ;
aucun poisson, si gros ou féroce soit-il,

470 Qui osast aproismier, car n'en iert coustumiers.
    Alixandres resgarde les grans et les pleniers
    Qui les petis trangloutent, itels est lor mestiers ;
    Autresi comme el siecle est chacuns justiciers,
    Autresi vit il la lor prevos, lor voiers★ ;
475 Sor les petis tornoit tous jors li encombriers.
    Qant ce vit Alixandres, si s'en rist volentiers
    Et dist as damoisiaus : « Por un mui★ de deniers
    Ne por toute la terre tresq'as puis de Riviers
    Ne vausisse je mie que cis miens desirriers
480 Fust targiés ne remés por besans dis sestiers★. »

25

    Li rois est en la mer lai ens el plus parfont,
    Les poissons vit aller et a val et a mont ;
    Por les lampes qui ardent issi grant paor ont
    N'i osent aprochier, mais arriere s'en vont.
485 Li grant, li plus hardi, cil sont el premier front ;
    Qant prenent le petit, sempres tranglouti l'ont,
    Et se il lor eschape, tantost agait li font.
    Li plus fors prent le feble si l'ocist et confont ;
    Qant li petit eschapent a val la mer s'en vont.
490 Tout ce vit Alixandres, qui le poil avoit blont,
    Puis a faite l'ensaigne★ a ciaus qui lassus sont
    Q'il lievent la chaene sel traient contre mont.
    Cil l'en traient bien tost, car assés orent dont ;
    Enpensé sont du roi, se vif le troveront,
495 Par son non l'apelerent, et il lai ens respont
    Q'il n'est mie noiés, ja mar en douteront.
    Cil orent molt grant joie de ce que oï l'ont,
    Puis ont le vaissel trait el batel sel deffont :
    Alixandres meïsmes a ses mains le derront.

n'ose approcher, car il n'est pas habitué.   470
Alexandre regarde les gros et les puissants
qui engloutissent les petits, selon leur office.
De même qu'en ce monde-ci chacun est justiciable,
de même il voit là leurs prévôts et leurs voyers ;
les ennuis tombent toujours sur les petits.   475
Devant ce spectacle, Alexandre rit volontiers
et dit aux jeunes chevaliers : « Pour un muid de deniers,
pour toute la terre jusqu'aux collines de Riviers,
ou pour dix setiers de besants, je n'aurais pas voulu
renoncer à mon désir ni retarder son accomplissement. »   480

25

Le roi est au plus profond de la mer,
il voit les poissons se mouvoir en tout sens ;
ils sont si effrayés par la clarté des lampes
qu'ils n'osent s'approcher, mais retournent en arrière.
Les grands, les plus hardis se trouvent au premier   485
    rang ;
quand ils prennent un petit, ils ont tôt fait de l'engloutir,
et s'il leur échappe, ils lui tendent vite un piège.
Le plus fort prend le faible, le tue et le détruit ;
quand les petits s'échappent, ils s'enfoncent dans la mer.
Alexandre, le blond, a vu tout ce spectacle,   490
puis il a fait signe à ceux qui sont là-haut
de tirer la chaîne et de le remonter.
Ils le remontent très vite, car ils avaient grand-peur ;
ils sont inquiets de savoir s'ils le trouveront vivant.
Ils l'appellent par son nom et de l'intérieur il répond   495
qu'ils se rassurent car il ne s'est pas noyé.
Ils se réjouissent de l'entendre
puis tirent le vaisseau jusque dans la barque pour l'ouvrir ;
Alexandre lui-même le brise de ses mains.

Béroul

LE ROMAN DE TRISTAN

Du roman que Béroul, poète d'origine normande si l'on en juge par les traits linguistiques de son texte, composa vers 1180 et qui se rattache à la version dite « commune » de la légende de Tristan et Yseut, il ne reste plus qu'un fragment de 4 485 vers. Le récit s'ouvre avec la scène du rendez-vous épié, au cours de laquelle les deux amants, devinant la présence de Marc caché dans un pin, tiennent des propos destinés à rassurer le roi. Mais ce dernier, poussé par trois barons et secondé par le nain Frocin, prend son épouse et son neveu en flagrant délit (épisode de la fleur de farine). Tandis que Tristan parvient à s'échapper en sautant depuis la fenêtre d'une chapelle, Yseut est conduite au bûcher avant d'être livrée à une troupe de lépreux auxquels Tristan, aidé par son écuyer Gouvernal, réussit à l'arracher. Tous trois se réfugient dans la forêt du Morois où, rejoints par le chien Husdent, ils mènent une « aspre vie », refusant toutefois de se repentir comme les y exhorte l'ermite Ogrin. Au bout de trois ans, l'efficacité du philtre s'estompant, ils se rendent auprès d'Ogrin qui s'entremet pour réconcilier le couple royal. Cependant les barons obligent le souverain à soumettre sa femme à un serment purgatoire. En

présence d'Arthur et de ses chevaliers, Tristan, travesti
en lépreux, fait traverser le « Mal Pas » à Yseut qui peut
alors jurer qu'aucun homme n'est entré entre ses
cuisses à l'exception de son mari et du lépreux qu'elle
vient de chevaucher. Au cours du tournoi qui suit, le
protagoniste, déguisé en Chevalier Noir, se débarrasse
de plusieurs ennemis.

Dans un contexte féodal très présent puisque les
barons de Marc, suzerain d'ailleurs versatile et souvent
manipulé, cherchent à contester son autorité à travers la
personne de son neveu, le récit discontinu, empreint de
violence dans la description des combats et la relation
du désir charnel, accorde une grande importance à la
parole (interventions du narrateur, monologues, dialogues, voix du menu peuple de Cornouailles qui
exprime nettement sa sympathie à l'égard des amants),
une parole souvent mensongère, truquée, à double
sens. Si le « philtre alibi » rend les héros innocents aux
yeux de Dieu et des lecteurs, l'affaiblissement de son
pouvoir après trois ans les incite à réintégrer la vie
sociale et transforme leur amour « contraint et subi » en
un amour « volontaire et construit ».

Le texte choisi se situe pendant le séjour des amants
dans la forêt du Morois. Un forestier découvre par
hasard l'abri de feuillage où sont endormis Tristan et
Yseut et prévient aussitôt le roi Marc.

Bibliographie

Le Roman de Tristan, éd. de E. Muret, 4ᵉ éd. revue par
  L.M. Defourques, Paris, Champion, 1974 ; trad. de P. Jonin,
  Paris, Champion, 1982 ; éd. et trad. de J.-Ch. Payen, *Tris-
  tan et Yseut*, Paris, Garnier, 1974, p. 1-141 ; éd. et trad. de
  Ph. Walter, *Tristan et Iseut*, Paris, Le Livre de poche, « Lettres
  gothiques », 1989, p. 21-231 ; éd. et trad. de D. Poirion,
  Tristan et Yseut, Paris, Gallimard, 1995, p. 3-121.
F. Barteau, *Les Romans de Tristan et Iseut : introduction à une
  lecture plurielle*, Paris, Larousse, 1972 ; E. Baumgartner,
  Tristan et Iseut. De la légende aux récits en vers, Paris, PUF,

1987 ; M. Cazenave, *Le Philtre et l'amour : la légende de Tristan et Iseut*, Paris, José Corti, 1969 ; J. Chocheyras, *Tristan et Iseut. Genèse d'un mythe littéraire*, Paris, Champion, 1996 ; P. Jonin, *Les Personnages féminins dans les romans français de Tristan au XIIᵉ siècle*, Aix-en-Provence, Ophrys, 1958 ; « La Légende de Tristan au Moyen Âge », *Actes du colloque d'Amiens 1982*, éd. de D. Buschinger, Göppingen, Kümmerle Verlag, 1982 ; « Tristan et Yseut, mythe européen et mondial », *Actes du colloque d'Amiens 1986*, éd. de D. Buschinger, Göppingen, Kümmerle Verlag, 1987 ; J. Ribard, *Du philtre au Graal. Pour une interprétation théologique du Roman de Tristan et du Conte du Graal*, Paris, Champion, 1989 ; Ph. Walter, *Le Gant de verre. Le Mythe de Tristan et Yseut*, La Gacilly, Artus, 1990.

Filmographie

A. Capellani, *Tristan et Yseult*, 1909 ou 1911 ; U. Folena, *Tristano e Isotto*, 1911 ; M. Mariaud, *Tristan et Yseut*, 1920 (scénario de F. Toussaint et J.-L. Bouquet) ; J. Delannoy, *L'Éternel Retour*, 1943 (scénario de J. Cocteau) ; Y. Lagrange, *Tristan et Iseult*, 1973 ; V. von Fürsterberg, *Feuer und Schwert (Fire and Sword)*, 1981 ; L. Grospierre, *Connemara*, 1988 (sortie 1990).

Notes

Le texte est établi d'après le manuscrit 2171 du fonds français de la Bibliothèque nationale (seconde moitié du XIIIᵉ siècle) et l'éd. de E. Muret. Alors qu'au vers 1945 nous n'avons pas gardé la leçon du manuscrit *cortoisie* qui serait d'une singulière ironie, en revanche au vers 1985 nous l'avons rétablie et substitué *s'en torne* à *s'atorne*.

Il s'agit d'une scène émouvante dont l'intensité dramatique croît jusqu'au vers 1995, à l'instant précis où Marc aperçoit les amants endormis. L'épée vengeresse sur laquelle l'auteur attire plusieurs fois l'attention (v. 1944, 1963, 1984, 1987), cette épée ceinte, dégainée, nue, brandie est en définitive posée doucement entre les deux corps à la place de celle de Tristan. La fureur meurtrière s'est transformée en délicate affection.

Cet épisode illustre aussi l'incommunicabilité entre les êtres à travers le caractère double et trompeur des signes que chacun interprète à sa façon. Ainsi le roi remarque quatre indices qui le persuadent de l'innocence des amants et l'incitent à l'indulgence : alors que la chemise qui vêt Yseut, les braies gardées par Tristan et l'écart entre leurs bouches suggèrent l'accablement de la chaleur et tandis que l'épée qui les sépare montre simplement la prudence d'un chevalier soucieux de garder son arme à portée de main, Marc y voit la preuve que sa femme et son neveu ne s'aiment pas follement (v. 2006-2013). À l'aide de trois objets (une paire de gants destinés à protéger le visage d'Yseut des rayons du soleil, un anneau et une épée), il compose ensuite un triple message à leur intention : ils ont été découverts ; il a eu pitié d'eux ; personne ne veut les tuer (v. 2023-2026). Mais ces attitudes, gages de tendresse, peuvent être comprises de diverses manières. Outre le symbolisme sexuel qui s'attache à l'épée et à la bague, la substitution des armes et des anneaux ainsi que la présence des gants font partie du rituel de l'investiture vassalique : en quelque sorte Marc reprendrait possession de son épouse et replacerait son neveu sous son autorité féodale. Quant aux amants, prenant ces échanges d'objets pour une terrible menace, craignant que le roi ne soit reparti pour chercher des renforts, ils préfèrent s'enfuir (v. 2095-2121). Sur cette séquence, voir J. Dufournet, « Étude de l'épisode du roi Marc dans la hutte des amants », *L'Information littéraire*, mars-avril 1975, p. 79-87, et J. Marx, *Nouvelles Recherches sur la littérature arthurienne*, Paris, Klincksieck, 1965, p. 289-297.

forestier : le forestier est un agent chargé de protéger un territoire boisé réservé au seigneur. Le personnage est souvent détesté parce qu'il poursuit les braconniers, perçoit les taxes et les amendes, et s'oppose au défrichage de la forêt. Espion, mauvais conseiller, celui-ci représente le double négatif, vil, félon, instinctif et brutal du roi Marc.

mars : le *marc*, du francique **marka*, est une monnaie de compte qui valait une demi-livre à Paris et les deux tiers d'une livre en Angleterre.

Li rois deslace son mantel : comme l'explique L. Foulet dans *The Glossary of The First Continuation* (*op. cit.*, p. 178), le manteau est un vêtement d'apparat et de cérémonie que l'on porte en signe de paix, de déférence courtoise et de loisir. En revanche, « dès qu'on prend part à une activité

quelconque, qui ne soit pas de pure parade, mission à
remplir, service à assurer, besogne à mener à fin, intervention à soutenir », il convient d'ôter son manteau. Marc
accomplit ce geste symbolique avant de tuer les amants.

loge : issu du francique *laubja* (« tonnelle »), la *loge* désigne
une habitation provisoire, une hutte faite de branches et
de feuilles ou une tente. Le mot s'applique ensuite à de
petites pièces ou à des galeries d'un château, ouvertes sur
l'extérieur et destinées à l'agrément ou à l'observation.
Enfin il définit la tribune érigée pour les spectateurs d'un
tournoi et l'abri couvert, la boutique située dans les foires
et les halles.

erre : qu'il vienne du latin *iter* (« trajet » et « chemin ») ou
qu'il soit un déverbal du verbe *errer*, le substantif *erre* offre
plusieurs significations : 1) voyage, expédition, route ;
2) « tout ce qui sert pour un voyage », bagage ; 3) « marche,
allure, train », d'où les expressions *grant erre* (« rapidement »), *en erre* (« en hâte, sur-le-champ ») ; 4) manière
d'agir, conduite ; 5) en tant que terme de vénerie, il
désigne les traces d'un animal.

çoine : c'est la troisième personne du présent de l'indicatif du
verbe *seignier* (« faire signe »).

*Ja decendist li cop sor eus,/Ses oceïst, ce fust grant deus,/Quant
vit…* : le système syntaxique des vers 1993 à 1995 propose un premier membre de phrase au subjonctif imparfait
(*decendist, oceïst, fust*) et un second, une subordonnée
temporelle au passé simple de l'indicatif (*Quant vit*). Cette
combinaison du subjonctif, appelé parfois « subjonctif
d'imminence contrecarrée » et employé pour un procès qui
était sur le point de se produire, et de l'indicatif qui
empêche la réalisation de l'action envisagée, cette juxtapo-
sition de l'irréel et du réel suscite un intense effet dramatique. Voir A. Henry, *Études de syntaxe expressive*, Éditions
de l'université de Bruxelles, 1960.

le Morhot : le Morhot est un géant irlandais, oncle maternel
d'Yseut. Ce chevalier redoutable venu réclamer aux Cor-
nouaillais un tribut humain est tué par Tristan à la suite
d'un combat singulier. Mais le neveu du roi Marc qui a
reçu une blessure empoisonnée s'embarque sur une
nacelle sans gouvernail et échoue en Irlande où il est
soigné par Yseut.

5. [Marc épargne les amants]

Li rois a fait sa sele metre,
S'espee çaint, sovent regrete
1945 A lui tot sol la cuvertise
Que Tristran fist, quant il l'ot prisse
Yseult la bele o le cler vis,
O qui s'en est alé fuitis.
S'il les trove, mot les menace,
1950 Ne laira pas ne lor mesface.
Mot est li rois acoragiez
De destruire : c'es granz pechiez.
De la cité s'en est issuz
Et dist mex veut estre penduz
1955 Qu'il ne prenge de ceus venjance
Que li ont fait tel avilance.
A la croiz vint, ou cil l'atent,
Dist li qu'il aut isnelement
Et qu'il le meint la droite voie.
1960 El bois entrent, qui mot onbroie.
Devant le roi se met l'espie ;
Li rois le sieut, qui bien s'i fie,
En l'espee que il a çainte,
Dont a doné colee mainte.
1965 Si fait il trop que sorquidez ;
Quar, se Tristran fust esvelliez,
Li niés o l'oncle se meslast,
Li uns morust, ainz ne finast.
Au forestier* dist li roi Mars

5. Marc épargne les amants

Le roi a fait seller son cheval,
il ceint son épée et maintes fois déplore
en lui-même la trahison   1945
de Tristan qui lui a pris
la belle Yseut au clair visage
avec laquelle il s'est enfui.
S'il les trouve, menace-t-il,
il ne manquera pas de leur faire du mal.   1950
Le roi est vraiment résolu
à les détruire : quel malheur !
Il sort de la ville
et dit qu'il préfère être pendu
plutôt que de ne pas tirer vengeance de ceux   1955
qui lui ont infligé un tel outrage.
Il est arrivé à la Croix où l'attend le forestier ;
il lui dit de se dépêcher
et de le mener au plus court.
Ils pénètrent dans le bois ombreux.   1960
L'espion précède le roi ;
le roi le suit, confiant
dans l'épée qu'il a ceinte
et dont il a donné force coups.
Il se montre très présomptueux,   1965
car, si Tristan était éveillé,
le neveu affronterait son oncle en un combat
et l'un des deux serait mort avant d'en finir.
Le roi Marc a dit au forestier

1970 Qu'il li dorroit d'argent vint mars★,
     Sel menoit tost a son forfet.
     Li forestier (qui vergonde ait !)
     Dist que pres sont de lor besoigne.
     Du buen cheval, né de Gascoingne,
1975 Fait l'espie le roi decendre,
     De l'autre part cort l'estrier prendre ;
     A la branche d'un vert pomier
     La reigne lïent du destrier.
     Poi vont avant, quant ont veü
1980 La loge por qu'il sont meü.
     Li rois deslace son mantel★,
     Dont a fin or sont li tasel :
     Desfublez fu, mot out gent cors.
     Du fuerre trait l'espee fors.
1985 Iriez s'en torne, sovent dit
     Qu'or veut morir s'il nes ocit.
     L'espee nue an la loge★ entre.
     Le forestier entre soventre,
     Grant erre★ aprés le roi acort :
1990 Li ros li çoine★ qu'il retort.
     Li rois en haut le cop leva,
     Ire le fait, si se tresva.
     Ja decendist li cop sor eus,
     Ses oceïst, ce fust grant deus,
1995 Quant vit qu'ele avoit sa chemise★
     Et q'entre eus deus avoit devise,
     La bouche o l'autre n'ert jostee.
     Et qant il vit la nue espee
     Qui entre eus deus les desevrot,
2000 Vit les braies que Tristran out :
     « Dex ! » dist li rois, « ce que puet estre ?
     Or ai veü tant de lor estre,
     Dex ! je ne sai que doie faire,
     Ou de l'ocire ou de retraire.
2005 Ci sont el bois, bien a lonc tens.
     Bien puis croire, se je ai sens,
     Se il s'amasent folement,
     Ja n'i eüsent vestement,
     Entrë eus deus n'eüst espee,

qu'il lui donnerait vingt marcs d'argent   1970
s'il le conduisait vite vers celui qui lui a causé du tort.
Le forestier (honte à lui !)
dit qu'ils sont près du but.
L'espion fait descendre le roi
de son bon cheval gascon   1975
et court de l'autre côté lui tenir l'étrier ;
ils attachent les rênes du destrier
à la branche d'un pommier vert.
Ils marchent un peu jusqu'au moment où ils ont vu
la loge de feuillage, objet de leur expédition.   1980
Le roi délace son manteau
dont les attaches sont en or fin.
Le voici dévêtu : quelle noble prestance !
Il tire l'épée hors du fourreau,
s'avance furieux et répète   1985
qu'il préfère mourir s'il ne les tue pas.
L'épée nue, il entre dans la hutte.
Le forestier suit le roi
en courant vite derrière lui :
le roi lui fait signe de s'en retourner.   1990
Il lève son arme,
la colère l'enflamme puis se dissipe :
le coup allait s'abattre sur eux,
il les aurait tués, et c'eût été un grand malheur,
quand il vit qu'Yseut avait sa chemise,   1995
qu'entre eux deux il y avait un espace
et que leurs bouches n'étaient pas jointes.
Et quand il vit l'épée nue
qui, entre eux deux, les séparait,
quand il vit les braies que portait Tristan,   2000
le roi s'exclama : « Mon Dieu ! qu'est-ce que cela signifie ?
Maintenant que j'ai vu tant de marques de leur attitude,
mon Dieu ! je ne sais plus ce que je dois faire,
les tuer ou me retirer.
Ils vivent dans la forêt depuis bien longtemps.   2005
J'ai tout lieu de croire, si j'ai du bon sens,
que s'ils s'aimaient d'un amour coupable,
ils ne porteraient plus de vêtements,
entre eux deux il n'y aurait pas une épée,

2010 Autrement fust cest'asenblee.
     Corage avoie d'eus ocire :
     Nes tocherai, retrairai m'ire.
     De fole amor corage n'ont.
     N'en ferrai nul. Endormi sont :
2015 Se par moi eirent atouchié,
     Trop par feroie grant pechié ;
     Et se g'esvel cest endormi
     Et il m'ocit ou j'oci lui,
     Ce sera laide reparlance.
2020 Je lor ferai tel demostrance
     Que, ançois qu'il s'esvelleront,
     Certainement savoir porront
     Qu'il furent endormi trové
     Et q'en a eü d'eus pité,
2025 Que je nes vuel noient ocire,
     Ne moi ne gent de mon enpire.
     Ge voi el doi a la reïne
     L'anel o pierre esmeraudine ;
     Or li donnai (mot par est buens),
2030 Et g'en rai un qui refu suens :
     Osterai li le mien du doi.
     Uns ganz de vair rai je o moi,
     Qu'el aporta o soi d'Irlande.
     Le rai qui sor la face brande,
2035 Qui li fait chaut, en vuel covrir ;
     Et, qant vendra au departir,
     Prendrai l'espee d'entre eus deus
     Dont le Morhot* fu del chief blos. »
     Li rois a deslïé les ganz,
2040 Vit ensemble les deus dormanz,
     Le rai qui sor Yseut decent
     Covre des ganz mot bonement.
     L'anel du doi defors parut :
     Souef le traist, qu'il ne se mut.
2045 Primes i entra il enviz ;
     Or avoit tant les doiz gresliz
     Qu'il s'en issi sanz force fere ;
     Mot l'en sot bien li rois fors traire.
     L'espee qui entre eus deus est

et ils se comporteraient d'une autre manière.   2010
J'avais l'intention de les tuer :
je ne les toucherai pas, je réfrénerai ma colère.
Ils n'éprouvent pas d'amour coupable dans leurs cœurs.
Je ne frapperai aucun d'eux. Ils sont endormis :
si je les touchais,   2015
je commettrais une très grave faute :
si je réveille cet homme qui dort,
et s'il me tue ou si je le tue,
on en parlera ignominieusement.
Je leur laisserai de tels signes,   2020
avant qu'ils ne s'éveillent,
qu'ils pourront être sûrs et certains
qu'ils ont été découverts pendant leur sommeil
et qu'on a eu pitié d'eux,
que je ne veux pas les tuer,   2025
ni moi ni personne dans mon royaume.
Je vois au doigt de la reine
la bague ornée d'une émeraude
que je lui ai donnée autrefois (elle est de grande valeur),
et de mon côté j'ai un anneau qui lui a appartenu ;   2030
je lui ôterai du doigt la bague que je lui ai donnée.
J'ai aussi avec moi une paire de gants de vair
qu'elle a apportée avec elle d'Irlande.
Je veux en protéger son visage contre le rayon de soleil
qui le brûle et lui donne chaud ;   2035
et au moment de partir,
je prendrai l'épée qui se trouve entre eux deux
et qui décapita le Morholt. »
Le roi a délié ses gants,
il regarde le couple endormi,   2040
avec ses gants il protège délicatement
Yseut du rayon qui descend sur elle.
Il remarque l'anneau à son doigt
et le retire doucement, sans faire bouger le doigt.
La première fois la bague avait été mise avec difficulté ;   2045
à présent Yseut a les doigts si amaigris
que l'anneau glisse sans effort ;
le roi réussit parfaitement à le retirer.
L'épée qui se trouve entre eux deux,

2050 Souef oste, la soue i met.
     De la loge s'en issi fors,
     Vint au destrier, saut sor le dos ;
     Au forestier dist qu'il s'en fuie,
     Son cors trestort, si s'en conduie.
2055 Vet s'en li rois, dormant les let.

il l'ôte doucement et met la sienne à la place.   2050
Il sort de la hutte,
rejoint son cheval qu'il enfourche ;
il dit au forestier de s'enfuir,
qu'il s'en retourne et disparaisse !
Le roi s'en va, les laissant endormis.   2055

Thomas

LE ROMAN DE TRISTAN

Thomas, l'auteur de cette version dite « courtoise » ou
« lyrique », composée vers 1172-1176 selon Anthime
Fourrier, est sans doute un clerc, vivant dans l'Angleterre d'Henri II Plantagenêt.

Du roman, il ne reste plus que six passages de longueur variable, représentant au total 3 298 vers, soit
environ le quart du texte. Après le fragment de Car-
lisle, récemment découvert, qui relate les aveux et les
plaisirs des amants après l'absorption du philtre
(154 vers), le poète narre le départ de Tristan, surpris
avec la reine Yseut par Marc dans le verger (52 vers).
Au cours de la séquence suivante, le héros épouse
Yseut aux Blanches Mains mais refuse de consommer
le mariage (888 vers). Lors de l'épisode intitulé « La
salle aux images et l'eau hardie » (256 vers), Tristan
s'adresse aux statues d'Yseut la Blonde et de Brangien, tandis qu'Yseut aux Blanches Mains révèle à
son frère Kaherdin qu'elle est toujours vierge. Puis,
juchés sur un chêne, le protagoniste et son beau-frère
admirent « le cortège de la reine » (68 vers). La « fin
du roman » (1880 vers) raconte les deux visites de
Tristan, déguisé en lépreux et en pénitent, auprès
d'Yseut la Blonde, la grave blessure qu'il reçoit en

secourant Tristan le Nain, le voyage de Kaherdin chargé de ramener d'Angleterre la reine, le retour mouvementé de celle-ci et la mort des deux amants.

Thomas transforme quelque peu la légende. L'action se déplace de Cornouailles en Angleterre, à une époque postérieure au règne d'Arthur. Quant au philtre, désormais d'une durée illimitée, il n'est plus la cause de la passion fatale, mais son emblème. Le romancier, maître dans le dialogue amoureux, créateur de tout un réseau d'images (telle la blessure empoisonnée), de rimes en écho (*amur*, *tendrur*, *langur*, *dolur*) et de jeux sur les mots (*l'amer*, l'amertume, *l'amer*, le fait d'aimer et *la mer*), semble intégrer le mythe dans le cadre de *la fin'amor* pour mieux dénoncer les leurres de l'idéologie courtoise et les dangers du désir d'amour qui ne peut conduire qu'à la mort.

L'extrait proposé se situe dans les derniers instants du récit. Retardé par la tempête puis par le calme plat, le navire d'Yseut s'approche de la Bretagne avec une voile blanche, signe de sa présence à bord. Mais, par jalousie, Yseut aux Blanches Mains informe son mari qu'est hissée au mât du bateau une voile noire, symbole de l'absence de la reine.

Bibliographie

Le Roman de Tristan par Thomas, éd. de F. Lecoy, Paris, Champion, 1992 ; trad. de E. Baumgartner et I. Short, Paris, Champion, 2003 ; éd. et trad. de J.-Ch. Payen, *Tristan et Yseut*, Paris, Garnier, 1974, p. 143-244 ; Ph. Walter, *Tristan et Iseut*, Paris, Le Livre de poche, « Lettres gothiques », 1989, p. 335-483 ; Ch. Marchello-Nizia, *Tristan et Yseut*, Paris, Gallimard, « Bibliothèque de la Pléiade », 1995, p. 129-212.

A. Fourrier, *Le Courant réaliste dans le roman courtois en France au Moyen Âge*, Paris, Nizet, 1960, p. 19-109 ; J. Frappier, « Structure et sens du *Tristan* : version commune, version courtoise », *Cahiers de civilisation médiévale*, VI, 1963,

p. 255-280 et 441-454 ; P. Le Gentil, « La légende de Tristan vue par Béroul et Thomas. Essai d'interprétation », *Romance Philology*, 1953, t. VII, p. 111-129.

Notes

Le texte est établi d'après le manuscrit Douce d. 6 de la Bodleienne d'Oxford (milieu du XIIIᵉ siècle, anglo-normand) pour les vers 3021-3090 et le manuscrit Sneyd de la Bodleienne d'Oxford (fin du XIIᵉ siècle, anglo-normand) pour les vers numérotés 1 à 40 qui représentent une fin plus longue. L'édition de référence est celle de F. Lecoy. Au vers 9 nous avons corrigé *fis* en *fist*.

La sobriété d'expression dans la relation de la mort des deux amants contraste avec le regret funèbre, plus emphatique, prononcé par un vieillard louant les mérites d'un chevalier populaire qui incarnait la prouesse, la noblesse, la largesse et la compassion envers les malheureux (v. 3060-3070).

Tristan souffre plus de l'absence d'Yseut que de sa blessure ; à partir du moment où il croit que la reine n'est pas venue, il cesse de lutter et considère, avec sérénité, sa mort comme inéluctable (v. 3033-3036). Devant le cadavre de son ami, Yseut décide à son tour de renoncer à la vie (v. 3083-3087). Après une suite de regrets marqués par des verbes au subjonctif plus-que-parfait (v. 11-12, 15 et 19-20), elle accomplit une dernière fois les gestes de l'amante avant de rendre l'esprit (v. 30-34). La reprise de locutions similaires (v. 3033 et 23, 3036 et 29, 3042 et 3090) et de la même rime (*confort/mort* aux v. 3039-3040, 5-6, 25-26) le chiasme entre les pronoms personnels et les déterminants possessifs de la première et de la deuxième personnes (v. 3033-3034, 3037-3038, 3040, 27-29) traduisent l'identité du destin des héros et la réciprocité de leurs sentiments qui perdurent au-delà de la mort.

maür : le comparatif synthétique *maür/maior* (« plus grand ») est issu du latin classique *majorem*. Le cas sujet singulier correspondant, *maire*, du latin *major*, comparatif de *magnus*, désigne en ancien français « le premier officier dirigeant le corps municipal ».

estuet : généralement traduit par « il faut », *estuet* est la troisième personne du verbe *estovoir*, lequel remonte sans

doute à la locution latine *opus est*. La nécessité, le besoin,
le caractère inéluctable constituent les valeurs essentielles
de ce terme.

confort : déverbal de *conforter*, provenant lui-même du latin
ecclésiastique *confortare* (« renforcer, réconforter ») formé
sur *fortis*, *confort* s'applique à ce qui donne de la force, à ce
qui procure une amélioration, un mieux-être moral, d'où
les sens de : « soutien », « secours », « aide », « consolation ».
Sorti de l'usage au XVIIᵉ siècle au profit de son composé
réconfort, il réapparaît dans la langue à partir du XIXᵉ siècle,
sous l'influence de l'anglais, avec la valeur de bien-être
matériel.

samit : dérivé du grec byzantin *hexamitos* (« six fils »), le
samit désigne une étoffe orientale épaisse, « composée de
six fils de toutes les couleurs », un « demi-satin formé
d'une chaîne de soie soutenue par une trame de fil ».

palie roé : du latin *pallium* (« manteau »), le terme *palie/paile*
désigne une riche étoffe de soie très courante au Moyen
Âge. Dans *The Glossary of the First Continuation of Perceval*
(*op. cit.*, p. 212), L. Foulet précise ses divers emplois : « On
en fait des tapis où s'asseoir, où dormir, ou bien sur lesquels les chevaliers s'arment pour le combat ; des tentures
pour une chambre ou pour la décoration des rues ; un
voile pour recouvrir une bière ou pour y étendre un chevalier mort ; une couverture pour mettre sur un lit. On en
fait encore une garniture de chapeau, des chapes de cha-
noines, une couverture de cheval, une décoration d'écu. »
De nos jours le mot s'est spécialisé au sens de « drap
mortuaire » et n'est plus guère utilisé que dans la locution
« tenir les cordons du poêle ». Le texte fournit l'une des
premières attestations du sens moderne. À la leçon du
fragment Douce *roié* (« rayé »), F. Lecoy a préféré celle du
manuscrit Sneyd : *roé* qui signifie « orné de motifs en
forme de roues, de dessins circulaires. »

francs : le mot *francs* n'avait à l'origine qu'une valeur ethnique
(le peuple franc), mais à la fin du VIᵉ siècle, il désigne un
homme libre avant de qualifier celui qui est noble par sa
naissance. Cette signification sociale s'enrichit d'acceptions
morales : « généreux », « bon », « affable ». En moyen français l'adjectif s'applique aussi à une personne exempte de
redevances (voir les *francs-bourgeois* ou les *francs-archers*).
Quoique depuis le XVIIᵉ siècle *franc* dénote surtout la sincérité et la droiture, il garde son sens ancien dans diverses

locutions : « franc arbitre », « avoir les coudées franches »,
« corps franc », « franc-tireur », « coup franc », etc.

la rue vait desafublee/devant les altres, al palés : il s'agit de
deux manquements au protocole. Yseut n'a pas revêtu le
manteau d'apparat caractéristique de sa fonction royale.
De surcroît elle précède les autres membres du cortège,
dérogeant ainsi à l'ordre traditionnel. Ces deux infrac-
tions traduisent son grand désarroi.

bevre : dans ce terme, on peut voir un écho du breuvage que
les deux héros ont bu par mégarde sur le navire les
conduisant vers la cour du roi Marc. Une servante, ou
Brangien selon les versions, leur a servi le « vin herbé », un
philtre que la mère d'Yseut avait préparé pour unir
d'amour sa fille et Marc. Dans le récit de Thomas, Tristan
se plaint « del beivre qu'ensemble beümes/en la mer,
quant supris en fumes./El beivre fud la nostre mort,/nus
n'en avrum ja mais confort » (v. 2493-2496).

6. [La mort des amants]

Tristran tresalt de la novele,
dit a Ysolt : « Amie bele,
savez pur veir que c'est sa nef ?
Or me dites quel est le tref. »
3025 Ço dit Ysolt : « Jol sai pur veir.
Sachez que le sigle est tut neir.
Trait l'unt amunt e levé halt
pur ço que li venz lur falt. »
Dunt a Tristran si grant dolur,
3030 unques n'ot ne n'avrad maür*,
e turne sei vers la parei,
dunc dit : « Deus salt Ysolt e mei !
Quant a moi ne volez venir,
pur vostre amur m'estuet* murrir.
3035 Jo ne puis plus tenir ma vie,
pur vus muer, Ysolt, bele amie.
N'avez pité de ma langur,
mais de ma mort avrez dolur.
Ço m'est, amie, grant confort*
3040 que pité avrez de ma mort. »
« Amie Ysolt » treis feiz dit,
a la quarte rent l'espirit.
Idunc plurent par la maisun
li chevaler, li compaingnun.
3045 Li criz est halt, la pleinte grant ;
saillent chevaler e serjant
e portent le cors de sun lit,

6. La mort des amants

Tristan tressaille à cette nouvelle
et dit à Yseut : « Mon amie,
êtes-vous certaine que c'est son navire ?
Dites-moi donc quelle est sa voile. »
Yseut répond : « J'en suis tout à fait sûre.   3025
Sachez que la voile est toute noire.
Ils l'ont hissée et dressée bien haut
parce que le vent leur fait défaut. »
Alors Tristan ressent une telle douleur
que jamais il n'en eut ni n'en aura de plus vive ;   3030
il se tourne vers le mur
et dit : « Que Dieu nous sauve, Yseut et moi !
Puisque vous ne voulez venir auprès de moi,
d'amour pour vous il me faut donc mourir.
Je ne puis plus retenir ma vie,   3035
c'est pour vous que je meurs, Yseut, ma bien-aimée.
Vous n'avez pas pitié de ma langueur,
mais ma mort vous causera de la douleur.
C'est pour moi, amie, un grand réconfort
de penser que vous vous apitoierez sur ma mort. »   3040
Il dit trois fois : « Amie Yseut » ;
à la quatrième, il rend l'esprit.
Alors dans la maison pleurent
ses chevaliers, ses compagnons.
Les cris sont forts, les plaintes grandes ;   3045
chevaliers et hommes d'armes accourent
et portent le corps hors du lit,

       puis le chuchent sur un samit⋆,
       covrent le d'un palie roé⋆.
3050 Li venz est en la mer levé
       e fert sei en mi liu del tref,
       a terre fait venir la nef.
       Ysolt est de la nef issue,
       ot les granz plaintes en la rue,
3055 les seinz as musters, as chapeles,
       demande as humes quels noveles,
       pur quei il funt tel soneïz
       e de quei seit li plureïz.
       Uns ancïens dunques li dit :
3060 « Bele dame, si Deu m'aït,
       nus avum issi grant dolur
       que unques genz n'orent maür.
       Tristran li pruz, li francs⋆, est mort.
       A tut ceus del rengne ert confort.
3065 Larges estoit as bosungnus
       e grant aïe as dolerus.
       D'une plaie que al cors ut
       en sun lit ore endreit murrut.
       Unques si grant chaitivesun
3070 n'avint a ceste regïun. »
       Tres que Ysolt la novele ot,
       de duel ne puet suner un mot.
       De sa mort ert si adolee,
       la rue vait desafublee
3075 devant les altres, al palés⋆.
       Bretun ne virent unques mes
       femme de la sue bealté ;
       mervellent sei par la cité
       dunt ele vent, ki ele seit.
3080 Ysolt vait la ou le cors veit,
       si se tume vers orïent,
       pur lui prie pitusement.
       « Amis Tristan, quant mort vus vei,
       par raisun vivre puis ne dei.
3085 Mort estes pur la meie amur,
       e jo muer, amis, de tendrur
       quant jo a tens ne poi venir. »

puis le couchent sur un tissu de soie
et le couvrent d'une étoffe ornée de cercles.
Sur la mer, le vent s'est levé   3050
et frappe le creux de la voile ;
il pousse le bateau jusqu'au rivage.
Yseut est descendue du navire,
elle entend les lamentations dans la rue,
les cloches des églises et des chapelles,   3055
demande aux gens ce qui se passe,
pourquoi ces sonneries de cloches
et pourquoi ces pleurs.
Un vieillard lui répond alors :
« Chère dame, par Dieu,   3060
nous ressentons une telle peine
que jamais personne n'en éprouva de plus forte.
Tristan le vaillant, le noble, est mort.
Il était le réconfort de tous les habitants du royaume.
Il était généreux envers les malheureux   3065
et portait secours à ceux qui souffraient.
Il vient de mourir dans son lit
d'une blessure qu'il avait reçue dans le corps.
Jamais un aussi grand malheur
n'est arrivé dans ce pays. »   3070
Dès qu'Yseut entend la nouvelle,
de chagrin, elle ne peut prononcer un mot.
Sa mort la plonge dans une telle douleur
qu'elle avance dans la rue sans manteau,
précédant tout le monde jusqu'au palais.   3075
Les Bretons n'avaient jamais vu
une femme d'une telle beauté ;
ils se demandent par la cité
d'où elle vient et qui elle peut être.
Yseut se dirige là où elle voit le corps,   3080
elle se tourne vers l'orient
et prie pour lui avec ferveur :
« Ami Tristan, dès lors que je vous vois mort,
il est juste que je ne vive pas davantage.
Vous êtes mort par amour pour moi,   3085
et je meurs, ami, de tendresse pour vous
puisque je n'ai pu arriver à temps. »

Dejuste lui va dunc gesir
embrace le e si s'estent,
3090 sun espirit a itant rent.

« Mort estes pur la meie amur
e jo murc, amis, par tendrur
que jo a tens n'i poi venir
vos e vostre mal guarir.
5 Amis, amis, pur vostre mort
n'avrai ja mais pur rien confort,
joie ne hait ne nul deduit.
Icil orages seit destruit
que tant me fist, amis, en mer,
10 que n'i poi venir, demurer !
Se jo fuisse a tens venue,
vie vos ouse, amis, rendue
e parlé dulcement a vos
de l'amur qu'ad esté entre nos :
15 plainte oüse nostre aventure,
nostre joie, nostre emveisure,
la paine e la grant dolur
que ad esté en nostre amur,
e oüse iço recordé
20 e vos baisié e acolé.
Se jo ne poisse vos guarir,
que ensemble poissum dunc murrir !
Quant a tens venir n'i poi
e jo l'aventure ne soi
25 e venue sui a la mort,
de meisme le bevre* avrai confort.
Pur mei avez perdu la vie,
e jo frai cum veraie amie,
pur vos voil murir ensemble. »
30 Embrace le e si s'estent,
baise li la buche e la face
e molt estreit a li l'enbrace,
cors a cors, buche a buche estent,
sun esprit a itant rent
35 e murt dejuste lui issi

Elle va alors se coucher près de lui,
elle le prend dans ses bras puis s'étend ;
c'est ainsi qu'elle rend son esprit.   3090

« Vous êtes mort par amour pour moi,
et je meurs, ami, de tendresse pour vous
puisque je n'ai pu arriver à temps
pour vous guérir, vous et votre mal.
Ami, ami, de votre mort   5
jamais rien ne pourra m'apporter réconfort,
ni joie, ni bonheur, ni plaisir.
Maudite soit cette tempête
qui me fit, ami, demeurer si longtemps
en mer que je n'ai pu venir jusqu'à vous !   10
Si j'étais arrivée à temps,
je vous aurais rendu la vie, mon ami,
et je vous aurais parlé tendrement
de l'amour qui nous a unis :
j'aurais déploré notre sort,   15
notre joie, nos plaisirs,
les peines et la grande douleur
qui ont marqué notre amour ;
je vous aurais rappelé cela,
je vous aurais embrassé et étreint.   20
Si je n'ai pu vous guérir,
puissions-nous donc mourir ensemble !
Puisque je n'ai pu venir à temps,
que je n'ai pas su votre accident,
que je suis arrivée après votre mort,   25
je trouverai le réconfort dans le même breuvage.
À cause de moi vous avez perdu la vie,
et j'agirai en véritable amie :
de la même manière, je veux mourir pour vous. »
Elle le prend dans ses bras et s'étend près de lui,   30
elle lui baise la bouche et le visage,
et le tient étroitement enlacé,
elle s'étend corps contre corps, bouche contre bouche,
c'est ainsi qu'elle rend l'esprit
et meurt à ses côtés   35

pur la dolur de sun ami.
Tristant murut pur sun desir,
Ysolt, qu'a tens n'i pout venir.
Tristrant murut pur sue amur,
40 e la bele Ysolt pur tendrur.

de la douleur d'avoir perdu son ami.
Tristan mourut de désir pour elle,
Yseut, qui n'a pu arriver à temps.
Tristan mourut par amour pour elle
et la belle Yseut par tendresse pour lui.

40

LA FOLIE TRISTAN

Les deux poèmes de *La Folie Tristan* (versions de Berne et d'Oxford composées dans le dernier tiers du XIIe siècle) constituent les compléments des deux romans français, hélas fragmentaires, consacrés au héros. Ils relatent comment Tristan, chassé de Cornouailles par le roi Marc, y revient et réussit à revoir Yseut en se déguisant en fou. La tête rasée, le visage barbouillé et la voix changée, il se rend à la cour de son oncle où il se comporte en bouffon, à la grande joie du souverain, et tient des propos apparemment incohérents qui dissimulent des allusions à sa vie passée et à ses amours avec la reine. Après le départ du roi, Tristan rejoint dans sa chambre Yseut toute désemparée car elle craint d'être la victime d'une imposture. Malgré les souvenirs précis qu'il continue à évoquer, bien que le chien Husdent fasse fête à son maître, elle hésite à le reconnaître jusqu'à ce qu'il lui montre un anneau d'or fin dans *La Folie* de Berne, ou reprenne sa voix naturelle dans *La Folie* d'Oxford. Au comble du bonheur, les deux amants peuvent alors s'étreindre.

Cette anamnèse appartenait sans doute à la « vulgate » du *Tristan*, disparue aujourd'hui. *La Folie* de Berne (572 vers) se rapporte à la version commune et au roman de Béroul, tandis que *La Folie* d'Oxford (998 vers) se réfère au récit de Thomas, qui a sans doute délibérément écarté cette aventure jugée peu courtoise.

Le texte choisi est extrait de *La Folie* d'Oxford, au moment où Tristan pénètre dans la grande salle du château de Tintagel.

Bibliographie

Les Deux Poèmes de La Folie Tristan, éd. de F. Lecoy, Paris, Champion, 1994 ; trad. de E. Baumgartner et I. Short, Paris, Champion, 2003 ; éd. et trad. de J.-Ch. Payen, *Tristan et Yseut*, Paris, Garnier, 1974, p. 247-297 ; éd. et trad. de Ph. Walter, *Tristan et Iseut*, Paris, Le Livre de poche, « Lettres gothiques », 1989, p. 233-311 ; éd. et trad. de M. Demaules, *Tristan et Yseut*, Paris, Gallimard, 1995, p. 217-260.

A. Adler, « A structural comparison of the two *Folies Tristan* », *Symposium*, 1952, t. VI, p. 349-358 ; J.-M. Fritz, *Le Discours du fou au Moyen Âge, XII*e*-XIII*e* siècles. Étude comparée des discours littéraire, médical, juridique et théologique de la folie*, Paris, PUF, 1992 ; P. Noble, *Beroul's Tristan and the Folie de Berne*, Londres, Grant et Cutler, 1982.

Notes

Le texte est établi d'après le manuscrit Douce d 6 de la Bodleienne d'Oxford (milieu du XIIIe siècle, anglo-normand) et l'éd. de F. Lecoy. Au vers 309 nous avons corrigé *le frat* (futur syncopé de *ferir* ?) en *levrat*.

Tristan tient des propos énigmatiques et équivoques. Si son discours peut sembler absurde, incohérent, proche de la fatrasie à ses interlocuteurs, il est en revanche signifiant pour des auditeurs ou des lecteurs qui connaissent bien les événements du cycle légendaire. Ainsi son ignorance du lieu précis de sa naissance (v. 275) rappelle les pénibles circonstances de celle-ci en pleine mer. La mention de la tigresse (v. 277) peut être une allusion à la marâtre qui, dans le *Tristan en prose*, cherche à empoisonner le héros. Lorsque le fou propose à Marc d'échanger la reine contre sa sœur (v. 282-284), on peut suivre Mireille Demaules et voir « dans les termes de ce marché son désir, pour s'unir à Yseut la Blonde, de lui céder la femme qui serait en quelque sorte le négatif de la reine : Yseut aux Blanches Mains, la sœur de Kaherdin, avec laquelle il n'entretient que de chastes rapports, quasi fraternels en somme » (*op. cit.*, p. 1320).

D'autre part quelques traits mythiques, tels que la sirène fabuleuse, l'enfant perdu parmi les rochers et nourri par une tigresse, comme Rémus et Romulus allaités par une louve, le thème de l'enfant sauvage, témoignent du destin exceptionnel du héros. Quant au somptueux palais de verre, suspendu dans les nues et inondé de lumière, il évoque les demeures féeriques de l'au-delà et en particulier l'île d'Avalon. La chambre de cristal illuminée par le soleil représente le rêve fou d'un amour pur et radieux.

dais : issu du latin classique *discus*, le substantif *dais/dois* désigne en général la table d'honneur, celle où s'assoient le roi et les hauts dignitaires. À partir du XIVe siècle, il s'applique à une tenture située au-dessus d'une table seigneuriale, d'un trône, d'une chaire où doit siéger un éminent personnage, d'un lit ou d'un autel. Enfin le mot peut définir l'étoffe tendue sous laquelle on porte parfois le saint sacrement au cours des processions.

sergant : issu de *servientem*, participe présent du latin *servire* (« servir »), le *sergant* désigne un serviteur de condition inférieure au *valet*, si celui-ci est noble, mais supérieur au *garçon*. Auxiliaire du chevalier, le *sergent* exerce surtout des fonctions militaires et participe de plus en plus souvent à la bataille. Il est donc un homme d'armes avant de devenir, au XVe siècle, un fonctionnaire royal chargé des missions de police et, dès le XVIe siècle, un sous-officier, responsable notamment de l'enrôlement et de l'instruction des recrues. Par l'emploi de ce terme, le roi Marc veut souligner la robustesse du fou qui vient de multiplier les coups à l'encontre des écuyers le harcelant.

le pel el col : cette massue que Tristan porte sur l'épaule est l'attribut traditionnel de l'homme sauvage et du fou.

bargaine : d'origine francique, le substantif *bargaine* (voir les termes aujourd'hui archaïques *barguigner* et *barguignage*) possède plusieurs significations : « marché », « accord » ; « contestation », « chicane » ; « hésitation ».

acuintez : dérivé d'*accognitus*, participe passé du bas latin *accognoscere*, le verbe *acuinter/acointier* offre diverses acceptions : « faire connaître quelque chose à quelqu'un », « informer », « prévenir » ; « faire la connaissance de quelqu'un », « aborder » ; avoir des relations (parfois intimes et amoureuses) avec quelqu'un, « fréquenter » ; mettre deux personnes en rapport, « présenter ». Le verbe n'est plus usuel depuis le XVIIe siècle.

Si Deu t'aït : la locution originelle comprend l'adverbe *si*, le verbe *aidier* à la troisième personne du subjonctif présent (valeur optative) et le sujet inversé *Diex*. Cette expression *si m'/t'aït Diex*, qui signifie littéralement « aussi vrai que je souhaite que Dieu m'/t'aide », sert à renforcer une affirmation, à garantir la véracité des paroles prononcées. Ce tour s'est modifié à la suite d'une confusion entre l'adverbe *si* et la conjonction *se*, d'où l'antéposition du sujet par rapport au verbe : *se Diex m'/t'aït*. Dans le texte *si* est la conjonction habituelle du dialecte anglo-normand (*se* en francien). Voir l'article de L. Foulet dans *Romania*, t. LIII, 1927.

saisine : ce substantif appartient au vocabulaire féodal et désigne la prise de possession légale. Le fou recevrait Yseut du roi comme le vassal est « mis en saisine » de son fief.

Trantris : *Trantris/Tantris* est l'anagramme qui intervertit les deux syllabes du nom de « Tristan ». Le héros a adopté ce pseudonyme en Irlande après sa victoire sur le Morholt.

7. [Le délire d'un fou d'amour]

Senes s'en aparçout li rais,
la u il sist, al mestre dais*.
Il dit : « Or vai un bon sergant*,
fetes le mai venir avant. »
265 Plusurs sailent, cuntre lui vunt,
en sa guisse saluet l'unt.
Puis si amenerent le fol
devant le rai, le pel el col*.
Markes dit : « Ben vengez, amis !
270 Dunt estes vus ? K'avez si quis ? »
Li fols respunt : « Ben vus dirrai
dunt sui e ke je si quis ai.
Ma mere fu une baleine,
en mer hantat cume sereine,
275 mes je ne sai u je nasqui.
Mult sai ben ki me nurri.
Une grant tigre m'alettat
en une roche u me truvat.
El me truvat suz un perun,
280 quidat ke fusse sun foün,
si me nurri de sa mamele.
Mais une sor ai je mult bele,
cele vus durai, si volez,
pur Ysolt ki tant amez. »
285 Li rais s'en rit e puis respunt :
« Ke dit la merveile del mund ?
– Reis, je vus durai ma sorur

7. Le délire d'un fou d'amour

Le roi, assis à la table d'honneur,
l'aperçoit aussitôt.
Il dit : « Voici un solide gaillard,
faites-le donc avancer vers moi ! »
Plus d'un s'élance à sa rencontre,   265
et le salue à sa manière.
Ils amènent le fou
devant le roi, la massue au cou.
Marc lui dit : « Soyez le bienvenu, ami !
D'où êtes-vous ? Qu'êtes-vous venu chercher ici ? »   270
Le fou répond : « Je vais vous dire
d'où je suis et ce que je suis venu chercher ici.
Ma mère était une baleine,
elle vivait dans la mer comme une sirène,
mais j'ignore où je suis né.   275
Je sais fort bien qui m'a nourri.
Une grande tigresse m'allaita
dans les rochers où elle me découvrit.
Elle me trouva sous une roche,
crut que j'étais son petit   280
et me nourrit de sa mamelle.
Mais j'ai une sœur très belle,
je vous la donnerai, si vous voulez,
en échange d'Yseut que vous aimez tant. »
Le roi éclate de rire puis réplique :   285
« Que dit la merveille du monde ?
– Roi, je vous donnerai ma sœur

pur Ysolt, ki aim par amur.
Fesum bargaine★, fesum change,
290   bon est a asaer estrange.
D'Ysolt estes tut ennuez,
a une autre vus acuintez★.
Baillez m'Ysolt, jo la prendrai,
Reis, pur amur vus servirai. »
295   Li reis l'entant e si s'en rit
e dit al fol : « Si Deu t'aït★,
si jo te doinse la raïne
aver e mener en ta saisine★,
or me di ke tu en fereies
300   u en quel part la meraies.
– Reis, fet li fol, la sus en l'air
ai une sale u je repair.
De veire est faite, bele e grant ;
li solail vait par mi raiant.
305   En l'air est et par nues pent,
ne berce ne crolle pur vent.
Delez la sale ad une chambre
faite de cristal e de lambre.
Li solail, quant par matin levrat,
310   leenz mult grant clarté rendrat. »
Li reis e li autre s'en rient,
entre els parolent e dient :
« Cist est bon fol, mult par dit ben,
ben parole sur tute ren. »
315   « Reis, fet li fols, mult aim Ysolt,
pur lu mis quers se pleint e dolt.
Jo sui Trantris★, ki tant l'amai,
e amerai tant cum vivrai. »

contre Yseut que j'aime d'amour.
Faisons un marché, faisons un échange,
il est bon de goûter à la nouveauté.   290
Vous êtes fatigué d'Yseut,
liez connaissance avec une autre.
Donnez-moi Yseut, je la prendrai,
roi, et vous servirai de bon cœur. »
Le roi l'entend et se met à rire ;   295
il dit au fou : « Par Dieu,
si je te donnais la reine
et si tu la prenais en ta possession,
dis-moi donc ce que tu ferais d'elle
et dans quel lieu tu la conduirais.   300
– Roi, fait le fou, là-haut, dans les airs,
j'ai un palais où je demeure.
Il est tout en verre, splendide et vaste ;
le soleil y darde ses rayons.
Il flotte dans les airs, suspendu dans les nuages,   305
pas un souffle de vent ne le berce ni ne le secoue.
À côté de la grande salle, il y a une chambre
faite de cristal et de lambris.
Quand au matin se lèvera le soleil,
il l'illuminera d'une éclatante clarté. »   310
   Le roi et les courtisans éclatent de rire,
ils parlent entre eux et se disent :
« Voici un bon fou, il s'exprime fort bien,
il parle mieux que quiconque. »
« Roi, poursuit le fou, j'adore Yseut,   315
pour elle mon cœur se plaint et souffre.
Je suis Tantris qui l'a tant aimé,
et je l'aimerai toute ma vie. »

LE TRISTAN EN PROSE

Ce vaste roman en prose, dont on connaît quatre versions principales et plus de quatre-vingts manuscrits, date de 1230 environ. Il s'agit d'une réécriture du mythe de Tristan et Yseut, influencée par le *Lancelot en prose*, de sorte que le récit se déroule dans les cours de Marc et d'Arthur et que Tristan devient un chevalier de la Table ronde et un quêteur du graal. Alors que la partie primitive de l'œuvre est surtout axée sur le couple des amants de Cornouailles, la suite multiplie les aventures étrangères à la légende tristanienne, notamment les combats et les tournois. Parmi les chevaliers errants se détachent, outre Tristan, tué par le roi Marc à l'aide d'une arme empoisonnée que lui a remise Morgain, Lancelot vaillant, généreux et mesuré, Kahédin que son amour désespéré pour Yseut rend très lucide sur la vanité de la vie chevaleresque, Dinadan qui se dérobe, autant qu'il le peut, aux dangers de la passion et de la prouesse gratuite, Palamède au tempérament exalté, Gauvain félon, violent, meurtrier de Lamorat, de Palamède et de Dinadan.

À la grandeur de la chevalerie, encore auréolée par les fêtes brillantes et le triomphe des héros sur les géants et les traîtres, s'oppose la misère de l'amour dont l'auteur présente une vision cruelle et pessimiste : échec, solitude, souffrances, destruction, folie de Tristan, volonté de suicide chez Kahédin. De surcroît l'œuvre, qui contient plusieurs pièces lyriques insérées dans la narration, se fonde sur l'idée de rivalité que l'on observe entre Tristan et Lancelot pour la valeur guerrière, entre Yseut et Guenièvre pour la beauté ; quant à Palamède et Kahédin, ils sont les rivaux malheureux de Tristan, comme le révèle le texte choisi.

Bibliographie

Le Roman de Tristan en prose, éd. de R.L. Curtis, t. I, Munich, Max Hueber Verlag, 1963 ; t. II, Leyden, E.J. Brill, 1976 ; t. III, Cambridge, D.S. Brewer, 1985. *Le Roman de Tristan en prose*, édité sous la direction de Ph. Ménard, Genève, Droz, 1987-1995, 9 tomes ; trad. du t. I par M.-L. Chênerie et Ph. Ménard, Paris, Champion, 1990 ; trad. des tomes II à IX, Toulouse, Éditions universitaires du Sud, 1994-2000. *Le Roman de Tristan en prose*, version du manuscrit fr. 757, t. I éd. de J. Blanchard et M. Quereuil, Paris, Champion, 1997 ; t. II éd. de N. Laborderie et T. Delcourt, Paris, Champion, 1999 ; t. III éd. de J.-P. Ponceau, Paris, Champion, 2000 ; t. IV éd. de M. Léonard et F. Mora, Paris, Champion, 2003. E. Baumgartner, *Le Tristan en prose, essai d'interprétation d'un roman médiéval*, Genève, Droz, 1975, et *La Harpe et l'épée. Tradition et renouvellement dans le Tristan en prose*, Paris, SEDES, 1990 ; *Nouvelles Recherches sur le Tristan en prose*, études recueillies par J. Dufournet, Paris, Champion, 1990 ; É. Vinaver, *Étude sur le Tristan en prose, les sources, les manuscrits, bibliographie critique*, Paris, Champion, 1925.

Notes

Le texte est établi d'après le manuscrit A 2542 de la Bibliothèque nationale de Vienne qui date de 1300 environ et l'éd. de Ph. Ménard, *Le Roman de Tristan en prose*, t. I, *Des aventures de Lancelot à la fin de la Folie Tristan*, Genève, Droz, 1987.

Kahédin, fils du roi Hoel et frère d'Yseut aux Blanches Mains, est devenu non seulement le beau-frère, le compagnon et le confident de Tristan, mais aussi son rival. En effet, dès qu'il a aperçu Yseut la Blonde, il est tombé éperdument amoureux d'elle. Si dans un premier temps, par suite de son éloignement, il semble renoncer à cette folle passion, lorsqu'il revoit la reine à l'occasion de la fête célébrant l'anniversaire du couronnement du roi Marc, son cœur s'enflamme de nouveau. Cet amour fatal fait de lui le double malheureux de Tristan dont il préfigure le destin tragique.

L'auteur exprime l'obsession amoureuse du personnage par divers procédés stylistiques tels que les répétitions (on compte neuf occurrences du verbe *veoir* et de la locution *madame Yseut* qui envahit le texte comme elle occupe la pensée et la vie de Kahédin), les constructions symétriques (*S'il dort [...] S'il veille* l. 10-11 ; *S'il cevauce [...]* ; *et s'il est a sejour* l. 25-26) et chiasmiques (l. 8-9), les antithèses (*ex du chief/iex du cuer* l. 9 et 13-14 ; *en dormant et en veillant* l. 11 et 28-29 avec la surenchère : *et en toutes les manieres du monde*), les énumérations (l. 20-23) et l'hyperbole (*plus de cent mile fois le jour*, l. 15-16).

riens : issu du latin *rem* (« chose », « affaire », « fait », « bien », « raison »), *riens* peut être un pronom indéfini, un adverbe ou, comme c'est le cas ici, un substantif. Il désigne alors une personne, surtout une femme, mais aussi une créature en général ou une chose.

maintenant : dérivé de la locution latine au gérondif *manu tenendo* (littéralement : « pendant que l'on tient quelque chose dans la main ») qui exprime « l'idée de rapidité du geste, de proximité spatiale puis temporelle », l'adverbe *maintenant* signifie « aussitôt, immédiatement ». Le sens de « au moment présent », s'il est attesté dès le XIIIe siècle, se développe surtout à partir du XVIe siècle.

soulas : issu du latin *solacium* (« soulagement, adoucissement »), le substantif *soulas/soulaz* garde tout d'abord sa valeur étymologique de « consolation », « réconfort », avant d'acquérir plusieurs acceptions relevant du vocabulaire de la joie : « plaisir », « réjouissance », « divertissement ». Sur ce terme, voir G. Lavis, *L'Expression de l'affectivité dans la poésie lyrique du Moyen Âge (XIIe-XIIIe siècles). Étude sémantique et stylistique du réseau lexical joie-dolor*, Paris, Les Belles Lettres, 1972, p. 267.

notes : provenant du latin *nota* (« signe, marque »), le mot *note* désigne l'« air de musique », la « mélodie » et, à partir du XIVe siècle, « le signe musical » puis le « son correspondant à ce signe ».

rotruenges : le terme désigne une chanson comprenant une série de strophes (de deux à huit vers à rimes plates chacune) et un refrain terminal de deux vers. P. Bec considère la *rotrouenge* « comme une variété de la *ballette/vireli* mais s'en distinguant essentiellement par une amplification généralisée » [*La Lyrique française au Moyen Âge (XIIe-XIIIe siècles)*, t. I, Paris, Picard, 1977, p. 183-189 et 189 pour la citation].

descors : il s'agit d'une chanson d'amour strophique, apparue à la fin du XIIe siècle, « et caractérisée par la présence d'éléments discordants dans le texte et la mélodie, créant un effet douloureux […]. La mélodie peut changer à chaque strophe ou toutes les deux strophes, la *discordia* pouvant également être un effet produit par le perpétuel changement de la forme de la strophe ou l'utilisation de différentes langues d'une strophe à l'autre » (*Guide de la musique du Moyen Âge*, sous la direction de F. Ferrand, Paris, Fayard, 1999, p. 324). Le terme *descort* qualifie parfois certains lais. Genre lyrique, le *lai-descort*, dont la thématique rappelle celle du grand chant courtois, est caractérisé « par une hétérostrophie et une hétérométrie concertées qui en sont le trait typologique le plus pertinent » (P. Bec, *op. cit.*, p. 196).

lai : Kahédin adresse à Yseut un premier lai : « À vous, Amours, ains c'a nului » où il se plaint de la rigueur de l'Amour et de sa dame (§ 154). La reine lui répond par un cruel lai : « Folie n'est pas vaselage ! » (§ 158) qui provoque le désespoir du chevalier. Avant de mourir de chagrin, il compose un ultime poème : « En morant de si douche mort » (§ 163) qui le réhabilite aux yeux d'Yseut (§ 166).

8. [L'obsession amoureuse de Kahédin]

150. Quant Kahedins vient a sejour et il voit Yseut,
sa sereur, tant bele riens★ com ele estoit, tout mainte-
nant★ li souvient il de madame Yseut, la roïne de Cornuaille, qui il ne puet onques oublier ne jamais ne
5 l'oubliera, tant com il ait u cors la vie. Quant il oit
aucun parler de madame Yseut, tout maintenant li
refroide li cuers et devient ausi conme mors, pales et
vains. Il ne puet veoir madame Yseut de Cornuaille
des ex du chief, mais des iex du cuer le voit il adés et
10 de jour et de nuit. S'il dort, il voit Yseut la bloie. S'il
veille, il le voit autresi. Et en dormant et en veillant il
voit tous jours madame Yseut : nule autre cose il ne
voit mais. Il a les iex du cief ausi com tous perdus pour
les iex du cuer. Il ne voit mais nule riens du monde en
15 la Petite Bretaingne. Si oel voient en Cornuaille plus
de cent mile fois le jour, ses cuers i est si durement
enrachinés k'il ne l'em porroit retraire en nule maniere
du monde.

Que vous diroie je ? Kahedins ne fu onques mais si
20 durement destrois d'amours com il est orendroit. Son
cant, son penser, son soulas★ et toute s'envoiseüre li
vient de madame Yseut. Il fait notes★ et canchons et
rotruenges★, cans et descors★, et tout ce fait il pour les
amours de madame Yseut. Que vous diroie je ? Toute
25 sa vie en vient de cele et toutes ses dolours autresi.

8. L'obsession amoureuse de Kahédin

150. Quand Kahédin se repose et qu'il voit sa sœur Yseut dans tout l'éclat de sa beauté, il se souvient immédiatement de madame Yseut, la reine de Cornouailles, qu'il ne peut absolument pas oublier et qu'il n'oubliera jamais, tant qu'il aura un souffle de vie. Quand il entend quelqu'un parler de madame Yseut, tout aussitôt le froid saisit son cœur et il devient aussi pâle et inerte qu'un mort. Il ne peut voir madame Yseut de Cornouailles de ses yeux de chair, mais des yeux du cœur il ne cesse de la voir jour et nuit. S'il dort, il voit Yseut la blonde. S'il est éveillé, il la voit aussi. En dormant, en veillant, il voit toujours madame Yseut : il ne voit plus qu'elle. Il a en quelque sorte perdu à tout jamais ses yeux de chair au profit des yeux du cœur. Il ne voit plus personne au monde en Petite Bretagne. Ses yeux voient en Cornouailles plus de cent mille fois par jour, son cœur y est si profondément enraciné qu'il ne pourrait aucunement l'en retirer.

Que vous dirais-je encore ? Kahédin ne fut jamais aussi violemment angoissé par l'amour que maintenant. Ses chants, ses pensées, ses divertissements et toute sa gaieté lui viennent de madame Yseut. Il compose des airs, des chansons, des rotrouenges, des pièces chantées, des descorts, et tout cela, il le fait par amour pour madame Yseut. Qu'ajouterais-je ? Toute sa vie dépend d'elle ainsi que toutes ses souffrances.

S'il cevauce, il cante d'Yseut ; et s'il est a sejour et il
pense, ce est de li. Il a si entierement du tout donnee
sa vie et son cuer a madame Yseut que en dormant et
en veillant et en toutes les manieres du monde il est a
30 madame Yseut tout cuitement. Ici endroit parole de
Kahedin et de madame Yseut de Cornuaille, comment
Kahedins li envoia son lai*.

S'il chevauche, il chante sur Yseut ; s'il se repose et qu'il pense, c'est à elle. Il a si complètement donné sa vie et son cœur à madame Yseut qu'en dormant, en veillant et dans toutes les circonstances au monde, il appartient tout entier à madame Yseut. À présent je vais vous raconter au sujet de Kahédin et de madame Yseut de Cornouailles comment il lui envoya un lai qu'il avait composé.

Chrétien de Troyes

L'appellation *Crestiiens de Troies* ne figure qu'une seule fois au vers 9 de *Érec et Énide* ; ailleurs apparaît seulement le nom de *Crestiiens*. Ce clerc cultivé, connaissant bien le latin et la Bible, composa certains de ses romans dans l'entourage de deux mécènes, Marie, comtesse de Champagne, fille du roi Louis VII et d'Aliénor d'Aquitaine et épouse d'Henri Ier le Libéral, célébrée dans le préambule du *Chevalier de la charrette*, puis Philippe de Flandre, vanté dans la préface du *Conte du graal*.

L'œuvre du trouvère champenois est riche et variée ; si l'on se réfère au prologue de *Cligès*, elle comprend plusieurs traductions en français (hélas disparues) d'ouvrages d'Ovide : *Les Comandemenz d'Ovide*, adaptation des *Remedia amoris*, *L'Art d'amors*, transposition de l'*Ars Amatoria*, *Le Mors de l'espaule* et *De la hupe et de l'aronde et del rossignol la muance* (ou *Philomena*), deux récits empruntés au livre VI des *Métamorphoses*, ainsi que des romans : *Érec et Énide*, *Del roi Marc et d'Ysalt la Blonde* (perdu) et *Cligès*. Outre deux chansons courtoises (dont l'attribution est certaine), Chrétien de Troyes est aussi l'auteur du *Chevalier de la charrette*, du *Chevalier au lion* et du *Conte du graal*.

L'écrivain use de trois maîtres mots pour définir son esthétique : la *conjointure*, c'est-à-dire l'art d'agencer les faits, de veiller à la cohérence et à l'unité de la diégèse ; la *matière*, qui rassemble les sources livresques et légendaires, hagiographiques, tristaniennes, celtiques ou byzantines où puise le romancier ; enfin le *sen*, autrement dit l'esprit, la signification morale de l'œuvre. Privilégiant la période de paix du règne d'Arthur, le trouvère transforme le roi guerrier et conquérant, dépeint par Geoffroy de Monmouth et Wace, en un souverain modèle de générosité et de courtoisie, soucieux d'exalter la chevalerie, incitant les compagnons de la Table ronde à partir en quête d'aventures. Analysant avec finesse les sentiments des héros grâce à de subtils dialogues et monologues, esquissant quelques biographies nuancées et évolutives par le retour de personnages comme la reine Guenièvre, Gauvain et le sénéchal Keu, innovant par des procédés narratifs tels que l'entrelacement ou le jeu d'échos et de contrepoints, créant une écriture du clair-obscur, fondée sur un parfait équilibre entre les éléments merveilleux et les « effets de réel », recherchant l'ambiguïté, explorant toutes les formes du genre (roman d'amour et d'aventures, roman éducatif et initiatique, roman symbolique, roman double, roman inachevé), Chrétien de Troyes est considéré à juste titre comme le plus grand romancier du Moyen Âge et son influence s'exerce encore à notre époque.

Bibliographie

Les Romans de Chrétien de Troyes, édités d'après la copie de Guiot, Paris, Champion, CFMA, 80, 84, 86, 89, 100 et 103 ; traductions, Paris, Champion, 1, 3, 4, 5 et 29 ; *Œuvres complètes* de Chrétien de Troyes (*Érec et Énide, Cligès, Yvain ou le Chevalier au lion, Lancelot ou le Chevalier de la charrette, Perceval ou le Conte du graal, Philomena, Guillaume d'Angleterre, Chansons courtoises*), éd. sous la direction de D. Poirion, Gallimard, « Bibliothèque de la

Pléiade », 1994 ; *Romans de Chrétien de Troyes*, (*Érec et Énide, Cligès, Le Chevalier de la charrette, Le Chevalier au lion, Le Conte du graal, Chansons, Philomena*), éd. sous la direction de M. Zink, Paris, Le Livre de poche, « La Pochothèque », 1994.

« Amour et chevalerie dans les romans de Chrétien de Troyes », *Actes du colloque de Troyes (27-29 mars 1992)*, publiés par D. Quéruel, université de Besançon, diffusion Paris, Les Belles Lettres, 1995 ; *Chrétien de Troyes, Europe*, n° 642, octobre 1982 ; J. Frappier, *Chrétien de Troyes. L'homme et l'œuvre*, Paris, Hatier, 1968 ; D. Kelly, *Chrétien de Troyes : An Analytic Bibliography*, Londres, Grand and Cutler, 1976 et *Chrétien de Troyes*, supplément 1, Londres, Tamesis, 2002 ; E. Köhler, *L'Aventure chevaleresque. Idéal et réalité dans le roman courtois*, Paris, Gallimard, 1974 ; A. Micha, *La Tradition manuscrite des romans de Chrétien de Troyes*, Genève, Droz, 1966 ; P. Nykrog, *Chrétien de Troyes romancier discutable*, Genève, Droz, 1996 ; Ph. Walter, *Chrétien de Troyes*, Paris, PUF, 1997.

ÉREC ET ÉNIDE

Premier roman écrit par le trouvère champenois (vers 1170) et premier roman arthurien, *Érec et Énide* traite d'un thème qui sera repris à rebours dans *Le Chevalier au lion* : le conflit entre l'amour conjugal et l'aventure chevaleresque. Au terme de la chasse au blanc cerf, Arthur accorde le baiser à la belle Énide qu'Érec a conquise par sa victoire sur Yder dans la joute de l'épervier et qu'il épouse au milieu des réjouissances de la cour. Après avoir remporté le tournoi d'Édimbourg, le héros aime sa femme si passionnément qu'il néglige ses devoirs de chevalier et devient, selon ses compagnons, un « recreant ». Énide s'inquiète de cette réputation de lâche, et Érec, blessé dans son amour et dans son amour-propre, part aussitôt en quête d'aventures et de réhabilitation, accompagné de son épouse. Après maints combats et épreuves, il se réconcilie avec elle. Tous deux sont couronnés à Nantes par le roi Arthur, à la mort du père d'Érec, le roi Lac.

Récit nuptial et apologie du mariage, *Érec et Énide* relate la reconquête d'un bonheur conjugal perdu. Au terme de l'épisode de la « Joie de la cour », qui illustre la perversion de la relation courtoise, s'affirment l'alliance de la clergie et de la chevalerie (dans la longue description de la robe d'Érec) et l'harmonie entre amour et prouesse : les deux époux, égaux et fidèles, ont compris que le mariage, loin d'être une fin en soi, s'éprouve et se mérite chaque jour.

Le texte proposé se situe pendant leur lune de miel.

Bibliographie

Érec et Énide, éd. de M. Roques, Paris, Champion, 1954 ; trad. de R. Louis, Paris, Champion, 1954 ; éd. bilingue de M. Rousse, Paris, GF-Flammarion, 1991 ; éd. bilingue de J.-M. Fritz, Paris, Le Livre de poche, « Lettres gothiques », 1992.

R. Bezzola, *Le Sens de l'aventure et de l'amour (Chrétien de Troyes)*, Paris, Champion, 1968 ; G.S. Burgess, *Chrétien de Troyes : Érec et Énide*, Londres, Grant et Cutler, 1984 ; D.L. Maddox, *Structure and Sacring : The Systematic Kingdom in Chrétien's Érec et Énide*, Lexington, French Forum Publishers, 1978 ; C. Seebass-Linggi, *Lecture d'Érec. Traces épiques et troubadouresques dans le conte de Chrétien de Troyes*, Berne, Peter Lang, 1996.

Notes

Le texte est établi d'après l'éd. de W. Foerster, Halle, Max Niemeyer, 1934, et celle de M. Rousse.

C'est en pleine félicité conjugale qu'éclate la « crise ». Aimant son épouse sans mesure, Érec encourt les reproches des théologiens qui affirment que c'est être adultère que d'aimer trop ardemment sa propre femme. Pourtant ce n'est pas l'Église qui condamne le comportement du héros mais ses compagnons, déçus de le voir renoncer à la chevalerie pour goûter aux plaisirs amoureux. La rupture s'opère par la parole, celle de *recreant* qu'Énide surprend dans une conversation entre des chevaliers, qu'elle cache à son mari mais dont elle se souvient et qui la désespère, et celle qu'elle laisse échapper un matin : *Con mar i fus !* et que perçoit son époux, à demi endormi. Si dans un premier temps elle s'accuse d'avoir provoqué la déchéance d'Érec (v. 2498-2506), par cette parole fatidique, elle semble ensuite douter de la valeur et de la gloire de son mari.

donoïer : ce verbe provient de *done*, autre forme de *dame*.
Il évoque plusieurs attitudes de l'amour courtois : « faire
la cour, courtiser » ; « parler d'amour, conter fleurette » ;
« faire l'amour, avoir des relations sexuelles ».

drue : issu d'un terme gaulois *druto*, *dru(e)* garde tout d'abord
son sens étymologique : « vigoureux, fort, gaillard, vif ».
Adjectif ou substantif, il qualifie, dans le domaine de la
féodalité, le vassal familier du roi, son confident, son
favori ; transposé dans le registre courtois, il désigne, toujours avec une nuance de soumission, l'ami(e) intime,
l'amant(e) fidèle. Bien vivant encore au XVIIᵉ siècle,
l'adjectif subit par la suite une restriction sémantique
puisqu'il ne signifie plus que « épais, serré, touffu ». Voir
R. Dubuis, « *Dru* et *druerie* dans le *Tristan* de Béroul »,
Mélanges Pierre Jonin, Aix-en-Provence et Paris, Champion, 1979, p. 221-231, et « La notion de *druerie* dans les
Lais de Marie de France », *Le Moyen Âge*, t. XCVIII,
1992, p. 391-413.

donoit [...] robes : emprunté au germanique **rauba*
(« rapine »), *robe* conserve en ancien français son sens
étymologique : « butin, pillage, vol, larcin » (voir le verbe
dérober et les expressions *en robe*, « à la dérobée, en
cachette », et *de bonne robe* : « de bonne prise »), avant de
prendre, par glissement sémantique, la signification de
vêtement. Dans ce cas, il désigne soit l'ensemble des
habits à l'exception de la chemise, c'est-à-dire le costume, la toilette, soit le vêtement long et ample que
portaient les personnes des deux sexes. À partir du
XVIᵉ siècle, le mot se spécialise pour qualifier « l'habit
distinctif de certains états ou professions » (ecclésiastiques, magistrats, avocats, professeurs) ainsi qu'un
« vêtement féminin composé d'un corsage et d'une jupe
d'un seul tenant ». Par analogie, *robe* se dit aussi de
l'enveloppe de plusieurs fruits et légumes, du pelage de
quelques animaux et de la couleur du vin. L'amour trop
ardent d'Érec pour Énide le pousse à renoncer à la chevalerie mais non pas à la courtoisie ni à sa qualité essen-
tielle, la largesse qu'il continue à pratiquer à l'égard de
ses compagnons.

Destriers [...] sejornez : ce substantif *destrier* tire son origine
du mot *destre* (issu du latin *dextera*) signifiant « main
droite ». En effet, l'écuyer menait de la main gauche son
propre cheval, un *roncin*, monture subalterne, et simultanément conduisait de la main droite le *destrier* de son

seigneur, quand ce dernier montait un *palefroi* durant le voyage. Le *destrier* est un cheval de bataille, vigoureux et fougueux. L'adjectif *sejornez*, qui signifie : « reposé ; frais ; dispos », est le participe passé du verbe *sojorner/ sejorner* dérivé du latin vulgaire **subdiurnare*, composé de *sub* au sens de « un peu » et de *diurnare* (« vivre longtemps »). *Sejorner* présente plusieurs emplois et valeurs : 1) intransitif : « demeurer quelque temps dans un lieu (seul sens conservé à notre époque), rester, attendre, tarder » ; *sejorner de* : « cesser de » ; 2) transitif : « héberger, recueillir, faire reposer, retenir, retarder » ; 3) pronominal : « se reposer ».

tornoïer et por joster : par ces deux verbes, Chrétien de Troyes semble évoquer les deux genres d'affrontements caractéristiques d'un tournoi : d'une part la bataille collective opposant deux troupes de chevaliers, habiles à manier la lance et l'épée dans des mêlées souvent acharnées, d'autre part la lutte individuelle ou joute au cours de laquelle deux adversaires tentent de se désarçonner en employant surtout la lance.

recreant aloit : le verbe *aler* s'unit à la forme en *-ant* invariable pour former une périphrase de valeur durative. Le verbe *recroire* est essentiel pour comprendre la nouvelle situation d'Érec qui abandonne les valeurs d'autrefois, manque à ses devoirs et trahit l'idéal chevaleresque. Ce renoncement n'est dû ni à de la lassitude ni à de la lâcheté, mais à son amour excessif pour Énide.

chevalerie : ce substantif offre diverses acceptions : 1) la condition de chevalier ; 2) l'ordre, l'institution chevaleresque ; 3) l'ensemble des guerriers à cheval ou une troupe imposante de cavaliers ; 4) les qualités propres à un chevalier, en particulier la vaillance ; 5) l'exploit, l'action d'éclat ; 6) la gloire ; 7) l'expédition militaire ; 8) l'art militaire. C'est à tout cela qu'Érec semble avoir renoncé.

sanblant : ce terme se rattache au bas latin *similare*, dérivé du latin classique *similis* (« semblable »). Dans l'ancienne langue, outre « la ressemblance, l'image », il dénomme « la mine, l'expression du visage », d'où la locution *faire/mostrer bel semblant* : « faire bonne figure, bon accueil » ; il désigne également « l'apparence, l'aspect », d'où *par semblant* : « à ce qu'on voit, à ce qu'il semble, apparemment » et *faire/mostrer semblant* : « laisser paraître par l'expression de son visage, montrer par

son comportement, par des signes extérieurs, avoir
l'air » ; il signifie enfin « manière d'être, avis, opinion ».
À notre époque le mot qualifie l'apparence trompeuse.
Comme le précise L. Foulet : « *Faire semblant* est aujour-
d'hui aussi courant que par le passé, mais il est toujours péjoratif : il implique l'idée de vouloir tromper ou
berner son monde ; en se cristallisant ainsi l'expression
a perdu beaucoup de sa couleur et de sa force » (*op. cit.*,
p. 268).

jurent : il s'agit de la troisième personne du pluriel du passé
simple du verbe *gesir* issu du latin *jacere* (« être étendu »,
« être situé », « être abattu »). En ancien français, *gesir*,
intransitif ou pronominal, présente plusieurs significations : 1) « se coucher », « être couché », d'où « passer la
nuit », « demeurer » ; 2) « avoir des relations sexuelles » ;
3) « accoucher » (« être en gésine ») ; 4) « être malade,
alité » ; 5) « être mort », « être enterré » ; 6) « se trouver »,
d'où « consister », « dépendre ». En français moderne on
assiste à une double restriction d'emploi (le verbe défectif
n'existe qu'au présent et à l'imparfait de l'indicatif, ainsi
qu'au participe présent *gisant*) et de sens puisqu'il désigne
surtout des morts dans le sépulcre (*ci-gît*).

delit : ce déverbal de *delitier*, dérivé du latin *delectare*,
désigne l'agrément, la joie en général ou, comme ici, le
plaisir physique de l'amour, la jouissance. Sur ce mot,
voir G. Lavis, *L'Expression de l'affectivité dans la poésie
lyrique française du Moyen* Âge *(XIIe-XIIIe siècles)*, Paris,
Les Belles Lettres, 1972, p. 260-261.

Cil dormi, et ele vella : ce contraste traduit l'opposition
entre l'insouciance d'Érec qui ne se doute de rien et
goûte le sommeil de l'homme satisfait et la lucidité voire
l'inquiétude d'Énide. Plus tard, au cours de leur quête,
on remarque un vers analogue : *Cil dormi, et cele vella*
(v. 3099). On retrouve cette même antithèse dans le
Conte du graal, lorsque Perceval, hébergé par Blanchefleur, dort comme un innocent jusqu'au moment où les
larmes de la demoiselle le réveillent (éd. de J. Dufournet,
v. 1941-1981) ; voir notamment le vers 1947 : *Cil dort a
eise, et cele panse…*

Con mar i fus ! : la signification de cet adverbe varie
selon le temps du verbe auquel il se rapporte : tandis
qu'employé avec un présent il signifie « à tort », et
qu'avec un verbe au futur il équivaut à une défense très
énergique, avec un passé simple, il veut dire : « c'est

pour mon, ton, son... malheur ». Énide insiste sur la triste destinée de son époux, né sous une mauvaise étoile. Voir B. Cerquiglini, *La Parole médiévale*, Paris, Éditions de Minuit, 1981, p. 128-245.

9. [L'oubli des armes]

Mes tant l'ama Erec d'amors
2435 Que d'armes mes ne li chaloit,
Ne a tornoiemant n'aloit.
N'avoit mes soing de tornoiier ;
A sa fame aloit donoiier* ;
De li fist s'amie et sa drue* :
2440 Tot mist son cuer et s'antandue
An li acoler et beisier ;
Ne se queroit d'el aeisier.
Si conpeignon duel an avoient,
Antr'aus sovant se demantoient
2445 De ce que trop l'amoit assez.
Sovant estoit midis passez
Einçois que de lez li levast :
Lui estoit bel, cui qu'il pesast.
Mout petit de li s'esloignoit,
2450 Mes onques por ce ne donoit*
De rien mains a ses chevaliers
Armes et robes* et deniers.
Nul leu n'avoit tornoiemant
Nes i anvoiast richement
2455 Aparelliez et atornez.
Destriers* lor donoit sejornez*
Por tornoiier* et por joster*,
Que qu'il li deüssent coster.
Ce disoit trestoz li barnages
2460 Que granz diaus iert et granz damages

9. L'oubli des armes

Mais Érec l'aimait d'un si grand amour
qu'il ne se souciait plus des armes   2435
et ne participait plus aux tournois.
Il n'avait plus envie de tournoyer ;
il préférait honorer sa femme
dont il fit son amie et son amante :
il mettait tout son cœur et son ardeur   2440
à l'embrasser et à la couvrir de baisers ;
il ne cherchait pas d'autre plaisir.
Ses compagnons en étaient peinés ;
ils se lamentaient souvent entre eux
de ce qu'il l'aimait beaucoup trop.   2445
Il était souvent midi passé
qu'il ne s'était encore levé d'auprès d'elle :
s'en affligeait qui voulait, cette vie lui plaisait.
Il ne s'éloignait guère de sa femme,
mais il ne s'en montrait pas moins   2450
généreux envers ses chevaliers
à qui il donnait armes, vêtements et argent.
À tous les tournois qui avaient lieu,
il les envoyait richement
équipés et vêtus.   2455
Il leur donnait des destriers bien dispos
pour participer aux mêlées et aux joutes,
sans regarder à la dépense.
Tous les barons disaient
qu'il était bien triste et fâcheux   2460

Quant armes porter ne voloit
Teus ber come il estre soloit.
Tant fu blasmez de totes janz,
De chevaliers et de serjanz,
2465 Qu'Enide l'oï antredire
Que recreant aloit★ ses sire
D'armes et de chevalerie★ ;
Mout avoit changiee sa vie.
De ceste chose li pesa,
2470 Mes sanblant★ feire n'an osa,
Car ses sire an mal le preïst
Assez tost, s'ele li deïst.
Tant li fu la chose celee
Qu'il avint une matinee
2475 La ou il jurent★ an un lit
Ou eü orent maint delit★,
Boche a boche antre braz gisoient,
Come cil qui mout s'antramoient.
Cil dormi, et ele vella★ ;
2480 De la parole li manbra
Que disoient de son seignor
Par la contree li plusor ;
Quant il l'an prist a sovenir,
De plorer ne se pot tenir.
2485 Tel duel an ot et tel pesance
Qu'il li avint par mescheance
Que ele dist une parole
Dont ele se tint puis por fole ;
Mes ele n'i pansoit nul mal.
2490 Son seignor a mont et a val
Comança tant a regarder,
Le cors bien fet et le vis cler ;
Et plore de si grant ravine
Que plorant dessor la peitrine
2495 An chieent les lermes sor lui,
Et dist : « Lasse, con mar m'esmui
De mon païs ! Que ving ça querre ?
Bien me devroit sorbir la terre,
Quant toz li miaudre chevaliers,
2500 Li plus hardiz et li plus fiers,

qu'un chevalier d'habitude si vaillant
refusât désormais de porter les armes.
Il fut tant blâmé par tous,
chevaliers et hommes d'armes,
qu'Énide les entendit dire entre eux   2465
que son époux renonçait
aux armes et à la chevalerie ;
il avait profondément changé son mode de vie.
Ces propos l'affligèrent,
mais elle n'osa rien en laisser paraître,   2470
car son mari l'aurait mal pris,
aussitôt qu'elle le lui aurait dit.
Le secret fut gardé
jusqu'à une matinée
où ils étaient couchés dans leur lit,   2475
après avoir pris beaucoup de plaisir,
étendus bouche contre bouche, enlacés
comme des amants passionnés.
Lui dormait, elle, veillait ;
elle se souvint des paroles   2480
que bien des gens dans le pays
tenaient sur son époux.
À ce souvenir,
elle ne put se retenir de pleurer.
Elle en éprouva un tel chagrin et une telle peine   2485
qu'elle eut le malheur
de laisser échapper une parole
qu'elle tint, par la suite, pour une folie ;
pourtant elle ne pensait pas à mal.
Elle se mit à regarder   2490
son époux, de la tête aux pieds,
contemplant son corps bien fait et son visage clair ;
elle pleura si abondamment
que ses larmes tombèrent
sur la poitrine d'Érec,   2495
et elle dit : « Hélas, quel malheur d'avoir quitté
mon pays ! Que suis-je venue chercher ici ?
La terre devrait bien m'engloutir,
puisque le meilleur chevalier,
le plus hardi et le plus fier,   2500

Li plus biaus et li plus cortois,
Qui onques fust ne cuens ne rois,
A del tot an tot relanquie
Por moi tote chevalerie.
2505 Donques l'ai je honi por voir ;
Nel vossisse por nul avoir. »
Lors li a dit : « Con mar i fus★ ! »
A tant se test, si ne dist plus.
Erec ne dormi pas formant,
2510 Si l'a tresoï an dormant.
De la parole s'esvella
Et de ce mout se mervella
Que si formant plorer la vit ;
Si li a demandé et dit :
2515 « Dites moi, bele amie chiere,
Por quoi plorez an tel meniere ?
De quoi avez ire ne duel ?
Certes, je le savrai mon vuel.
Dites le moi, ma douce amie,
2520 Et gardez nel me celez mie :
Por qu'avez dit que mar i fui ?
Por moi fu dit, non por autrui.
Bien ai la parole antandue. »
Lors fu mout Enide esperdue,
2525 Grant peor ot et grant esmai.

le plus beau et le plus courtois
qui fut jamais comte ou roi,
a complètement délaissé
pour moi toute chevalerie.
Je l'ai donc déshonoré, oui, vraiment ;   2505
je ne l'aurais voulu pour rien au monde. »
Alors elle lui a dit : « Quel malheureux destin que le tien ! »
Là-dessus elle se tut et ne dit plus mot.
Érec ne dormait pas profondément,
et il l'entendit dans son sommeil.   2510
Cette parole le réveilla,
et il fut très étonné
de la voir pleurer si fort ;
il lui demanda :
« Dites-moi, douce et chère amie,   2515
pourquoi pleurez-vous de la sorte ?
D'où viennent votre peine et votre chagrin ?
Oui, je voudrais bien le savoir.
Dites-le-moi, ma douce amie,
gardez-vous bien de me le cacher :   2520
pourquoi avez-vous dit que mon destin était malheu-
    reux ?
Il était question de moi et de personne d'autre.
J'ai bien entendu la parole. »
Énide fut alors tout éperdue,
elle éprouva une grande peur et un grand émoi.   2525

CLIGÈS

Ce deuxième roman, que le trouvère champenois composa en 1176, est assez singulier car il mêle la matière de Bretagne, représentée par la cour d'Arthur, au conte oriental de la fausse morte. Le récit de structure bipartite (l'histoire des parents Alexandre et Soredamors, type de l'Orgueilleuse d'amour, précède celle de leur fils Cligès) se déroule en trois lieux principaux : la Grèce (avec quelques touches d'exotisme), l'Allemagne et l'Angleterre (avec la mention de villes réelles, telles que Cologne, Ratisbonne, Londres, Southampton ou Winchester). Il est même possible que l'union de Fénice, fille de l'empereur d'Allemagne, et d'Alis, empereur de Constantinople, soit inspirée par des événements politiques contemporains, le projet d'alliance entre Frédéric Barberousse et Manuel Comnène. Quoi qu'il en soit, alternent les épisodes guerriers (conflit entre Arthur et le comte Angrès, siège de Windsor, combats entre les Grecs et les Saxons, tournoi d'Oxford) et les scènes sentimentales avec une peinture très fine de l'amour naissant où l'on remarque tout un réseau de métaphores filées, empreint de préciosité courtoise.

Mais Chrétien, qui narre comment Fénice s'éprend de Cligès, le neveu de son mari, a surtout conçu son roman comme une réplique au *Tristan* dont il reprend aussi divers motifs comme le cheveu d'or, le voyage en mer, le jeu de mots sur *l'amer*, les philtres magiques, le verger et la découverte des amants. Toutefois l'auteur, qui préfère le mariage d'amour à l'adultère, oppose la conduite pure et intransigeante de Fénice refusant d'appartenir à deux hommes au comportement plus équivoque d'Yseut.

Cligès apparaît en définitive comme un roman de la mystification avec les fausses morts d'Alexandre puis de Fénice, les breuvages de la magicienne Thessala qui trompent Alis et les médecins de Salerne, la ruse d'Alexandre et de ses compagnons qui dupent leurs adversaires en revêtant leurs propres armures, le subterfuge de Cligès qui abuse les tournoyeurs d'Oxford en changeant d'armes chaque jour. Le plus habile de tous est encore le romancier qui, avec humour, se débarrasse du mari gênant, en le faisant mourir de rage.

Nous avons choisi le passage où Fénice, ayant pris conscience de son amour pour Cligès, explique à Thessala qu'elle ne veut pas imiter l'attitude honteuse d'Yseut.

Bibliographie

Cligès, éd. de A. Micha, Paris, Champion, 1957 (« Classiques français du moyen Âge », n° 84) ; trad. de A. Micha, Paris, Champion, 1969 ; éd. bilingue de Ch. Méla et O. Collet, Paris, Le Livre de poche, « Lettres gothiques », 1994.

A. Fourrier, *Le Courant réaliste dans le roman courtois en France au Moyen Âge*, Paris, 1960 ; J. Frappier, *Le Roman breton : Cligès*, Paris, CDU, 1951 ; P. Haidu, *Aesthetic distance in Chrétien de Troyes : Irony and Comedy in Cligès and Perceval*, Genève, Droz, 1968.

Notes

Le texte est établi d'après la copie de Guiot (manuscrit BN, fr. 794, milieu du XIIIe siècle) et l'éd. de A. Micha.

Fénice condamne l'amour adultère qui unit Tristan et Yseut au nom de la raison et de la morale (*resnable* au vers 3117 et *droiz* au vers 3132). Elle reproche à l'épouse du roi Marc d'avoir accepté que deux hommes puissent la posséder. La réprobation à l'égard du comportement coupable de la reine se traduit par des termes péjoratifs tels que : *folie* (v. 3108), *honte* (v. 3109), *vilena* (v. 3112), *rentiers* (v. 3114), *garçoniers* (v. 3121) et *parçoniers* (v. 3122).

Dans son *Roman de Tristan*, Thomas évoque le partage d'Yseut qui s'unit au corps de son époux mais ne veut pas de son cœur : *Ele a le cors, le cuer ne volt* (éd. de F. Lecoy, Paris, Champion, 1991, v. 1039). Les vers 3123 : *Qui a le cuer, cil a le cors* et 5190 : *Vostre est mes cuers, vostre est mes cors*, tous deux prononcés par Fénice, constituent une réplique cinglante à l'attitude équivoque de la reine. Si, pour rester fidèle à cette éthique, l'amie de Cligès est obligée d'utiliser les services de Thessala, la faute en incombe à Alis qui ne respecte pas la promesse faite à son frère de rester célibataire (v. 3133-3136 et 3142-3147). Ainsi le recours à la magie est-il légitimé par le parjure d'Alis.

atalante : dérivé du substantif *talant*, le verbe *atalanter* signifie « plaire, être agréable, convenir », et « inspirer le désir ».

joie : issu du latin classique *gaudia*, pluriel neutre de *gaudium* (« contentement, plaisir »), le terme *joie* désigne d'une part la jouissance physique (voir les vers 3168, 3170 et le mot *deduit* du v. 3166), d'autre part le bonheur intense d'aimer et d'être aimé, une félicité qui emplit le corps et le cœur. Dans la préface de son *Anthologie de la poésie lyrique française des XIIe et XIIIe siècles* (Paris, Gallimard, 1989), J. Dufournet définit ainsi la *joie* : « la jouissance spirituelle de l'union des âmes, plénitude extatique fragile et toujours menacée, allégresse qui exalte l'être au-dessus de lui-même et qui n'empêche pas le bonheur physique – mélange subtil, pour reprendre les termes des troubadours, du *joi*, plus spirituel, plus actif, et du *gauc*, plus physique, plus passif » (p. 29). Sur la notion de *joy*, on consultera R. Nelli, *L'Érotique des troubadours*, Toulouse, Privat, 1963, p. 85-88 et Ch. Camproux, *Le Joy d'amor des troubadours. Jeu et joie d'amour*, Montpellier, Causse et Castelnau, 1965.

rentiers : le substantif qualifie « celui qui doit ou paie une rente », ainsi que le bénéficiaire. La rime *entiers/rentiers* est inversée dans *Éracle* de Gautier d'Arras (éd. de G. Raynaud de Lage, Paris, Champion, 1976, v. 3525-3526).

garçoniers : cet adjectif qui se rattache au terme, souvent péjoratif, *garçon*, signifie « libertin, dévoyé ». Au demeurant le nom *garçoniere* évoque une fille publique, une prostituée.

parçoniers : dérivé du mot *parçon*, lui-même issu du latin *partitionem* (« division, répartition »), il désigne celui qui partage son bien avec autrui, un cohéritier, un copropriétaire, un associé. L'emploi de ce substantif, présent également au v. 2139 du *Roman de Tristan* de Thomas à propos de Governal, complice des amants de Cornouailles, provient sans doute du *Roman d'Énéas* où Lavine refuse de partager son amour : *o lui n'i avra parçonier* (éd. de J.-J. Salverda de Grave, Paris, Champion, t. II, 1929, v. 8304).

Qui a le cuer, cil a le cors : plusieurs manuscrits offrent une leçon différente : *Qui a le cuer si eit le cors.* Nous avons préféré l'indicatif présent *a* qui exprime la vérité générale d'une maxime au subjonctif optatif *eit*. La séparation du cœur, captif ou laissé en gage auprès de la dame, et du corps, qui garde sa liberté de mouvements, est un topique de la poésie lyrique courtoise.

Et quant il est de mon cors sire : on peut aussi estimer que *il* représente le père de Fénice et traduire ainsi : « Dès lors que mon père est maître de ma personne... »

Sanz sa fiance trespasser : Alis a promis solennellement à son frère Alexandre de ne jamais se marier et de laisser après lui l'empire de Constantinople à son neveu Cligès (v. 2534-2542).

art : outre les arts libéraux, disciplines du *trivium* (grammaire, rhétorique et dialectique) et du *quadrivium* (arithmétique, astronomie, géométrie et musique), le substantif signifie aussi « technique, métier » ; « moyen, artifice, ruse » ; « pratique de sorcellerie ».

mestre : venant du latin *magistrum*, le mot *mestre* est tantôt adjectif au sens de « principal, important », tantôt substantif dénommant alors « celui qui exerce son autorité sur des personnes » ; « celui qui sait apprendre aux autres » ; « celui qui est reçu dans un corps de métier après avoir été apprenti ». *Mestre* désigne également selon les contextes, « un médecin », « un sorcier », « un bourreau », « un geôlier ». C'est enfin un grade universitaire et un titre donné aux gens de robe. Thessala mérite pleinement cette appellation ; en effet, gouvernante et confidente de Fénice, elle connaît de surcroît les sortilèges et la magie thessalienne.

poisons : le breuvage préparé par Thessala rappelle le philtre symbole de la passion qui unit Tristan et Yseut. Mais alors que le « vin herbé » provoque l'amour fatal des héros qui le boivent par mégarde, par un renversement amusant, la potion concoctée par la suivante de Fénice vise à donner au mari l'illusion de la jouissance physique.

Con s'antre aus deus avoit un mur : l'image du mur préservant la virginité de Fénice est une surenchère humoristique d'un épisode du *Roman de Tristan* de Béroul où le roi Marc conclut à la chasteté des amants à la vue de l'épée nue séparant leurs corps endormis (éd. de E. Muret, revue par L.-M. Defourques, Paris, Champion, 1947, v. 1998-1999).

ne li enuit : on peut aussi considérer que le pronom *li* renvoie non pas à Fénice mais à Alis, et comprendre alors : « il n'en sera nullement contrarié ».

deduit : participe passé substantivé du verbe *deduire*, le terme *deduit* évoque le divertissement actif et concret, le plaisir, notamment amoureux. Dans son ouvrage *Les Vocabulaires français* (Paris, Didier, 1967), R.L. Wagner précise le sens du mot : « Anciennement le *déduit* s'opposait à une distraction cherchée dans le repos, l'oisiveté. Il désignait génériquement une occupation de nature non utilitaire ou qui, du moins, si elle rapportait quelque chose comme la chasse par exemple, exigeait de l'invention, de l'ingéniosité, des péripéties. On parlait ainsi du *déduit des échecs*, du *déduit amoureux* » (p. 34).

talant : au Moyen Âge, ce substantif signifie « envie, désir, volonté », mais aussi « avis » et « souhait », sens qui disparaissent au XVIe siècle au profit d'une nouvelle acception : « don, aptitude, capacité ». G. Gougenheim retrace l'origine et l'évolution sémantique de ce terme : « Le mot latin *talentum*, emprunté au grec, n'a qu'un sens purement matériel : celui d'un poids d'environ vingt-cinq kilogrammes [...] le mot *talent* aurait été emprunté d'abord dans son sens primitif de "poids qui fait pencher la balance" (conservé peut-être dans le grec de Marseille), d'où décision qui emporte la volonté. À l'époque de la Renaissance, un sens nouveau, déjà esquissé dans le latin

scolastique, se serait introduit par une allusion à la parabole des talents dans l'Évangile de Matthieu : le serviteur
infidèle enterre le talent que son maître lui a confié : le
talent serait donc le don naturel que recèle l'individu »
(*Les Mots français dans l'histoire et dans la vie*, Paris,
Picard, 4ᵉ éd., 1972, p. 127).

10. [Fénice refuse le partage d'Yseut]

« Mes l'empereres me marie,
Don je sui iriee et dolante,
3100 Por ce que cil qui m'atalante★
Est niés celui que prendre doi.
Et se cil a joie★ de moi,
Donc ai ge la moie perdue,
Ne je n'i ai nule atandue.
3105 Mialz voldroie estre desmanbree
Que de nos deus fust remanbree
L'amors d'Ysolt et de Tristan,
Don mainte folie dit an,
Et honte en est a reconter.
3110 Ja ne m'i porroie acorder
A la vie qu'Isolz mena.
Amors en li trop vilena,
Que ses cuers fu a un entiers,
Et ses cors fu a deus rentiers★.
3115 Ensi tote sa vie usa
N'onques les deus ne refusa.
Ceste amors ne fu pas resnable,
Mes la moie iert toz jorz estable,
Car de mon cors et de mon cuer
3120 N'iert ja fet partie a nul fuer.
Ja mes cors n'iert voir garçoniers★,
N'il n'i avra deus parçoniers★.
Qui a le cuer, cil a le cors★,
Toz les autres an met defors.

10. Fénice refuse le partage d'Yseut

« Mais l'empereur m'épouse,
ce qui me contrarie et m'afflige beaucoup,
parce que celui qui me plaît   3100
est le neveu de celui que je dois épouser.
Et si ce dernier trouve sa joie en moi,
alors j'ai perdu la mienne,
et il ne me reste aucun espoir.
Je préférerais être écartelée   3105
plutôt que notre situation à tous deux rappelle
l'amour d'Yseut et de Tristan
dont on raconte tant de folies,
et qu'il est honteux de rapporter.
Je ne pourrais jamais m'accommoder   3110
de la vie que mena Yseut.
L'amour s'avilit trop en elle,
car son cœur n'était qu'à un seul
tandis que son corps était à deux bénéficiaires.
Ainsi passa-t-elle toute sa vie   3115
sans se refuser à aucun des deux.
Cet amour ne fut pas raisonnable,
mais le mien restera toujours immuable,
car mon corps et mon cœur
ne seront jamais partagés à aucun prix.   3120
Non, jamais mon corps ne se prostituera
ni n'aura deux propriétaires.
Qui a le cœur a aussi le corps,
j'en exclus tous les autres.

3125 Mes ce ne puis je pas savoir
     Comant puisse le cors avoir
     Cil a cui mes cuers s'abandone,
     Quant mes peres autrui me done,
     Ne je ne li os contredire.
3130 Et quant il est de mon cors sire★,
     S'il an fet chose que ne vuelle,
     N'est pas droiz c'un autre i acuelle.
     Ne cil ne puet fame espouser
     Sanz sa fiance trespasser★,
3135 Einz avra, s'an ne li fet tort,
     Cligés l'empire aprés sa mort.
     Mes se vos tant savïez d'art★
     Que ja cil an moi n'eüst part
     Cui je sui donee et plevie,
3140 Molt m'avrïez an gré servie.
     Mestre★, car i metez antante
     Que cil sa fiance ne mante
     Qui au pere Cligés plevi,
     Si com il meïsme eschevi,
3145 Que ja n'avroit fame esposee.
     Sa fiance en iert reüsee,
     Car adés m'espousera il.
     Mes je n'ai pas Cligés si vil
     Que mialz ne vuelle estre anterree
3150 Que ja par moi perde danree
     De l'enor qui soe doit estre.
     Ja de moi ne puisse anfes nestre
     Par cui il soit desheritez.
     Mestre, or vos an entremetez,
3155 Por ce que toz jorz vostre soie. »
     Lors li dit sa mestre et otroie
     Que tant fera conjuremanz,
     Et poisons★, et anchantemanz,
     Que ja de cest empereor
3160 Mar avra garde ne peor ;
     Et si girront ansanble andui,
     Mes ja tant n'iert ansanble o lui
     Qu'ausi ne puisse estre a seür
     Con s'antre aus deus avoit un mur★.

Mais je n'arrive pas à savoir   3125
comment mon corps pourrait être à
celui auquel mon cœur s'abandonne,
puisque mon père me donne à un autre
et que je n'ose pas m'y opposer.
Dès que celui-ci sera le maître de mon corps,   3130
même s'il en use malgré moi,
il n'est pas moral que j'en accueille un autre.
Il ne peut pas non plus se marier
sans manquer à sa parole,
mais Cligès, si on ne lui fait du tort,   3135
aura l'empire, après la mort de son oncle.
Pourtant, si vous étiez assez habile
pour priver de ma personne
celui à qui je suis promise et donnée,
vous m'auriez rendu un grand service.   3140
Maîtresse, mettez donc tous vos soins
pour que cet homme ne manque pas à sa promesse,
lui qui a juré au père de Cligès,
après avoir reçu son serment,
qu'il ne se marierait jamais.   3145
Il trahira sa parole,
car il va bientôt m'épouser.
Mais j'estime trop Cligès
pour ne pas préférer être enterrée vivante
plutôt que, par ma faute, il perde une parcelle   3150
de l'héritage qui doit lui revenir.
Puisse ne jamais naître de moi un enfant
par qui il serait déshérité !
Maîtresse, occupez-vous donc de l'affaire,
si bien que je sois toujours à vous. »   3155
Alors sa nourrice y consent et lui dit
qu'elle fera tant d'incantations,
de breuvages et d'enchantements
que jamais, cet empereur,
elle n'aura à le craindre ;   3160
ils coucheront tous deux dans le même lit,
mais jamais elle ne sera avec lui
sans être en sécurité aussi bien
que s'il y avait un mur entre eux.

3165 Mes seul itant ne li enuit★
     Qu'il a en dormant son deduit★,
     Car quant il dormira formant
     De li avra joie a talant★,
     Et cuidera tot antresait
3170 Que an veillant sa joie en ait,
     Et ja rien n'en tenra a songe,
     A losange ne a mançonge.
     Einsi toz jorz de lui sera :
     An dormant joer cuidera.

Qu'elle accepte seulement   3165
qu'il prenne son plaisir en dormant,
car plongé dans un profond sommeil,
il jouira d'elle à son gré
et il sera persuadé
qu'il le fait en état de veille ;   3170
jamais il ne pensera à un rêve,
à une tromperie ou à un mensonge.
Ainsi en sera-t-il toujours de lui :
en dormant il croira se livrer aux jeux de l'amour.

LE CHEVALIER DE LA CHARRETTE

Si l'on en croit le prologue du *Chevalier de la charrette*, cette œuvre, rédigée entre 1177 et 1181, fut commandée à l'auteur champenois par Marie, comtesse de Champagne. Contrairement aux romans antérieurs vantant l'amour conjugal, Chrétien s'attache ici à un thème lyrique cher aux troubadours et aux trouvères, la *fin'amor*, c'est-à-dire un amour adultère, secret, tourmenté, sensuel et mystique.

Gauvain et un chevalier qui reste longtemps anonyme (il n'est appelé Lancelot qu'au vers 3660) s'élancent à la poursuite du ravisseur de Guenièvre, le félon Méléagant. Pour atteindre le royaume de Gorre où la reine et le sénéchal Keu sont emmenés en captivité, les deux hommes se séparent, le neveu d'Arthur empruntant le « pont sous l'eau » et son compagnon le terrible « pont de l'épée ». Après deux combats victorieux contre Méléagant, Lancelot connaît une nuit d'amour avec Guenièvre. Tandis que, sous la conduite de Gauvain, la reine retourne dans le royaume de Logres, Lancelot est emprisonné par traîtrise dans une tour. C'est là que Chrétien arrête son récit, poursuivi par Geoffroy de Lagny qui relate comment Lancelot rejoint la cour du roi et tue Méléagant.

Le romancier montre la toute-puissance de la dame et l'entière soumission de son vassal. Il invente à dessein les situations les plus avilissantes pour un guerrier de l'époque. Lancelot doit ainsi monter sur une charrette d'infamie, supporter railleries et insultes, puis se comporter en couard au tournoi de Noauz. L'amour mérite que le héros lui sacrifie tout puisqu'il reçoit tout de lui : un objet à sa quête, un sens à sa vie et même son identité. Mais cet amour qui s'épanouit dans l'Autre Monde peut-il se vivre dans le monde réel ? Ne risque-t-il pas de mener les amants dans une impasse, de les enfermer dans un rêve ? En fait, lors de l'épisode du « cimetière futur », le protagoniste découvre son rôle messianique. Parti dans le seul but de secourir Guenièvre, il s'aperçoit bientôt que la délivrance de la reine entraîne celle de tous les captifs du royaume de Gorre. Il devient alors, au-delà du *fin amant*, le sauveur espéré puis béni par tous les anciens prisonniers, désormais libres et heureux. L'amour exalté par Chrétien de Troyes s'élève donc au service d'autrui et transcende l'individu dans une mission collective, voire divine.

Le texte choisi se situe après l'enlèvement de Guenièvre, qu'Arthur avait placée imprudemment sous la protection de l'outrecuidant sénéchal Keu. Lancé sur leurs traces, Gauvain croise le cheval de Keu sans cavalier, puis rencontre un chevalier à la monture épuisée. Il prête un de ses destriers à cet inconnu, qu'il ne tarde pas à retrouver à pied derrière une charrette.

Bibliographie

Le Chevalier de la charrette, éd. de M. Roques, Paris, Champion, 1958 ; trad. de J. Frappier, Paris, Champion, 1967 ; éd. bilingue de A. Foulet et K.D. Uitti, Paris, Bordas, « Classiques Garnier », 1989 ; éd. bilingue de J.-Cl. Aubailly, Paris, GF-Flammarion, 1991, et de Ch. Méla, Paris, Le Livre de poche, « Lettres gothiques », 1992.

E. Baumgartner, *Chrétien de Troyes, Yvain, Lancelot, la charrette et le lion*, Paris, PUF, 1992 ; E. Gaucher et L. Mathey-Maille, *Le Chevalier de la charrette*, Paris, Hatier, 1996 ; D. Kelly, *Sens and Conjointure in the Che-*

valier de la Charrette of Chrétien de Troyes, La Haye/Paris, Mouton, 1966 ; J. Ribard, *Chrétien de Troyes, Le Chevalier de la charrette. Essai d'interprétation symbolique*, Paris, Nizet, 1972 ; « *Lancelot ou le Chevalier de la charrette* de Chrétien de Troyes », textes réunis par Claude Lachet, Paris, *L'École des Lettres*, n° 10, mars 1997.

Notes

Le texte est établi d'après la copie de Guiot (manuscrit BN, fr. 794, milieu du XIIIᵉ siècle) et l'éd. de J.-C. Aubailly. Nous avons procédé aux corrections suivantes :
v. 328 : *a ces qui murtre et larron sont*, corr. P11 *qui traïson ou murtre font* ;
v. 360a et 360b : omis par Guiot, rétablis d'après le ms. Chantilly 472 ;
v. 394 : *voldras*, corr. Chantilly 472 *iras*.

Cet épisode primordial pose la problématique du roman : le chevalier peut-il et doit-il tout sacrifier à l'amour ? En effet, monter sur la charrette d'infamie, c'est renier sa caste, sa renommée, son amour-propre. C'est accepter le déshonneur, ce que refuse Gauvain, le modèle de la chevalerie arthurienne. En revanche, Lancelot accepte l'opprobre pour retrouver sa dame car, au terme d'un débat intérieur, il comprend qu'il doit obéir à un ordre supérieur à l'honneur chevaleresque. La honte du chevalier devient la gloire du *fin amant*, le prix à payer pour faire triompher l'amour.

Jacques Ribard propose une interprétation allégorique de ce texte. Sensible à la répétition du substantif *pilori* et à la présence des *larrons*, semblables à ceux entre lesquels Jésus fut supplicié, il assimile Lancelot au Christ et établit une équivalence entre la charrette et la Croix. Quant à l'hésitation du héros, elle rappellerait l'angoisse éprouvée par le fils de Dieu à Gethsémani (*op. cit.*, p. 21-22).

avanture : ce substantif vient du latin populaire *adventura*, participe futur au pluriel neutre du verbe *advenire* (« se produire »). Il désigne ce qui doit arriver, tout événement qui surprend par son aspect soudain et exceptionnel, ainsi qu'un signe du destin, le hasard, la chance, d'où l'expres-

sion *par avanture* (« par hasard »). Le sort peut être soit
favorable, avec la locution *bone aventure* (« succès, réussite, bonheur »), soit défavorable avec le tour *male aventure* (« accident, malheur »). Le terme insiste aussi sur le
péril, d'où la formule *se metre en aventure* (« prendre le
risque de »). Dans les romans, *aventure* évoque souvent
une action extraordinaire, mêlant danger et plaisir, une
épreuve probatoire et redoutable pour le chevalier errant
en quête de gloire. À partir du XVIIᵉ siècle, le mot prend
également le sens de « relation amoureuse passagère ».

charrete : pour un chevalier, la charrette constitue un objet
de mépris puisqu'elle appartient au monde des « vilains ».
Elle peut aussi susciter la peur dans la mesure où certains
la considèrent comme une « représentation symbolique de
la mort, l'avatar celtique ou médiéval de la barque de
Charon » (J. Ribard, *op. cit.*, p. 20-21). Au demeurant, dans
La Chanson de Roland (éd. de J. Dufournet, GF-Flammarion, v. 2972), les cercueils de marbre blanc contenant les
corps de Roland, d'Olivier et de l'archevêque Turpin sont
emmenés sur trois charrettes. Comment cette voiture
funèbre, conduite par un nain, être infernal, ne provoque-
rait-elle pas les deux pas d'hésitation de Lancelot, le refus
de Gauvain et le signe de croix fait par tous ceux qui la
rencontrent (v. 341-344) ? Quoi qu'il en soit, la charrette, marque de flétrissure de la chevalerie, devient le
glorieux blason de l'amour. Il faut attendre le *Lancelot
en prose* (éd. de A. Micha, Genève, Droz, 1978, t. II,
chap. XL), où Bohort, le cousin du protagoniste, la dame
du Lac qui l'a élevé, Gauvain, Guenièvre, Arthur et tous
les compagnons de la Table ronde montent successivement sur la charrette, pour qu'elle perde, sur le plan chevaleresque, son caractère infamant et devienne le symbole
de l'amitié et de la solidarité.

ces qui sont chanp cheü : il s'agit des chevaliers qui sont
tombés en champ clos, c'est-à-dire ceux qui sont vaincus
à l'issue du duel judiciaire. Selon la mentalité médiévale,
leur défaite est la preuve que Dieu les reconnaît coupables.

une longue verge an sa main : la verge que tient le nain,
comparable à l'*escourgée* de la demoiselle montée sur
une mule fauve (v. 2784) et au fouet du nabot, suppôt
de Méléagant (v. 5061), est un attribut des personnages
merveilleux, l'insigne des guides et messagers de l'Autre

Monde. Qui est donc le conducteur de la charrette ? Un
émissaire de la reine ou plutôt un complice du ravisseur.

Li nains cuiverz de pute orine : dans les romans arthuriens, le
nain apparaît souvent comme une créature étrange,
cruelle, perfide, violente ou insolente. Chrétien souligne
sa bassesse et son caractère maléfique par l'emploi de
deux termes péjoratifs.

Le mot *cuivers/culvert* provient du latin *collibertus* (« co-
affranchi »). À la suite de la fusion des diverses catégories
de paysans en une seule classe, il devient synonyme de serf
puis une insulte exprimant la vilenie et la perversité. Voir à
ce sujet M. Bloch, « *Collibertus* ou *culibertus* », *Revue de linguistique romane*, t. II, 1926, p. 16-24, et K.J. Hollyman, *Le
Développement du vocabulaire féodal en France au haut
Moyen Âge*, Genève, Droz, 1957, p. 155-162.

savoir porras jusqu'a demain/que la reïne est devenue : le nain
prédit l'instant où Lancelot, d'une fenêtre, apercevra le
cortège de sa dame (v. 550-567).

Mar le fist et mar en ot honte [...] *qu'il s'an tendra por mal bailli* :
le chevalier regrettera d'avoir tardé à monter dans la charrette. Plus tard en effet la reine, qui l'a accueilli très froide-
ment à son arrivée dans le royaume de Gorre, lui reproche
son hésitation en ces termes : « Comment ? N'avez-vous
pas eu honte de la charrette et ne l'avez-vous pas redoutée ?
Vous y êtes monté de bien mauvaise grâce puisque vous
avez attendu deux pas ! C'est là la seule raison pour laquelle
j'ai refusé de vous adresser la parole et de vous regarder »
(v. 4484-4489, trad. de J.-Cl. Aubailly).

Mes Reisons, qui d'Amors se part : intériorisant au sein même
de Lancelot son opposition avec Gauvain, Chrétien de
Troyes imagine un débat allégorique entre Raison et
Amour, teinté de préciosité mais conforme au goût du
public cultivé de l'époque pour les discussions d'idées et
les problèmes de casuistique sentimentale. Le héros est
partagé entre deux forces antagonistes, d'une part la
Raison, dont le siège est dans la bouche et qui représente
le respect des conventions sociales, l'éthique féodale
fondée sur l'honneur, de l'autre l'Amour, enraciné au plus
profond du cœur, qui exige de ses fidèles tous les sacri-
fices. Si la Raison, volontiers discuteuse, ressortit à la rhétorique et à la didactique, l'Amour, quant à lui, ne rai-
sonne pas mais ordonne.

chastie : le verbe *chastier/chastoier* est issu du latin *castigare*,
dérivé lui-même de *castus* (« pur, intègre »). Il offre dans

l'ancienne langue diverses acceptions : 1) « instruire, enseigner », « avertir » ; 2) « recommander » ; 3) « empêcher,
interdire » ; 4) « amender, corriger, réprimander ». Depuis
l'époque classique, par restriction sémantique, *châtier*
devient seulement répressif puisqu'il signifie « infliger une
peine sévère, corriger, punir » ; « imposer à son corps
des privations ou des souffrances, se mortifier » ; au
figuré, en parlant du style, « épurer ».

messire : ce titre prestigieux, réservé d'abord aux saints, s'est
appliqué ensuite à des êtres exceptionnels par leur naissance et leurs qualités. Dans les romans de Chrétien de
Troyes, cette marque de déférence est attribuée à Yvain,
au sénéchal Keu (sans doute avec une nuance d'ironie
malicieuse de la part du trouvère champenois) et surtout à Gauvain, le parangon de la chevalerie courtoise.
Voir L. Foulet, « *Sire, Messire* », *Romania*, t. LXXI, 1950,
p. 1-48 et 180-221.

poignant : participe présent du verbe *poindre*, lequel provient du latin *pungere* (« piquer, tourmenter »), ce terme,
qui signifie « éperonnant », accompagne souvent un verbe
de mouvement pour suggérer l'allure d'un cheval lancé au
galop. En tant qu'adjectif, il possède trois valeurs différentes : 1) « piquant » ; 2) « pointu » ; 3) « actif, efficace ».
Le français moderne n'a conservé que le sens figuré et
affaibli de « très émouvant ».

consoille : le verbe *consoillier/conseillier* est issu du latin populaire *consiliare*, dérivé lui-même du latin classique *consi-
liari*. Il présente trois emplois principaux : 1) intransitif :
« tenir conseil, délibérer » (signification étymologique) ;
« chuchoter, discuter en privé » ; 2) transitif : « guider,
instruire » ; « aider, secourir » si le complément d'objet est
une personne, et si c'est une chose, « examiner, peser,
méditer » ; « proposer, suggérer un avis » ; « décider,
arrêter (que) » ; 3) pronominal : « se
consulter, réfléchir » ; « résoudre » ; « se tirer d'affaire ».
Depuis le XVIIᵉ siècle, par restriction sémantique, *conseiller*
signifie « indiquer à quelqu'un ce qu'il doit faire ».

se charrete a cheval chanjoit : l'allitération en *ch* traduit bien la
réprobation du neveu d'Arthur qui n'a nulle envie de
rejoindre son pair dans cette ignoble voiture.

11. [Le chevalier et la charrette]

N'i a pas granmant aresté,
315 einz passe outre grant aleüre
tant qu'il revit par avanture★
le chevalier tot seul a pié,
tot armé, le hiaume lacié,
l'escu au col, l'espee ceinte.
320 Si ot une charrete★ atainte.
De ce servoit charrete lores
don li pilori servent ores ;
et en chascune boene vile
ou or en a plus de trois mile
325 n'en avoit a cel tans que une ;
et cele estoit a ces comune,
aussi con li pilori sont,
qui traïson ou murtre font,
et a ces qui sont champ cheü★,
330 et as larrons qui ont eü
autrui avoir par larrecin
ou tolu par force an chemin.
Qui a forfet estoit repris,
s'estoit sor la charrete mis
335 et menez par totes les rues ;
s'avoit totes enors perdues,
ne puis n'estoit a cort oïz
ne enorez ne conjoïz.
Por ce qu'a cel tens furent tex
340 les charretes et si cruex,

11. Le chevalier et la charrette

Loin de s'arrêter longtemps à cet endroit,
Gauvain poursuivit sa route à vive allure   315
jusqu'au moment où il revit par hasard
le chevalier qui allait à pied, tout seul,
tout armé, le heaume lacé,
l'écu au cou, l'épée ceinte au côté.
Il venait de rejoindre une charrette.   320
On se servait alors des charrettes
comme aujourd'hui on se sert des piloris ;
et dans chaque bonne ville
où l'on en compte maintenant plus de trois mille,
il n'y en avait en ce temps-là qu'une seule ;   325
et celle-ci était commune,
comme le sont nos piloris,
aux traîtres ou aux assassins,
aux vaincus des duels judiciaires,
aux voleurs qui ont pris   330
le bien d'autrui furtivement
ou de vive force sur les chemins.
Celui qui était pris sur le fait
était placé sur la charrette
et promené par toutes les rues ;   335
dès lors il était déshonoré,
il n'était plus écouté à la cour
ni accueilli avec estime et joie.
Parce qu'à cette époque les charrettes
avaient une réputation aussi terrible,   340

fu premiers dit : « Quant tu verras
charrete et tu l'ancontreras,
fei croiz sor toi et te sovaigne
de Deu, que max ne t'an avaigne. »
345 Li chevaliers a pié, sanz lance,
aprés la charrete s'avance
et voit un nain sor les limons
qui tenoit come charretons
une longue verge an sa main*.
350 Et li chevaliers dit au nain :
« Nains, » fet il, « por Deu, car me di
se tu as veü par ici
passer ma dame la reïne ? »
Li nains cuiverz de pute orine*
355 ne l'en vost noveles conter,
einz li dist : « Se tu viax monter
sor la charrete que je main,
savoir porras jusqu'a demain
que la reïne est devenue.* »
360 Tantost a sa voie tenue
360a qu'il ne l'atant ne pas ne ore ;
360b tant solemant deux pas demore
li chevaliers que il n'y monte.
Mar le fist et mar en ot honte
que maintenant sus ne sailli,
qu'il s'an tendra por mal bailli*,
365 Mes Reisons, qui d'Amors se part*,
li dit que del monter se gart ;
si le chastie* et si l'anseigne
que rien ne face ne anpreigne
dom il ait honte ne reproche.
370 N'est pas el cuer, mes an la boche,
Reisons qui ce dire li ose ;
mes Amors est el cuer anclose
qui li comande et semont
que tost an la charrete mont.
375 Amors le vialt et il i saut,
que de la honte ne li chaut
puis qu'Amors le comande et vialt.
Et messire* Gauvains s'aquialt

on entendit pour la première fois ce dicton :
« Quand charrette verras et rencontreras,
fais sur toi le signe de la croix et souviens-toi
de Dieu, pour qu'il ne t'arrive pas malheur. »
Le chevalier, à pied, sans lance,					345
s'avance derrière la charrette
et voit un nain, assis sur les limons,
qui, comme un charretier, tenait
à la main une longue baguette.
Alors le chevalier dit au nain :					350
« Nain, au nom de Dieu, dis-moi donc
si tu as vu passer par ici
ma dame la reine. »
L'immonde nain, la sale canaille,
ne voulut pas lui en donner des nouvelles					355
mais se contenta de lui dire : « Si tu veux monter
sur la charrette que je conduis,
tu pourras savoir d'ici demain
ce que la reine est devenue. »
Il poursuit aussitôt son chemin					360
sans l'attendre un seul instant ;					360a
le temps seulement de deux pas					360b
le chevalier tarde à y monter.
C'est pour son malheur qu'il hésita, qu'il eut honte
au point de ne pas sauter aussitôt dans la charrette,
car il se retrouvera en fâcheuse posture.
Mais Raison, qui s'oppose à Amour,					365
lui dit qu'il se garde de monter ;
elle lui recommande et lui enjoint
de ne rien faire ni entreprendre
qui puisse lui attirer honte ou reproche.
Ce n'est pas dans le cœur mais dans la bouche					370
que réside Raison qui ose lui tenir ce discours ;
mais Amour est enclos dans le cœur,
lui qui l'exhorte et l'invite
à monter aussitôt dans la charrette.
Amour le veut et le chevalier y bondit,					375
sans se soucier de la honte
puisque Amour le veut et l'ordonne.
Quant à monseigneur Gauvain, il se met

après la charrete poignant*,
380 et quant il i trueve seant
le chevalier, si s'an mervoille.
Puis li dit : « Nains, car me consoille*
de la reïne, se tu sez. »
Li nains dit : « Se tu tant te hez
385 con cist chevaliers qui ci siet,
monte avoec lui se il te siet,
et je te manrai avoec li. »
Quant messire Gauvains l'oï,
si le tint a molt grant folie
390 et dit qu'il n'i montera mie,
car trop vilain change feroit
se charrete a cheval chanjoit*.
« Mes va quel part que tu voldras
et g'irai la ou tu iras. »
395 Atant a la voie se metent,
cil chevalche, cil dui charretent,
et ansanble une voie tindrent.

à la poursuite de la charrette en piquant des deux,
et quand il y trouve assis   380
le chevalier, il est stupéfait.
Puis il dit au nain : « Donne-moi donc des renseigne-
    ments
sur la reine, si tu sais quelque chose. »
Le nain répond : « Si tu te hais autant
que ce chevalier qui est assis ici,   385
monte avec lui, si tu en as envie,
et je t'emmènerai avec lui. »
Quand monseigneur Gauvain entendit cette proposi-
    tion,
il la jugea fort insensée
et refusa d'y monter,   390
car il perdrait honteusement
à troquer son cheval contre une charrette.
« Mais, ajouta-t-il, va où tu voudras
et j'irai là où tu iras. »
Alors ils se mirent en route,   395
l'un à cheval, les deux autres dans la charrette,
et suivirent ensemble le même chemin.

LE CHEVALIER AU LION

Il semble admis que Chrétien de Troyes a composé simultanément, entre 1176 et 1181, *Le Chevalier de la charrette* et *Le Chevalier au lion*, qui s'entrelacent l'un à l'autre tant pour leur composition que pour leur signification : ne peut-on soutenir que *Le Chevalier au lion* constitue l'épilogue de l'ensemble et qu'il en procure la morale ? Si les aventures de Lancelot, telles que les a racontées Chrétien, se terminent dans une tour murée qui peut indiquer à la fois que le héros demeure prisonnier de l'Autre Monde comme dans les lais celtiques et que le dépassement de la chevalerie par la *fin' amor* aboutit à une impasse, Yvain, en revanche, propose un autre modèle à l'aristocratie dont le devoir est de lutter contre le Mal et les forces qui discréditent la féodalité en troublant l'ordre qu'elle s'est donné, et de libérer les victimes, souvent des femmes, comme Lunete menacée de mort par le sénéchal et ses frères, la fille et les fils du châtelain que le géant Harpin de la Montagne veut réduire à la servitude, les trois cents jeunes filles condamnées au travail forcé par les deux fils du *netun* (diable).

Yvain est devenu le chevalier au lion, après avoir été un héros solitaire (dans l'aventure de la fontaine), puis l'ami de Gauvain. Le compagnonnage du lion est le signe de son élection et de sa conversion : avant de rencontrer le lion, le héros, connu sous son véritable nom, ne songeait qu'à sa gloire personnelle, mû par la vanité mondaine et par des raisons égoïstes (goût de l'aventure, souci de sa réputation, amour de Laudine). Après qu'il a été brisé par la folie, dès qu'il a choisi le lion contre le serpent, il devient le serviteur du bien et du droit, il accède à l'ordre de la charité, fils de personne sinon de ses propres œuvres.

Si le lion est la figure allégorique aussi bien du parfait chevalier que du Christ sauveur, de la grâce qui triomphe des puissances du Mal, il est lié, dès l'Antiquité, à la souveraineté : il est le roi des animaux. Sa présence aux côtés d'Yvain indique que le héros a changé de statut : de chevalier il est devenu souverain, et du nomadisme aventureux il est passé à la permanence. C'est par cette identification au lion-roi que le chevalier élu dépasse la contradiction créée par l'irruption de la dame dans le contrat passé avec son seul honneur, et qu'il met un terme à cette errance sans fin de l'amour à la chevalerie et de la chevalerie à l'amour.

Le Chevalier au lion exprime un sentiment de plénitude et d'harmonie qui, à travers les épreuves, est une conquête héroïque, une victoire de l'homme sur lui-même.

Notre extrait raconte la rencontre décisive du héros et du lion.

Bibliographie

Le Chevalier au lion, éd. de M. Roques, Paris, Champion, 1960 (« Classiques français du Moyen Âge », n° 89) ; trad. de C. Buridant et J. Trotin, Paris, Champion, 2ᵉ éd., 1991 ; éd. et trad. de M. Rousse, Paris, GF-Flammarion, 1990, et de D.-F. Hult, Paris, Le Livre de poche, « Lettres gothiques », 1994.

E. Baumgartner, *Chrétien de Troyes : Yvain, Lancelot, la charrette et le lion*, Paris, PUF, 1992 ; J. Frappier, *Étude sur Yvain ou Le Chevalier au lion de Chrétien de Troyes*, Paris, SEDES, 1969 ; Ph. Walter, *Canicule : Essai de mythologie*

sur *Yvain de Chrétien de Troyes*, Paris, SEDES, 1988 ;
B. Woledge, *Commentaire sur Yvain (le Chevalier au lion) de
Chrétien de Troyes*, Droz, 1986-1988, 2 vol. ; *Le Chevalier
au lion de Chrétien de Troyes : Approches d'un chef-d'œuvre*,
Paris, Champion, 1988 (« Unichamp », n° 20).

Filmographie

S. Weeks, *Gawain and the Green Knight (Gauvain et le Chevalier Vert)*, 1973 ; *Sword of the Valiant*, 1984.

Notes

Texte établi d'après les éditions W. Foerster, Halle, 1912, et
M. Rousse, Paris, GF-Flammarion, 1990.

Aucun genre littéraire n'a ignoré le lion, en particulier la
chanson de geste (rêves, comparaisons, descriptions de
boucliers), la fable où il est le roi autocrate des animaux,
Le Roman de Renart où Noble occupe une place importante dès les premières branches, et le *Bestiaire* de Philippe de Thaon (entre 1121 et 1135) que Chrétien de
Troyes connaissait dans ses principaux développements
qui remontent au *Physiologus* : le lion symbolise le Christ ;
il dort les yeux ouverts ; il ressuscite, le troisième jour, ses
lionceaux venus au monde mort-nés ; il efface de sa
queue l'empreinte de ses pas. Il suffira que l'actualité rappelle des anecdotes comme celle du lion reconnaissant,
pour qu'il devienne un personnage du roman de Chrétien
dont l'importance est telle qu'il intervient au milieu de
l'œuvre et que le héros, abandonnant son nom, devient le
chevalier au lion.

pansis : « Chez Chrétien de Troyes, dans les romans duquel
le mot revient souvent, *penser* désigne la méditation profonde, jusqu'à l'absence d'esprit et l'état de rêve. *Penser*
est en contact direct avec *songer* dans le domaine de la
rêverie, du *day-dreaming*, comme dans le champ du rêve
éveillé, du *Wachtraum*. Être *mut pensif*, c'est *s'oblier* ;
perdre la conscience de soi et des limites du réel »
(M. Stanesco, « Du démon de midi à l'Éros mélancolique.

Topologie du féerique dans le lai narratif breton », *Poétique*, t. CVI, avril 1996, p. 140).

gaudine/gaut : à l'ordinaire, bois de petite étendue. Ces mots appartiennent au registre poétique.

essart : partie défrichée. C'est la troisième mention, dans le roman (v. 277, 2833, 3348), de ce lieu sacré qui manifeste la domestication par l'homme de la nature hostile et dont la femme est absente. Dans le premier *essart*, le vilain, rencontré par Calogrenant, soumet la force brute ; on ne sort pas de la domination brutale. Les relations de l'ermite et d'Yvain, dans le deuxième *essart*, constituent le premier stade d'une remontée hors de l'animalité. Dans le troisième, Yvain sauve le lion et tue le serpent, c'est-à-dire le désordre et la perversion auxquels succombait l'ancienne chevalerie.

serpant : le lion est affronté à un dragon. C'est un motif d'origine iconographique où le lion a remplacé la panthère des premiers *Bestiaires*. Chrétien n'ajoute aucun commentaire, alors que, pour W. d'Eschenbach et l'auteur de *La Quête du saint graal*, c'est l'allégorie de la lutte du Bien contre le Mal. Dans les chansons de geste, l'écu au lion appartient aux chrétiens, l'écu au dragon est attribué aux païens, et l'animal solaire triomphe de la bête chthonienne.

coe : signe de reconnaissance du lion, comme la tête, la queue est un motif ornemental de la sculpture. Elle joue un rôle narratif et thématique : le lion, dans les *Bestiaires*, en efface ses traces et enferme ses victimes dans le cercle qu'il dessine avec sa queue, qui manifeste aussi ses sentiments : ainsi, dans *Le Roman de Renart* (branche I, v. 352), Noble *de mautalent sa coue dresce*. Le motif de la queue coupée, ou attachée (*Roman de Renart*, branche Ia), appartient sans doute à la tradition du conte populaire. Par la queue, le lion entre en contact avec le monde ; elle symbolise sa sagesse, mais aussi son animalité.

au lion secorra : le motif du secours apporté au lion est un ancien conte merveilleux qui apparaît sous la forme du lion d'Androclès (Apion, Ier siècle ; Aulu-Gelle, *Nuits attiques*, IIe siècle), d'où sont sorties deux familles, l'une conduisant aux fables issues du *Romulus*, l'autre aux écrits non seulement de Chrétien mais aussi de Pierre Damien, le premier à faire intervenir le serpent, de Jaufré de Vigeois et d'Alexandre Neckam, qui, sans être des sources de notre roman, attestent la diffusion de l'anecdote devenue familière aux gens de la seconde moitié du XIIᵉ siècle (voir J. Frappier, *Étude sur Yvain ou le Chevalier au lion de Chrétien de Troyes*, Paris, SEDES, 1969, p. 108-111). Le lion apporte du butin ou du gibier à celui qui l'a sauvé ; il le défend contre des agresseurs humains ou animaux, ou mixtes.

felon : l'adjectif *fel/felon* contient les sèmes de perfidie et de cruauté. Nous avons essayé de garder cette double valeur.

ole : « marmite ». Chrétien aime à contrebalancer le merveilleux et à renouveler le symbole soit par des réflexions morales tout à fait sérieuses, soit par des remarques humoristiques, comme de comparer la bouche du serpent à une marmite ou de s'attarder sur l'attention d'Yvain à ne couper que la plus petite partie possible de la queue du lion.

Pitiez : est ici personnifiée comme l'indique notre majuscule.

la beste jantil et franche : dès qu'Yvain aperçoit le lion, les premiers caractérisants qui surgissent à son esprit sont *gentil et franc* qui indiquent sa noblesse et sont les attributs essentiels de la valeur royale.

a lui se randoit : à défaut de parler, le lion mime les attitudes et le rituel de la soumission vassalique, manifestant son humilité par l'agenouillement et les pattes jointes. Comme dans l'hommage féodal, il y a engagement mutuel d'aide et de conseil, qui assure une certaine supériorité de l'homme, mais sous forme d'échange réciproque de services. Yvain est devenu le seigneur et le compagnon du lion. L'agenouillement du lion devant un homme désigne celui-ci comme un être royal, à rapprocher des légendes selon lesquelles les lions respectent le sang des rois, ou du combat contre le lion, épreuve destinée à élire le futur roi.

12. [La rencontre du héros et du lion]

Mes sire Yvains pansis★ chemine
Par une parfonde gaudine★,
Tant qu'il oï anmi le gaut★
Un cri mout dolereus et haut,
3345 Si s'adreça lors vers le cri
Cele part, ou il l'ot oï.
Et quant il parvint cele part,
Vit un lion an un essart★
Et un serpant★, qui le tenoit
3350 Par la coe★ et si li ardoit
Trestoz les rains de flame ardant.
N'ala pas longues regardant
Mes sire Yvains cele mervoille.
A lui meïsme se consoille
3355 Au quel des deus il eidera.
Lors dit qu'au lion secorra★,
Qu'a venimeus et a felon★
Ne doit an feire se mal non.
Et li serpanz est venimeus,
3360 Si li saut par la boche feus,
Tant est de felenie plains.
Por ce panse mes sire Yvains,
Qu'il l'ocirra premieremant.
L'espee tret et vient avant
3365 Et met l'escu devant sa face,
Que la flame mal ne li face,
Que il gitoit parmi la gole,

12. La rencontre du héros et du lion

Monseigneur Yvain cheminait, pensif,
à travers une profonde forêt
jusqu'au moment où il entendit, parmi le bois,
un cri déchirant de douleur.
Il se dirigea alors vers l'endroit   3345
où il avait entendu le cri,
et quand il y fut parvenu,
il vit, dans une clairière, un lion,
et un serpent qui le tenait
par la queue et lui brûlait   3350
les reins d'une flamme ardente.
Monseigneur Yvain ne resta pas longtemps
à regarder cette merveille.
En lui-même il se demanda
lequel des deux il aiderait.   3355
Il se dit alors qu'il secourra le lion,
car à un être venimeux et cruel
on ne doit faire que du mal.
Or le serpent est venimeux
et de sa bouche sort du feu,   3360
tant il est plein de cruauté.
Aussi monseigneur Yvain pense-t-il
qu'il le tuera en premier.
Il tire son épée et avance,
en mettant le bouclier devant son visage   3365
pour se préserver de la flamme
que crachait sa gueule

Qui plus estoit lee d'une ole*.
Se li lions aprés l'assaut,
3370 La bataille pas ne li faut.
Mes que qu'il l'an avaingne aprés,
Eidier li voldra il adés,
Que Pitiez* l'an semont et prie
Qu'il face secors et aïe
3375 A la beste jantil et franche*.
A l'espee, qui soef tranche,
Va le felon serpant requerre,
Si le tranche jusqu'an la terre
Et an deus meitiez le tronçone,
3380 Fiert et refiert et tant l'an done,
Que tot le demince et depiece.
Mes il li covint une piece
Tranchier de la coe au lion
Por la teste au serpant felon,
3385 Qui par la coe le tenoit.
Tant con tranchier an covenoit,
An trancha ; qu'onques mains ne pot.
Quant le lion delivré ot,
Cuida qu'a lui li covenist
3390 Conbatre et que sor lui venist ;
Mes il ne le se pansa onques.
Oëz que fist li lions donques,
Con fist que frans et de bon eire,
Que il li comança a feire
3395 Sanblant que a lui se randoit*,
Et ses piez joinz li estandoit
Et vers terre ancline sa chiere,
S'estut sor les deus piez deriere ;
Et puis si se ragenoilloit
3400 Et tote sa face moilloit
De lermes par humilité.
Mes sire Yvains par verité
Set que li lions l'an mercie
Et que devant lui s'umelie
3405 Por le serpant qu'il avoit mort,
Et lui delivré de la mort ;
Si li plest mout ceste avanture.

qui était plus large qu'une marmite.
Si le lion ensuite l'attaque,
il ne se dérobera pas à la bataille.   3370
Mais, quoi qu'il lui arrive après,
il veut l'aider aussitôt,
car Pitié l'encourage et l'incite
à porter secours et aide
à la généreuse et noble bête.   3375
Avec son épée tranchante,
il va attaquer le perfide serpent,
qu'il tranche jusqu'en terre
et qu'il coupe en deux moitiés ;
il frappe tant et plus, il s'acharne tant   3380
qu'il le dépèce en menus morceaux.
Mais il fut contraint de couper
un morceau de la queue du lion,
car la tête du perfide serpent
y était accrochée.   3385
Tout ce qu'il fallait trancher,
il le trancha : impossible d'en couper moins.
Quand il eut délivré le lion,
il crut qu'il lui faudrait le combattre
et qu'il viendrait l'attaquer.   3390
Mais il n'en eut jamais l'idée.
Écoutez donc ce que fit le lion,
comment il se comporta en bête noble et généreuse :
il commença à lui montrer
qu'il se constituait son vassal ;   3395
il tendait vers lui ses pattes jointes
et baissait sa tête vers la terre.
Il se redressa sur ses pattes arrière,
et puis il s'agenouillait
et baignait tout son visage   3400
de larmes en signe d'humilité.
Monseigneur Yvain est sûr
et certain que le lion le remercie
et qu'il s'humilie devant lui
parce qu'il a tué le serpent   3405
et qu'il l'a sauvé de la mort.
Il prend grand plaisir à cette aventure.

Por le venin et por l'ordure
Del serpant essuie s'espee,
3410 Si l'a el fuerre rebotee,
Puis si se remet a la voie.
Et li lions lez lui costoie,
Que ja mes ne s'an partira ;
Toz jorz mes avuec lui ira,
3415 Que servir et garder le viaut.

À cause du venin infect
du serpent, il essuie son épée
et la remet dans son fourreau ;   3410
puis il reprend sa route.
Et le lion de marcher à ses côtés :
jamais plus il ne le quittera,
toujours il ira avec lui,
car il veut le servir et le protéger.   3415

LE CONTE DU GRAAL

Dans *Le Conte du graal*, roman éducatif en action écrit vers 1182-1183, Chrétien de Troyes a renouvelé l'idéal chevaleresque, le monde arthurien et le roman courtois lui-même.

Perceval, très proche de la nature originelle, est un héros jeune et naïf qui ne part pas de la cour du roi Arthur, pas plus qu'il n'y reste. Héros en devenir, qui n'est jamais égal à lui-même ni satisfait de ce qu'il a acquis, il doit dépasser le niveau où se complaît le plus grand des chevaliers, Gauvain ; conciliant tout dans un prudent contrôle de soi, celui-ci ne change pas. Aidé par des maîtres qui vivent loin de la cour, Perceval rejoint et dépasse le parangon de la courtoisie, grâce à une triple éducation, chevaleresque, amoureuse et religieuse, qui, de la recherche d'un modèle, l'amène à la reconnaissance sociale, puis à la connaissance, et le fait pénétrer dans l'ordre du cœur par la découverte progressive de la charité, supérieure à la largesse d'Alexandre et fondement de la vraie *prodomie*.

Mais il faut commencer par la chevalerie pour s'enrichir de l'expérience amoureuse, et l'affinement de l'amour permet de parvenir à une chevalerie plus spirituelle. Dans chaque ordre, on connaît successivement l'éblouissement, la révélation et le retour sur soi-même. Si, du fait de son aveuglement moral et religieux, Perceval se tait quand passe et repasse le cortège du graal, il décide ensuite, après l'épisode de la Demoiselle hideuse, de chercher non plus l'aventure, mais la vérité. Enfin, quand, le vendredi saint, il rencontre le cortège des pénitents, il se repent et se confesse, et il accède, grâce à son oncle l'ermite, à une religion d'amour de Dieu, d'adoration et de prière, qui met l'accent sur l'imitation de Jésus-Christ, Dieu incarné et sauveur, et dont le devoir par excellence est celui de la pénitence corporelle et spirituelle. Du vendredi saint au dimanche de Pâques, il s'unit intimement au Christ crucifié, puis ressuscité ; il revit en temps réel le martyre et la résurrection du Seigneur.

C'est la dernière image que nous ayons, dans le roman, de Perceval, héros christique, aspirant à une intériorisation et à un dépouillement de plus en plus grands, engagé dans une quête toujours poursuivie et jamais achevée jusqu'à ce qu'il voie Dieu face à face. La chevalerie n'est plus terrestre, elle tend à devenir *célestielle*.

De ce roman fascinant nous avons retenu les deux scènes les plus belles et les plus riches de sens : « le cortège du graal » et « les gouttes de sang sur la neige ».

Bibliographie

Éd. de F. Lecoy, 2 vol., Paris, Champion, 1972-1975 (« Classiques français du Moyen Âge », nᵒˢ 100 et 103), et trad. de J. Ribard, Paris, Champion, 1979 ; éd. de K. Busby, Tübingen, Max Niemeyer Verlag, 1993 ; éd. et trad. de Ch. Méla, Paris, Le Livre de poche, « Lettres gothiques », 1990 ; éd. et trad. de D. Poirion, Paris, Gallimard, « Bibliothèque de la Pléiade », 1994 ; éd. et trad. de J. Dufournet, Paris, GF-Flammarion, 1997.

E. Baumgartner, *Chrétien de Troyes, Le Conte du graal*, Paris, PUF, 1999 ; R. Dragonetti, *La Vie de la lettre au Moyen Âge (Le Conte du graal)*, Paris, Le Seuil, 1980 ; F. Dubost, *Le Conte du graal ou l'Art de faire signe*, Paris, Champion, 1998 ; J. Frappier, *Chrétien de Troyes et le mythe du graal*, Paris, SEDES, 2ᵉ éd. 1979 ; P. Gallais, *Perceval et l'initiation. Essais sur le dernier roman de Chrétien de Troyes, ses correspondances « orientales » et sa signification symbolique*, Paris, Les Éditions du Sirac, 1972, réimpr. Orléans, Paradigme, 1998 ; J.-G. Gouttebroze, *Qui perd gagne. Le Perceval de Chrétien de Troyes comme représentation de l'Œdipe inversé*, Nice, 1982 ; P. Le Rider, *Le Chevalier dans le Conte du graal*, Paris, SEDES, 2ᵉ éd. 1996 ; H. Rey-Flaud, *Le Sphinx et le Graal. Le secret et l'énigme*, Paris, Payot, 1998, et *Le Chevalier, l'Autre et la Mort. Les aventures de Gauvain dans le Conte du graal*, Paris, Payot, 1999 ; J. Ribard, *Du philtre au graal. Pour une interprétation théologique du Roman de Tristan et du Conte du graal*, Paris, Champion, 1984 ; M. Szkilnik, *Perceval ou le Roman du graal de Chrétien de Troyes*, Paris, Gallimard, « Foliothèque », 1998 ; *Le Conte du graal de Chrétien de Troyes*, études réunies par Claude Lachet, Paris, *L'École des lettres*, n° 6, janvier 1996.

Filmographie

Parsifal de E. Porter (1904) ; *Parsifal* de M. Caserini (1912) ; *Parsifal* de D. Magrane (1950) ; *Monty Python and the Holy Grail* de T. Jones et T. Gilliam (1972) ; *Perceval Le Gallois* de E. Rohmer (1978) ; *Excalibur* de J. Boorman (1981) ; *Parsifal* de H.J. Syberberg (1982) ; *Indiana Jones et la dernière croisade* de S. Spielberg (1989) ; *Le Roi Pêcheur* de T. Gilliam (1991).

Notes

Le cortège du graal

Texte établi d'après les éditions de A. Hilka (Halle, 1932) et de J. Dufournet (Paris, GF-Flammarion, 1997).

L'épisode du château du graal n'apparaît qu'à la fin du premier tiers de l'œuvre (v. 2995-3419), après une habile mise en place des motifs essentiels : silence obstiné de Perceval qui reproduit le silence originel de la mère, opposition du blanc et du rouge, éclat de l'or, beauté lumineuse, infirmité d'un des personnages. De cette aventure Chrétien donne des explications retardées et successives, toujours lacunaires et partielles, par la bouche de la cousine de Perceval (v. 3428-3690), de la Demoiselle hideuse (v. 4610-4746) et de l'ermite (v. 6360-6513). Le cortège se déploie au cœur de l'épisode, autour d'une jeune fille et de trois objets : une lance blanche qui saigne, un graal d'or fin très pur et un tailloir d'argent. C'est la scène la plus mystérieuse, la plus chargée de sens, la plus féconde de la littérature médiévale ; c'est aussi un symbole du récit tout entier où, comme le cortège, *passent*, *trespassent* et *retrespassent* les mêmes figures.

Que qu'il parloient : « pendant qu'ils parlaient ». Selon P. Imbs, cette locution aurait été créée par Chrétien de Troyes qui recherchait un tour précis et bref, construit sur le modèle de *lorsque* dont il consacre l'usage, encouragé par la valeur secondaire de simultanéité dans quelques tours (*que qu'elle plore, cil s'en rit*), soucieux d'assurer une liaison intime entre les idées. Ainsi l'introduction de *que que* temporel, morphème vide de sens, clair grammaticalement et n'encombrant pas le vers, serait-elle due aux exigences techniques et esthétiques de l'octosyllabe.

lance : la lance, dans la mythologie celtique, appartenait aux joyaux magiques du peuple féerique des Tûatha dê Dânann (tradition irlandaise) et des trésors de Bretagne (tradition galloise) : lance de feu et de sang liée à la possession de la royauté, aux prestiges de la souveraineté et à son exercice, à la fertilité du royaume ; arme qui ne peut être maniée que par un roi ou un homme investi par une désignation royale ; liée à la foudre et à l'éclair, elle possède un pouvoir nocif qui ne s'apaise que dans le chaudron d'eau bouillante ou de sang, magiquement. La lance saigne parce qu'elle a frappé le coup félon. Mais la lance, insigne de l'Empire et image de guerre, évoquait aussi celle de Longin, symbole du christianisme rédempteur, et qui aurait percé le flanc du Christ sur la croix.

La lance blanche et le fer blanc : la répétition de l'adjectif *blanc* insiste sur le caractère surnaturel de la scène. Indice de la féerie, du merveilleux et du surnaturel, le blanc était la couleur soit des vêtements des personnages, soit des animaux qui servaient de guide (cerf, biche, sanglier, chien…), soit des objets. Voir J. Dufournet, *Nouvelles Recherches sur Villon*, Paris, Champion, 1980, p. 77-83, et J. Ribard, *Le Moyen Âge. Littérature et symbolisme*, Paris, Champion, 1984, p. 37-44.

cele gote vermoille : le blanc apparaît souvent en association avec le vermeil, le rouge (par exemple dans la thématique de la beauté féminine). « Par-delà l'expression de la beauté et sans la renier, voilà le blanc investi d'une valeur nouvelle, celle de la froide pureté – pureté du fer éclatant de blancheur, pureté de la neige immaculée – tandis que le vermeil, le rouge, celui du sang répandu, se charge d'une signification sacrificielle » (J. Ribard, *op. cit.*, p. 45).

Celui qui chevalier le fist : Gornemant de Gort lui a conseillé de ne pas trop parler : « Gardez-vous aussi d'être trop bavard et de trop colporter les bruits. Personne ne peut être bavard sans dire souvent une parole qu'on lui impute à bassesse. Le sage le dit et l'enseigne : "À trop parler, péché on fait." C'est pourquoi, cher frère, je vous interdis de trop parler… » (v. 1648-1656).

un graal : ce mot, à l'époque de Chrétien, désignait un large plat creux pouvant contenir des saumons et des lamproies (voir M. Roques, « Le nom du graal », *Les Romans du graal aux XII*ᵉ *et XIII*ᵉ *siècles*, Paris, CNRS, 1956, p. 7-14). Il a été choisi à dessein, parce que, n'étant pas encore chargé d'un symbolisme précis ni fréquemment employé, il pouvait se prêter à toutes les suggestions, rencontrer toutes sortes de récipients ressortissant au merveilleux celtique et à la liturgie chrétienne. C'est, d'un côté, l'avatar de nombreux objets celtiques, coupes, plats, corbeilles, cornes à boire…, qui produisent en abondance, sans discontinuer, de la boisson et de la nourriture, et qui transportent les convives dans l'autre monde en consacrant leur souveraineté. Mais le graal, dans la bouche de l'ermite, devient une *très sainte chose* dont le contenu, une hostie, suffit à nourrir un saint homme *esperitaus*. Dès lors on peut l'identifier à la pyxide qui contient la réserve eucharistique, à l'écuelle dans laquelle Jésus mangea l'agneau pascal, au ciboire qui porte la sainte hostie, au calice avec lequel fut célébrée la première messe. Le graal est une relique, signe réel et surréel de l'œuvre rédemptrice de Dieu.

Ainsi le graal magique se christianise-t-il quand le cœur du héros s'ouvre au repentir. Le cortège, par une lecture rétrospective, se fait exposition symbolique de la foi chrétienne, allant de la rédemption (lance) à la communion eucharistique (graal).

Une si granz clartez : par l'expérience de cette lumière surnaturelle, émanant tant du graal que de la demoiselle qui le porte, commence l'initiation spirituelle de Perceval qui presque aussitôt découvre son nom.

un tailleor d'arjant : « plateau sur lequel on découpait les viandes ». Selon J. Grisward, s'appuyant sur les travaux de G. Dumézil : « Le *graal*, récipient magique et lié au culte (il est porteur d'une hostie) se rapporte à la fonction magico-religieuse ; *l'épée* et *la lance* représentent les instruments et les symboles de la fonction guerrière ; quant au *tailloir d'argent*, s'il s'est vidé d'une part de son contenu à la suite de l'absorption par le graal d'or, originellement objet cultuel, d'un large pan de la fonction nourricière, laquelle primitivement lui était dévolue, il remplit son office au somptueux repas et incarne, encore que sous une forme très atténuée, la troisième fonction » (« Des Scythes aux Celtes. Le graal et les talismans royaux indo-européens », *Artus*, n° 14, été 1983, p. 20).

Les gouttes de sang sur la neige

Texte établi d'après les éditions de A. Hilka (Halle, 1932) et de J. Dufournet (Paris, GF-Flammarion, 1997).

Par le jeu d'une écriture subtile, Chrétien fait passer dans la rhétorique officielle le langage de la poésie qui se délivre de l'autorité, en pensant et en faisant rêver sur les signes, comme en témoigne la scène des gouttes de sang sur la neige qui plongent Perceval dans une profonde extase, et que n'a cessé d'évoquer Jean Giono, d'*Angelo* à *Un roi sans divertissement*. Dans *Le Livre irlandais de Leister,* antérieur à 1165, qui raconte la naissance de l'amour de Deirdre pour Naisi, son père nourricier, pour lui donner à manger, tue un veau sur la neige. À la vue d'un corbeau qui boit le sang, l'héroïne s'écrie : « Mon bien-aimé aura ces trois couleurs : la chevelure noire comme le corbeau, les joues rouges comme le sang et le corps blanc comme la neige. » Chrétien, tout en glissant dans le passage quelques touches humoristiques et en lui donnant une rare profondeur, substitue au veau une oie sauvage et au corbeau un faucon ; il fait en outre apparaître dans la vision de Perceval la *semblance* de Blanchefleur, reflet d'un reflet, victoire du souvenir sur l'oubli, du désir sur la régression, de la vie sur la mort. Le jeune homme, initié au mode symbolique, apprend à déchiffrer le monde. Il se peut que cette scène soit aussi une allégorie de la lecture et que, comme le suggère Christian Bobin dans *Une petite robe de fête,* la contemplation du blanc en soit une variante.

une rote de jantes : « une troupe d'oies sauvages ». Il existe en ancien français trois mots *rote*. L'un, qui est notre *route* et qui, issu du latin *(via) rupta*, signifie « voie ouverte dans une forêt, voie de communication » (voir G. Gougenheim, *Les Mots français dans l'histoire et dans la vie*, Paris, Picard, 1962, p. 185-187). L'autre, issu sans doute aussi de *rupta*, du verbe *rumpere*, « rompre », désigne une troupe, un groupe. Le troisième, du germanique *hróta*, est un ancien instrument de musique à cordes pincées, utilisé par les jongleurs « bretons ». *Jante*, du germanique *ganta*, désignait une oie sauvage, souvent mentionnée dans les festins aux côtés de la grue, du paon, du pluvier et du canard sauvage, comme dans *La Prise d'Orange*, éd. de C. Régnier, v. 172-174 : *Aporte li a mengier a planté/Et pain et vin et piment et claré,/Grues et jantes et poons en pevré*, « Apporte-lui beaucoup à manger,/du pain, du vin, des boissons aromatisées, du clairet,/des grues, des oies sauvages, des paons avec une sauce au poivre » (trad. de Cl. Lachet et J.-P. Tusseau).

liier ne joindre : ce sont deux termes de vènerie qui signifient « saisir » (sa proie) et « s'en assurer » en parlant d'un oiseau de chasse.

navree : le verbe *navrer*, dont l'étymologie est discutée, signifiait « blesser en transperçant, en coupant », tandis que *blessier*, du germanique *blettjan*, avait le sens de « contusionner ». Selon G. Gougenheim (*op. cit.*, p. 263), « Il s'est produit une évolution curieuse parmi les trois verbes en cause […] : 1) *navrer*, qui est le seul à signifier "blesser" dès son origine, s'est confiné dans le sens figuré. 2) *blesser* est passé du sens de "contusionner" à celui de "blesser" ; inversement, et en faisant même un bond plus considérable, *meurtrir* est passé du sens de "tuer" à celui de "contusionner" ».

il s'oblie : « *S'oublier*, c'est être plongé dans une sorte d'état second où l'esprit et les sens semblent obnubilés. Pour les auteurs courtois, il est dangereux de s'abstraire ainsi du monde extérieur. Le verbe *s'oublier* suggère donc un léger reproche. Il implique que l'on ne se surveille plus, que l'on perd le contrôle de soi-même, que l'on manque à ses devoirs » (Ph. Ménard, *Le Rire et le sourire dans le roman courtois en France au Moyen Âge (1150-1250)*, Genève, Droz, 1969, p. 465-466).

muse : *muser*, c'est perdre son temps, baguenauder, voire agir sottement.

13. [Le cortège du graal]

3190 Que qu'il parloient* d'un et d'el,
Uns vaslez d'une chanbre vint,
Qui une blanche lance* tint
Anpoigniee par le milieu,
Si passa par antre le feu
3195 Et çaus qui el lit se seoient.
Et tuit cil de leanz veoient
La lance blanche et le fer blanc*,
S'issoit une gote de sanc
Del fer de la lance an somet,
3200 Et jusqu'a la main au vaslet
Coloit cele gote vermoille*.
Li vaslez vit cele mervoille
Qui leanz ert la nuit venuz,
Si s'est del demander tenuz
3205 Comant cele chose avenoit,
Que del chasti li sovenoit
Celui qui chevalier le fist*,
Qui li anseigna et aprist
Que de trop parler se gardast ;
3210 Si crient, se il le demandast,
Qu'an li tenist a vilenie :
Por ce si nel demanda mie.
Atant dui autre vaslet vindrent,
Qui chandeliers an lor mains tindrent
3215 De fin or, ovrez a neel.
Li vaslet estoient mout bel

13. Le cortège du graal

Pendant qu'ils parlaient de choses et d'autres,   3190
un valet sortit d'une chambre,
avec une lance blanche
qu'il tenait par le milieu,
et il passa entre le feu
et ceux qui étaient assis sur le lit ;   3195
et tous ceux qui étaient là voyaient
la lance blanche et son fer tout aussi blanc.
Une goutte de sang perlait
de la pointe du fer de la lance,
et jusqu'à la main du valet   3200
coulait cette goutte vermeille.
Le jeune homme, qui était arrivé la nuit même
en ces lieux, vit cette merveille,
mais il se retint de demander
comment se produisait cette aventure,   3205
car il se souvenait de la recommandation
de celui qui l'avait fait chevalier :
il lui avait enseigné et appris
qu'il se gardât de trop parler.
Aussi craignait-il que, s'il posait une question,   3210
on la prît pour une grossièreté :
c'est pourquoi il ne posa pas de question.
Alors survinrent deux autres jeunes hommes
qui tenaient en leurs mains des chandeliers
d'or fin incrustés de nielles.   3215
Très beaux étaient les jeunes hommes

Qui les chandeliers aportoient ;
An chascun chandelier ardoient
Dis chandoiles a tot le mains.
3220 Un graal* antre ses deus mains
Une dameisele tenoit,
Qui avuec les vaslez venoit,
Bele et jante et bien acesmee.
Quant ele fu leanz antree
3225 Atot le graal qu'ele tint,
Une si granz clartez* i vint
Qu'ausi perdirent les chandoiles
Lor clarté come les estoiles
Quant li solauz lieve, ou la lune.
3230 Aprés celi an revint une
Qui tint un tailleor d'arjant*.
Li graaus, qui aloit devant,
De fin or esmeré estoit ;
Pierres precïeuses avoit
3235 El graal de maintes menieres,
Des plus riches et des plus chieres
Qui an mer ne an terre soient :
Totes autres pierres passoient
Celes del graal sanz dotance.
3240 Tot ausi con passa la lance,
Par devant le lit s'an passerent
Et d'une chanbre an autre antrerent.
Et li vaslez les vit passer
Et n'osa mie demander
3245 Del graal cui l'an an servoit,
Que toz jorz an son cuer avoit
La parole au prodome sage,
Si criem que il n'i et domage
Por ce que j'ai oï retreire
3350 Qu'ausi bien se puet an trop teire
Con trop parler a la foiiee.
Ou bien l'an praigne ou mal l'an chiee,
Ne lor anquiert ne ne demande.

qui portaient les chandeliers.
Sur chaque chandelier brûlaient
dix chandelles à tout le moins.
Un graal entre les deux mains,   3220
une demoiselle venait avec les jeunes hommes,
belle, gracieuse, parée avec élégance.
Quand elle fut entrée dans la salle
avec le graal qu'elle tenait,
une si grande clarté se répandit   3225
que les chandelles en perdirent
leur éclat comme les étoiles
ou la lune quand le soleil se lève.
Après celle-ci, il en vint une autre
qui tenait un tailloir d'argent.   3230
Le graal, qui venait en tête,
était d'or fin très pur ;
des pierres précieuses étaient enchâssées
dans le graal, des pierres de toutes sortes,
les plus riches et les plus rares   3235
qui soient dans les mers et sur terre :
toutes les autres pierres étaient surpassées
par celles du graal, sans aucun doute.
Tout comme passa la lance,
ils passèrent devant le lit   3240
et ils allèrent d'une chambre dans une autre.
Et le jeune homme les vit passer,
sans qu'il osât demander
au sujet du graal à qui on le servait,
car il gardait toujours en son cœur   3245
la recommandation du sage gentilhomme.
Je crains que ce ne soit fâcheux,
car j'ai entendu affirmer
qu'on peut aussi bien trop se taire
que trop parler à l'occasion.   3250
Mais, que ce fût pour son bien ou pour son malheur,
il ne leur posa aucune question.

14. [Les gouttes de sang sur la neige]

4160 La nuit an une praerie
Lez une forest sont logié.
Au matin ot mout bien negié,
Que froide estoit mout la contree.
Et Percevaus la matinee
4165 Fu levez si come il soloit,
Que querre et ancontrer voloit
Avanture et chevalerie,
Et vint droit an la praerie,
Qui fu gelee et annegiee,
4170 Ou l'oz le roi estoit logiee.
Mes einz que il venist as tantes,
Voloit une rote de jantes*,
Que la nois avoit esbloïes.
Veües les a et oïcs,
4175 Qu'eles s'an aloient bruiant
Por un faucon qui vint traiant
Aprés eles de grant randon
Tant qu'il an trova a bandon
Une fors de rote sevree,
4180 Si l'a si ferue et hurtee
Que contre terre l'abati.
Mes trop fu main, si s'an parti,
Qu'il ne s'i vost liier ne joindre*.
Et Percevaus comance a poindre
4185 La ou il ot veü le vol.
La jante fu navree* el col,

14. Les gouttes de sang sur la neige

Ce soir-là, en une prairie, 4160
près d'une forêt, les voici installés.
Au matin, il y eut beaucoup de neige,
car très froide était la contrée.
Perceval, lui, s'était levé
à son habitude de bon matin, 4165
car il voulait chercher et rencontrer
des aventures chevaleresques.
Il vint droit à la prairie
gelée et enneigée
où s'était installée l'armée du roi. 4170
Mais avant qu'il n'arrivât aux tentes,
passa un vol d'oies sauvages
que la neige avait éblouies.
Il les a vues et entendues,
car elles fuyaient à grand bruit 4175
un faucon qui les pourchassait
à vive allure.
Il en trouva une à l'écart,
séparée des autres,
et il l'a frappée et heurtée si 4180
violemment qu'il l'a abattue sur le sol.
Mais c'était trop tôt : il s'en éloigna
sans chercher à la saisir et à s'en assurer.
Et Perceval se mit à piquer des éperons
dans la direction du vol. 4185
L'oie, blessée au cou,

Si seigna trois gotes de sanc,
Qui espandirent sor le blanc,
Si sanbla natural color.
4190 La jante n'ot mal ne dolor,
Qui contre terre la tenist,
Tant que cil a tans i venist ;
Ele s'an fu einçois volee.
Quant Percevaus vit defolee
4195 La noif sor quoi la jante jut
Et le sanc qui ancor parut,
Si s'apoia desor sa lance
Por esgarder cele sanblance,
Que li sans et la nois ansanble
4200 La fresche color li resanble
Qui ert an la face s'amie ;
Si panse tant que il s'oblie*,
Qu'autresi estoit an son vis
Li vermauz sor le blanc assis
4205 Con cez trois gotes de sanc furent,
Qui sor la blanche noif parurent.
An l'esgarder que il feisoit
Li ert avis, tant li pleisoit,
Qu'il veïst la color novele
4210 De la face s'amie bele.
Percevaus sor les gotes muse*,
Tote la matinee i use
Tant que fors des tantes issirent
Escuiier qui muser le virent,
4215 Si cuidierent qu'il someillast.

saigna trois gouttes de sang
qui s'épandirent sur le blanc,
comme une couleur naturelle.
L'oie n'était pas assez blessée ni souffrante   4190
pour rester clouée au sol
jusqu'à ce qu'il eût le temps d'arriver :
elle s'était déjà envolée.
Quand Perceval vit la neige
qui était tassée à l'endroit où s'était abattue l'oie   4195
et le sang qui apparaissait encore,
il s'appuya sur sa lance
pour contempler cette image,
car le sang et la neige ensemble
lui rappelaient le teint frais   4200
du visage de son amie.
Absorbé par cette pensée, il s'oublia lui-même :
le vermeil de son visage ressortait
sur le blanc de la même manière
que ces trois gouttes de sang   4205
qui apparaissaient sur la neige blanche.
À force de regarder,
il lui semblait, fasciné par ce spectacle,
qu'il voyait les fraîches couleurs
de sa si belle amie.   4210
Perceval rêva sur les gouttes,
il y passa toute la matinée,
jusqu'au moment où sortirent des tentes
les écuyers qui, le voyant rêver,
crurent qu'il dormait.   4215

Gautier d'Arras

ÉRACLE

Contemporain de Chrétien de Troyes, Gautier d'Arras a fréquenté les cours de Thibaut V, comte de Blois, de Marie de Champagne, sa belle-sœur, de Baudouin V, comte de Hainaut, et de Béatrix de Bourgogne, l'épouse de Frédéric Barberousse. Il a composé entre 1165 et 1180 deux romans, *Ille et Galeron*, qui réécrit le lai d'*Éliduc* de Marie de France, et *Éracle*, une œuvre biographique et hagiographique de 6 568 octosyllabes, relatant la vie de l'empereur de Constantinople, Héraclius, qui en 630 rapporta à Jérusalem la vraie Croix, dérobée par Chosroès, le roi de Perse.

De naissance miraculeuse, le héros éponyme possède, dès sa plus tendre enfance, trois dons divins : la connaissance des pierres précieuses, des chevaux et des femmes. Acheté comme esclave par le sénéchal de Laïs, l'empereur de Rome, Éracle ne tarde pas à être mis à l'épreuve. Il choisit une pierre apparemment médiocre, mais qui protège son porteur de l'eau, du feu et du fer, ensuite un poulain qui triomphe des meilleurs coursiers mais meurt d'épuisement ; enfin il propose à l'empereur, dont il est devenu le familier, d'épouser Athanaïs, une pauvre orpheline. Après sept ans de bonheur, quand Laïs part en expédition, il enferme par jalousie sa femme dans une tour, contre l'avis d'Éracle. Lors d'une grande fête qu'elle préside, Athanaïs s'éprend d'un jeune harpiste, nommé Paridès. Cette passion réciproque, favorisée par une vieille entremetteuse, est démasquée par Éracle. De retour, l'empereur veut mettre à mort les amants, mais le héros lui conseille la clémence : Laïs répudie Athanaïs et l'autorise même à épouser Paridès. Devenu empereur de Constantinople, Éracle, au terme d'un duel sur le Danube, tue le fils de Chosroès, puis, en Perse, Chosroès lui-même. Il rapporte la Croix à Jérusalem, où il peut pénétrer en habit de pénitent. De retour à Constantinople, il y règne jusqu'à sa mort.

Bien que le récit se compose de trois volets distincts – le motif folklorique des trois dons, l'amour courtois entre Athanaïs et Paridès, l'histoire de la Sainte Croix –, un même esprit évangélique assure l'unité d'un roman dont l'auteur prône le dépouillement, l'humilité et le don. Sachant concilier le plaisir et l'enseignement, les motifs courtois et épiques, le didactisme et le symbolisme, soucieux de vraisemblance et de crédibilité, multipliant les traits concrets et les « effets de réel », Gautier d'Arras apparaît comme un précurseur dont l'esthétique annonce l'écriture des romans dits « réalistes » du XIIIᵉ siècle.

L'extrait choisi se situe au moment où Cassine se rend au marché aux esclaves avec son fils Éracle, âgé de dix ans, pour le vendre et distribuer ainsi aux pauvres l'argent recueilli.

Bibliographie

Éracle de Gautier d'Arras, éd. de G. Raynaud de Lage, Paris, Champion, 1976 ; trad. de A. Eskénazi (introduction et dossier de C. Pierreville), Paris, Champion, 2002.
A. Fourrier, *Le Courant réaliste dans le roman courtois en France au Moyen Âge*, t. I, Paris, Nizet, 1960, p. 179-313 ; C. Pierreville, *Gautier d'Arras, l'autre Chrétien*, Paris,

Champion, 2001 ; L. Renzi, *Tradizione cortese e realismo in Gautier d'Arras*, Padoue, 1964.

Notes

Le texte est établi d'après le manuscrit de la BN, fr. 1444, fin du XIIIe siècle, et l'éd. de G. Raynaud de Lage.

Dans cet épisode, situé au marché aux esclaves de Rome, s'engage un dialogue animé entre un enfant qui, malgré son jeune âge, allie sagesse, savoir, esprit de repartie, et un sénéchal qui, en dépit d'une méfiance naturelle, finit par se laisser convaincre des qualités exceptionnelles d'Éracle. À l'instar du héros d'un conte oriental des *Mille et Une Nuits*, intitulé l'*Histoire du roi et de son fils*, le protagoniste affirme posséder une étonnante connaissance des pierres précieuses (v. 517-523), des chevaux (v. 529-532) et des femmes (v. 544-550). La scène oppose l'esclave, sûr de lui, évoquant avec simplicité ses vertus et l'acheteur craignant d'être berné. La leçon est la suivante : il faut dépasser les apparences pour découvrir la perfection d'un être, d'un animal ou d'un minéral. L'achat d'Éracle préfigure ainsi le choix de la pierre, du poulain et d'Athanaïs.

vallés : issu du latin populaire **vassellitus*, diminutif du latin *vassalus*, le terme *vallés/vaslet* désigne de manière générale un jeune homme célibataire. Tandis que dans les chansons de geste et les romans il qualifie un adolescent noble qui n'a pas encore été adoubé chevalier, dans la littérature bourgeoise et morale il s'applique à un serviteur, parfois l'aide du patron ou l'apprenti. À partir des XIVe-XVe siècles, il correspond à la fonction d'officier d'une maison royale ou princière et devient même un titre d'honneur réservé à ceux qui étaient au service du souverain. Depuis le XVIe siècle, le sème de domesticité s'est imposé au détriment de l'idée de noblesse (cf. les expressions *valet de chambre* et *valet de ferme*).

barat : d'origine obscure, le substantif *barat* signifie « tromperie, ruse, fourberie », « mensonge, boniment », mais aussi « désordre, confusion, bruit, tapage ». Les termes *baraterie* et sans doute *baratin* en sont dérivés. On remarque une rime analogue lors de la grande foire aux chevaux : ... *et cil s'en*

deut/qui mil besans l'a acaté ;/or cuide qu'il l'ait bareté.
(v. 1338-1340).

catel : provenant du latin *capitale* (« qui concerne la tête », d'où
« principal »), le substantif *c(h)atel* offre jusqu'au XVe siècle
les acceptions suivantes : « capital, bien, patrimoine, propriété, possession », « rapport en argent d'un champ, d'une
vigne, rente », « intérêts », « gain, profit ». Par restriction
sémantique, le terme dénomme ensuite le « bétail considéré comme un capital ». À partir du XVIIe siècle, *chatel* est
refait en *cheptel* (d'après *capitale*), dont le sens usuel depuis
le XIXe siècle est : « ensemble du bétail d'une ferme ou
d'une région ».

musardie : comme l'adjectif *musart*, le substantif *musardie* est
un déverbal de *muser*, lui-même dérivé de l'ancien français
mus (« museau »). *Musardie* signifie « folie, bêtise, sottise »,
« étourderie », « fainéantise ». Voir Ph. Ménard, *Le Rire et le
sourire dans le roman courtois en France au Moyen Âge (1150-
1250)*, Genève, Droz, 1969, p. 466 et 720.

oie [...] *oïl* : pour marquer la réponse positive ou l'acquiesce-
ment, l'ancienne langue peut utiliser la particule *o* (du latin
hoc), suivie en général du pronom personnel, d'où les
formes *o je/oie* si le locuteur parle de lui-même (v. 529
et 544), *oïl* s'il parle d'une tierce personne (au v. 536, il est
question de la mère d'Éracle). Toutefois, dès le XIIe siècle on
observe la prédominance de la particule *oïl*, même s'il ne
s'agit pas d'une troisième personne.

Di moi verté, esce ta mere ? : avec cette question, le sénéchal
semble sous-entendre qu'Éracle pourrait avoir été conçu
par une créature féerique ou surnaturelle. En fait la
naissance du héros est miraculeuse. En effet, après sept
ans d'une union stérile, Dieu exauce les prières des deux
époux et, par l'intermédiaire d'un ange, prévient Cassine
du prochain engendrement d'un fils (v. 139-178).

miracles ! [...] *Eracles* : cette rime très signifiante revient six
autres fois dans le roman, aux vers 651-652, 1657-1658,
3127-3128, 5301-5302, 6161-6162 et 6377-6378.

buer : du latin *bona hora*, l'adverbe *buer*, antonyme de *mar*, signifie « à la bonne heure », « pour mon/ton/son... bonheur »,
« avec chance », « heureusement », « avec raison, à propos ».

15. [Les trois dons d'Éracle]

Et quant li vallés* l'entendi,
mout sagement li respondi :
« Sire, nel tornés a barat*,
mais qui tant m'esme tant m'acat.
495 Se li marciés ne vous contece,
laissieme ester, car pire tece
n'est que de povre ramproner ;
n'en poriës pas trop donner :
poi savés que j'ai sous le cape ;
500 se cis markiés vous en escape,
ja mais n'arés millor ne tel !
Molt bien emploie son catel*
hom qui en bon liu le despent.
– Varlet, por Diu or m'en repent,
505 mais ne t'en dois pas mervillier,
j'ai veü sovent consillier
de molt mains que de mil besans,
mais en Rome qui si est grans
n'est qui t'acat plus tost de moi,
510 mais que je sace le por coi.
Tant saces tu, que que on die,
d'acater cose est musardie*
se on ne set a qu'ele monte,
mais fols hom torne tout a honte.
515 Biel me seroit d'avoir apris
por coi tu iés de si grant pris.
– Biaus sire ciers, tant avés dit

15. Les trois dons d'Éracle

Et quand le jeune homme entendit les propos du sénéchal,
il lui répondit avec une grande sagesse :
« Seigneur, n'y voyez pas une tromperie,
mais qui m'estime tant m'achète tant.
Si l'affaire ne vous plaît pas,   495
laissez-moi tranquille, car il n'est pire défaut
que de railler un pauvre ;
vous ne pourriez pas me donner trop
car vous ne savez guère ce que j'ai sous le manteau ;
si cette affaire vous échappe,   500
vous n'en aurez jamais de meilleure ni de pareille !
Il emploie parfaitement son capital
l'homme qui le dépense au bon endroit.
— Jeune homme, par Dieu, à présent je m'en repens,
mais tu ne dois pas t'en étonner,   505
j'ai souvent vu discuter
sur des sommes bien inférieures à mille besants,
mais dans la grande cité de Rome
il n'est personne qui t'achète plus vite que moi,
pourvu que je sache pourquoi.   510
Sois certain que, quoi qu'on en dise,
c'est une folie d'acheter une chose
sans savoir à quoi elle sert,
mais un insensé juge tout honteux.
Il me serait agréable d'apprendre   515
pourquoi tu es de si grand prix.
— Mon cher seigneur, vous en avez assez dit ;

vous le saverés sans respit :
je sui li miudre connissiere
520 qui soit el mont de bone piere ;
onques mais nus hom tant n'en sot ;
ne se fait pas tenir por sot
hom qui en moi met son avoir.
– Varlet, molt a ci grant savoir
525 a çou que tu n'iés mie vieus ;
se ce est voirs, dont vaus tu mius.
– Biaus sire ciers, or m'entendés,
se çou n'est voirs, si me pendés.
– Et ses tu plus ? – Par Diu, sire, oie⋆,
530 car se je mil cevaus veoie,
si vous saroie lués a dire
qui fust li miudre ne li pire.
– Amis varlés, bien le saciés,
or amende nostre marciés !
535 Di moi verté, esce ta mere⋆ ?
– Biaus sire, oïl⋆. – Certes, biau frere,
se ce est voirs que tu me dis,
dont iés tu de grant sens garnis.
– Sire, nel tenés mie a songe ;
540 se vous m'ataigniés a mençoigne,
si me faites les ius crever,
ja mar me ferés mains grever.
– Et ses tu plus, se Dius te saut ?
– Oie, une cose qui mius vaut
545 que canques je vous ai conté :
de feme connois la bonté,
s'ele a en soi sens u folie
et canc'a fait toute sa vie,
et s'ele est lonc en sus de moi,
550 si sai jou se pensee et voi.
– Amis, or oi jou grans miracles !
Con as tu non ? – Biaus sire, Eracles⋆.
– Amis, mout iés por Diu senés,
et je te di buer⋆ fus ainc nés
555 et buer veïs le jor entrer
que je te poi hui encontrer,
se çou est voirs que tu me contes.

vous allez le savoir sans délai :
je suis le meilleur connaisseur
au monde en pierres précieuses ;   520
jamais personne n'en sut autant ;
on ne tient pas pour sot
l'homme qui place son argent sur moi.
– Jeune homme, quelle immense science,
dans la mesure où tu n'es pas vieux !   525
Si ce que tu dis est vrai, alors tu vaux davantage.
– Mon cher seigneur, écoutez-moi donc,
si ce n'est pas vrai, alors pendez-moi.
– Et sais-tu autre chose ? – Par Dieu, seigneur, oui,
car si je voyais mille chevaux,   530
je saurais vous désigner sur-le-champ
le meilleur et le pire.
– Mon jeune ami, soyez-en sûr,
à présent notre affaire prend bonne tournure !
Dis-moi la vérité, est-ce vraiment ta mère ?   535
– Oui, cher seigneur. – Assurément, mon frère,
si ce que tu me dis est vrai,
alors tu es doté d'une grande intelligence.
– Seigneur, ne le tenez pas pour une illusion ;
si vous me convainquez de mensonge,   540
faites-moi crever les yeux,
malheur à vous si vous m'accablez moins !
– Et connais-tu autre chose, que Dieu te sauve !
– Oui, quelque chose qui vaut plus
que tout ce que je vous ai dit jusqu'à présent :   545
je connais la valeur des femmes,
si elles possèdent sagesse ou folie,
et toutes leurs actions passées,
et même si elles sont loin de moi,
je connais et vois leurs pensées.   550
– Ami, j'entends à présent de grands miracles !
Quel est ton nom ? – Cher seigneur, Éracle.
– Ami, au nom de Dieu, tu es très sensé,
et je t'affirme que tu es né sous une bonne étoile
et que tu as eu la chance de voir se lever ce jour   555
où j'ai pu te rencontrer,
si ce que tu me racontes est vrai.

– Sire, faites moi lais et hontes,
se ce n'est voirs, et metre en feu ;
560 ja mar me ferés autre preu.
– Eracle, amis, et jel verrai
et orendroit t'acaterai,
u face savoir u folie. »

– Seigneur, outragez-moi, insultez-moi
si ce n'est pas vrai, et jetez-moi au feu.
Malheur à vous si vous m'accordez une autre faveur !   560
– Éracle, mon ami, eh ! bien, je le verrai
en t'achetant maintenant,
que ce soit sagesse ou folie de ma part. »

LE CONTE DE FLOIRE
ET BLANCHEFLOR

Il existe deux versions de *Floire et Blancheflor*, la première dite « aristocratique », composée vers 1150-1160, la seconde dite « populaire », qui date de la fin du XIIe siècle et est surchargée d'aventures invraisemblables et d'épisodes chevaleresques.

Cette œuvre anonyme de 3 342 octosyllabes, dans sa version courtoise, est le type du roman idyllique narrant la séparation de deux jeunes gens, épris l'un de l'autre, qui, au terme de multiples épreuves, finissent par se retrouver et se marier. Floire et Blancheflor sont d'ailleurs les parents de Berthe, la mère de Charlemagne.

Floire, le fils du roi païen Fénix, et Blancheflor, la fille d'une captive chrétienne, naissent le même jour. Élevés ensemble, les deux adolescents ne tardent guère à être unis par un amour réciproque. Craignant une mésalliance, les parents de Floire vendent Blancheflor à des marchands et font croire à leur fils que la jeune fille est morte. Mais devant le désespoir de ce dernier, ils lui disent la vérité et le laissent partir à la recherche de sa bien-aimée. Ayant appris qu'elle avait été emmenée à Babylone, le héros se rend dans la cité orientale ; par ruse, il s'introduit dans la « Tour aux pucelles », où sont gardées les fiancées de l'émir, et rejoint Blancheflor. Les deux amants sont surpris et comparaissent devant l'émir, lequel, attendri par leur histoire sentimentale, préside à leur mariage. Floire retourne dans son pays avec Blancheflor pour succéder à son père, et se convertit au christianisme par amour pour son épouse.

L'auteur excelle dans l'art de la description : coupe d'or qui apparaît tout au long du récit, tombeau fictif, verger où figurent tous les éléments du merveilleux oriental. À Babylone, Floire est logé chez le gardien du pont, nommé Daire. Celui-ci informe le protagoniste sur le harem et les mœurs de l'émir.

Bibliographie

Le Conte de Floire et Blancheflor, éd. de J.-L. Leclanche, Paris, Champion, 1980 ; trad. de J.-L. Leclanche, Paris, Champion, 1986 ; H. Legros, *La Rose et le Lys. Étude littéraire du Conte de Floire et Blancheflor*, Aix-en-Provence, Publications du CUERMA, 1992 ; M. Lot-Borodine, *Le Roman idyllique au Moyen Âge*, Paris, Picard, 1913.

Notes

Le texte est établi d'après le manuscrit A de la BNF, fr. 375 et l'éd. de J.-L. Leclanche.

Le verger de l'émir est décrit comme un lieu paradisiaque regorgeant de richesses orientales et occidentales (v. 2034) et échappant au cycle des saisons. On peut y admirer la variété des végétaux, la suavité des parfums qui émanent des fleurs et des épices, l'harmonie des chants des oiseaux et des grillons. La profusion est rendue stylistiquement par une multiplicité de substantifs groupés selon un rythme binaire (v. 2025, 2034-2036, 2038, 2042, 2044) ou ternaire (v. 2024, 2026, 2029-2030) et par plusieurs hyperboles (v. 2023-2028, 2033-2034, 2046, 2074).

Au centre du jardin se trouve l'arbre d'amour dont la couleur rouge symbolise à la fois la vie et la mort, puisque chaque année une nouvelle jeune vierge est désignée comme épouse en remplacement de la femme exécutée par l'émir (v. 2085-2088). Cet arbre est magique comme le suggèrent les termes *engien* (v. 2050, 2054), *engigniés* (v. 2057), et *encantement* (v. 2091). Toutefois il reste soumis aux désirs de l'émir qui peut faire tomber la fleur sur la jeune fille qu'il a préalablement choisie. Le chef sarrasin semble ainsi maîtriser les éléments naturels et les arts techniques ; il contrôle la virginité et la fertilité ; il domine la création. Comme le souligne H. Legros, « il règne sur toutes les créatures du jardin, réelles et mécaniques, il possède toutes les richesses du monde dont le verger est une sorte de microcosme, enfin il a toute autorité sur ce qui représente la fécondité : arbres fruitiers et femmes ». Par conséquent la description du verger illustre la toute-puissance de l'émir. Sur ce texte, voir H. Legros, « Variations sur un même thème : *locus amoenus, heroon* et jardin royal », *Mélanges Jean-Charles Payen*, Caen, 1989, p. 231-238. Sur le *locus amoenus*, voir P. Bühler, *Présence, sentiment et rhétorique de la nature dans la littérature latine de la France médiévale. De la fin de l'Antiquité au XIIIᵉ siècle*, Paris, Champion, 1995, 2 vol.

ort : provenant du latin *hortum* qui se rattache à l'indo-européen *ghordo* (« enclos »), le substantif *ort* désigne un jardin. Signalons les dérivés savants apparus au XIXᵉ siècle : *horticole, horticulture, horticulteur*. Sur ce sujet, voir *Vergers et jardins dans l'univers médiéval*, Aix-en-Provence, Publications du CUERMA, 1996.

espisses : parmi les épices et les substances citées, figurent le *garingal*, c'est-à-dire le galanga, racine d'une plante aromatique et stimulante, et le *citoual*, à savoir la zédoaire, rhizome d'odeur de gingembre et de saveur camphrée, un produit faisant partie de l'élixir de longue vie. Cf. *La Prise d'Orange*, éd. de C. Régnier, v. 658-659 : *Pitre et canele, garingal et encens/Flere soëf et ysope et piment* ; *Le Bel Inconnu*, éd. de P. Williams, v. 4317-4319 : *Encens, gerofle et citoual,/Et le caniele et garingal,/Espic, petre, poivre, comin.*

mon essïent : le latin médiéval a adapté l'ablatif absolu du latin classique *me sciente* en *meo sciente*, créant un nom à l'origine du terme *essïent/escient* qui présente les acceptions suivantes : « intelligence, raison, entendement », « connaissance ». La locution *(a) mon escient* signifie « en pleine connaissance de ce que je fais », « en toute conscience », « à mon avis ». Seule l'expression *à bon escient* (« avec discernement, à raison ») est encore usuelle aujourd'hui.

amirals : emprunté à l'arabe *amir* (« commandant »), le vocable *amirals* (*émir* est rare jusqu'au XVIᵉ siècle) qualifie le général en chef des Sarrasins et, à partir du XIIIᵉ siècle, le chef de flotte.

d'or et de cristal : au vers 2044, l'auteur précisait que le canal était *de blanc argent et de cristal*. Est-ce une erreur du scribe (le manuscrit B garde le terme *argent*) ou une surenchère dans la beauté et le luxe ?

pucele : dérivé du bas latin *pullicellam*, que l'on peut rapprocher du latin *puella* ou du diminutif *pulla* (« petit d'un animal »), voire de *pulicem* (« petite puce ») selon L. Spitzer, le substantif *pucele* s'applique à une jeune fille sans spécification d'ordre social. Dès le XIIᵉ siècle, il dénomme aussi une jeune vierge ; c'est le cas ici où il s'oppose à la locution *feme eüe* (v. 2071), c'est-à-dire une femme qui a perdu sa virginité. À partir du XVIᵉ siècle, le sème de virginité devient essentiel et le mot est employé de manière plaisante ou ironique.

oissor : issu du latin *uxorem*, le substantif *oisso(u)r* désigne l'épouse. Disparu au XIVᵉ siècle, il est remplacé dans le sens de « femme mariée » par les noms *moillier* et *feme*. Voir A. Grisay, M. Dubois et G. Lavis, *Les Dénominations de la femme dans les anciens textes littéraires français*, Gembloux, Duculot, 1969.

geste : venant du latin *gesta* (« les actions, les hauts faits »), pluriel neutre substantivé du participe passé du verbe *gerere* (« accomplir, faire »), le terme *geste* offre plusieurs significations : 1) les faits et plus particulièrement les exploits accomplis ; 2) d'où le sens d'« histoire, récit » puis de « forme écrite de l'histoire, poème, épopée » ; 3) le lignage, la famille qui fournit la matière des récits épiques, et, pour un groupe humain plus étendu, la race ; 4) enfin un recueil de poèmes épiques (voir la geste du roi, la geste de Guillaume, la geste de Doon de Mayence). Voir W.G. Van Emden, « Contribution à l'étude de l'évolution sémantique du mot *geste* en ancien français », *Romania*, t. XCVI, 1975, p. 105-122.

16. [L'arbre d'amour]

Li vergiers est tostans floris
et des oisiaus i a grans cris.
Il n'a soussiel arbre tan cier,
benus, plantoine n'aliier,
2025 ente nule ne boins figiers,
peskiers ne periers ne noiers,
n'autre cier arbre qui fruit port,
dont il n'ait assés en cel ort*.
Poivre, canele et garingal,
2030 encens, girofle et citoual
et autres espisses* assés
i a, qui flairent molt soués.
Il n'en a tant, mon essïent*,
entre Orïent et Occident.
2035 Qui ens est et sent les odors
et des espisses et des flors
et des oisiaus oïst les sons
et haus et bas les gresillons,
por la douçor li est avis
2040 des sons qu'il est en paradis.
En miliu sort une fontaine
en un prael, et clere et saine ;
en quarel est fais li canal
de blanc argent et de cristal.
2045 Un arbre i a desus planté,
plus bel ne virent home né ;
por çou que tos jors i a flors

16. L'arbre d'amour

« Le verger est toujours fleuri
et les chants des oiseaux y retentissent.
Il n'est au monde d'essence si précieuse,
ébène, platane ni alisier,
ni d'arbre greffé, de bon figuier,   2025
pêcher, poirier, noyer,
ni aucun autre fruitier de prix
dont ce jardin ne soit bien pourvu.
On y trouve du poivre, de la cannelle, du galanga,
de l'encens, du girofle, de la zédoaire   2030
et beaucoup d'autres épices
à l'odeur exquise.
Il n'y en a pas tant, à mon avis,
en Orient et Occident réunis.
Celui qui dans ce jardin sent les parfums   2035
des épices et des fleurs,
et entend le concert des oiseaux
et le chant modulé des grillons,
se croit au paradis,
à cause de la douceur de la mélodie.   2040
Au milieu du jardin jaillit en un pré
une source, claire et pure ;
le canal est fait de carreaux
d'argent blanc et de cristal.
Au-dessus on a planté un arbre tel   2045
qu'aucun mortel n'en a vu de plus beau ;
parce qu'il est toujours fleuri

l'apelë on l'arbre d'amors :
l'une revient quant l'autre ciet.
2050 Par grant engien l'arbres i siet,
car li arbres est tos vermeus.
De çou ot cil molt bons conseus
qui le planta, k'a l'asseoir
fu fais l'engiens, si com j'espoir.
2055 Au main, quant lieve li soleus,
en l'arbre fiert trestos vermeus.
Cil arbres est si engigniés
que tostans est de flors cargiés.
Quant li amirals★ veut coisir,
2060 ses puceles i fait venir
au ruissel de la fontenele
dont de fin or est la gravele ;
quant passer doivent le canal
qui fais est d'or et de cristal★,
2065 outre en vont ordeneement
et il au passer molt entent
et a sa gent i fait entendre.
Grant mervelle i puet on aprendre,
car quant il i passe pucele★,
2070 lors est li eve clere et bele ;
au trespasser de feme eüe
l'eve en est lués tote meüe.
Oïr poés molt grant merveille
a cui nule ne s'apareille :
2075 cele qui puet estre provee
desfaite est et en fu jetee.
Aprés les fait totes passer
desous l'arbre por acerter
la quel d'eles cel an ara,
2080 cele sor cui la flors carra.
Li arbres est de tel maniere ;
sor cui karra la flors premiere
eneslepas iert coronee
et dame du païs clamee ;
2085 il le noçoie a grant honor
et si l'aime comme s'oissor★
desi a l'an, que jou ai dit ;

on l'appelle l'arbre d'amour :
une fleur éclôt quand une autre tombe.
Grâce à un mécanisme très ingénieux,   2050
cet arbre est tout rouge.
Celui qui le planta était fort habile
car, au moment de le fixer en terre,
l'artifice fut mis en place, selon moi.
Le matin, à son lever, le soleil   2055
frappe l'arbre de ses rayons rouge vif.
Cet arbre est si ingénieusement conçu
qu'il est toujours chargé de fleurs.
Quand l'émir veut faire son choix,
il y fait venir les jeunes filles   2060
au ruisselet de la source
dont le gravier est d'or fin ;
lorsqu'elles doivent franchir le canal
d'or et de cristal,
elles passent l'une après l'autre ;   2065
l'émir observe attentivement leur passage
et invite ses gens à faire de même.
On peut y découvrir un prodige,
car au passage d'une vierge,
l'eau est claire et belle,   2070
mais quand passe une femme,
l'eau se trouble aussitôt.
Vous pouvez entendre une étonnante merveille,
à nulle autre pareille :
celle qui peut être convaincue de faute   2075
est suppliciée et jetée au feu.
Ensuite l'émir les fait toutes passer
sous l'arbre pour décider
laquelle des jeunes filles il épousera pour l'année :
c'est celle sur qui tombera la fleur.   2080
Voici la fonction de l'arbre :
la première sur qui tombera la fleur
sera immédiatement couronnée
et proclamée dame du royaume ;
l'émir l'épouse en grande pompe   2085
et il l'aime comme sa femme
jusqu'à la fin de l'année dont j'ai parlé ;

adont le viole et ocit.
Et se il a o soi pucele
2090   que il miex aime et soit plus bele,
sor li fait par encantement
la flor caïr a son talent.
D'ui en un mois li jors sera
que ses barons assanlera,
2095   tot icil qui sont de sa geste*,
car a cel jor tenra sa feste.
Blanceflor dist k'adont prendra,
sor totes autres ciere l'a ;
es .VII. vins n'a si bele flor,
2100   por çou le veut prendre a oissor. »

alors il lui fait violence et la tue.
Et s'il a avec lui une jeune fille
qu'il préfère et qui est plus belle que les autres,   2090
sur elle il fait tomber, par magie,
la fleur à son gré.
Dans un mois ce sera le jour
où il réunira ses barons,
tous ceux qui sont de sa race,   2095
car ce jour-là il donnera une fête.
Il a dit qu'alors il épouserait Blanchefleur
qu'il chérit plus que toute autre ;
parmi les cent quarante, il n'est pas de si belle fleur ;
c'est pourquoi il veut la prendre pour épouse. »   2100

PARTONOPEUS DE BLOIS

Ce roman anonyme, composé vers 1182-1185, comprend un récit principal de 10 656 octosyllabes et deux continuations, l'une relative aux péripéties d'Anselot, l'écuyer du protagoniste éponyme, et l'autre consacrée à l'attaque vengeresse du sultan.

Lors d'une chasse au sanglier dans la forêt des Ardennes, le jeune Partonopeus, neveu de Clovis, roi des Francs, s'égare et erre jusqu'à la mer où un étrange navire le conduit à Chief d'Oire, au palais de la fée Mélior. Celle-ci, profitant de l'obscurité, se glisse dans le lit du héros et lui explique qu'elle a combiné toute cette aventure pour l'épouser dans deux ans et demi. Avant le mariage, il le rejoindra chaque nuit, s'il s'engage à ne jamais chercher à la voir. Après une année de félicité, Partonopeus revient en France pour défendre le royaume menacé ; sa mère, ayant appris la liaison de son fils avec une fée, tente de la lui faire oublier en le rendant, par ruse, amoureux de la nièce du roi. Lorsque le jeune homme reprend conscience, il se précipite auprès de Mélior, qui lui pardonne. À nouveau de retour dans son pays, il se laisse convaincre par son évêque de regarder sa mystérieuse maîtresse à la lueur d'une lanterne fournie par sa mère. Surprise, Mélior lui révèle alors qu'elle a perdu tout pouvoir magique et le chasse. Désespéré et en proie au délire, le héros est soigné et sauvé par

Urraque, la sœur de Mélior. Cette dernière organise un tournoi de trois jours dont le vainqueur obtiendra sa main. Au terme des exploits qu'il y accomplit, Partonopeus épouse la dame qu'il n'a cessé d'aimer.

Ce roman d'aventures tient de la fable antique de Psyché et Cupidon, de la chanson de geste, du lai féerique (selon le schéma d'un conte morganien), des récits merveilleux d'Orient où tout n'est qu'amour et beauté, « luxe, calme et volupté ». L'auteur allie avec talent l'enchantement des *Mille et Une Nuits* aux tribulations de l'existence chevaleresque.

L'extrait choisi se situe au moment où Partonopeus vient d'avouer à sa mère et à l'évêque qu'il n'a jamais vu son amie et qu'elle lui a défendu de chercher à la voir.

Bibliographie

Partonopeus de Blois, éd. de J. Gildea, Villanova University Press, Pennsylvania, 1967-1970.

A. Fourrier, *Le Courant réaliste dans le roman courtois en France au Moyen Âge*, Paris, 1960, p. 315-446 ; L. Harf-Lancner, *Les Fées au Moyen Âge*, Paris, Champion, 1984, p. 317-328 ; A. Moret, *Partonopeus de Blois, conte de fée et roman de chevalerie dans la littérature européenne du Moyen Âge*, Lille, 1933.

Notes

Le texte est établi d'après le manuscrit 113 de la Burgerbibliothek de Berne et l'éd. de J. Gildea.

L'aventure de Partonopeus et Mélior ressemble à l'histoire de Psyché et Cupidon, relatée par Apulée dans ses *Métamorphoses* : c'est dans un palais magnifique que la belle Psyché est rejointe chaque nuit par son époux dont elle ignore l'identité et qu'elle n'a pas le droit de voir. Ses sœurs jalouses l'incitent à regarder ce mystérieux mari à l'aide d'une lampe. Psyché découvre qu'il s'agit d'Amour, lequel s'enfuit aussitôt. Dans *Partonopeus de Blois*, le héros se laisse convaincre moins par sa mère que par l'évêque dont la présence christianise la matière primitive du conte. Malgré cette caution religieuse, le jeune homme, conscient de tromper celle qu'il aime en manquant à sa promesse et en transgressant l'interdit, agit en cachette comme les traîtres. On observe ainsi la récurrence de termes appartenant au réseau lexical de la dissimulation, tels que les verbes *celer* (v. 4484), *covrir* (v. 4517), *mucier* (v. 4493), *repondre* (v. 4482, 4493, 4514), et les adverbes *coiement* (v. 4484), *covertement* (v. 4492), *soëf* (v. 4486).

Plusieurs indices témoignent de l'entrée du héros dans l'autre monde : le voyage en mer sur une nef magique qui se déplace sans l'aide de marins, le palais somptueux et désert, le festin préparé, les cierges qui s'éteignent mystérieusement pour préserver l'invisibilité de la fée. Mais son ami veut passer du sens du toucher (*sentue* au v. 4523) à celui de la vue (*mirer* au v. 4529 et *vëoir* aux v. 4526, 4528, 4529, 4530).

porveü : provenant du latin *providere* (« prévoir, pourvoir »), le verbe *porvëoir* présente plusieurs significations : 1) « examiner », « parcourir des yeux » ; 2) réfléchir aux mesures nécessaires, aviser ; 3) prendre toutes les dispositions pour, prendre soin de, « veiller sur, gouverner, administrer », « défendre, protéger » ; 4) procurer, fournir à quelqu'un ce qu'il demande ; 5) en emploi pronominal : s'aviser, se prémunir, se préoccuper de, se préparer, s'approvisionner ; « demander l'assistance de quelqu'un ».

maufés : dérivé du latin *fatum* (« destin »), le terme *malfé/maufé* désigne le démon ; il peut s'appliquer à un être humain doué d'une force ou d'une perfidie diabolique, ou à un mauvais esprit infligeant aux âmes de terribles souffrances morales.

Chief d'Oire : cette expression s'applique à la résidence de Mélior. On retrouve dans ce toponyme deux significations du mot *chief*, à savoir « l'extrémité » (nous comprenons alors : la fin du voyage) et « la capitale ». Selon toute vraisemblance, il s'agit de Constantinople.

siglant : dérivé de l'ancien norrois *sigla*, le verbe *sigler* signifie « naviguer, faire voile ». Dès le XIVe siècle, il a été refait en *cingler* sous l'influence d'un autre verbe *cingler* au sens de « frapper ».

Quanses : formée à partir du latin *quam si*, la conjonction *quanses (que)* signifie « comme, comme si ».

cambre : provenant du latin *camera*, qui signifie « voûte », « toit voûté », le substantif *c(h)ambre* désigne d'une manière générale une pièce plutôt d'ordre privé et en particulier « le lieu où l'on dort ».

17. [La transgression de l'interdit]

Li evesques l'ot et entent,
A Damedeu grasses en rent,
Et li conselle et loe et prie
4470 Que sans congié voie s'amie.
Sa mere li dist d'autre part
Qu'el a molt bien porveü★ l'art
Par coi le verra tote nue ;
Mais gart soi quant l'avra veüe
4475 Qu'il ne soit trop espoëntés
Por ço que lais est li maufés★.
Une lanterne atant li baille
Et li a dit que tot sans faille
La candoile qui soit dedens
4480 N'estaint por oré ne por vens ;
Ele li baille et il l'a prise,
Repuse l'a, en sauf l'a mise.
Et aparelle son aler
Molt coiement por bien celer.
4485 A Loire trove son batel
Qui molt soëf l'en porte et bel
Dusc'a sa grant nef, a la riche ;
Dex ! tant mal fu de ço qu'il triche !
Entre en la nef, si oirre tant
4490 Que a Chief d'Oire★ vint siglant★.
Nuis est oscure quant il vient,
Covertement molt se maintient ;
Sa lanterne muce et repont,

17. La transgression de l'interdit

Ayant entendu et compris les propos de Partonopeus,
l'évêque en rend grâce à Dieu ;
par ses conseils et ses prières, il presse
le jeune homme de voir son amie sans sa permission.　4470
Sa mère lui dit d'autre part
qu'elle a préparé avec soin le stratagème
qui lui permettra de la voir toute nue.
Qu'il se garde toutefois, après l'avoir vue,
d'être épouvanté　4475
car le diable est laid.
Elle lui donne alors une lanterne
et lui dit qu'en toute certitude
la chandelle qui se trouve à l'intérieur
ne s'éteint pas sous l'effet de la tempête ou du vent ;　4480
elle la lui donne et il la saisit,
il la cache et la met en sécurité.
Puis il prépare son voyage
sans faire de bruit, en secret.
Au bord de la Loire, il récupère sa barque　4485
qui l'emporte en douceur et en silence
jusqu'à son grand et somptueux navire.
Dieu ! Quel malheur qu'il se comporte en fourbe !
Il monte à bord du bateau et fait voile
jusqu'à Chief d'Oire.　4490
La nuit est obscure quand il y arrive ;
il se dissimule parfaitement
et cache avec soin sa lanterne,

Molt wel mal faire asés adont.
4495 Ist de la nef, entre el castel
U tant a eü son avel ;
El palais trove tel sanblant
Com il i siolt trover devant :
Bel fu et cierges alumés,
4500 Blans dobliers sor les dois dorés,
Et vaissiaus d'or et d'argent fin,
Et plenté de pain et de vin
Et d'oisiaus et de venison,
Et de tos biens large fuison.
4505 Mais il n'i boit ne ne mangüe
Que ne soit s'ouvre apercheüe ;
Parmi le palais est passés,
Duc'a son lit n'est arestés.
Tos vestus est couchiés el lit,
4510 Quanses* por haste de delit,
Qu'il tant desire de s'amie :
Tot el i a, ce n'i a mie.
Le covertoir a trait amont ;
La traïson desos repont.
4515 Aprés s'estoit fais descauchier
Et tos nus el lit despoillier,
Puis s'est covers del covertor ;
Li cierge estagnent tot entor.
Parmi la cambre* vient la bloie,
4520 De son ami a molt grant joie ;
De son mantel est deffublee,
Les son ami est avalee.
Quant Parthonopeus l'a sentue
Et set qu'ele est trestote nue,
4525 Le covertoir a loing jeté,
Si l'a veüe o la clarté
De la lanterne qu'il tenoit.
A descovert nue le voit ;
Mirer le puet et veïr bien
4530 C'onques ne vit si bele rien.
Cele est pasmee et cil l'entent
Qu'il a ovré trop folement ;
Sa lanterne a al mur jetee

il est alors sur le point de faire beaucoup de mal.
Il sort du navire et pénètre dans le château   4495
où il a tant goûté son plaisir ;
il retrouve dans la grande salle le même aspect
qui lui était auparavant habituel :
le palais était magnifique avec les cierges allumés,
les nappes blanches sur les tables dorées,   4500
les récipients d'or et d'argent fin,
l'abondance de pain et de vin,
d'oiseaux et de venaison,
et la profusion de tous les biens.
Mais il ne boit ni ne mange   4505
de peur de dévoiler ses menées.
Il a traversé la grande salle
et ne s'est pas arrêté jusqu'à son lit
dans lequel il s'est couché tout habillé,
comme s'il avait hâte d'obtenir le plaisir   4510
qu'il désire tant de son amie ;
il s'agit de bien autre chose.
Il a remonté la couverture ;
il cache dessous sa trahison.
Ensuite il se fait déchausser   4515
et entièrement déshabiller dans le lit.
Puis il a remis la couverture sur lui ;
les cierges s'éteignent tout autour.
La blonde arrive dans la chambre
et se réjouit de la présence de son ami ;   4520
elle a ôté son manteau
et s'est glissée près de son ami.
Quand Partonopeus qui l'a touchée
sait qu'elle est complètement nue,
il a écarté la couverture,   4525
et a vu la dame à la clarté
de la lanterne qu'il tenait.
Il la découvre toute nue ;
il peut la contempler et constater
qu'il n'a jamais vu une si belle créature.   4530
Elle s'est évanouie et lui comprend
qu'il a commis une grave folie ;
il a jeté sa lanterne contre le mur,

Et al dïable conmandee,
4535 Que piece a autre n'i remaint ;
Li feus de la lanterne estaint.
Parthonopeus est desconfis,
Car or set bien qu'il est traïs ;
Bien est traïs quant vers s'amie
4540 A commencie vilonie
Quant onques en li ne vit rien
Qu'il ne deüst tenir a bien.

en la vouant au diable,
de sorte qu'elle est mise en morceaux ;   4535
le feu de la lanterne est éteint.
Partonopeus est abattu
car à présent il sait bien qu'il est trahi ;
Il est bien trahi d'avoir entrepris
envers son amie cette vilenie   4540
puisqu'en elle il n'a jamais rien vu
qui ne méritât pas ses éloges.

Renaut de Beaujeu

LE BEL INCONNU

Renaut de Beaujeu, qui pourrait être identifié avec Renaut de Bâgé (dans l'Ain), seigneur de Saint-Trivier, né en 1165 et mort en 1230, a composé ce roman arthurien de 6 266 octosyllabes vers 1200. Il s'agit du conte de la belle transformée en bête et délivrée de ce sortilège par un baiser. Un jeune homme ignorant ses origines, d'où son surnom de « Bel Inconnu », propose au roi Arthur de secourir Blonde Esmerée, la fille d'un souverain gallois. En chemin, il triomphe notamment d'un chevalier qui voulait contraindre au mariage la suzeraine de l'Île d'Or. Le héros quitte cette séduisante fée, nommée la Pucelle aux Blanches Mains, pour atteindre la Gaste Cité, le royaume de Blonde Esmerée. En recevant sur la bouche le baiser d'un serpent monstrueux, il rend sa forme humaine à la princesse, que deux enchanteurs avaient transformée en guivre. Après cet exploit, il rejoint la fée, qui lui accorde son amour, mais rappelé à la cour d'Arthur il remporte le tournoi de Valedon et épouse Blonde Esmerée.

Quête d'identité, récit d'une ascension sociale, éducation sentimentale dans laquelle deux fées – sa mère Blanchemal et son amante, la Pucelle aux Blanches Mains – jouent un rôle déterminant, *Le Bel Inconnu* est de surcroît un roman parodique. En effet, Renaut s'inspire de *Partonopeus de Blois* et des œuvres de Chrétien de Troyes, en particulier *Érec et Énide* (avec la conquête de l'épervier, les têtes empalées sur des pieux ou le combat contre deux géants) et le *Conte du graal*. L'intérêt du roman tient à cette réécriture détournée, inversée ou déceptive, ainsi qu'aux cinq interventions du narrateur, qui interrompt le fil de son récit pour se livrer à des confidences.

Bibliographie

Le Bel Inconnu, éd. de G. Perrie Williams, Paris, Champion, 1929 ; trad. de M. Perret et I. Weill, Paris, Champion, 1991.
Le Chevalier et la merveille dans « Le Bel Inconnu » ou le Beau Jeu de Renaut, Études recueillies par Jean Dufournet, Paris, Champion, 1996 ; Ch. Ferlampin-Acher et M. Léonard, *La Fée et la guivre : Le Bel Inconnu de Renaut de Beaujeu. Approche littéraire et concordancier*, Paris, Champion, 1996 ; Ph. Walter, *Le Bel Inconnu de Renaut de Beaujeu, rite, mythe et roman*, Paris, PUF, 1996 ; R. Wolf-Bonvin, *Textus. De la tradition latine à l'esthétique du roman médiéval. Le Bel Inconnu, Amadas et Ydoine*, Paris, Champion, 1998.

Notes

Le texte est établi d'après le manuscrit n° 472 du musée Condé de Chantilly et l'éd. de G. Perrie Williams. Au vers 3146 nous avons corrigé *cele* par *tele*.

L'épreuve du « Fier Baiser » constitue pour le héros l'aventure suprême puisqu'elle consacre définitivement sa valeur chevaleresque. En effet, il fait preuve à la fois de bravoure, de maîtrise de soi et de générosité : non seulement il ne tremble pas en voyant la guivre s'approcher de lui, mais encore il ne s'enfuit pas horrifié après avoir reçu le redoutable baiser ; avec mesure il sait aussi retenir son bras quand le serpent, à l'instar du lion rencontré par Yvain (*Le Chevalier au lion*, v. 3390-3400), manifeste des

signes de soumission, voire d'affection (v. 3157-3159,
3169-3170, 3176-3177 et 3191-3192). Ce comportement courageux, modéré et charitable traduit sa grande
noblesse de cœur (v. 3194). Même s'il demeure préoccupé à la fin de ce texte, une voix ne tarde pas à lui révéler
sa réussite et son identité : le Bel Inconnu se nomme en
fait Guinglain et il est le fils de Gauvain et de la fée Blanchemal (v. 3216-3242).

La guivre présente une nature équivoque : d'une part sa
grandeur, sa grosseur, sa laideur, son énorme queue, le
feu qu'elle crache l'assimilent à un dragon, à un serpent
terrifiant et diabolique (notons les termes *dyable* au
v. 3152 et *fier serpent* au v. 3167) ; d'autre part sa bouche
vermeille et fascinante, les sentiments qu'elle semble
éprouver pour le chevalier laissent présager son aspect
humain. En tout cas les nombreux termes qui ressortissent au champ lexical de la lumière, tels que *clarté*
(v. 3129, 3132), *cierge* (v. 3130), *enbrasé* (v. 3130), *enluminoit* (v. 3131), *feu ardant* (v. 3135), *luissans* (v. 3139),
esclarbocles (v. 3140), témoignent du caractère surnaturel
de l'animal.

aumaire : provenant du latin *armarium* (« placard »), dérivé
lui-même d'*arma* (au sens d'« ustensiles »), *almaire*/
aumaire/*armaire*/*armoire* (à partir du XVᵉ siècle) désigne
une « niche dans le mur servant à ranger », une « bibliothèque », « un coffre ou un coffret » et un « meuble de ran-
gement, en général haut avec deux battants ».

wivre : issu du latin classique *vipera*, forme altérée en *wipera*,
sous l'influence de mots germaniques, *wivre*/*guivre* qualifie une espèce de serpent fantastique. Sur la guivre on
consultera avec profit J. Dufournet, *Cours sur la Chanson
de Roland*, Paris, CDU, 1972, p. 99-104.

esclarbocles : dérivé du latin *carbunculus* (« petit charbon »),
esclarbocle/*escarbocle*/*escarboucle* s'applique à une pierre
précieuse qui a la couleur du charbon ardent auquel elle
emprunte son nom. Variété de grenat rouge, elle res-
plendit dans l'obscurité.

eneslespas : du latin *in ipso illo passu*, littéralement « en ce pas
même », d'où « tout de suite », l'adverbe de temps *eneslespas*,
qui marque la rapidité et l'immédiateté, signifie « promp-
tement », « sur-le-champ ». L'expression a été refaite en
isnel le pas.

s'oublie : le verbe *soi oublier* signifie dans l'ancienne langue
« perdre son temps », « se distraire », « manquer à ses
devoirs », « omettre ce qu'on doit faire », « relâcher son
attention ».

tabarie : dérivé de *tabor*, mot d'origine orientale, peut-être le
persan *tabir*, le substantif *tabarie/taborie* signifie « bruit,
tapage, vacarme ».

18. [Le fier baiser]

A tant vit une aumaire* ouvrir
Et une wivre* fors issir,
Qui jetoit une tel clarté
3130 Con un cierge bien enbrasé ;
Tot le palais enluminoit.
Une si grant clarté jetoit,
Hom ne vit onques sa parelle,
Que la bouce ot tote vermelle.
3135 Par mi jetoit le feu ardant,
Molt par estoit hidosse et grant.
Par mi le pis plus grosse estoit
Que un vaissaus d'un mui ne soit.
Les iols avoit gros et luissans
3140 Come deus esclarbocles* grans.
Contreval l'aumaire descent,
Et vint par mi le pavement.
Quatre toisses de lonc duroit ;
De la keue trois neus avoit,
3145 C'onques nus hom ne vit grinnor.
Ains Dius ne fist tele color
Qu'en li ne soit entremellee ;
Desous sanbloit estre doree.
Vers le chevalier s'en venoit ;
3150 Cil se saine quant il le voit.
Apoiés estoit sor le table,
Et quant il vit si fait dyable
Vers soi aproimier et venir,

18. Le fier baiser

Alors il vit s'ouvrir une armoire
d'où sortit une guivre
qui répandait autant de clarté
qu'un cierge allumé, 3130
illuminant toute la salle.
Elle répandait une clarté telle
qu'on n'en avait jamais vue de semblable.
Sa bouche toute vermeille
crachait un feu ardent. 3135
C'était une créature horrible et énorme.
Son poitrail était plus gros
qu'un tonneau d'un muid.
Elle avait les yeux gros et luisants
comme deux grandes escarboucles. 3140
Glissant le long de l'armoire,
elle atteignit le sol dallé.
Elle mesurait quatre toises de long ;
sa queue formait trois nœuds,
jamais personne n'en vit de plus grande. 3145
Il n'est couleur faite par Dieu
qui ne s'entremêlât en elle,
et par-dessous elle semblait dorée.
Elle se dirigeait vers le chevalier
qui se signa en l'apercevant. 3150
Il était appuyé à la table,
et quand il vit ce véritable démon
s'approcher de lui,

    Isnelement, por soi garnir,
3155 A misse la main a l'espee.
    Ançois qu'il l'eüst fors jetee,
    Et la grans wivre li encline
    Del cief dusques a la poitrine ;
    Sanblant d'umelité li fait.
3160 Et cil s'espee plus ne trait :
    « Jo ne le doi, fait il, tocier,
    Puis que le voi humelïer. »
    La guivre adés vers lui venoit,
    Et plus et plus s'en aproimoit.
3165 Et cil adonc se porpensa
    Que s'espee adonques traira
    Por icel fier serpent ferir,
    Que il veoit vers lui venir.
    Et li serpens le renclina
3170 Et sanblant d'amisté mostra ;
    Il se retint, ne le trait pas ;
    Et li serpens eneslespas★
    Desi es dens li est alee.
    Et cil trait del fuere l'espee,
3175 Ferir le vaut par la potrine.
    La guivre autre fois le rencline,
    Vers lui doucement s'umelie ;
    Il se retint, ne le fiert mie,
    Il l'esgarde, pas ne s'oublie★,
3180 Ne de rien nule ne fercele ;
    Et si a il molt grant mervele
    De la bouce qu'a si vermelle.
    Tant s'entent en li regarder
    Que d'autre part ne pot garder.
3185 La guivre vers lui se lança
    Et en la bouce le baissa.
    Quant l'ot baissié, si se retorne.
    Et li Descouneüs s'atorne,
    Por li ferir a trait l'espee ;
3190 Et la guivre s'est arestee,
    Sanblant d'umelité li fait,
    Encliné l'a, puis si s'en vait.
    Et cil a soi son cop retient.

il s'empressa, pour se défendre,
de porter la main à son épée. 3155
Avant qu'il l'eût dégainée,
la grande guivre s'inclina devant lui,
de la tête jusqu'au poitrail,
et lui manifesta des signes de soumission.
Le jeune homme renonça à tirer son épée : 3160
« Je ne dois pas la toucher, se dit-il,
du moment que je la vois se soumettre. »
La guivre continuait de progresser vers lui
et s'en approchait de plus en plus.
Le chevalier pensa alors 3165
qu'il dégainerait son épée
pour frapper ce cruel serpent
qu'il voyait s'avancer vers lui.
À nouveau le serpent s'inclina devant lui
et lui montra des signes d'affection ; 3170
il se retint encore et ne tira pas son épée ;
mais immédiatement le serpent
se dressa jusqu'à sa bouche.
Alors il tira son épée du fourreau
et voulut le frapper en plein poitrail. 3175
La guivre s'inclina devant lui une nouvelle fois,
et se soumit à lui avec douceur ;
il se retint de la frapper.
Il la regarde, demeure attentif
et ne fait pas le moindre geste ; 3180
il s'émerveille
de cette bouche si vermeille.
Il est si absorbé par cette contemplation
qu'il ne peut regarder ailleurs.
La guivre s'élança vers lui 3185
et le baisa sur la bouche.
Après l'avoir embrassé, elle se retira.
L'Inconnu se prépare,
il a dégainé son épée pour la frapper ;
mais la guivre s'est arrêtée, 3190
elle lui manifeste des signes de soumission,
s'incline devant lui, puis s'éloigne.
Le chevalier retient son coup.

De molt grant francisse li vient
3195 Que il ferir ne le valt mie
Por ce que vers lui s'umelie.
Ensi s'en est la guivre alee,
En l'armaire s'en est rentree,
Et l'aumaires aprés reclot.
3200 Ainc puis tabarie* n'i ot
Ne nule autre malaventure,
Fors que la sale fu oscure.
Et cil del baissier fu pensis ;
Delés la table s'est asis.

Sa grande noblesse de cœur
lui interdit de la frapper 3195
puisqu'elle se soumet à lui.
Ainsi s'en est allée la guivre,
elle est rentrée dans l'armoire
et l'a refermée derrière elle.
Ensuite il n'y eut plus de bruit, 3200
ni d'autre mésaventure,
si ce c'est que la salle était plongée dans l'obscurité.
Préoccupé par ce baiser,
le jeune homme s'assit près de la table.

AMADAS ET YDOINE

Il existe trois versions d'*Amadas et Ydoine,* deux fragmentaires et anglo-normandes et une complète, dite « continentale ». Cette œuvre anonyme, composée entre 1190 et 1220, comprend 7 912 vers.

Amadas, le fils du sénéchal du duc de Bourgogne, s'éprend de la fille de ce dernier, Ydoine, en la servant à table. Il la prie d'amour deux fois, en vain. Un an plus tard, éconduit à nouveau par la jeune fille, il s'évanouit ; épouvantée et touchée de pitié, Ydoine, qui le croit mort, est à son tour saisie par l'amour et elle lui donne un anneau. Amadas, guéri et réconforté, part faire ses preuves et se couvre de gloire pendant trois ans. À son retour, il apprend que la demoiselle doit bientôt épouser le comte de Nevers. Désespéré, il devient fou et est enfermé au château de son père. Cependant Ydoine fait appel à trois sorcières qui enchantent le comte et lui prédisent qu'il mourra s'il consomme le mariage. Le soir de ses noces, il s'abstient donc du *cortois jeu* (v. 2437). Libéré de ses chaînes, Amadas ne tarde pas à s'enfuir jusqu'à Lucques où Garinet, le messager d'Ydoine, finit par le retrouver. Prétextant un pèlerinage à Rome, l'héroïne rejoint le dément et lui rend la raison grâce au pouvoir de son nom. Tandis qu'elle se rend à Rome, Amadas s'illustre dans un tournoi. En approchant de Lucques, Ydoine est enlevée par un chevalier qui, menacé par

les hommes de l'escorte, préfère abandonner la jeune
femme. Mais celle-ci succombe à un mal mystérieux au
cours du repas qui suit les retrouvailles. Alors que le
protagoniste se lamente sur la tombe de son amie, survient le ravisseur, qui est vaincu par Amadas au terme
d'un long combat ; il lui révèle alors qu'Ydoine n'est
pas morte, mais seulement endormie par un anneau
magique. Le comte de Nevers, effrayé par de nouvelles
menaces inventées par sa femme, accepte la séparation :
Amadas, qui hérite d'une grande terre et des fiefs à la
mort de son père, et Ydoine, qui reçoit l'accord du duc,
peuvent enfin se marier et connaître le bonheur.

Ce roman d'aventures dont la trame rappelle en partie
celle du *Cligès* où Fénice, contrainte d'épouser Alis, se
garde intacte par un subterfuge pour celui qu'elle aime,
exalte le mariage d'amour. L'auteur, sans exclure le merveilleux (sortilèges des trois sorcières, anneau magique),
développe avec talent monologues, analyses psychologiques et scènes plus réalistes (autour de la folie). Il propose aussi une réflexion sur la démence et la raison, sur
le mensonge et la vérité, sur la mort et la vie, sur la puissance de l'amour : *Qui bien veut Amors esprouver,/Mainte
mervelle i puet trouver* (v. 293-294).

Bibliographie

Amadas et Ydoine, éd. de J.R. Reinhard, Paris, Champion,
    1926 ; trad. de J.-Cl. Aubailly, Paris, Champion, 1986.
F. Lyons, *Les Éléments descriptifs dans le roman d'aventure
    au XIIIe siècle*, Genève, Droz, 1965, p. 18-41 ; R. Wolf-
    Bonvin, *Textus. De la tradition latine à l'esthétique du roman
    médiéval. Le Bel Inconnu, Amadas et Ydoine*, Paris, Cham-
    pion, 1998.

Notes

Le texte est établi d'après le manuscrit français 375 de la
    BNF (écrit en dialecte picard en 1288 à Arras) et l'éd. de
    J.R. Reinhard.

S'inspirant sans doute de la démence d'Yvain dans *Le Chevalier au lion* de Chrétien de Troyes (v. 2804-2828) et des
deux poèmes de la *Folie Tristan*, l'auteur brosse le tableau
très précis d'une crise de folie furieuse. Il spécifie d'abord
que cet accès de déraison résulte d'un choc affectif,
l'annonce du prochain mariage d'Ydoine plongeant
Amadas dans un profond désespoir. Accablé par cette
intolérable souffrance, hébété, incapable de prononcer le
moindre mot, le héros perd un moment conscience de lui.
Mais lorsque le messager lui confirme l'échec irréversible
de son amour, le protagoniste sent peu à peu sa raison lui
échapper. Le romancier décrit alors les divers symptômes
et phases de la folie : stupeur, trouble du cœur et de
l'esprit, fièvre (v. 1793-1794), délire, cris, rires, colère,
agressivité destructrice, sauvagerie. Rendant son interlocuteur responsable de son malheur, Amadas le frappe, le
mord à l'épaule et lui déchire les vêtements. Le narrateur
le compare à un loup-garou (v. 1817) afin de souligner la
rage, l'animalité, voire l'anthropophagie du protagoniste.
Les termes employés montrent la progression de cette
aliénation : *angousse* et *ire* (v. 1767), *esbahis* (v. 1770), *fole
caleur* (v. 1794), *derverie* (v. 1795), *foursenerie* (v. 1796 et
1804), *rage* (v. 1804), *mult grant rage* (v. 1820).
Sur la folie, voir J.M. Fritz, *Le Discours du fou au Moyen Âge
(XIIe-XIIIe siècles)*, Paris, PUF, 1992 ; Ph. Ménard, « Les
fous dans la société médiévale : le témoignage de la littérature au XIIe et au XIIIe siècle », *Romania*, t. XCVIII,
1977, p. 433-459.

fis : provenant du latin *fidus* (« à qui on peut se fier, fidèle »),
   l'adjectif *fis/fi(t)* signifie « certain, sûr, assuré, confiant ».
   Quant à la locution *de fi*, elle se traduit par « assurément,
   avec certitude ».
baillie : déverbal de *baillier*, le substantif *baillie* offre plusieurs acceptions : « possession » ; « tutelle » ; « pouvoir,
   domination » ; « protection ».
faurai : il s'agit de la première personne du singulier du futur
   de l'indicatif du verbe *faillir*, issu du latin vulgaire **fallire*,
   à partir du latin classique *fallere* (« tromper, échapper à »).
   Le sens du verbe *faillir* varie selon ses constructions :
   1) en emploi personnel intransitif, le verbe dénote la
   cessation d'une activité : « finir, cesser, arrêter, prendre
   fin » ; 2) en emploi personnel transitif indirect, *faillir à
   quelqu'un* : « manquer à, faire défaut » ; *faillir à quelque*

chose : « manquer à son devoir, à sa promesse », puis « échouer » ; *faillir de quelque chose* : « enfreindre » ; 3) en emploi personnel transitif direct : « anéantir » ; 4) en emploi impersonnel : « être nécessaire, être utile ».

Digon : ville de fondation romaine, Dijon ne prit de l'importance qu'au XIᵉ siècle, lorsqu'elle devint la capitale du duché de Bourgogne.

foursenerie : le verbe *fo(u)rsener* (« être hors de sens, devenir fou ») est composé de la préposition *fors* et du substantif *sen* (« raison, intelligence »). Le déverbal *foursenerie* désigne une folie furieuse. À notre époque seul subsiste le terme *forcené*.

Halape : **Halape**, aujourd'hui Alep, Halab en arabe, est une cité de Syrie, sise à la limite de la principauté d'Antioche. Saladin, le sultan d'Égypte et de Syrie, s'empara de la ville d'Alep en 1183.

resve : sans doute du bas latin **re-ex-vagare* (cf. *desver/derver* de **de-ex-vagare*) formé sur le verbe latin *vagare* (« vagabonder »), *resver* signifie : 1) « aller çà et là pour son plaisir », « rôder », et en particulier « se promener déguisé pendant le carnaval » ; 2) « divaguer », « délirer », « dire des choses extravagantes ». Si dès le XVIᵉ siècle *rêver* est employé au sens encore usuel en français moderne de « être perdu dans des pensées vagues », à partir du XVIIᵉ siècle le verbe tend à supplanter *songer*. Voir G. Gougenheim, *Les Mots français dans l'histoire et dans la vie*, Paris, Picard, t. I, 1972, p. 142-144.

en voie : provenant du latin classique *via*, le mot *voie* a développé dans la langue médiévale ses acceptions latines : 1) concrètement il qualifie un espace à parcourir. Tantôt il est le terme générique pour désigner les voies de communication terrestres ou maritimes : « route, chemin » ; tantôt il se restreint à la dénomination d'un type de route particulier, en l'occurrence une voie de seize pieds de large (environ 4,80 mètres) où deux charrettes peuvent avancer de front. Le substantif offre aussi les sens dérivés suivants : « distance » ; « direction » ; « voyage, pèlerinage ». La locution *en voie* veut dire « à l'écart, au loin ». 2) Le vocable revêt enfin des emplois figurés, puisqu'il s'applique à tout procédé utilisé pour parvenir à un résultat : « conduite », « moyen », « façon », « manière ».

garous : issu du francique **wariwulf* (« homme-loup »), le terme *garous* dénomme un loup-garou, autrement dit un homme qui se transforme en loup et erre la nuit dans la campagne. Voir *Bisclavret* de Marie de France, v. 5-12 :

Jadis le poeit hum oïr/E sovent suleit avenir,/Humes plusur garval devindrent/E es boscages meisun tindrent./Garvalf, ceo est beste salvage ;/Tant cum il est en cele rage,/Hummes devure, grant mal fait,/Es granz forez converse e vait. Selon la croyance populaire, le monstre pouvait dévorer animaux ou hommes ; ainsi le représente Gautier de Coinci : *Aussi com fait li warous leus/Qui de char d'omme est familleus* (*Miracle,* p. 243, v. 757-758). On consultera sur ce sujet M. Faure, « Le *Bisclavret* de Marie de France, une histoire suspecte de loup-garou », *Revue des langues romanes,* t. LXXXIII, 1978, p. 345-356 ; Ph. Ménard, « Les histoires de loup-garou au Moyen Âge », *Symposium in honorem M. de Riquer,* Barcelone, 1986, p. 209-238 ; F. Suard, « *Bisclavret* et les contes de loup-garou », *Mélanges Charles Foulon II, Marche romane,* t. XXX, 1980, p. 267-276.

19. [Une crise de folie]

1765 Quant Amadas ot le message
  Qui li conte son grant damage,
  Tel angousse a et si grant ire
  Que il ne puet un seul mot dire ;
  Ains est illoec tous estourdis
1770 Une grant piece et esbahis
  Qu'il ne seut de lui nule rien,
  Ne il n'entent ne mal ne bien.
  Mais quant est revenus en soi,
  Au vallet dist : « Ami, di moi,
1775 Puet estre voir che que tu dis ?
  – Oïl, de ce soiiés tous fis★ »,
  Respont li vallés, « tout pour voir.
  – La doit donques autres avoir ?
  Comment ? s'avra ma belle amie
1780 Nus hom vivant en sa baillie★
  Entre ses bras et g'i faurai★
  Qui par lonc tans amee l'ai !
  S'avra autre seigneur de moi !
  – Voire, biau sire, par ma foi.
1785 Li cuens de Nevers l'a plevi
  L'autrier a Digon★, car le vi,
  Vausist ou non, contre son voel.
  Ou soit a joie, ou soit a duel,
  Espousee ert jusqu'a quart jor
1790 Et s'en ira o son signour
  A Nevers, la rice cité. »

19. Une crise de folie

Quand Amadas entend le messager   1765
lui raconter son grand malheur,
une si vive affliction l'étreint
qu'il ne peut dire un seul mot,
mais il reste là tout étourdi
un long moment et abasourdi   1770
de sorte qu'il n'a plus conscience de soi
et perd les notions du bien et du mal.
Mais quand il a repris ses esprits,
il dit au jeune homme : « Ami, dis-moi,
ce que tu rapportes peut-il être vrai ?   1775
– Oui, soyez-en tout à fait assuré,
répond le jeune homme, c'est la stricte vérité.
– C'est donc un autre qui doit l'avoir ?
Comment ? Quelque homme vivant
aura ma belle amie en son pouvoir,   1780
entre ses bras et elle m'échappera,
à moi qui l'ai aimée si longtemps !
Elle aura un autre mari que moi !
– Assurément, cher seigneur, par ma foi.
Qu'elle le veuille ou non, le comte de Nevers   1785
lui a promis de l'épouser, contre son gré,
l'autre jour à Dijon, et j'ai vu la scène.
Qu'elle en soit heureuse ou triste,
elle sera mariée dans quatre jours
et accompagnera son époux   1790
à Nevers, la riche cité. »

Amadas l'ot, si a troublé
Le cuer et escaufé d'ardeur,
D'une fine fole caleur,
1795 Dont vint la droite derverie,
Et la fine foursenerie★
Li saut et li cerviaus li tourble.
En poi d'eure a corage double,
Et toute raison li escape
1800 Qu'il n'a si fol jusqu'a Halape★.
Tout maintenant esrage et derve,
En haut s'escrie et rit et resve★ ;
Sens ne raison en lui n'a mie.
Par rage et par foursenerie
1805 Saut au vallet o le puing clos ;
Un caup li doune si tresgros
Que le cler sanc couler li fait ;
A tere aval filant s'en vait
De la bouce et du nes a raie.
1810 A toute la cote de soie
En l'espaulle as dens l'aert
Que l'os li a tout descouvert ;
La car li ront et porte en voie★,
Et li vallés, qui s'en esfroie,
1815 Tost tourne en fuie, si le laist ;
Et Amadas aprés s'en vait,
Comme garous★ jete la main,
Si l'aert a la cote au sain ;
Encontre val tot le descire
1820 Par mult grant rage et par grant ire.

À ces mots, Amadas a le cœur
troublé et enflammé
par une brûlante fièvre
qui provoque une démence totale ;   1795
alors une violente folie
le saisit et son cerveau se trouble.
En peu de temps sa passion redouble,
et toute sa raison lui échappe
de sorte qu'il n'y a pas aussi fou jusqu'à Alep.   1800
Immédiatement il est pris d'une folie furieuse,
il hurle, rit et délire ;
il n'a plus en lui ni bon sens ni raison.
Avec rage et fureur,
il bondit sur le jeune homme, le poing fermé ;   1805
il lui assène un coup si fort
qu'il fait couler son sang clair
qui ruisselle jusqu'à terre
de sa bouche et de son nez.
À travers sa tunique de soie   1810
il le mord à l'épaule
si bien qu'il lui met l'os tout à nu ;
il lui tranche la chair et l'emporte avec lui,
et le jeune homme, effrayé,
s'enfuit aussitôt et l'abandonne ;   1815
mais Amadas le poursuit,
comme un loup-garou il tend la main,
l'agrippe par la tunique à la poitrine ;
il la déchire entièrement jusqu'en bas
avec une rage et une fureur extraordinaires.   1820

Robert de Boron

LE ROMAN DE L'ESTOIRE DOU GRAAL

Le nom de Robert de Boron apparaît deux fois dans *Le Roman de l'Estoire dou graal* (v. 3155 et 3461) et il bénéficie d'un double titre : *messires*, qui dénote un personnage noble, vraisemblablement un chevalier, et *meistres*, soulignant ses compétences en droit et en théologie. Il est difficile de savoir si Robert de Boron, qui unit *chevalerie* et *clergie*, accompagna Gautier de Montbéliard, son protecteur ou son ami, à la quatrième croisade. En tout cas il composa vers 1200 *Le Roman de l'Estoire dou graal* (3 514 octosyllabes) et un *Merlin* dont nous ne possédons plus qu'un fragment de 504 vers. Peut-être est-il aussi, sinon l'auteur, du moins l'instigateur d'une trilogie en prose : *Joseph, Merlin, Perceval*, qui constituerait la première tentative de cyclisation française de la légende arthurienne.

Le Roman de l'Estoire dou graal relate les « Enfances » du graal et l'histoire de Joseph d'Arimathie, le *soudoier* de Pilate qui demanda et reçut pour prix de ses services le corps du Christ. Aidé par Nicodème, il l'ôta de la Croix et recueillit dans la coupe de la Cène le sang du crucifié. Après la Résurrection, les Juifs accusèrent Joseph d'avoir soustrait le corps et le jetèrent en prison, où le Christ lui rendit visite, porteur du récipient : il lui expliqua le symbolisme de la messe et lui confia le graal qui lui garantissait l'assistance perpétuelle du Saint-Esprit. Cependant, guéri de la lèpre grâce au voile de Véronique, Vespasien se convertit, mena une expédition punitive contre les Juifs et délivra Joseph. Ce dernier devint alors le chef de toute une communauté de fidèles, mais les difficultés se multipliant dans le groupe, Joseph pria et le Saint-Esprit lui suggéra d'instaurer une liturgie semblable à celle de la Cène. Ceux qui réussiront à prendre place à table, en présence du graal, seront les élus. Les autres, qui resteront à l'écart, sans s'apercevoir de rien, seront les pécheurs. Tel est le miracle de la grâce. Le beau-frère de Joseph a douze fils dont l'un, nommé Alain, reçoit de son oncle une instruction religieuse et morale. La destinée de chacun est fixée : Joseph restera en Orient pour y mourir ; Bron deviendra le gardien du graal, qu'il transmettra au fils d'Alain, parti en Occident avec ses frères vers les vaux d'Avalon (peut-être l'abbaye de Glastonbury) pour évangéliser la Grande Bretagne.

S'inspirant de l'*Évangile de Nicodème*, notamment de la première partie intitulée les *Gesta Pilati*, de la légende de l'empereur guéri par le voile de Véronique et de la *Venjance Nostre Seigneur*, Robert de Boron christianise le graal, qu'il place dans le contexte biblique de la Passion et de la Résurrection : il le transforme en une sainte relique et l'assimile au calice de la messe. Il sanctifie aussi la chevalerie, à travers son premier représentant, Joseph d'Arimathie, interlocuteur privilégié du Christ, promu gardien du graal. Ce roman édifiant, qui réussit à concilier théologie (avec une insistance sur la Rédemption et la foi en la Trinité) et fiction, se révèle capital pour comprendre l'évolution du mythe du graal.

Bibliographie

Roman de l'Estoire dou graal, de Robert de Boron, éd. de W.A. Nitze, Paris, Champion, 1927 ; trad. de A. Micha, Paris, Champion, 1995.

A. Micha, « *Matiere* et *sen* dans *l'Estoire dou graal* de Robert de Boron », *Romania*, t. LXXXVII, 1966, p. 457-480 ; M. Séguy, *Les Romans du graal ou le Signe imaginé*, Paris, Champion, 2001 ; F. Zambon, *Robert de Boron e i segreti del graal*, Florence, Olschki, 1984.

Notes

Le texte est établi d'après le manuscrit fr. 20047 de la Bibliothèque nationale (fin du XIIIᵉ siècle) et l'éd. de W.A. Nitze.

Même si certains critiques le contestent, il semble bien que Robert de Boron ait eu connaissance du *Conte du graal* et qu'il réécrive à sa manière la fameuse scène de l'apparition du graal (voir « Le cortège du graal »). Ainsi, à l'instar de Chrétien de Troyes (v. 3225-3229), l'auteur montre la luminosité qui émane du récipient avec les locutions : *clarté* (v. 721), *grant clarté* (v. 719), *clartez si granz* (v. 728), *enlumina* (v. 720). Mais à l'inverse de Perceval, Joseph n'hésite pas à poser des questions (v. 728 et 735-736).

De surcroît l'objet est ici sanctifié puisqu'il est porté par le Christ en personne. Il rappelle à son fidèle disciple la raison de sa venue sur terre, liée au péché originel inspiré par le diable, et dans un passage lyrique marqué par des anaphores (*par fame/Fame*) et des antithèses (*adirez/recouvrez* ; *mort/vie* ; *emprisonné/recouvré*), il souligne l'ambivalence de la femme, Ève et Marie.

Pilates : préfet de Judée, Pilate abandonna Jésus aux Juifs qui souhaitaient sa mort en se lavant symboliquement les mains.

Joseph : il s'agit de Joseph d'Arimathie, le *soudoiers* (v. 199) de Pilate. Après sept années de bons et loyaux services, il lui réclama pour seul salaire le corps du Christ (v. 439-472). Une fois qu'il l'eut obtenu, il le descendit de la Croix avec l'aide de Nicodème, l'enveloppa dans un linge, le déposa dans un sépulcre de pierre qu'il avait choisi pour lui-même et le recouvrit d'une dalle (v. 549-580). Ce personnage est mentionné par les quatre évangélistes : Matthieu (27, 57-60), Marc (15, 43-46), Luc (23, 50-53) et Jean (19, 38-42).

siecle : provenant du latin *saeculum* (« race », « durée d'une génération humaine », « âge, époque », espace de temps très long), le substantif *siecle* désigne : 1) « une longue période de temps » ; 2) « le temps présent », « la génération contemporaine » ; 3) « la vie terrestre », par opposition à la vie céleste et éternelle ; 4) « le monde d'ici-bas, « l'ensemble des hommes », « le peuple » ; 5) « la vie dans la société laïque », par opposition à la vie monacale, « la vie mondaine », par opposition à la vie religieuse ; 6) « la joie, le bonheur ». À notre époque le mot a conservé essentiellement ses sens temporel (période de cent ans) et religieux (la vie du monde).

Et vileinnement ostelez : ce *vilain ostel* où est « logé » Joseph désigne la prison que Robert de Boron décrit ainsi : *Avalé l'ont en la prison,/Ou plus parfont de la meison,/Qui estoit horrible et obscure,/Toute feite de pierre dure ;/Forment l'ont fermee et serree,/Et par dessus bien seelee.* (v. 701-706).

besoing : issu du francique **bisunni* (« soin, besoin »), le terme *besoing* signifie d'abord « affaire », puis « affaire pressante », « urgence », « moment critique », « situation périlleuse » et, dans un contexte guerrier, « lutte, combat ». Enfin il exprime l'idée d'un manque, d'une nécessité, conservée aujourd'hui dans les locutions *avoir besoin de, être besoing, au besoin*. L'expression utilisée par Robert de Boron *on trueve au besoing ami* rappelle des proverbes classiques : n° 170 *Au besoing voit on l'ami*, n° 171 *Au besoing voit on qui amis est* (*Proverbes français antérieurs au XVᵉ siècle*, éd. de J. Morawski, Paris, Champion, 1925).

prison : dérivé du latin *pre(n)sionem* (« action d'appréhender quelqu'un au corps »), le vocable, devenu *prison* sous l'influence du participe passé *pris*, offre trois acceptions principales : 1) le fait de prendre, l'emprisonnement, la captivité ; 2) « le lieu de détention » ; 3) « le prisonnier », seule valeur ayant disparu de nos jours où le mot dénomme aussi une « peine privative de liberté », et au figuré « ce qui tient enfermé étroitement ».

son veissel : c'est dans ce *veissel mout gent* (v. 395) que Jésus institua l'Eucharistie le soir de la Cène. Lors de son arrestation, un Juif prit le récipient (v. 397-398) et le transmit à Pilate (v. 433-435), lequel le donna à Joseph (v. 507-510). Ce dernier y recueillit le sang du Crucifié lors de la Descente de croix (v. 562-574), puis il cacha le précieux objet dans sa maison, à l'insu de tous mais pas de Dieu (v. 859-862). Le Seigneur lui rapporte le vase et l'instaure comme calice de la messe (v. 907-909). Selon Petrus, ce *veissel* doit être appellé graal : *Qui a droit le vourra nummer/Par droit Graal l'apelera ;/Car nus le Graal ne verra,/Ce croi je, qu'il ne li agree* (v. 2658-2661). L'auteur propose ainsi du mot *graal* une étymologie fantaisiste, par dérivation populaire, en le rattachant au verbe *agréer* : le *graal* serait ce qui est agréable.

croi : du latin *credere*, le verbe *croire* signifie « avoir foi », « faire confiance à » ; « affirmer avec certitude », « penser » ; « faire crédit à quelqu'un ».

chetis : issu du latin vulgaire **cactivus*, résultat du croisement du latin *captivus* et du gaulois **cactos*, le terme *chaitif/chetis* présente les significations suivantes : 1) « prisonnier » ; 2) « mauvais, méchant », sens encore attesté au XVIe siècle ; 3) « de peu de valeur, de prix ou d'importance », « dérisoire » ; 4) « malheureux, infortuné » ; 5) « de faible constitu-tion », « malingre ». Cette dernière acception est la plus usuelle aujourd'hui.

20. [Jésus-Christ apporte le graal à Joseph]

Mout fu Pilates* irascuz
Quant set que Joseph* fu perduz ;
Et en sen cuer mout l'en pesoit,
710 Que nul si boen ami n'avoit.
Au siecle* fu bien adirez
Et vileinnement ostelez* ;
Meis Diex nou mist pas en oubli,
Cui on trueve au besoing* ami,
715 Car ce que pour lui soufert ha
Mout tres bien li guerredonna.
A lui dedenz la prison* vint
Et son veissel* porta, qu'il tint,
Qui grant clarté seur lui gita,
720 Si que la chartre enlumina ;
Et quant Joseph la clarté vist,
En son cuer mout s'en esjoïst.
Diex son veissel li aportoit,
Ou son sanc requeillu avoit.
725 De la grace dou Seint Esprist
Fu touz pleins, quant le veissel vist,
Et dist : « Sires Diex toupuissanz,
Dont vient ceste clartez si granz ?
Je croi si bien vous et vo non
730 Qu'ele ne vient se de vous non.
– Joseph, or ne t'esmaie mie ;
La vertu Dieu has en aïe,
Saches qu'ele te sauvera

20. Jésus-Christ apporte
le graal à Joseph

Pilate entra dans une violente colère
quand il apprit que Joseph était perdu ;
en son cœur il en était fort affligé
car il n'avait pas de si bon ami.   710
Joseph était perdu pour le monde
et ignominieusement logé ;
mais Dieu, en qui on trouve un ami
en cas de besoin, ne l'oublia pas,
car ce qu'il avait souffert pour lui,   715
il l'en récompensa très largement.
Il le visita en prison
et lui apporta son vase qu'il tenait dans les mains
et qui l'entoura d'une vive clarté,
à tel point qu'il illumina la prison ;   720
et quand Joseph vit la clarté,
son cœur fut au comble de la joie.
Dieu lui apportait son vase
où il avait recueilli son sang.
Il fut rempli de la grâce   725
du Saint-Esprit, à la vue du vase,
et dit : « Seigneur, Dieu tout-puissant,
d'où vient cette si vive clarté ?
J'ai une telle foi en vous et en votre nom
qu'elle ne peut venir que de vous.   730
– Joseph, ne t'inquiète donc pas ;
tu es aidé par la puissance de Dieu ;
sache qu'elle te sauvera

En paradis, ou te menra. »
735 Joseph Jhesu Crist demandoit
Qui il iert, qui si biaus estoit :
« Je ne vous puis, sire, esgarder
Ne connoistre ne aviser.
– Joseph, dist Diex, enten a moi,
740 Ce que je te direi si croi★.
Je sui li Fiuz Dieu, qu'envoier
Voust Diex en terre pour sauver
Les pecheours de dampnement
Et dou grant infernal tourment.
745 Je vins en terre mort soufrir,
En la crouiz finer et morir,
Pour l'uevre men pere sauver
Qu'Adans avoit feite dampner
Par la pomme que il menja,
750 Qu'Eve sa fame li donna
Par le conseil de l'Ennemi,
Qu'ele plus tost que Dieu creï.
Aprés ce, Diex de paradis
Les gita et les fist chetis★
755 Pour le pechié que feit avoient
Quant son commandement passoient.
Eve conçut, enfanz porta ;
Et li et ce qu'ele enfanta
Voust tout li Ennemis avoir
760 En son demeinne, en son pooir,
Et les eut tant cum plust au Pere
Que li Fiuz naschi de la mere.
Par fame estoit hons adirez,
Et par fame fu recouvrez ;
765 Fame la mort nous pourchaça,
Fame vie nous restora ;
Par fame estions emprisonné,
Par fame fumes recouvré. »

en paradis où elle t'emmènera. »
Joseph demanda à Jésus-Christ   735
qui il était, lui qui était si beau :
« Je ne puis, Seigneur, vous regarder,
ni vous reconnaître ni vous apercevoir.
– Joseph, dit Dieu, écoute-moi
et crois ce que je vais te dire.   740
Je suis le fils de Dieu
qu'il a voulu envoyer sur terre pour sauver
les pécheurs de la damnation
et des grands tourments de l'enfer.
Je suis venu sur terre pour subir la mort   745
et mourir sur la croix,
afin de sauver l'œuvre de mon Père
qu'Adam avait vouée à la damnation
en mangeant la pomme
que sa femme Ève lui donna   750
sur les conseils du diable
en qui elle crut plutôt qu'en Dieu.
Ensuite Dieu les chassa du paradis
et les condamna au malheur
par le péché qu'ils avaient commis   755
en transgressant son ordre.
Ève conçut, porta des enfants ;
elle et ses enfants,
le diable voulut tout avoir
sous sa domination et en son pouvoir,   760
et il les garda jusqu'à ce qu'il plût au Père
que le Fils naquît de la mère.
Par une femme l'homme fut perdu
et par une femme il fut sauvé ;
une femme nous procura la mort,   765
une femme nous rendit la vie ;
par une femme nous étions emprisonnés,
par une femme nous fûmes libérés. »

LE HAUT LIVRE DU GRAAL :
PERLESVAUS

Selon les critiques, ce roman arthurien en prose daterait de 1200-1210 ou de 1230-1240, autrement dit il est pour les uns antérieur au grand cycle du *Lancelot-Graal* et pour les autres postérieur. En tout cas, de ce récit touffu qui s'articule autour de l'échec de Perceval au château du Roi Pêcheur dans *Le Conte du graal*, se détachent quatre personnages. Le roi Arthur, mélancolique au début, se rend en pèlerinage à la chapelle Saint-Augustin, de sorte qu'il retrouve sa vaillance et sa largesse et qu'il observe plus tard les *muances* (les transformations) du graal. Son neveu Gauvain conquiert l'épée qui décapita saint Jean, puis assiste au cortège du graal, mais, témoin extatique d'une scène mystique où le sang de la lance coule dans le saint vase, il est incapable de poser la moindre question. Lancelot, pour sa part, est privé de la vision des reliques sacrées parce qu'il ne veut pas renoncer à son amour coupable pour la reine Guenièvre. Enfin, Perlesvaus reconquiert le château du graal en triomphant du souverain du Chastel Mortel qui s'en était emparé.

L'auteur anonyme du *Haut Livre du graal*, ainsi qu'il est nommé dans le prologue, semble se défier de l'amour courtois, refusant toute aventure galante à Gauvain, étonnamment chaste, et surtout toute rencontre entre Lancelot et Guenièvre. En revanche, il

exhorte à défendre la Nouvelle Loi et à combattre les
tenants de l'Ancienne Loi. Cet esprit de croisade et de
conversion ranime la chevalerie arthurienne, même
s'il provoque un déchaînement effrayant de violence
et de sauvagerie (têtes tranchées, corps démembrés,
scène de cannibalisme...).

Bibliographie

Le Haut Livre du graal : Perlesvaus, éd. de W.A. Nitze et
    T.A. Jenkins, Chicago, The University of Chicago Press,
    1932-1937, 2 vol. (vol. 1 Texts, variants and glossary ;
    vol. 2 Commentary and notes) ; trad. partielle de
    Ch. Marchello-Nizia dans *La Légende arthurienne,* Paris,
    Robert Laffont, « Bouquins », 1989, p. 117-309 ; trad.
    intégrale de A. Berthelot, *Perlesvaus. Le Haut Livre du
    graal,* Greiswald, Reineke Verlag, 1997.
T.E. Kelly, *Le Haut Livre du graal : Perlesvaus. A Structural
    Study,* Genève, Droz, 1974 ; A. Saly, *Mythes et dogmes.
    Roman arthurien, épopée romane,* Orléans, Paradigme,
    1999 (ce recueil contient six articles relatifs à *Perlesvaus*).

Notes

Le texte est établi d'après le manuscrit O d'Oxford qui date
    du XIIIe siècle et l'éd. de W.A. Nitze et T.A. Jenkins.
Le dialogue animé entre Lancelot et l'ermite oppose deux
    éthiques : d'une part celle de la *fin' amor* fondée sur la
    soumission (l. 50-51), la fidélité et la loyauté (l. 55) du
    chevalier envers sa suzeraine dans une atmosphère où
    règnent la beauté (l. 10, 32), la courtoisie, la valeur et la
    sagesse (l. 33) ; il s'agit d'un amour volontaire (l. 51-52),
    enraciné dans le cœur (l. 19), d'un amour source de per-
    fectionnement (l. 20-21), d'un véritable culte de l'amour
    avec la dame élevée au rang de la divinité ; de l'autre la
    morale religieuse dénonce le péché de luxure (l. 23) et
    l'adultère (l. 24), invite au repentir (l. 28, 41, 45) et à la
    pénitence (l. 46, 49), exhorte enfin le héros à renoncer à
    sa folie diabolique (l. 39-40) pour sauver son âme (l. 58).

Dans *La Queste del Saint Graal*, le pécheur endurci devient
le pécheur repentant. Lancelot confesse à un ermite tous
ses péchés, y compris sa liaison coupable avec la reine
Guenièvre à l'amour de laquelle il jure de renoncer (éd. de
A. Pauphilet, p. 66-67 et 71).

ostel : issu du latin *hospitale* signifiant « d'hôte, hospitalier »
avant de devenir en bas latin un « logis où l'on reçoit des
hôtes », le substantif *ostel* possède d'abord un sens abstrait :
c'est l'hébergement, le fait de se loger. Lorsqu'il désigne
concrètement un logis, celui-ci est en général temporaire,
contrairement à *maison* (du latin *mansionem*) qui insiste sur
la permanence, l'idée d'une résidence habituelle. À partir
du XVᵉ siècle, le terme se spécialise dans des sens concrets :
en effet, il dénomme soit une demeure princière ou
luxueuse (les hôtels du Marais), soit un édifice important,
le siège d'un service public (l'hôtel des Postes), soit encore
une « maison meublée et gérée commercialement » où l'on
accueille des voyageurs.

prodome : le terme est composé de l'adjectif *proz*, de la préposition *de* et du substantif *home*. Il offre plusieurs acceptions : « homme de qualité qui force le respect et l'admiration » ; guerrier d'élite, vaillant ; homme sage et réfléchi ;
homme honnête et loyal ; saint homme, vénérable ermite
ou religieux. Employé parfois comme adjectif, *prodome/
preudome* signifie alors « noble », « valeureux », « honorable »
et « remarquable ». Selon Joinville, Philippe Auguste éta-
blissait une distinction entre *preu homme* et *preudomme*.
« Car il a maint preu homme chevalier en la terre des cres-
tiens et des Sarrazins, qui onques ne crurent Dieu ne sa
Mere. Dont je vous di, fist il, que Dieu donne grant don
et grant grace au chevalier crestien que il seuffre estre
vaillant de cors et que il seuffre en son servise en li gardant de pechié mortel ; et celi qui ainsi se demeinne doit
l'en appeler "preudomme" pour ce que ceste proesce li
vient du don Dieu. Et ceulz de qui j'ai avant parlé peut
l'en appeler "preuz hommes" pour ce que il sont preus de
leurs cors et ne doutent Dieu ne pechié » (*Vie de Saint
Louis*, § 560). Depuis le XIXᵉ siècle, le *prud'homme* n'est
plus qu'un magistrat chargé de régler des contentieux
d'ordre professionnel. On consultera E. Köhler, *L'Aventure chevaleresque*, Paris, Gallimard, 1974, p. 149-160, et
M.-L. Chênerie, « *Preudome* dans la *Mort Artu* (Étude

sémantique et stylistique) », *La Mort du roi Arthur ou le Cré-puscule de la chevalerie*, Paris, Champion, 1994, p. 67-83.

guerredons : d'origine francique, le mot signifie : « récompense en retour d'un service rendu ou d'un don » ; « cadeau » ; « faveur » ; « salaire » et « prix ».

icel pechié vos jehira[i] je hors de la boche dont je ne puis estre repentanz el cuer : l'antithèse entre la bouche et le cœur provient peut-être du *Chevalier de la charrette* de Chrétien de Troyes, v. 370-372 : *N'est pas el cuer mes an la boche/ Reisons qui ce dire li ose./Mes Amors est el cuer anclose.*

pechiez criminex : les sept péchés capitaux sont : l'avarice, la colère, l'envie, la gourmandise, la luxure, l'orgueil et la paresse.

Que plus a en lui beauté et plus que vaut [...] tant fet ele plus : dans cet exemple, la variation proportionnelle s'exprime au moyen de l'adverbe d'intensité *plus* présent dans les deux termes du système, de la conjonction *que* introdui-sant les deux propositions du premier terme et de l'adverbe *tant* soulignant la corrélation dans le second terme.

celui qui le feri de la lance au costé : cette périphrase désigne le centurion romain et aveugle, nommé Longin, qui perça le flanc du Christ sur la Croix. Il recouvra la vue en se mettant sur les yeux du sang du Christ et se convertit. Voir *Évangile selon saint Jean*, 19, 33-34 ; *Évangile apocryphe de Nicodème*, chap. X ; *Le Couronnement de Louis*, v. 768-774 : « *Longis i vint, qui fu bien eürez,/Ne vos vit mie, ainz vos oï parler,/Et de la lance vos feri el costé./Li sans et l'aive li cola al poing clers./Terst a ses uelz, si choisi la clarté,/Bati sa colpe par grant umilité,/Ilec li furent si pechié pardoné.* »

deboneretê : résultant de la soudure de *de bon aire* (« de bonne souche », « de bonne extraction »), l'adjectif *debon(n)aire* signifie « noble », « valeureux », « généreux », puis « bon », « bienveillant » avant de prendre, à partir du XVIe siècle, une valeur péjorative : « complaisant », « faible ». Le subs-tantif *deboneretê*, dérivé de l'adjectif, suit la même évolu-tion sémantique : « noblesse » ; bonté d'âme, générosité de cœur, puis « mollesse ».

21. [Le plus doux péché de Lancelot]

Lanceloz chevauche tant qu'il vient au pié d'une montaigne, et trouve .I. hermitage dejoste une fontaine. Il se pensse, puis qu'il doit aler en si haut ostel* et en si riche conme cil est ou li Graax s'apert, il se
5 confessera a cel prodome*. Il descendi et se confessa au prodome et jehi toz ses pechiez, et li dist que d[e] toz estoit repentanz fors que d'un. Li ermites li demanda qel pechié ce estoit dont il ne se voloit repentir. « Sire, fait Lanceloz, ce me semble estre li
10 plus dous pechiez et li plus beaus que je onques feïsse. – Beau sire, fait li hermites, li pechié sunt douz a faire, mais li guerredons* est molt amers, ne nul pechiez n'est beax ne courtois, mais li [uns] pechiez est plus orible de l'autre. – Sire, fait Lanceloz, icel pechié vos
15 jehira[i] je hors de la boche dont je ne puis estre repentanz el cuer*. Je aim bien ma dame, qui roïne est, plus que nulle rien qui vive, et si l'a .I. des meillors rois del mont a feme. La volenté me semble si bone et si haute que je ne la puis lessier, et si m'est enracinee
20 el cuer qu'ele ne s'em puet partir. La gregnor valor qui est en moi si me vient par la volenté. – Ha ! pechierres mortex, fet li hermites, c'avez vos dit ? Nule valor ne puet venir de tel luxore qui ne li soit vendue molt chiere. Vos estes traïtres a vostre segnor terrien et
25 omecides au Sauveor. Vos avez des .VII. pechiez criminex* l'un des gregnors enchargié ; li deduiz en est molt faus, si le conperrez molt chier se vos n'en estes

21. Le plus doux péché de Lancelot

Lancelot continue de chevaucher jusqu'au pied d'une montagne où il trouve un ermitage proche d'une source. Il se dit que, puisqu'il doit se rendre dans une demeure aussi noble et magnifique que celle où apparaît le Graal, il se confessera auprès du saint homme du lieu. Il descendit de son cheval, se confessa auprès du saint homme et lui avoua tous ses péchés, ajoutant qu'il se repentait de tous sauf d'un. L'ermite lui demanda quel était ce péché dont il ne voulait pas se repentir. « Seigneur, répondit Lancelot, il me semble que c'est le plus doux et le plus beau péché que j'aie jamais commis.

– Cher seigneur, reprit l'ermite, les péchés sont doux à faire, mais le prix à payer en est très amer ; aucun péché n'est beau ni aimable, mais ils sont plus horribles les uns que les autres.

– Seigneur, dit Lancelot, ma bouche va vous avouer ce péché dont mon cœur ne peut se repentir. J'aime passionnément ma dame, qui est reine, plus qu'aucune femme au monde, et l'un des meilleurs rois du monde l'a pour épouse. Ce désir me semble si bon et si noble que je ne puis y renoncer et il est si profondément enraciné dans mon cœur qu'il ne peut s'en séparer. La plus grande valeur qui est en moi me vient de cet amour.

– Ah ! pécheur damné, s'exclama l'ermite, qu'avez-vous dit ? Aucune valeur ne peut venir de la luxure sans qu'elle lui coûte très cher. Vous êtes traître à votre seigneur d'ici-bas et criminel envers le Sauveur. Des sept péchés capitaux, vous avez commis l'un des plus graves ; le plaisir en est fort trompeur et vous le paierez très cher si vous ne vous en repentez pas rapidement.

repentanz hastivement. – Sire, fet Lanceloz, onques mes
ne le voil gehir a nul home terrien. – Tant vaut pis, fet li
30 hermites. Vos le deüssiez avoir gehi pieça et tantost lessié,
car tant com vos le maintenez serez vos enemis au Sauveor. – Ha ! Sire, fet Lanceloz, il a tant de beauté en lui et
valor et sens et cortoisie que nus que ele vousist amer ne
le devroit lessier. – Que plus a en lui beauté et que plus
35 vaut, fet li hermites, tant fet ele plus* a blasmer et vos
autresi, car chose ou il a poi de valor n'est ce pas si granz
damages conme de celui qui doit assez valoir, et ceste est
roïne benoete et sacree, si fu voe[e] en son conmence-
ment a Deu. Or s'est donee au deable por vostre amor et
40 vos por lui. Sire chiers amis, lessiez ceste folie que vos
avez emprise, si soiez repentanz de cel pechié, et je
proierai au Sauveor por vos chascun jor, que si veraie-
ment com il perdona sa mort a celui qui le feri de la lance
au costé*, vos perdonst icel pechié que vos avez main-
45 tenu, se vos estes repentanz et verais confés ; si en
prendré la penitance sor moi. – Sire, fet Lanceloz, granz
merciz de Deu. Je ne sui mie entalentez de guerpir le, ne
je ne vos voil dire chose a coi li cuers ne s'acort. Je voil
bien fere la penitance si grant come ele est establie a tel
50 pechié, car je voil servir ma dame la roïne tant com li
plera que je soie ses bien voillanz. Je l'aim tant que je voil
que ja ne me viegne volenté de guerpir s'amor, et Dex est
si douz et si plains de debonereté*, si conme li prodome
tesmoignent, qu'il avra merci de nos, que je ne fis onques
55 traïson vers li ne ele vers moi. – Ha ! beax douz amis, fet
li hermites, nule rien ne vos vaurroit ce que je diroie, et
Damedeu li doinst tel volenté et a vos autresi que vos
puissiez fere le plesir au Sauveor et les ames sauver ; mes
itant vos di je bien, se vos gesiez en l'ostel au riche Roi
60 Pescheor, que del Graal ne verriez vos mie, por le mortel
pechié qui vos gist ou cuer. – Damedeu et sa douce
mere, fet Lanceloz, [me consaut] par son plesir et a sa
volenté ! – Si face il, fet li hermites, car je le vouldroie. »
      Lanceloz prent congié, puis est montez. Il se part de
65 l'ermitage. Li vespres aproche : il voit qu'il est eure de
herbergier. Il choisi devant li le chastel le Roi Pescheor.

– Seigneur, dit Lancelot, je n'ai jamais voulu l'avouer à personne ici-bas.

– C'est encore pire, répliqua l'ermite. Vous auriez dû l'avouer depuis longtemps et y renoncer aussitôt, car tant que vous persévérerez, vous serez l'ennemi du Sauveur.

– Ah ! seigneur dit Lancelot, il y a en elle tant de beauté, de valeur, de sagesse et de courtoisie que quiconque elle voudrait aimer ne devrait renoncer à cet amour.

– Plus elle a de beauté et de valeur, rétorqua l'ermite, et plus elle est à blâmer et vous aussi ; car chez des personnes de peu de valeur le dommage est moins grand que chez des êtres de grande valeur ; de plus cette femme est une reine bénie et sacrée, et dès le début elle fut vouée à Dieu. Désormais elle s'est donnée au diable par amour pour vous et vous pour elle. Seigneur, cher ami, renoncez à cette folie dans laquelle vous vous êtes engagé, repentez-vous de ce péché, et chaque jour je prierai pour vous le Sauveur afin que, aussi vrai qu'il a pardonné sa mort à celui qui l'avait frappé de la lance au côté, il vous pardonne ce péché dans lequel vous avez persévéré, si vous vous repentez et vous confessez sincèrement, et j'en prendrai sur moi la pénitence.

– Seigneur, dit Lancelot, je vous remercie beaucoup d'intercéder auprès de Dieu. Je ne désire pas renoncer ni ne veux prononcer des paroles avec lesquelles mon cœur ne s'accorde pas. J'accepte d'accomplir la dure pénitence imposée pour un tel péché, car je veux servir ma dame la reine aussi longtemps qu'il lui plaira de m'accorder sa bienveillance. Je l'aime tant que je souhaite que jamais ne me vienne le désir de renoncer à mon amour pour elle, et Dieu est si bon et si miséricordieux, selon le témoignage des vénérables religieux, qu'il aura pitié de nous, car jamais je n'ai été déloyal envers elle, ni elle envers moi.

– Ah ! mon cher ami, reprit l'ermite, tout ce que je pourrais dire ne vous servirait à rien ; que Dieu lui accorde ainsi qu'à vous la volonté de complaire au Sauveur et de sauver vos âmes ; mais je vous affirme seulement que si vous passiez la nuit dans la demeure du riche Roi Pêcheur, vous ne verriez pas le Graal, à cause du péché mortel présent dans votre cœur.

– Que le Seigneur Dieu et Sa douce mère, répondit Lancelot, me secourent à leur gré et selon leur volonté !

– Qu'il en soit ainsi, dit l'ermite, car je le souhaiterais. »

Lancelot prit congé puis remonta à cheval. Il quitta l'ermitage. Le soir approchait : il vit que c'était le moment de trouver un logis. Il aperçut devant lui le château du Roi Pêcheur.

Manessier

LA CONTINUATION DE PERCEVAL

Dans l'épilogue de *La Continuation de Perceval*, roman de plus de 10 000 vers composé autour de 1230, Manessier offre son œuvre à sa protectrice, la comtesse Jeanne de Flandre, la petite-nièce de Philippe d'Alsace, lui-même dédicataire du *Conte du graal* de Chrétien de Troyes. Des quatre continuateurs, Manessier, qui reprend le récit là où Wauchier de Denain, l'auteur de *La Deuxième Continuation*, l'a laissé en suspens, est le seul à proposer un dénouement à l'histoire narrée par ses prédécesseurs.

Soucieux de proposer une clôture narrative définitive, il commence la diégèse là où ses confrères étaient censés terminer la leur, par les révélations du Roi Pêcheur. Ayant réussi la soudure magique de l'épée, Perceval apprend notamment de son oncle que la lance est l'arme avec laquelle Longin a frappé le flanc du Christ, que le graal est le récipient dans lequel Joseph d'Arimathie a recueilli le sang du crucifié et que le tailloir sert à couvrir le saint vase. Il apprend également que le frère du Roi Pêcheur, Goondesert, a succombé au Coup Douloureux assené, au moyen de l'épée qui s'est alors brisée, par le traître Partinal, que lui-même, de désespoir, s'est tranché les nerfs des deux jambes et ne sera guéri que par le châtiment de l'assassin. Dès le début, les mystères sont donc résolus, les identités spécifiées, le destin tracé. Tout est clarifié et rationalisé. Le héros doit accomplir une double mission d'exorciste et de vengeur. Lorsqu'il triomphe du diable et purifie la chapelle de la main noire souillée par le matricide commis par Espinogre, il expie en quelque sorte son « péché originel », lui qui par son départ du manoir familial avait causé le décès de sa mère. Et dès qu'il rapporte au Roi *Mehaignié* la tête de son ennemi Partinal, seigneur de la Terre Rouge, il provoque sa guérison. Il peut alors accéder à la souveraineté du graal après la mort de son oncle. Puis, au terme d'un règne pacifique, il se retire dans un ermitage et devient prêtre, célébrant la messe durant dix années. Lorsqu'il décède, son âme est ravie au ciel avec le Graal, la Lance et le tailloir. Sur sa tombe est gravée cette épitaphe : « Ci-gît Perceval le Gallois qui acheva les aventures du Saint Graal. »

Sans négliger les épisodes chevaleresques (le protagoniste secourt à nouveau Blanchefleur et participe à un tournoi) ni les compagnons de la Table ronde tels que Gauvain, Sagremor ou Bohort dont on suit les exploits et les épreuves grâce au procédé de l'entrelacement, Manessier confère une dimension hagiographique à son roman, dont le héros est désormais un élu, glorifié et sanctifié.

Bibliographie

The Continuations of the Old French Perceval of Chretien de Troyes, éd. de W. Roach, t. V, Philadelphie, 1983.

Cl. Lachet, « *Les Continuations de Perceval,* ou l'art de donner le coup de grâce au récit du Graal », *L'Œuvre inachevée*, Lyon, CEDIC, 1999, p. 21-29 ; J. Marx, « Étude sur les rapports de la *Troisième Continuation du Conte du Graal* de Chrétien de Troyes avec le cycle du *Lancelot en prose* en général et la *Queste del Saint Graal* en particulier », *Romania*, t. LXXXIV, 1963, p. 451-477 ; M. Séguy, *Les Romans du Graal ou le Signe imaginé*, Paris, Champion, 2001.

Notes

Le texte est établi d'après le manuscrit 1429 de la Bibliothèque nationale (vers 42478 à 42490), puis à partir du
vers 42491 jusqu'à la fin d'après le manuscrit H. 249 de
la bibliothèque de l'École de médecine de Montpellier, et
l'éd. de W. Roach.

Pour cet ultime cortège du graal, Manessier reprend plusieurs éléments au *Conte du graal* de Chrétien de Troyes
(voir le texte 13) : le repas qui constitue le cadre traditionnel de cette cérémonie et la profusion des mets liée au
passage des officiants, les objets habituels défilant l'un
après l'autre devant la noble assistance, la goutte de sang
qui perle à la pointe du fer blanc de la Lance, le *vallet* qui
porte cette arme, les deux demoiselles porteuses du vase
et du tailloir d'argent, la présence de Perceval et de rois,
des expressions comme *tot descouvert* (v. 42490), des
rimes telles que *blanc/sanc* (v. 42495-42496).

Toutefois le romancier veille à se démarquer du récit originel en modifiant l'ordre des objets et en métamorpho-
sant le nice de la Gaste Forêt en un héros omniscient,
garant de la vérité, de sorte que c'est lui qui à présent
répond aux questions et initie Arthur aux secrets du graal.
Une fois couronné, Perceval se révèle supérieur au
parangon de la royauté courtoise. Si jadis, par son silence
obstiné, il avait entraîné de nombreux malheurs, dévasta-
tions, massacres, veuvages, désormais il se rachète pleinement en gardant son domaine en paix, en bâtissant des
forteresses et en mariant ses deux cousines.

Le jor i ot quatorze rois : la présence honorifique de quatorze
souverains rappelle la prestigieuse assemblée qui assis-
tait au couronnement de Louis, le fils de Charlemagne.
Voir *Le Couronnement de Louis*, éd. de E. Langlois, Paris,
Champion, 1921, v. 39-41 et 45-46 : *Cel jor i ot bien vint
et sis abez,/Et si i ot quatre reis coronez.*

huis : alors que le terme « porte », du latin *porta,* désigne une
ouverture large et massive à deux battants, la porte d'une
ville ou d'un château, le substantif *(h)uis* (du latin *ostium*
qui signifie « entrée ») s'applique à la porte d'une maison
ou d'une chambre. À l'époque contemporaine, *huis* (avec
un *h* diacritique) ne survit que dans l'expression *à huis
clos* et dans le mot *huissier* dont la fonction première

consista d'abord à ouvrir et à fermer les portes des grands personnages et des tribunaux.

Le Saint Graal tot descouvert : le premier adjectif témoigne que le graal est désormais considéré comme une relique sacrée. Quant à l'expression *tot descouvert*, héritée du *Conte du graal* (v. 3301), elle signifie « entièrement découvert ». La locution suggère-t-elle que le récipient est dépourvu de couvercle et de voile, un calice sans patène ? Ou faut-il comprendre, à la suite de Jean Frappier, que le vase est très apparent, tout à fait visible, que le graal apparaît dans toute sa splendeur ?

damoisele : provenant de *dominicella, diminutif de *domina*, le substantif *damoisele* désigne une jeune fille de rang social élevé, la fille d'un roi ou d'un grand baron, puis une suivante (voir depuis le XIXe siècle l'expression une *demoiselle d'honneur*). Si, à l'instar de *dame*, le terme peut être utilisé comme appellatif dès le XIIIe siècle, il s'applique parfois à une épouse de petite noblesse ou à une femme noble mariée à un bourgeois. Voir A. Grisay, G. Lavis, M. Dubois-Stasse, *Les Dénominations de la femme dans les anciens textes littéraires français*, Gembloux, Duculot, 1969, p. 166-178.

s'en departi : dérivé de *partir*, le verbe *departir* présente des significations qui varient selon les constructions : si, transitif, il veut dire « partager, répartir, disperser », à la forme intransitive ou pronominale il qualifie le fait de se séparer, s'écarter de, se détacher, se retirer. Peu usité aujourd'hui, il garde le premier sens (attribuer en partage) dans la locution *Dieu départ ses grâces*, et le second (abandonner) dans des formules telles que *se départir de/ne pas se départir de*.

court : dérivé du bas latin *curtem*, qui vient lui-même du latin classique *cohortem* (« enclos », « état-major d'un général », « suite d'un prince »), le terme *cour(t)* offre plusieurs acceptions : 1) « enclos d'une maison, cour de ferme », d'où « domaine rural, exploitation agricole » ; 2) « domaine seigneurial, résidence royale », d'où entourage d'un prince ou d'un souverain, assemblée de vassaux ; 3) ensemble des magistrats, cour de justice. La disparition du *t* est due, par suite d'une fausse étymologie, à l'influence du latin *curia* (« lieu de réunion des assemblées romaines »).

s'en parti : provenant du latin vulgaire *partire, lui-même issu du latin classique *partiri* (« diviser en parties »), le verbe *partir*, employé transitivement, conserve cette valeur étymologique : « séparer, partager, répartir, distribuer » ; dans son emploi intransitif ou pronominal, il signifie « se séparer de », « s'éloigner de », « quitter », « s'en aller ». Signalons quelques expressions particulières : *partir de cest siecle* (« mourir »), *soi partir d'amors* (« renoncer à l'amour »).

Set anz : cette durée paraît surtout symbolique. J. Ribard explique en effet que « le *sept*, unissant en lui les vertus, antagonistes mais complémentaires, du *quatre* et du *trois*, servira à marquer la perfection d'un cycle achevé et comme fermé sur lui-même, mais qui appelle, de ce fait même, un dépassement, ce qu'on pourrait appeler un passage à l'octave » (*Le Moyen Âge. Littérature et symbolisme*, Paris, Champion, 1984, p. 25).

Ses deus cousines qu'il ama : il s'agit de la fille du Roi Pêcheur et de la nièce de ce dernier, la fille de son frère, le roi Goondesert. La première demoiselle est la porteuse du graal et la seconde celle du tailloir.

22. [Perceval roi du Graal]

A un jor de feste Toz Saint
Fu coronez li bons Galois ;
42480 Le jor i ot quatorze rois*
Coronez por amor de lui,
Ne il n'i ot onques celui
Qui mout ne fust de grant renon.
Au maistre dois tot environ
42485 Sont li roi tuit en ordre asis,
Et tuit li compaignon de pris
Sistrent aprés conmunement.
Mais ne tarda pas longement
Qu'il virent par un huis* overt
42490 Le Saint Graal tot descouvert*
C'une damoisele* portoit,
Qui gentement se deportoit.
Aprés cele sanz demorance
Vint un vallet qui une lance
42495 Tint en sa main, a un fer blanc
Dont ist une goute de sanc.
Aprés, devant toute la gent,
Oissi un tailleor d'argent
C'une damoisele tenoit,
42500 Qui gentement se contenoit.
Trois tors vont par devant les tables.
Lors furent de mes delitables
Trestotes les tables garnies
Et si gentement replenies

22. Perceval roi du Graal

Lors d'une fête de la Toussaint
fut couronné le bon Gallois ;
ce jour-là étaient présents quatorze rois   42480
couronnés par amour pour lui ;
parmi eux, il n'y en avait aucun
qui ne fût très renommé.
Tout autour de la table d'honneur
s'assirent en ordre tous les rois   42485
puis tous les compagnons réputés
s'assirent ensemble.
Mais peu de temps après
ils virent par une porte ouverte
le saint Graal bien apparent   42490
que portait une demoiselle,
officiant avec grâce.
La suivit sans retard
un jeune homme qui tenait
dans sa main une lance au fer blanc   42495
d'où perlait une goutte de sang.
Ensuite, devant toute l'assistance,
apparut un tailloir d'argent
tenu par une demoiselle
d'élégante prestance.   42500
Ils passèrent trois fois devant les tables,
qui furent alors toutes
garnies de mets délicieux
et si généreusement remplies

42505 Que honme nonmer ne seüst
Nul mes que trouver ne peüst,
Et vin de toutes les manieres.
En la chambre alerent arieres
Li vallet et les damoiselles.
42510 Et lors a demander novelles
Conmença Artus li bons rois.
Adonc Perceval li Galois
Lor a de maintenant conté
D'outre en outre la verité,
42515 Que onques mot n'i trespassa.
Li rois le mengier en lessa,
Si firent tuit cil qui l'oïrent,
Qui durement s'en esjoïrent.
Un mois dura la cort pleniere,
42520 Et li Graaux en tel maniere
Toz les jors einsi les servoit
Com il acostumé avoit.
Au chief du mois s'en departi★
La court★ et li rois s'en parti★,
42525 Qui ses compaingnons en mena ;
Jusqu'en sa terre ne fina.
Perceval remest en sa terre,
Set anz★ la tint en pes sanz guerre
C'onques nelui riens n'i mesfist.
42530 Chastiax, fortereces refist,
N'ot voisin qui ne le doutast
Et qui honor ne li portast.
Ses deus cousines qu'il ama★
A molt grant honor marïa.

qu'on n'aurait pas pu nommer   42505
le moindre mets sans l'y trouver,
ainsi que des vins de toutes sortes.
Dans la chambre retournèrent
le jeune homme et les demoiselles.
C'est alors que le bon roi Arthur   42510
se mit à poser des questions.
Perceval le Gallois
leur a aussitôt rapporté
la vérité d'un bout à l'autre,
sans mentir d'un seul mot.   42515
Le roi en cessa de manger
comme tous ceux qui entendirent le récit
et furent transportés d'allégresse.
La cour plénière dura un mois,
et le Graal de la même manière   42520
les servait tous les jours,
comme il en avait l'habitude.
À la fin du mois la cour
se sépara et le roi partit
en emmenant ses compagnons ;   42525
il ne s'arrêta pas jusqu'à sa terre.
Perceval resta en son pays
et le garda sept ans en paix sans guerroyer
ni faire de mal à personne.
Il rebâtit châteaux et forteresses :   42530
tous ses voisins le craignaient
et l'honoraient.
Les deux cousines qu'il aimait,
il les maria très honorablement.

LE MERLIN EN PROSE

Geoffroy de Monmouth est le premier à identifier dans l'*Historia regum Britanniae* (1138) Merlin (sans doute adapté du gallois Myrddin, un barde ou un chef de clan) avec un prophète, enfant sans père, nommé Ambrosius par Nennius, l'auteur de l'*Historia Britonum* (VIIIᵉ-IXᵉ siècles). Le *Merlin en prose*, attribué à Robert de Boron et composé au début du XIIIᵉ siècle, est le panneau central d'un triptyque formé également du *Joseph* et du *Perceval*.

Le roman s'ouvre sur le conseil des démons qui, furieux à cause de la Résurrection, décident de créér un Antéchrist et chargent un incube d'engendrer un fils dans le sein d'une vierge. Dès sa naissance, Merlin apparaît comme un enfant prodige et il sauve sa mère du bûcher auquel elle était condamnée. Il explique ensuite à l'usurpateur Vertigier, qui a envoyé ses messagers à la recherche de l'enfant sans père, que l'écroulement de sa tour est due à la présence souterraine de deux dragons. Après la mort de Vertigier, brûlé dans un incendie, le devin se met au service des rois légitimes de Grande Bretagne et les aide à repousser les envahisseurs saxons. Lorsque Pandragon est tué sur le champ de bataille de Salisbury, il transporte et érige les pierres d'Irlande sur le lieu du combat, en l'honneur du souverain défunt. Il conseille alors le frère de ce dernier, Uter, à qui il suggère de fonder la

Table ronde, réplique de la Table du Graal, elle-même à l'image de celle de la Cène. Il favorise aussi les amours d'Uter et d'Igerne, la femme du duc de Tintagel, en donnant au roi l'apparence de l'époux d'Igerne. Durant la nuit, Uter engendre Arthur, dont Merlin s'empare après l'accouchement de celle qui, par son mariage, est devenue la reine, pour le confier à Antor, le père de Keu. Le héros règle enfin les problèmes de succession à la mort d'Uter : vainqueur à plusieurs reprises de l'épreuve de l'épée au perron, Arthur est désigné par Dieu pour monter sur le trône et son mérite personnel finit par convaincre des barons assez réticents.

Le romancier s'intéresse surtout au personnage de Merlin, insaisissable, suspect, inquiétant par certains traits (son rire, ses métamorphoses, sa magie, ses séjours en forêt). Prophète, enchanteur, manipulateur, mystificateur, maîtrisant dès son plus jeune âge l'art de la parole, connaissant le passé par son ascendance diabolique et l'avenir par la grâce divine, sage, sondant les cœurs et les reins des hommes, devinant les secrets, conseiller des rois, omniscient et omnipotent, véritable démiurge, le protagoniste mène le jeu, prédit et organise les événements avant de les relater à son scribe Blaise, devenant ainsi la figure de l'écrivain.

Le *Merlin* est l'un des premiers romans en prose. L'auteur a choisi cette nouvelle forme parce qu'elle permet de rassembler des registres variés (chronique, *chastoiement* religieux et politique, chanson de geste, fabliau) et qu'elle se modèle sur la Sainte Écriture. En effet le « Livre du graal », selon l'expression du héros-narrateur, l'Évangile selon Merlin, illustre que toutes les rédemptions sont possibles, même les plus désespérées : le fils du diable, créé par et pour le mal, est racheté de sa « maculée conception » par la sainteté de sa mère pénitente. Cet élu de Dieu agit pour la grandeur du royaume breton, l'exaltation de la chevalerie du Graal et le salut de l'humanité.

Bibliographie

Robert de Boron, *Merlin*, éd. de A. Micha, Genève, Droz, 1979 ; trad. de A. Micha, Paris, GF-Flammarion, 1994 ; Robert de Boron, *Le Roman du Graal*, éd. de B. Cerquiglini, Paris, UGE, « 10/18 », 1981, p. 73-195 ; *Merlin* dans *Le Livre du Graal*, éd. de I. Freire-Nunès et trad. de A. Berthelot, Paris, Gallimard, « Bibliothèque de la Pléiade », 2001, p. 569-806.

E. Baumgartner et N. Andrieux-Reix, *Le Merlin en prose*, Paris, PUF, 2001 ; F. Dubost, *Aspects fantastiques de la littérature médiévale*, Paris, Champion, 1991, t. II, chap. XXI, p. 710-751 ; *L'Enfant sans père*, textes réunis par Denis Hüe, Orléans, Paradigme, 2000 ; *Merlin, roman du XIIIᵉ siècle, de Robert de Boron*, ouvrage dirigé par D. Quéruel et Ch. Ferlampin-Acher, Paris, Ellipses, 2000 ; A. Micha, *Étude sur le Merlin de Robert de Boron*, Genève, Droz, 1980 ; R. Trachsler, *Merlin l'enchanteur. Étude sur le Merlin de Robert de Boron*, Paris, SEDES, 2000 ; Ph. Walter, *Merlin ou le Savoir du monde*, Paris, Imago, 2000 ; P. Zumthor, *Merlin le Prophète. Un thème de la littérature polémique, de l'historiographie et des romans*, Lausanne, Payot, 1943 (éd. originale), rééd. Genève, Slatkine Reprints, 1973 et 2000.

Filmographie

Outre les films consacrés à Lancelot, W. Reitherman, *The Sword in the Stone* (*Merlin l'Enchanteur*), 1963 ; R. Mayberry, *Unidentified Flying Oddball* (*Un cosmonaute chez le roi Arthur*), 1980 ; C. Donner, *Merlin and the Sword* ou *Arthur the King*, 1982 ; S. Baron, *Merlin*, 1998.

Notes

Le texte est établi d'après le ms. 747 (XIIIᵉ siècle) de la BNF et l'éd. de A. Micha.

Cette anecdote qui fait partie des contes de « devinailles » présente les trois personnages habituels du fabliau : la femme sensuelle et volage, le prêtre débauché et luxurieux, enfin le mari cocu et benêt qui endosse une paternité fictive. Cet épisode permet en outre à Merlin de montrer aux messagers de Vertigier ses dons de divination. Après avoir prédit la mort d'un « vilain » qui avait acheté de solides souliers (§ 24), il prouve sa connaissance du passé en dévoilant les secrets de l'engendrement d'un enfant défunt.

Cette scène rappelle le moment où Merlin, lors du procès de sa mère, révélait au juge que son véritable père était le curé de la paroisse : *Vos savez de verité que il est filz a vostre provoire* (§ 14, l. 64-65). Dans *Le Merlin en prose*, la paternité s'avère décidément bien problématique. On peut ainsi établir une correspondance entre la conception diabolique de Merlin et l'engendrement adultérin d'Arthur. L'un et l'autre sont des « enfants sans père », puisque la mère du devin et Igerne, toutes deux victimes d'un *engin*, d'une tromperie, ignorent par qui fut procréé leur fils.

Par conséquent cette séquence burlesque, satirique, tragi-comique dans la mesure où on rit, on chante, on pleure, participe pleinement à la signification de l'œuvre : Merlin s'efforce toujours de percer les *semblances* pour accéder à la vérité.

jornees : dérivé de *jorn*, issu lui-même du latin *diurnum*, le substantif *jo(u)rnee* offre plusieurs significations : 1) « espace de temps qui s'écoule du lever au coucher du soleil » ; 2) tâche exécutée en un jour ; 3) trajet accompli en un jour, étape quotidienne d'un voyage ; 4) voyage (cf. le terme anglais *journey*) ; 5) « jour assigné pour la comparution en justice » ; 6) rendez-vous ; 7) délai ; 8) bataille.

clers : provenant du latin chrétien *clericus*, emprunté lui-même au grec *klêrikos*, dérivé de *klêros* (« héritage, lot tiré au sort », « charge, fonction religieuse »), le substantif *clerc* définit un membre du clergé, par opposition au *laïc*. Au Moyen Âge on distingue les clercs ordonnés (appartenant aux ordres majeurs : évêques, prêtres, diacres et sous-diacres ; ou aux ordres mineurs : acolytes, exorcistes, lecteurs et portiers) et les clercs tonsurés mais non ordonnés, qui pouvaient se marier et exercer un métier. Comme l'Église possède le monopole de l'enseignement et de la vie intellectuelle, le terme *clerc* désigne aussi un étudiant, puis un homme savant, un lettré, un intellectuel. Par spécialisation, il qualifie un employé en écritures, un homme de loi : avoué, procureur, secrétaire ou greffier. C'est aujourd'hui son principal emploi avec des locutions telles que « clerc de notaire », « clerc d'avoué », « premier clerc ».

si comença a rire : le rire de Merlin jaillit onze fois dans le roman. Est-il le signe de la clairvoyance, de la supériorité intellectuelle de celui qui sait ce que les autres croient savoir, qui voit là où les autres restent aveugles, ou la manifestation physique d'une sorte de transe prophétique ? Il semble en tout cas revêtir des connotations diaboliques à une époque où les glossateurs des textes sacrés insistent sur le fait que le Christ n'a jamais ri. Sur ce sujet, voir H. Bloch, « Le rire de Merlin », *Cahiers de l'Association internationale des études françaises*, t. XXXVII, 1985, p. 7-21, et Ph. Walter, *Merlin ou le Savoir du monde*, Paris, Imago, 2000, p. 147-157.

il a conté le termine qu'il fu engendrez : tout au long du roman on observe une attention particulière au moment de la procréation. Ainsi, Blaise note avec précision la date et l'heure de la conception de Merlin : *et met la nuit et l'ore en escrit* (§ 8, l. 39-40), une pièce que le protagoniste cite devant le juge pour défendre sa mère (§ 13, l. 39-47). Il apprend ensuite à son interlocuteur que son véritable géniteur, le prêtre de la paroisse, consignait les jours de ses relations sexuelles avec sa mère : *il meismes metroit en escrit toutes les foiz qu'il gerroit a vos* (§ 14, l. 69-70). Plus tard Merlin recommande à Uter d'inscrire la nuit et l'heure de son rapport charnel avec Igerne (§ 66, l. 23-24) et à Ulfin, le sage conseiller, de faire une copie plus officielle du document (§ 68, l. 33-35).

alerent dui d'els a la feme : les chapitres 24 et 25 sont construits de manière symétrique : ouverture (chevauchée, traversée d'une ville, découverte d'un ou de plusieurs personnages), rire de Merlin, question des messagers qui veulent savoir la raison de son hilarité, révélations étonnantes du devin, vérifications opérées par deux des quatre messagers (cf. § 24, l. 25-56 : *Einsi alerent li dui après le vilain*) qui rapportent ce qu'ils ont constaté aux deux autres, admiration unanime à l'égard de Merlin.

devin : provenant du latin *divinum* (« divin, merveilleux, excellent »), devenu par dissimilation *devinum*, ce mot désigne d'une part celui qui est capable de découvrir les choses cachées, d'autre part un théologien, sens disparu à la fin du XIIIe siècle.

23. [Merlin le devin]

25. Einsis chevauchierent par lor jornees* tant que
il furent ou povoir Vertigier et en sa terre. Un jor che-
vauchoient, si passoient par une vile : si portoit l'en un
enfant enterrer qui estoit morz, si avoit aprés le cors
5 molt grant duel d'omes et de femmes. Quant Merlins
vit ce duel et les clers* et les prestres qui chantoient et
portoient le cors en terre molt vistement, si comença
a rire* et s'aresta. Et cil qui le menoient li demenderent de quoi il rioit, et il dist : « D'une grant merveille
10 que je voi. » Et il li prient que il lor die, et il dist :
« Veez vos la cel prodome qui tel duel fait ? » Et il
respondent : « Oïl bien. – Et veez vos cel provoire qui
chante la devant ces autres ? Il deust faire le duel que
le prodome fait, que je voil bien que vos sachiez que li
15 enfes est ses filz qui est mors, por quoi cel prodome
plore. Cil qui il n'est noiant en fait grant duel et cil qui
filz il est, cil chante : si m'est avis que ce est grant
merveille. » Et li messaige demandent : « Coment por-
rons nos ce savoir ? » Et il respont : « Je le vos dirai :
20 alez a la femme, si li dites por quoi ses sires fait si
grant duel, et ele vos dira por son fil qui est morz. Et
vos li respondez : "Ausis bien sai je come vos qu'il
n'est mie ses filz, ainz sai bien qui il est filz : a cel pro-

23. Merlin le devin

25. Les messagers et Merlin reprirent ainsi leur chevauchée par étapes journalières tant et si bien qu'ils arrivèrent dans le territoire où régnait Vertigier. Un jour qu'ils chevauchaient et traversaient une ville, on portait en terre un enfant défunt, et un cortège d'hommes et de femmes très affligés suivit le corps. Quand Merlin vit ces manifestations de deuil, les membres du clergé et les prêtres qui chantaient et se pressaient d'enterrer le corps, il se mit à rire et s'arrêta. Alors ceux qui le conduisaient lui demandèrent pourquoi il riait, et il leur répondit : « C'est à cause d'un grand prodige que je vois. » Ils le prièrent de les en informer, et il répondit : « Voyez-vous là-bas ce brave homme qui manifeste un tel chagrin ? »

Et eux de répliquer : « Oui, assurément.

– Et voyez-vous ce prêtre qui chante là-bas, devant les autres ? Il devrait manifester le chagrin que montre le brave homme ; en effet je tiens à ce que vous sachiez que l'enfant défunt est son fils que ce brave homme pleure. Celui qui n'a aucun lien de parenté avec l'enfant se désole tandis que le père, lui, chante : je trouve que c'est vraiment prodigieux. »

Les messagers lui demandent : « Comment pourrons-nous connaître le fin mot de cette histoire ? »

Merlin répond : « Je vais vous le dire : allez trouver la femme et demandez-lui pourquoi son mari est si désespéré, et elle vous dira que c'est à cause de la mort de son fils. Rétorquez-lui alors ceci : "Nous savons, aussi bien que vous, qu'il n'est pas son fils, et nous savons parfaitement de qui il est le fils : de ce prêtre qui a aujourd'hui tant chanté

voire qui hui en a tant chanté, si que li prestres
25 meimes le set bien et que il meimes le vos a dit, qu'il a
conté le termine qu'il fu engendrez★." » Quant li messaige orent bien entendu ce que Merlins ot dit, si
alerent dui d'els a la feme★, si li demenderent tout
einsis com Merlins lor ot enseignié. Et quant la
30 femme l'oï, si fu molt espoantee et lor dist : « Biau
seingnor, por Dieu merci, je sai bien ne ja ne vos
celerai, ainz vos conoistrai voir, car vos semblez molt
prodomes. Il est einsis voirs com vos avez dit, mais
por Dieu nou dites mie mon seingnor, quar il
35 m'ocirroit. » Et quant il ont ceste merveille oïe, si s'en
vinrent et le conterent as autres .II. Lors dient entr'eus
quatre que il n'ot mais el mont si bon devin★.

pour le mort ; d'ailleurs le prêtre lui-même le sait puisqu'il vous l'a dit en personne et a calculé la date où il fut engendré." »

Quand les messagers eurent bien compris ce que Merlin leur avait dit, deux d'entre eux allèrent trouver la femme et ils l'interrogèrent comme Merlin le leur avait suggéré. En les entendant, elle fut épouvantée et leur dit : « Chers seigneurs, au nom de Dieu, pitié ! Je le reconnais, je ne vous cacherai rien, je vous avouerai la vérité, car vous avez l'air de gens très honnêtes. Il en est bien ainsi que vous l'avez dit, mais pour l'amour de Dieu, ne le dites pas à mon mari, car il me tuerait. »

Une fois qu'ils eurent entendu cette prodigieuse histoire, ils s'en retournèrent la raconter aux deux autres. Alors ils convinrent entre eux quatre qu'il n'y avait jamais eu au monde un si bon devin.

LE LANCELOT EN PROSE

Précédé d'une part de l'*Estoire del Saint Graal*, récit relatif à Joseph d'Arimathie, qui recueillit le sang du Christ dans le Vase Sacré, et de l'*Estoire de Merlin*, qui conte l'instauration de la Table ronde et l'avènement d'Arthur, précédant d'autre part *La Queste del Saint Graal* et *La Mort le roi Artu*, le *Lancelot*, composé vers 1220-1225, constitue l'œuvre centrale, la plus ancienne et la plus longue (huit volumes dans l'édition d'Alexandre Micha) d'un vaste ensemble cyclique : le *Lancelot-Graal*.

L'auteur anonyme relate la vie de Lancelot depuis sa naissance jusqu'à sa maturité : son enlèvement par la fée Viviane, qui l'élève dans son domaine situé sous un lac jusqu'à l'âge de dix-huit ans, son entrée à la cour du roi, ses exploits (par exemple à la Douloureuse Garde), son amour pour la reine Guenièvre, son amitié pour Galehaut, fils de la géante et roi des « Lointaines Îles » qui lui porte un attachement extrême et en définitive fatal, son engendrement de Galaad, lorsque, trompé par un philtre, il croit rejoindre Guenièvre mais s'unit à la fille du Roi Pêcheur.

Par le procédé de l'entrelacement et une alternance d'absences et de séjours à la cour, plusieurs quêtes de Lancelot, de Gauvain ou de la reine prisonnière de Méléagant s'entrecroisent ; les aventures du héros et des compagnons de la Table ronde se multiplient et s'enchevêtrent : guerres, conflit féodal, tournois, duels, défis à relever, incarcérations (en particulier celle de Lancelot par Morgane, qui lui voue une haine tenace), évasions, délivrances, visites au château du Graal de Gauvain, Lancelot et Bohort.

Lancelot est le parangon de la chevalerie courtoise : libérateur, défenseur des faibles, combattant quasi invincible, le héros se révèle surtout l'amant fidèle de la reine Guenièvre. Car ce roman-fleuve traite d'armes et d'amour, de l'amour sous toutes ses formes (la *fin'amor*, source de prouesses et de perfection, la passion furieuse de Morgane, la passion fautive d'Arthur abusé par l'enchanteresse Camille puis par la fausse Guenièvre) et avec toutes ses implications psychologiques, finement analysées : l'extase, la jalousie, la folie et la mort.

Bibliographie

Lancelot, roman en prose du XIIIᵉ siècle, éd. de A. Micha, Genève, Droz, 1978-1983, 9 vol. ; extraits traduits par A. Micha, Paris, UGE, « 10/18 », 1983-1984 ; *Lancelot du Lac*, t. I, éd. de E. Kennedy et trad. de F. Mosès, Le Livre de poche, « Lettres gothiques », 1991 ; t. II, éd. de E. Kennedy et trad. de M.-L. Chênerie, Le Livre de poche, « Lettres gothiques », 1993 ; t. III, *La Fausse Guenièvre*, éd. et trad. de F. Mosès, Le Livre de poche, « Lettres gothiques », 1998.

Approches du Lancelot en prose, études recueillies par J. Dufournet, Paris, Champion, 1984 ; A. Combes, *Les Voies de l'aventure. Réécriture et composition romanesque dans le Lancelot en prose*, Paris, Champion, 2001 ; E. Kennedy, *Lancelot and the Grail. A Study of the Prose Lancelot*, Oxford, 1986 ; « Lancelot », *Actes du colloque des 14 et 15 janvier 1984 à l'université d'Amiens*, éd. de D. Büschinger, Göppingen, 1984 ; *Lancelot*, dirigé par M. Séguy, Paris, Autrement, 1996 ; F. Lot, *Étude sur le Lancelot en prose*, Paris, 1918, rééd. Genève, Slatkine, 1954 ; J. Markale, *Lancelot et la chevalerie arthurienne*, Paris, Imago,

1985 ; A. Micha, *Essais sur le cycle du Lancelot-Graal*, Genève, Droz, 1987 ; J.-R. Valette, *La Poétique du merveilleux dans le Lancelot en prose*, Paris, Champion, 1998.

Filmographie

Knights of the Round Table (Les Chevaliers de la Table ronde), R. Thorpe, 1953 ; *The Sword of Lancelot* (Lancelot, chevalier de la reine), C. Wilde, 1963 ; *Camelot*, J. Logan, 1967 ; *Lancelot du Lac*, R. Bresson, 1974 ; *Excalibur*, J. Boorman, 1981 ; *First Knight* (Lancelot, le premier chevalier), J. Zucker, 1995.

Notes

Le texte est établi d'après le manuscrit de Londres, British Museum, Additional 10293 daté de 1316, et l'éd. de A. Micha, t. VII, XXIa, § 11-15, p. 249-252.

La dame du Lac inculque un enseignement essentiellement moral et religieux au jeune Lancelot qui veut être adoubé à la cour d'Arthur. En effet, même si son instruction n'est pas dépourvue de précisions sémantiques (l. 20-21) ni techniques sur les différentes armes propres au chevalier ou sur les diverses manières de frapper avec une épée (l. 65-67), son éducation, fondée en partie sur la Bible qui prescrit aux croyants la défense des opprimés, des étrangers, des veuves et des orphelins et sur la mission dont sont chargés les rois depuis Charlemagne, stipule les qualités (courtoisie, compassion, bonté, générosité, bravoure, hardiesse, vigueur, prévoyance, sens de l'honneur et de la justice) et les fonctions du chevalier : la protection de la Sainte Église et des faibles contre les malfaiteurs, les voleurs, les meurtriers et les mécréants, ainsi que le gouvernement du peuple qui lui doit obéissance.

Dans ce texte didactique et symbolique (comme l'atteste la répétition du verbe *senefier* aux l. 26, 36, 43, 51, 68, 76, 78 et du substantif *senefiance* aux l. 24, 81), la locutrice s'efforce d'apprendre à son élève les devoirs chevaleresques avec netteté, d'où les nombreuses occurrences du verbe *devoir* (l. 10, 12, 15, 23, 27, 32, 34, 36, 38, 43, 46,

47, 54, 58, 68, 69, 71, 74, 76) et l'emploi fréquent de conjonctions explicatives, de constructions parallèles, d'antithèses et de comparaisons.

chevaliers : le chevalier est un cavalier possédant des armes spécifiques, défensives (écu, haubert, heaume) et offensives (lance et épée). Doué de qualités physiques (force, endurance, habileté) et morales (vaillance, hardiesse, sagesse, foi, loyauté, piété), il est par sa fonction un guerrier professionnel. La chevalerie constitue d'abord une corporation dans laquelle entre l'apprenti (nommé *escuier* ou *valet*) au terme d'une cérémonie appelée adoubement : d'ordinaire, à la fin du XIIᵉ siècle, le jeune postulant reçoit les armes de son « parrain » qui lui ceint l'épée, lui chausse l'éperon droit et lui donne la *colee*, un coup de paume sur la nuque ; le rituel s'accompagne parfois de souhaits ou de recommandations. Voir J. Flori, « La notion de chevalerie dans les chansons de geste du XIIᵉ siècle. Étude historique de vocabulaire », *Le Moyen Âge*, t. LXXXI, 1975, p. 211-244 et 407-445 ; « Pour une histoire de la chevalerie : l'adoubement dans les romans de Chrétien de Troyes », *Romania*, t. C, 1979, p. 21-53.

grever : issu du latin *gravare* (« alourdir », « aggraver »), dérivé lui-même de l'adjectif *gravis*, le verbe *grever* présente plusieurs acceptions : 1) accabler, tourmenter, épuiser, nuire ; 2) blesser ; 3) blâmer sévèrement ; 4) en construction réfléchie : se donner de la peine ; 5) en construction impersonnelle : gêner, contrarier. À partir du XVIIᵉ siècle, par restriction sémantique, *grever* se spécialise pour signifier « frapper de charges financières ».

douter : provenant du latin *dubitare* (« balancer, être indécis, douter, hésiter à »), le verbe *douter* signifie en ancien français : 1) « craindre, redouter, avoir peur », qu'il soit transitif direct ou indirect, accompagné de la préposition *de*, ou qu'il soit en construction pronominale ; 2) « avoir des doutes sur, être dans l'expectative pour » ; 3) « hésiter ». Si le sème de crainte, non attesté en latin, domine durant tout le Moyen Âge, il est éliminé au XVIIᵉ siècle au profit du sème d'incertitude, et ne subsiste plus que dans le verbe *redouter*.

Le déverbal de *douter*, *doutance* (l. 54), présente plusieurs acceptions : « crainte, peur » ; « doute, soupçon » ; « hésitation ».

colee : dérivé de *col*, le substantif *colee* dénomme un coup porté sur la nuque ; il s'applique aussi au coup de paume administré par le « parrain » au jeune chevalier qui est adoubé. Au XIVe siècle, la *colee* sera remplacée par l'*accolade*, qui consiste à donner sur l'épaule du récipiendaire trois coups du plat de l'épée.

boate : le mot *boate/baate* désigne une « tourelle élevée où se plaçait la sentinelle pour découvrir l'ennemi de loin et faire sonner le tocsin », un beffroi, une guérite, ainsi que la personne chargée du guet : « sentinelle, garde, gardien ».

glaive : issu du latin *gladius* (« épée »), le terme *glaive* signifie surtout au Moyen Âge « lance » ; la valeur étymologique est néanmoins conservée dans l'expression *glaive de justice* ; ce substantif offre aussi les sens suivants : « massacre, carnage » ; « calamité, épidémie » ; par métonymie, au XIVe siècle, « soldat armé d'une lance ».

bouter : venant du francique *botan, le verbe *bouter* possède plusieurs acceptions : 1) sens étymologique : « pousser violemment, frapper, heurter » ; 2) « renverser », « presser » ; 3) « placer, mettre », d'où à la forme réfléchie « entrer » ; 4) « germer, croître » au XVIe siècle. Si l'on excepte des emplois archaïsants ou techniques (ainsi dans le langage de la marine, *bouter au large* c'est pousser une embarcation vers le large), le verbe n'est plus usité depuis la fin du XVIIe siècle.

24. [Leçon de chevalerie]

Au commenchement, quant li ordre de chevalerie commencha, fu devisé a chelui qui voloit estre chevaliers* et qui le don en avoit par droite election qu'il fust cortois sans vilonie, deboinare sans felonie,
5 piteus envers les souffratex et larges et appareilliés de secoure les besoigneus, pres et apparelliés de confondre les robeors et les ochians, drois jugieres sans amour et sans haine, et sans amour d'aidier au tort por le droit grever*, et sans haine de nuire au
10 droit por traire le tort avant. Chevaliers ne doit por paor de mort nule chose faire c'on l'en puisse honte connoistre ne aperchevoir, ains doit plus douter* honteuse cose que mort a souffrir. Chevaliers fu establis outreement por Sainte Eglize garandir, car ele ne se
15 doit revanchier par armes ne rendre mal encontre mal ; et por che est a che establis li chevaliers qu'il garandisse chelui qui tent la senestre joe, quant ele a esté ferue en la destre. Et sachiés que au commenchement, si com tesmoigne l'Escripture, n'estoit nus si
20 hardis qui montast sor cheval, se chevalier ne fust avant, et por che furent il chevalier clamé.

Mais les armes que il porte et que nus qui chevaliers ne soit ne doit porter ne lor furent pas dounees sans raison, ains i a raison assés et moult grant senefiance.
25 Li escus qui au col li pent et dont il est covers par devant senefie que autresi qu'il se met entre lui et les cous, autresi se doit metre li chevaliers devant Sainte

24. Leçon de chevalerie

« Au commencement, quand fut institué l'ordre de chevalerie, il fut prescrit à celui qui voulait être chevalier et qui en obtenait le privilège par légitime élection d'être courtois sans bassesse, bon sans félonie, pitoyable envers les nécessiteux, généreux et prêt à secourir les malheureux, disposé et prêt à détruire les voleurs et les assassins, juge équitable sans amour et sans haine, sans amour susceptible de favoriser l'injustice au détriment du droit, et sans haine susceptible de nuire au droit au profit de l'injustice. Un chevalier ne doit, par crainte de la mort, accomplir aucun acte où l'on puisse reconnaître ou déceler le moindre sujet de honte, mais il doit redouter le déshonneur plus que la mort. Le chevalier fut institué essentiellement pour protéger la Sainte Église, car elle ne doit pas se venger par les armes ni rendre le mal pour le mal ; et le chevalier est aussi institué pour protéger celui qui tend la joue gauche, après avoir été frappé sur la droite. Et sachez qu'au commencement, comme en témoigne l'Écriture, nul n'était assez hardi pour monter à cheval, s'il n'était auparavant chevalier. C'est pourquoi on les appela chevaliers.

Les armes que porte le chevalier et que nul ne doit porter sans être chevalier ne lui furent pas données sans raison, mais au contraire d'une manière très motivée et signifiante. L'écu qui pend à son cou et dont il est protégé par-devant signifie que comme l'écu se met entre le chevalier et les coups, de même le chevalier doit se

Eglise encontre tous malfaiteurs, ou soient robeor ou
mescreant ; et se Sainte Eglise est assaillie ne en aven-
30 ture de rechevoir colp ne colee★, li chevaliers se doit
avant metre por la colee soustenir comme ses fiex, car
ele doit estre garantie par son fil et desfendue, car se la
meire est batue ne ladengie devant son fil, s'il ne la
venge, bien li doit estre ses pains veés et ses huis clos.
35 Et li haubers dont li chevaliers est vestus et garandis
de toutes pars senefie que autresi doit Sainte Eglize
estre close et avironee de la desfense au chevalier, car
si grans doit estre sa desfense et si sage sa porveanche
que li malfaisieres ne viegne ja de teil eure a l'entreie
40 ne a l'issue de Sainte Eglize qu'il ne truisse le chevalier
tout prest et esveillié por desfendre le.
Li hiaumes que li chevaliers a el chief, qui desus
toutes les armes est parans, senefie que autresi doit
paroir li chevaliers devant toutes autres gens encontre
45 chels qui voldroient estre nuisant a Sainte Eglise ne
faire mal, et doit estre tout ausi com une boate★ qui est
la maisons a la gaite que l'en doit veoir de toutes pars
desus les autres maisons por espoenter les malfaiteurs
et les larrons.
50 Li glaive★ que li chevaliers porte, qui si est lons qu'i
point anchois que l'en puisse avenir a lui, senefie que
autresi com la paors del glaive dont li fust est roides et
li fers trenchans fait resortir ariere les desarmés pour
la doutance de la mort, et autresi doit estre li cheva-
55 liers si fiers et si hardis et si viguereus que la paors de
lui coure si loing que nus lerres ne nus malfaiteur ne
soit si osés que il aproche a Sainte Eglise, ains fuie
loing por la paor de lui vers qui il ne doit avoir pois-
sance nient plus que li desarmés a pooir encontre le
60 glaive dont li fers trenche.
Et l'espee que li chevaliers a chainte si est trenchans
a .II. pars, mais che n'est mie sans raison. Espee si est
de toutes armes la plus honeree et la plus haute et
chele qui plus a dignité, car l'en en puet faire mal en
65 .III. manieres. On en puet bouter★ et ochire de la pointe

mettre devant la Sainte Église face à tous les malfaiteurs, qu'ils soient voleurs ou mécréants ; et si la Sainte Église est attaquée ou en danger de recevoir un coup ou une claque, le chevalier doit se mettre devant elle pour recevoir le coup, comme son fils, car elle doit être protégée et défendue par son fils ; en effet, si une mère est battue et maltraitée devant son fils, et qu'il ne la venge pas, il faut lui refuser le pain et lui fermer la porte.

Le haubert dont le chevalier est revêtu et protégé de toutes parts signifie que de la même manière la Sainte Église doit être enclose et entourée par la défense du chevalier, car sa défense doit être si efficace et sa prévoyance si avisée que jamais, à quelque heure que ce soit, le malfaiteur ne vienne à l'entrée ou à la sortie de la Sainte Église, sans trouver le chevalier tout prêt et éveillé pour la défendre.

Le heaume que le chevalier a sur la tête et qui est visible plus que toutes les autres armes signifie que, de la même manière, le chevalier doit apparaître avant toutes autres personnes contre ceux qui voudraient nuire à la Sainte Église et lui faire du tort, et il doit être comme un beffroi qui est la maison du guetteur et que l'on doit voir de tous côtés, au-dessus des autres maisons, pour épouvanter les malfaiteurs et les brigands.

La lance que porte le chevalier et qui est si longue qu'elle frappe avant qu'on puisse l'atteindre signifie que, de même que la crainte de la lance au bois roide et au fer tranchant fait reculer ceux qui n'ont pas d'armes, par peur de mourir, de même le chevalier doit être assez fier, assez hardi et assez vigoureux pour répandre la peur au loin, afin que nul brigand ou malfaiteur n'ait assez d'audace pour approcher de la Sainte Église, mais qu'il s'enfuie au loin par peur du chevalier contre qui il ne doit pas avoir plus de puissance qu'un homme désarmé face à une lance au fer tranchant.

L'épée que le chevalier a ceinte est tranchante des deux côtés, mais ce n'est pas sans raison. L'épée est de toutes les armes la plus honorée, la plus noble, celle qui a le plus de dignité car avec elle on peut accabler l'adversaire de trois manières. On peut heurter d'estoc

en estoquant et si en puet on ferir a colp de .II. trenchans, a destre et a senestre. Li doi trenchant senefient
que li chevaliers doit estre serjans a Nostre Signor et a
son pueple, si doit li uns des trenchans ferir sor cheus
70 qui sont anemi Nostre Signor et a son pueple et des-
piseor de sa crestieneté, et li autre doit faire venjance
de cheus qui sont depecheor de humaine compaignie,
ch'est de cheus qui tolent li un as autres et qui ochient
li uns l'autre. De tel forche doivent estre li doi tren-
75 chant, mais la pointe est d'autre maniere ; la pointe
senefie obedience, car toutes gens doivent obeir au
chevalier. La pointe senefie moult a droit obedience,
car ele point, ne nule riens ne point si durement le
cuer, ne perte de terre ne d'avoir, com fait obeir
80 encontre son cuer. Teus est la senefianche de l'espee.

et tuer avec la pointe et on peut frapper de taille avec les deux tranchants droit et gauche. Les deux tranchants signifient que le chevalier doit être le serviteur de Notre-Seigneur et de son peuple ; l'un des tranchants doit frapper les ennemis de Notre-Seigneur et de son peuple et les contempteurs de la chrétienté, et l'autre doit tirer vengeance de ceux qui sont les destructeurs de la société humaine, c'est-à-dire ceux qui volent et ceux qui tuent. Telle doit être la vertu des deux tranchants. Mais la pointe est d'une autre nature : la pointe signifie l'obéissance, car tout le monde doit obéir au chevalier. Et c'est à bon droit que la pointe signifie l'obéissance, car elle perce, et rien ne perce si cruellement le cœur, pas même une perte de terre ou d'avoir, que d'obéir contre son cœur. Telle est la signification de l'épée. »

LA QUESTE DEL SAINT GRAAL

Quatrième et avant-dernière partie de la Vulgate arthurienne en prose, *La Queste del Saint Graal*, ou *Les Aventures del Saint Graal*, selon l'épilogue de plusieurs manuscrits, fut rédigée entre 1225 et 1230.

Le jour de la Pentecôte, au moment où les chevaliers du roi Arthur sont réunis autour de la Table ronde, survient Galaad, le fils de Lancelot, qui s'assied sur le Siège Périlleux, réservé au meilleur chevalier, et réussit à retirer l'épée du perron flottant. Le graal apparaît alors, rassasiant de manière mystérieuse tous les témoins de la scène. Lorsqu'il disparaît, tous les chevaliers se préparent à partir à sa recherche. Le narrateur s'attache à relater les aventures des plus célèbres chevaliers de la cour, désormais hiérarchisés. Font partie des réprouvés les impies et les pécheurs endurcis, comme Lyonel, marqué par la folie de la colère, Hector, perdu par son orgueil, et Gauvain, homicide, qui reste sourd aux reproches et aux admonestations. Lancelot, pécheur repentant, se confesse et mène une vie austère, faite de privations et d'expiations, mais à cause de son amour adultère pour Guenièvre il ne peut qu'entrevoir les merveilles du graal ; par sa vertu « trébuchante et chancelante », il incarne une « âme du Purgatoire ». Bohort, le saint laborieux, Perceval, l'ingénu et le simple, enfin Galaad, le héros parfait, conçu à l'image de Jésus, sont les trois élus. Tantôt séparés, tantôt réunis, ils se retrouvent dans un navire construit jadis par Salomon avec des arbres du Paradis terrestre. Ils abordent à Sarras, où se trouve le Palais Spirituel, et assistent à la liturgie du graal. Les secrets divins sont révélés à Galaad, qui trépasse. Une main mystérieuse emporte alors au ciel le Saint Graal et la lance. Perceval se fait ermite et décède au bout d'un an. Bohort l'enterre à côté de Galaad puis revient à la cour d'Arthur pour y raconter tous ces événements.

L'auteur alterne aventures, épreuves, tentations diaboliques, songes, visions, prophéties, gloses des blancs ermites déchiffrant les énigmes et les allégories dans ce « roman de la grâce », d'inspiration cistercienne, qui condamne la luxure, exalte la virginité et oppose à une chevalerie terrienne, mondaine, courtoise, dépassée une chevalerie nouvelle, ascétique, mystique et célestielle.

L'extrait choisi se situe vers la fin du récit : les trois compagnons sont à Sarras, où chaque jour ils disent leurs prières devant le graal.

Bibliographie

La Queste del Saint Graal, éd. de A. Pauphilet, Paris, Champion, 1923 ; trad. de E. Baumgartner, Paris, Champion, 1980 ; *La Quête du Graal*, trad. de A. Béguin et Y. Bonnefoy, Paris, Le Seuil, 1965.

E. Baumgartner, *L'Arbre et le pain. Essai sur la Queste del Saint Graal*, Paris, SEDES, 1981 ; P. Matarasso, *The Redemption of Chivalry. A Study of the Queste del Saint Graal*, Genève, Droz, 1979 ; A. Pauphilet, *Études sur la Queste del Saint Graal attribuée à Gautier Map*, Paris, Champion, 1921 ; A. Williams, *The Adventures of the Holy Grail. A Study of La Queste del Saint Graal*, Oxford, Peter Lang, 2001.

Notes

Le texte reproduit celui de l'éd. composite de A. Pauphilet, p. 277-279. Nous avons corrigé *len* par *l'en* (l. 4) et *l'a començaille* par *la començaille* (l. 21).

À Corbenic, Galaad a assisté à la liturgie du Graal et au terme de ce cérémonial le Christ en personne lui a annoncé la fin des aventures : *Or as veu ce que tu as tant desirré a veoir, et ce que tu as covoité. Mes encor ne l'as tu pas veu si apertement com tu le verras. Et sez tu ou ce sera ? En la cité de Sarraz, ou palés esperitel, et por ce t'en covient il de ci aler et fere compaignie a cest saint Vessel, qui anuit se partira dou roiaume de Logres en tel maniere que ja mes n'i sera veuz, ne des or mes n'en avendra aventure* (p. 270-271). Cette prophétie se réalise puisque non seulement le protagoniste voit *tot apertement* (l. 20) *les merveilles de totes autres merveilles* avant de mourir, mais encore le graal et la lance disparaissent pour toujours dans le ciel, comme si l'auteur voulait fermer toutes les pistes narratives laissées ouvertes par Chrétien de Troyes.

L'ultime messe du Graal, célébrée par un personnage surnaturel, vêtu du costume épiscopal et entouré d'anges, à savoir Josephé, figure mystique du Christ, est de l'ordre du miraculeux et de l'ineffable. Galaad, dont les derniers mots sont pour son père Lancelot, se révèle incapable de rendre par le verbe le mystère des origines et de la vie. Il ne peut que s'abîmer dans la contemplation extatique de la création et du sacré.

Galaad avoit porté corone : à la mort d'Escorant, le roi païen de Sarras, les habitants obéissent à l'injonction d'une voix céleste et couronnent Galaad, malgré lui : *Et il firent le comandement a la voiz ; si pristrent Galaad et le firent seignor d'aus ou il volsist ou non, et li mistrent la corone el chief* (p. 277).

palés [...] *esperitel* : issu du latin *palatium* (le mont Palatin, l'une des collines de Rome, sur laquelle Auguste avait fait construire sa maison), le substantif *palés/palais* possède dans l'ancienne langue trois valeurs principales : 1) édifice somptueux, demeure vaste et luxueuse appartenant à un roi, un prince ou à un personnage de haut rang ; 2) grande salle d'apparat et de réception d'un château où se prennent les repas, où se donnent les fêtes et où le seigneur rend la justice ; 3) le palais de justice, « siège des institutions centrales de l'administration royale ».

L'adjectif *esperitel/esperital*, dérivé d'*esperit(e)* (« esprit, âme »), signifie « spirituel » « céleste », et s'oppose à tout ce qui est corporel, matériel, temporel. Le Palais Spirituel de Sarras représente la Jérusalem céleste.

la messe de la glorieuse Mere Dieu : les seuls offices particuliers mentionnés dans *La Queste del Saint Graal* sont ceux de la Vierge, ce qui constitue pour A. Pauphilet un témoignage supplémentaire de l'influence de l'ordre de Cîteaux sur l'auteur, dans la mesure où le culte marial a pris une grande importance chez les Cisterciens (*Études sur la Queste del Saint Graal*, p. 75). Toutefois, E. Baumgartner fait justement observer que cet office est tout à fait approprié à la vision du mystère de l'Incarnation (*L'Arbre et le pain, op. cit.*, p. 130).

segré : provenant du latin *secretum* (« lieu écarté, secret, mystères du culte »), le mot *segré* qualifie dans le contexte la secrète, c'est-à-dire l'oraison que le prêtre dit tout bas à la messe et qui termine l'offertoire.

il ot ostee la plateinne de desus le saint Vessel : par cette mention de la patène qui recouvre le Saint Vase, le romancier assimile le graal au calice de la messe.

char : issu du latin *carnem*, le nom *char(n)* désigne d'une part la chair humaine ou animale, d'autre part le corps par opposition à l'esprit ; enfin, par métonymie, il définit « les liens de consanguinité », la famille.

Josephes, li filz Joseph d'Arimatie : selon Robert de Boron, Joseph d'Arimathie, *soudoier* de Pilate, recueillit le sang du Christ dans le graal. Dans *La Queste del Saint Graal*, son fils aîné, Josephé, est considéré comme le premier évêque des chrétiens (p. 268), ce que confirme l'auteur de l'*Estoire del Saint Graal* : *Quant Josephés fu assis en la kaiere, si vinrent tout li angele devant lui, et Nostre Sires l'enoinst et sacra en chele maniere ke on doit eveske sacrer et enoindre, si ke tos li pules le vit apertement* (éd. de J.-P. Ponceau, § 124, p. 80).

deviez : formé à partir du terme *vie*, le verbe *devier* signifie « mourir » quand il est intransitif et « tuer » en emploi transitif.

la Lance : la lance à la pointe de laquelle perle une goutte de sang est le premier objet aperçu par Perceval lors du mystérieux cortège qu'il découvre chez le Roi Pêcheur (*Le Conte du graal*, texte 13). L'auteur de la *Première Continuation* l'identifie à l'arme avec laquelle un soldat romain, nommé Longin, perça le flanc du Christ : *C'est la lance demainement/Dunt li fix Dieu fu voirement/El costé jusqu'al cuer ferus/Au jor qu'en la crois fu pendus./Longis ot non qui le feri* (Rédaction mixte, v. 13467-13471).

À Corbenic, un ange tient la Lance au-dessus du Graal, en sorte que le sang de la Passion coule dans le Saint Vase de la Rédemption : *et li quarz tint la lance tote droite sus le saint Vessel, si que li sans qui contreval la hanste couloit chaoit dedenz* (p. 269).

25. [La mort de Galaad]

Quant vint au chief de l'an, a celui jor meismes que
Galaad avoit porté corone*, si se leva bien matin entre
lui et ses compaignons. Et quant il vindrent el palés*
que l'en apeloit esperitel*, si regarderent devant le
5 saint Vessel : et voient un bel home vestu en semblance de evesque, et estoit a genolz devant la table et
batoit sa coupe ; et avoit entor lui si grant plenté
d'angleres come se ce fust Jhesucrist meisme. Et quant
il ot esté grant piece a genolz, si se leva et commença
10 la messe de la glorieuse Mere Dieu*. Et quant vint el
segré* de la messe, que il ot ostee la plateinne de desus
le saint Vessel*, si apella Galaad et li dist : « Vien
avant, serjant Jhesucrist, si verras ce que tu as tant
desirré a veoir. » Et il se tret avant et regarde dedenz le
15 saint Vessel. Et si tost come il ot regardé, si comence
a trembler molt durement, si tost come la mortel char*
commença a regarder les esperitex choses. Lors tent
Galaad ses meins vers le ciel et dit : « Sire, toi ador ge
et merci de ce que tu m'as acompli mon desirrier, car
20 ore voi ge tot apertement ce que langue ne porroit
descrire ne cuer penser. Ici voi ge la començaille des
granz hardemenz et l'achoison des proeces ; ici voi ge
les merveilles de totes autres merveilles ! Et puis qu'il

25. La mort de Galaad

Au bout d'un an, au jour anniversaire de son couronnement, Galaad se leva de bon matin ainsi que ses compagnons. Une fois arrivés au Palais que l'on appelait Spirituel, ils regardèrent devant le Saint Vase et virent un bel homme, vêtu comme un évêque, lequel, agenouillé devant la table, battait sa coulpe ; il y avait autour de lui autant d'anges que si c'était Jésus-Christ lui-même. Après être resté longtemps à genoux, il se leva et commença la messe de la glorieuse Mère de Dieu. Au moment de la secrète, quand il eut ôté la patène de dessus le Saint Vase, il appela Galaad et lui dit : « Approche, soldat de Jésus-Christ et tu verras ce que tu as tant désiré voir. » Galaad s'avance et regarde à l'intérieur du Saint Vase. Aussitôt qu'il y a plongé les yeux, il se met à trembler très vivement, dès que son corps mortel a commencé à contempler les choses spirituelles. Alors Galaad tend ses mains vers le ciel et dit : « Seigneur, je T'adore et Te rends grâce d'avoir accompli mon désir, car je vois maintenant clairement ce que langue ne pourrait décrire ni cœur penser. Ici je vois l'origine des grandes hardiesses et la source des prouesses ; ici je vois les merveilles de toutes les merveilles ! Et puisqu'il est ainsi, mon doux Seigneur,

est einsi, biax dolz Sires, que vos m'avez acomplies
25 mes volentez de lessier moi veoir ce que j'ai touz jors
desirré, or vos pri ge que vos en cest point ou je sui et
en ceste grant joie soffrez que je trespasse de ceste ter-
riene vie en la celestiel. »

Si tost come Galaad ot fete ceste requeste a Nostre
30 Seignor, li prodons qui devant l'autel estoit revestuz
en semblance de evesques prist *Corpus Domini* sus la
table et l'offri a Galaad. Et il le reçut molt humilieuse-
ment et o grant devotion. Et quant il l'ot usé, li
prodom li dit : « Sez tu, fet il, qui je sui ? – Sire, nenil,
35 se vos nel me dites. – Or, saches, fet il, que je sui Josephes, li filz Joseph d'Arimatie★, que Nostre Sires t'a
envoié por toi fere compaignie. Et sez tu por quoi il
m'en a plus tost envoié que un autre ? Por ce que tu
m'as resemblé en deus choses : en ce que tu as veues
40 les merveilles del Saint Graal ausi come je fis, et en ce
que tu as esté virges ausi come je sui ; si est bien droiz
que li uns virges face compaignie a l'autre. »

Quant il ot dite ceste parole, Galaad vient a Perceval
et le bese et puis a Boorz, si li dist : « Boorz, saluez moi
45 monseignor Lancelot mon pere si tost come vos le
verroiz. » Lors revint Galaad devant la table et se mist
a coudes et a genolz ; si n'i ot gueres demoré quant il
chaï a denz sus le pavement del palés, qar l'ame li eirt
ja fors del cors. Si l'en porterent li anglere fessant
50 grant joie et beneissant Nostre Seignor.

Si tost come Galaad fu deviez★ avint illuec une
grant merveille. Qar li dui compaignon virent apertement que une mein vint devers le ciel ; mes il ne virent
pas le cors dont la mein estoit. Et elle vint droit au
55 seint Vessel et le prist, et la Lance★ ausi, et l'enporta
tot amont vers le ciel, a telle eure qu'il ne fu puis hons
si hardiz qu'il osast dire qu'il eüst veu le Seint Graal.

que Vous avez exaucé mes souhaits en me laissant voir ce que j'ai toujours désiré, à présent je Vous en prie, dans cet état de béatitude où je suis, acceptez que je passe de la vie terrestre en la vie céleste. »

Dès que Galaad eut fait cette requête à Notre-Seigneur, le saint homme qui se tenait devant l'autel en habit d'évêque prit le corps du Christ sur la table et l'offrit à Galaad qui le reçut très humblement, avec une grande dévotion. Et quand il eut communié, le saint homme lui dit : « Sais-tu qui je suis ?

– Non, seigneur, si vous ne me le dites pas.

– Sache donc, fait il, que je suis Joséphé, le fils de Joseph d'Arimathie, que Notre-Seigneur t'a envoyé pour te tenir compagnie. Et sais-tu pourquoi il m'a envoyé plutôt qu'un autre ? Parce que tu m'as ressemblé sur deux points : tu as vu comme moi les merveilles du Saint Graal, et tu es resté vierge, comme je le suis ; il est donc juste qu'un être vierge fasse compagnie à l'autre. »

Sur ces mots, Galaad vient embrasser Perceval puis Bohort à qui il dit : « Bohort, saluez de ma part monseigneur Lancelot, mon père, dès que vous le verrez. » Puis Galaad revint devant la table et se prosterna, coudes et genoux à terre ; il ne tarda guère à s'effondrer, la face sur le sol de la salle, car son âme avait déjà quitté son corps. Les anges l'emportèrent, manifestant une grande joie et bénissant Notre-Seigneur.

Dès que Galaad fut mort, il se produisit alors un grand prodige. En effet les deux compagnons virent distinctement une main descendre du ciel ; mais ils ne virent pas le corps auquel elle appartenait. Elle vint droit vers le Saint Vase et le prit, ainsi que la Lance, et les emporta tout là-haut dans le ciel, de telle manière que depuis lors personne n'eut assez d'audace pour prétendre avoir vu le Saint Graal.

LA MORT LE ROI ARTU

Dernière œuvre du vaste ensemble du *Lancelot-Graal*, *La Mort le roi Artu*, composée vers 1230, raconte la déchéance et l'agonie du monde arthurien. Lancelot et Guenièvre ne tardent guère à retomber dans leur folle passion et sont dénoncés au roi par Agravain, mais une suite de circonstances pousse Arthur et Gauvain à croire que Lancelot est amoureux de la demoiselle d'Escalot, jusqu'au jour où l'on découvre, sur une mystérieuse nacelle, cette jeune fille morte de désespoir devant l'indifférence de Lancelot. Les soupçons du souverain sont confirmés par sa découverte, au château de Morgane, des fresques peintes par Lancelot qui y a représenté ses aventures héroïques et sentimentales. La démesure et la violence des uns et des autres entraînent la guerre et toute une succession de malheurs. Condamnée à être brûlée vive pour adultère, Guenièvre est sauvée du bûcher par Lancelot qui, au cours du combat, tue par mégarde Gaheriet, le frère de Gauvain, s'attirant ainsi la haine farouche de son ancien compagnon. Les deux amants se réfugient à la Joyeuse Garde, bientôt assiégée par Arthur qui, sur l'intervention du pape, consent à reprendre Guenièvre. Cependant il ne renonce pas à se venger. Confiant la garde de son épouse et le trône à Mordret, le fils qu'il a eu d'un inceste avec sa demi-sœur, il poursuit Lancelot sur le continent. Le conflit se termine par un combat singulier entre Lancelot et Gauvain, où ce dernier est grièvement blessé. Attaqué par les Romains, le souverain apprend de surcroît la trahison de Mordret, qui s'est emparé du royaume et désire épouser la reine. Une bataille acharnée se déroule dans la plaine de Salisbury, au cours de laquelle Arthur tue Mordret qui le blesse mortellement : *Einsi ocist li peres le fill, et li filz navra le pere a mort* (§ 191). Le roi regagne le rivage. Une fois que Girflet a jeté son épée Escalibur dans un lac, il monte à bord d'un navire mené par des fées. Trois jours plus tard, Girflet découvre la tombe du roi à la Noire Chapelle. Guenièvre s'est retirée dans une abbaye, où elle meurt peu après, tandis que Lancelot finit sa vie dans un ermitage, après avoir exterminé les fils de Mordret.

Ce drame de la vengeance et de la fatalité illustre la puissance destructrice de la passion amoureuse. S'enchaînent de façon inéluctable de terribles mésaventures suscitées par la luxure, les frustrations, les haines, l'aveuglement, l'acharnement, l'envie, la jalousie, la félonie et la mort. *La Mort le roi Artu* est « l'apocalypse » de la chevalerie courtoise dont l'auteur révèle la double faute : l'adultère de Lancelot et l'inceste d'Arthur.

Bibliographie

La Mort le Roi Artu, éd. de J. Frappier, Genève, Droz, 1964 ; trad. de M. Santucci, Paris, Champion, 1991 ; trad. de M.-L. Ollier, Paris, UGE, « 10/18 », 1991.

J. Frappier, *Étude sur La Mort le Roi Artu*, Genève, Droz, 1972 ; *La Mort du Roi Arthur ou le Crépuscule de la chevalerie*, Études recueillies par J. Dufournet, Paris, Champion, 1994.

Notes

Le texte est établi d'après le manuscrit 3347 de la bibliothèque de l'Arsenal à Paris, et l'éd. de J. Frappier, § 192-
193, p. 247-249.

De même que le héros éponyme de *La Chanson de Roland*
adresse un regret funèbre à son épée Durendal avant de
rendre l'âme (v. 2304-2354 de l'éd. de J. Dufournet), de
même Arthur, mortellement blessé par Mordret, rend un
vibrant hommage à Escalibur, une arme emblématique de
son pouvoir royal et d'une chevalerie d'exception, à présent anéantie. Les seuls représentants de cet ordre, présents sur le terrain, sont en effet le souverain moribond et
un guerrier peu renommé qui, par convoitise, tente de
tromper son seigneur à deux reprises en jetant dans le lac
sa propre épée puis le fourreau d'Escalibur. Mais le roi
qui attend un prodige n'est pas dupe des mensonges déri-
soires de son serviteur prêt à désobéir pour s'approprier
cette arme magnifique ou éviter à tout prix sa disparition.
Lorsque Girflet, après avoir jeté l'épée dans le lac, révèle
ce qu'il a vu à Arthur, celui-ci devine dans cette merveille
le signe annonciateur de sa mort prochaine. On ne peut
s'empêcher de rapprocher cette main s'enfonçant dans
l'eau avec l'épée de celle emportant vers le ciel le Graal et
la Lance (voir le texte 25, « La mort de Galaad »).

Si dans l'*Historia regum Britanniae*, Geoffroy de Monmouth
se bornait à indiquer que l'épée Caliburn avait été forgée
dans l'île d'Avalon, dans la *Suite-Huth du Merlin*, récit
postérieur à *La Mort le roi Artu*, Escalibur est offerte au
roi par une main sortie du lac où résident les fées (p. 195-
198 de l'éd. de G. Paris et J. Ulrich).

Sur ce texte, on consultera en particulier l'article de J Grisward,
« Le motif de l'épée jetée au lac : la mort d'Arthur et la mort
de Batradz », *Romania*, t. XC, 1969, p. 289-340 et 473-514.

cele as Estranges Renges : dans *Le Conte du graal* la demoiselle
hideuse qui maudit Perceval affirme que le chevalier qui
réussira à délivrer la jeune fille assiégée à Montesclaire
connaîtra une immense gloire et pourra ceindre *l'Espee as
Estranges Ranges* (v. 4712 dans l'éd. de J. Dufournet). Dans
La Queste del Saint Graal, les trois élus, Bohort, Perceval
et Galaad, découvrent, sur la nef construite par Salomon,
une épée réservée au chevalier parfait. La sœur de Perceval remplace les attaches grossières, faites d'étoupe de

chanvre, par un magnifique baudrier brodé avec ses cheveux. E. Baumgartner explique la signification de cette arme : « Talisman ambigu, l'Épée aux étranges attaches est destinée, lorsqu'elle a trouvé en Galaad son juste possesseur, à mettre fin aux manifestations du Graal comme aux cruelles aventures qu'elle a elle-même suscitées. Mais elle est en même temps une épée vengeresse, exterminatrice, comme le montre l'épisode suivant du Château Carcelois. Ainsi annonce-t-elle peut-être une fin des temps et un jugement dernier... » (*La Quête du Saint Graal*, trad. en français moderne, p. 255).

ese : issu du latin *adjacens* (« qui se trouve près »), participe présent du verbe *adjacere*, le terme *ese/a(a)ise* indique en général un bien-être matériel, une situation commode et agréable, un état de satisfaction, de plénitude et de liberté.

Girflet : Girflet, fils de Do, chevalier de la Table ronde, est nommé par Chrétien de Troyes dans *Érec et Énide* (v. 317, 1697, 2174 de l'éd. de M. Roques) et dans Le *Conte du graal* (v. 4721 de l'éd. de J. Dufournet). Bien qu'il n'occupe pas une place de premier rang, il est associé au sénéchal Keu, à Gauvain, Yvain et Sagremor. Il participe au tournoi de Tenebroc dans le premier roman cité et dans le second il décide de se rendre au Château Orgueilleux pour y jouter. Dans *La Mort le roi Artu*, il a le privilège d'assister aux derniers instants du souverain. Il voit ainsi le roi s'embarquer dans la nef des dames et de sa sœur Morgane, et trois jours plus tard il découvre la tombe d'Arthur à la Noire Chapelle (§ 193-194, p. 250-251).

malvés oir : en évoquant les « mauvais héritiers qui lui succéderont », le roi Arthur songe sans doute aux deux fils de Mordret qui, après la mort de leur père et de la plupart des chevaliers de valeur, s'emparent d'un pays privé de souverain.

repost : il s'agit de la troisième personne du singulier du passé simple de l'indicatif de *repondre*. Provenant du latin *reponere* (« replacer, reposer, mettre de côté »), ce verbe signifie « cacher, placer à l'écart, enfouir » ; « plonger, enfoncer ».

s'apense : formé sur *penser*, le verbe *apenser* offre les acceptions suivantes : « examiner », « former un dessein », « projeter », « imaginer ». Employé pronominalement, il veut dire « s'aviser de quelque chose », « prendre la décision réfléchie », « décider ».

mestier : provenant du latin *ministerium* (« fonction de serviteur », « service », « fonction »), devenu *★misterium* par croisement probable avec *mysterium* (« mystère »), le mot *mestier* présente quatre valeurs principales : 1) sens religieux : « service de Dieu », « célébration et pratiques religieuses » ; 2) sens laïc : « occupation », « fonction », « profession », tout genre de travail déterminé dont on peut tirer ses moyens d'existence ; 3) sens de « besoin », « nécessité », d'où les tours : *avoir mestier* (« être utile ») ; *avoir mestier de* (« avoir besoin de ») ; *estre mestier* (« être nécessaire ») ; 4) sens concret (vers 1200) : le terme désigne divers ustensiles ou machines telles que le « métier à tisser ».

heut : une épée se compose de trois parties : la lame, définie en ancien français par les termes *alemele*, *brant* et *fer* ; la poignée, qui comprend la fusée et les deux quillons désignés par les substantifs *heut*, *heudeüre* et *enheudeüre* ; enfin le pommeau, *pont* dans l'ancienne langue.

26. [Les adieux d'Arthur à Escalibur]

Li rois monte et chevauche vers la mer tant qu'il i
est a eure de midi ; si descent a la rive et desceint
l'espee d'entor lui et la tret del fuerre ; et quant il l'ot
esgardee grant piece, si dist : « Ha ! Escalibor, bone
5 espee et riche, la meilleur de cest siecle, fors cele as
Estranges Renges★, or perdras tu ton mestre ; ou
retroveras tu home ou tu soies si bien employee conme
en moi, se tu ne viens es mains Lancelot ? Hé ! Lancelot, li plus preudom del monde et li mieudres cheva-
10 liers, pleüst ore a Jhesu Crist que vos la tenissiez et ge
le seüsse ! Certes m'ame en seroit plus a ese★ a touz
jorz mes. » Lors apele li rois Girflet★ et li dist : « Alez
en cel tertre ou vos trouveroiz un lac et gitez m'espee
la dedenz, car je ne voil pas qu'ele remaingne en cest
15 reingne, que li malvés oir★ qui i remeindront n'en
soient sesi. – Sire, fet il, ge ferai vostre commandement, mes encore volsisse ge mieuz, s'il vos pleüst,
que vos la me donnissiez. – Non ferai, fet li rois, car en
vos ne seroit ele mie bien emploiee. » Lors monta Gir-
20 flet el tertre, et quant il vint au lac, il tret l'espee del
fuerre et la commença a regarder ; et ele li semble si
bone et si bele qu'il li est avis que trop seroit grant
domage, s'il la gitoit en cel lac, si com li rois li avoit
commandé, car einsi seroit ele perdue ; mieuz vient
25 qu'il i giet la seue et qu'il die au roi qu'il l'i a gitee ; lors
desceint s'espee et la giete el lac, et si repost★ l'autre
dedenz l'erbe ; lors vient au roi, si li dist : « Sire, j'ai fet

26. Les adieux d'Arthur à Escalibur

Le roi monte en selle et chevauche vers la mer où il parvient à l'heure de midi ; sur le rivage il descend de cheval, détache l'épée de sa ceinture et la tire du fourreau ; après l'avoir contemplée un long moment, il dit : « Ah ! Escalibur, bonne et précieuse épée, la meilleure de notre monde après celle aux Étranges Attaches, tu vas perdre ton maître ; où retrouveras-tu un homme qui fasse de toi un aussi bon usage que moi, si tu ne viens pas entre les mains de Lancelot ? Hé ! Lancelot, l'homme le plus vaillant du monde et le meilleur chevalier, plût à Jésus-Christ que vous l'ayez en votre possession et que je le sache ! Assurément mon âme en serait plus satisfaite pour toujours. » Le roi appelle alors Girflet et lui dit : « Allez sur cette colline où vous trouverez un lac et jetez-y mon épée, car je ne veux pas qu'elle demeure dans ce royaume, de peur que n'en prennent possession les mauvais héritiers qui m'y succéderont.

– Sire, fait-il, j'exécuterai votre ordre, mais je préférerais, s'il vous plaisait, que vous me la donniez.

– Non, réplique le roi, car vous n'en feriez pas un bon usage. »

Girflet monte alors sur la colline, et arrivé au lac, il tire l'épée du fourreau et se met à la regarder ; elle lui paraît si bonne et si belle qu'il lui semble que ce serait un très grand dommage de la jeter dans ce lac, comme le roi le lui a commandé, car elle serait ainsi perdue ; mieux vaut y jeter la sienne et dire au roi qu'il y a jeté l'autre ; il enlève alors l'épée de sa ceinture et la jette dans le lac avant de cacher l'autre dans l'herbe ; puis il revient

vostre commandement, car j'ai gitee vostre espee el
lac. – Et que as tu veü ? fet li rois. – Sire, fet il, ge ne
30 vi riens, se bien non. – Ha ! fet li rois, tu me travailles ;
va arrieres et la giete, car encore ne l'as tu mie gitee. »
Et cil retorne meintenant au lac et tret l'espce del
fuerre, et la commence trop durement a pleindre, et
dist que ce seroit trop granz domages, s'ele estoit einsi
35 perdue ; et lors s'apense* qu'il i gitera le fuerre et
retendra l'espee, car encor porroit avoir mestier* a lui
ou a autre ; si prent le fuerre et le giete el lac erranment, et puis reprent l'espee et la repont souz un
arbre, et s'en revient meintenant au roi et dist : « Sire,
40 ore ai ge fet vostre commandement. – Et qu'as tu
veü ? fet li rois. – Sire, ge ne vi riens que ge ne deüsse.
– Ha ! fet li rois, tu ne l'as pas encore gitee ; por quoi
me travailles tu tant ? Va, si la giete, si savras qu'il en
avendra, car sanz grant merveille ne sera ele pas
45 perdue. » Quant Girflet voit qu'a fere li couvient, si
revient la ou l'espee estoit, si la prent et la commence
a regarder trop durement et a pleindre, et dit : « Espee
bone et bele, tant est granz domages de vos, que vos
ne cheez es mains d'aucun preudome ! » Lors la lance
50 el lac el plus parfont et au plus loing de lui qu'il puet ;
et meintenant qu'ele aproucha de l'eve, il vit une main
qui issi del lac et aparoit jusqu'au coute, mes del cors
dont la mein estoit ne vit il point ; et la mein prist
l'espee parmi le heut* et la commença a branler trois
55 foiz ou quatre contremont.
    Quant Girflet ot ce veü apertement, la mein se
rebouta en l'eve a toute l'espee, et il atendi illec grant
piece por savoir s'ele se demoustrast plus ; et quant il
vit qu'il musoit por neant, il se parti del lac et vient au
60 roi ; si li dit qu'il a l'espee gitee el lac et li conte ce qu'il
avoit veü. « Par Dieu, fet li rois, ce pensoie ge bien que
ma fins aprouchoit durement. »

auprès du roi et lui dit : « Sire, j'ai exécuté votre ordre, car j'ai jeté votre épée dans le lac.

– Et qu'as-tu vu ? demande le roi.

– Sire, répond Girflet, je n'ai rien vu que de normal.

– Ah ! dit le roi, tu me tourmentes ; retourne sur tes pas et jette-la, car tu ne l'as pas encore jetée. » Girflet retourne aussitôt vers le lac et tire l'épée du fourreau, et il se met à se lamenter très vivement sur elle, disant que ce serait vraiment un grand dommage si elle était ainsi perdue ; il décide alors de jeter le fourreau et de garder l'épée, car elle pourrait encore être utile à lui ou à un autre ; il prend le fourreau et le jette rapidement dans le lac ; ensuite il reprend l'épée, la cache sous un arbre et s'en retourne aussitôt auprès du roi et dit : « Sire, à présent j'ai exécuté votre ordre.

– Et qu'as-tu vu ? demande le roi.

– Sire, je n'ai rien vu que je n'aurais dû voir.

– Ah ! réplique le roi, tu ne l'as pas encore jetée ; pourquoi me tourmentes-tu autant ? Va, jette-la et tu sauras ce qu'il en adviendra, car elle ne disparaîtra pas sans qu'un grand prodige se produise. » Quand Girflet voit qu'il doit s'exécuter, il revient à l'endroit où se trouvait l'épée, il la prend et se met à la contempler très attentivement tout en se lamentant sur elle par ces mots : « Épée bonne et belle, quelle grande pitié que vous ne tombiez pas entre les mains d'un vaillant chevalier ! » Il la lance alors dans le lac, au plus profond et au plus loin qu'il peut ; et dès que l'épée s'approcha de l'eau, il vit une main sortir du lac, qui apparaissait jusqu'au coude, mais il ne vit pas le corps auquel appartenait cette main ; la main saisit l'épée par la poignée et se mit à la brandir trois ou quatre fois en l'air.

Quand Girflet eut clairement vu ce prodige, la main s'enfonça dans l'eau avec l'épée ; il attendit là un long moment pour savoir si elle se manifesterait à nouveau ; mais quand il comprit qu'il perdait son temps, il s'éloigna du lac et revint auprès du roi ; il lui dit qu'il avait jeté l'épée dans le lac et lui raconta ce qu'il avait vu. « Par Dieu, dit le roi, je pensais bien que ma fin approchait à grands pas. »

Jean Renart

LE ROMAN DE LA ROSE

Jean Renart, à qui l'on attribue deux romans, *L'Escoufle*
(écrit entre 1200 et 1202) et *Le Roman de la Rose* (appelé
de Guillaume de Dole à la suite de Claude Fauchet) ainsi
que *Le Lai de l'ombre* (composé après 1221), est peut-
être le pseudonyme emblématique d'un important personnage historique, Hugues II de Pierrepont, premier
prince-évêque de la principauté de Liège, qui régna de
1200 à 1229. C'est du moins la proposition qu'a faite
Mme Rita Lejeune dans sa dernière publication, *Du nouveau sur Jean Renart* (Liège, 1997). *Le Roman de la Rose*
date sans doute de 1208-1210.

Son auteur l'a qualifié de *novele chose*, parce qu'il
inaugurait, loin du monde arthurien, un « nouveau
roman », fondé sur la recherche du vraisemblable,
sur des données empruntées à la réalité matérielle et
sociale, à une certaine forme de réalisme juridique,
géographique et historique, se plaisant à évoquer, non
sans ironie, l'envers grisâtre du décor, mais restant tri-
butaire de la littérature courtoise – roman rose, selon
Michel Zink, s'affichant comme roman fondé sur la
littérature.

Une autre trouvaille de Jean Renart a été d'entrelacer
texte narratif et poèmes lyriques appartenant au registre

popularisant (rondets de carole, chansons de toile, pastourelles) comme au grand chant courtois français et provençal. Si ces chansons ont une fonction sociale dans la mesure où, rituelles et collectives, elles prennent l'aspect d'un jeu, d'un autre côté elles réintroduisent dans le roman les *topoi* de la lyrique courtoise qui commentent le texte, l'explicitent (et en particulier les sentiments de l'empereur Conrad) ou établissent un jeu délicat d'oppositions. La ligne narrative se trouve coupée dans son rythme par des antériorités, des postériorités ou des parallélismes inhérents à la ligne chantée, intermittente. Renart utilise la poésie lyrique tant pour glorifier les ménestrels que pour donner plus de profondeur à l'œuvre et aux personnages.

En dépit du méchant sénéchal, ce premier *Roman de la Rose* que Guillaume de Lorris s'appliquera à récrire et recréer dans son propre *Roman de la Rose*, est un hymne à la générosité, à l'opulence, à la beauté et à la joie, s'exprimant par des chants et des danses, dans une atmosphère de fête et de discret érotisme. La beauté et le bonheur sont à portée de main, dans notre monde, sans qu'il faille rêver d'un univers merveilleux qui ne peut que décevoir.

Le passage que nous avons choisi raconte la fin d'une joyeuse partie de campagne, après le repas du soir.

Bibliographie

Éd. de F. Lecoy, Paris, Champion, 1962 (« Classiques français du Moyen Âge », n° 91) ; trad. de J. Dufournet, J. Kooijman, R. Ménage et Ch. Tronc, Paris, Champion, 2e éd. 1988.

R. Lejeune, *L'Œuvre de Jean Renart, contribution à l'étude du genre romanesque au Moyen Âge*, Genève, Slatkine, 1968, « L'Esprit clérical et les curiosités intellectuelles de Jean Renart dans le *Roman de Guillaume de Dole* », *Travaux de linguistique et de littérature*, t. XI, 1973, p. 589-601, « *Le Roman de Guillaume de Dole* et la principauté de Liège,

Cahiers de civilisation médiévale, t. XVIII, 1974, p. 1-24, et
Du nouveau sur Jean Renart, Liège, 1997 ; L. Louison, *De
Jean Renart à Jean Maillart. Les romans de style gothique*,
Paris, Champion, 2004 ; M. Zink, *Roman rose et rose
rouge. Le Roman de la Rose ou de Guillaume de Dole, de Jean
Renart*, Paris, Nizet, 1979.

Notes

Texte établi d'après le manuscrit (unique) de la bibliothèque du Vatican (fonds de la reine Christine de Suède)
Reg. 1725, et d'après l'éd. de F. Lecoy.
Ce passage est caractéristique du roman, puisque des poésies lyriques se trouvent insérées dans la trame du récit.

rouge vin a tostees : une *tostée* était une tranche de pain rôti
trempé dans du vin. Le vin destiné à cet usage n'était pas
de qualité supérieure.
as tables : « "Jouer aux tables" (*ludere ad tabulas*) n'apporte
aucune précision quant aux règles du jeu pratiqué.
Expression à valeur générique, elle demeure aussi impré-
cise que le fait de dire "jouer aux cartes". Les différents
jeux concernés n'ont en commun que le recours à un
tableau, ou diagramme, dont la disposition suit celle du
matériel des jeux de tables mais peut aussi en différer sen-
siblement. Ce tableau matérialise le parcours que vont
devoir accomplir tous les jetons ou tables à la disposition
de l'un et l'autre joueur qui prennent position face à face,
le long du grand côté du tablier » (J.-M. Mehl, *Les Jeux
au royaume de France du XIIIe au début du XVIe siècle*, Paris,
Fayard, 1990, p. 141). Cette sorte de tric-trac combinait
le hasard, la compétition et l'intelligence tactique.
as dez au hasart : sur ce jeu de dés, voir le livre cité de
J.-M. Mehl, p. 92-95. C'était sans doute le plus élaboré
des jeux de dés et le moins pratiqué. La partie de *hasard*
la plus célèbre est celle du *Jeu de saint Nicolas* de Jean
Bodel (voir texte II, III, 2).
denier a autre : voir la note de F. Lecoy, *op. cit.*, p. 178 : « Sans
doute "denier contre denier", c'est-à-dire "à enjeu égal (et
dont la valeur pouvait monter jusqu'à six deniers)", ce qui
est peu. Peut-être l'auteur veut-il dire qu'il n'y avait pas là
de joueurs passionnés par le gain et que l'on se contentait
d'"intéresser" la partie. »

a la mine : selon J.-M. Mehl, *op. cit.*, p. 97 : « [...] les apparitions de la mine sont exclusivement littéraires et, de plus,
cantonnées dans les romans courtois du XIIᵉ siècle ou dans
la littérature bourgeoise du XIIIᵉ siècle. Il ne s'agit donc pas
d'autre chose que d'une dénomination artificielle, s'expliquant par l'utilisation d'un objet appelé *mine* et qui remplissait à peu près les mêmes fonctions que le brelan ou l'échi-
quier. C'est un plateau ou petit bassin métallique dans
lequel on jetait les dés. *Mine* n'est qu'une figure métonymique pour désigner les jeux de dés en général. »

tref : selon A. Eskénazi (« *Tref, pavellon, tante* dans les romans
de Chrétien de Troyes [BN 794] », *Et c'est la fin pour quoy
sommes ensemble. Hommage à Jean Dufournet*, Paris, Champion, 1993, p. 549-562), *tref* réfère à un appartement portable dont la vocation est d'abriter une personne, *pavellon*
réfère à un appartement portable dont la vocation est de
recevoir plus d'une personne. Au contraire, *tante* désigne
un abri sans vocation spécifique, un volume dont les parois
sont faites de toile tendue (p. 560).

carole : divertissement courtois, qui fut à l'origine une sorte
de marche rythmique sans règle, qu'on accompagnait de
répons, et qui était mi-chanté, mi-mimé.

en graine : cochenille ou kermès employé à la teinture de
l'écarlate.

v. 514 : les trois poèmes lyriques sont des rondets de carole,
qui se prêtaient à des danses de plein air et improvisées, et
dont le contenu sémantique porte à l'ordinaire sur les
variations d'une topique amoureuse très typisée. Ils pouvaient s'organiser en *chanson de carole*, faite de rondets
enchaînés. Le rondet gravite autour d'un refrain de deux
vers, qui est précédé d'une strophe de trois vers dans
laquelle le premier vers du refrain a été inséré entre le
premier et le second vers. Voir P. Bec, *La Lyrique française
au Moyen Âge (XIIᵉ-XIIIᵉ siècles)*, t. I, Paris, Picard, 1977,
p. 223-228.).

conte d'Aubours : le comte de Dagsburg, aujourd'hui Dabo
en Alsace.

Oedes de Ronqueroles : Eudes de Ronquerolles (canton de
Clermont dans l'Oise), personnage connu, cité dès 1190,
à la croisade en 1220, mort avant 1233.

barnez : comme *barnage*, ce mot désigne : 1) l'ensemble des
barons ; 2) le courage et les qualités d'un baron ; 3) l'état
de baron, sa puissance et sa pompe ; 4) les manifestations
de la joie chevaleresque.

27. [Fin d'une partie de campagne]

Quant il orent mengié assez
et beü trestot a lor sez,
non pas rouge vin a tostees★,
495 quant les napes furent ostees,
il se sont tuit levé des tables.
Puis sont alé joer as tables★ ;
et .III. chevaliers d'autre part
rejoent as dez au hasart★,
500 denier a autre★ tresqu'a .VI. ;
et li autre resont assis
cil as eschez, cil a la mine★.
Vïeleors a dras d'ermine
vïelent par cez pavellons.
505 Les dames et les conpegnons
l'empereor s'en issent hors.
Main a main, em pur lor biau cors,
devant le tref★, en un pré vert,
les puceles et li vallet
510 ront la carole★ commenciee.
Une dame s'est avanciee,
vestue d'une cote en graine★,
si chante ceste premeraine :
      C'est tot la gieus, enmi les prez,
515 *Vos ne sentez mie les maus d'amer !*
      Dames i vont por caroler,
         remirez voz braz !
      Vos ne sentez mie les maus d'amer

27. Fin d'une partie de campagne

Une fois qu'ils eurent mangé à satiété
et bu à leur suffisance,
et non pas du vin rouge ordinaire,
une fois les nappes enlevées,   495
ils se levèrent tous de table
pour aller jouer au trictrac.
Trois chevaliers, de leur côté,
jouèrent aux dés, à enjeu égal
sans dépasser six deniers,   500
tandis que d'autres se sont mis
qui aux échecs, qui à la mine.
Des vielleurs revêtus d'hermine
jouaient d'une tente à l'autre.
Les dames et les compagnons   505
de l'empereur sortirent.
La main dans la main, sans manteau sur leur corps svelte,
devant la tente royale, dans un pré vert,
demoiselles et jeunes seigneurs
ont, quant à eux, commencé la danse.   510
Une dame, vêtue d'une robe écarlate,
s'est avancée
pour chanter cette première chanson :
Tout là-bas, au milieu des prés,
Vous ne ressentez pas les maux d'amour.   515
Les dames y vont pour danser,
surveillez vos bras !
Vous ne ressentez pas les maux d'amour

si com ge faz !
520 Uns vallez au prevost d'Espire
redit ceste, qui n'est pas pire :
C'est la jus desoz l'olive,
Robins enmaine s'amie.
La fontaine i sort serie
525 *desouz l'olivete.*
E non Deu ! Robins enmaine
bele Mariete.
Ceste n'ot pas duré .III. tours,
quant li filz au conte d'Aubours★
530 qui mout amoit chevalerie
reconmencë a voiz serie :
Main se levoit Aaliz,
J'ai non Enmelot.
Biau se para et vesti
535 *soz la roche Guion.*
Cui lairai ge mes amors,
amie, s'a vos non ?
Et la duchesse d'Osteriche,
qui si estoit de beauté riche
540 q'en ne parloit se de li non,
reconmença ceste chançon :
Main se leva la bien fete Aeliz,
par ci passe li bruns, li biaus Robins.
Biau se para et plus biau se vesti.
545 *Marchiez la foille et ge qieudrai la flor.*
Par ci passe Robins li amorous,
Encor en est li herbages plus douz.
Que de Robin que d'Aaliz,
tant ont chanté que jusq'as liz
550 ont fetes durer les caroles.
Se sire Oedes de Ronqueroles★
trovast tel roi, ce fust barnez★.
Mes li tens est si atornez
qu'en ne troeve mês qui bien face :
555 por ce s'enledist et efface
chevalerie, hui est li jors.

comme je le fais !
Un jeune homme, attaché au prévôt de Spire,   520
à son tour chante cette chanson, qui n'est pas moins jolie :
C'est là-bas, sous l'olivaie,
que Robin conduit sa mie,
L'eau de la source y sourd pure
sous l'olivette.   525
Ah, mon Dieu ! Robin conduit
belle Mariette.
La chanson n'avait pas duré trois tours de danse
que le fils du comte de Dabo,
qui était féru de chevalerie,   530
reprit d'une voix pure :
Au matin se levait Aélis.
J'ai nom Amelot.
Bien se para et bien se vêtit
sous la Roche-Guyon.   535
À qui donnerai-je mon amour,
amie, sinon à vous ?
Et la duchesse d'Autriche,
qui était si éclatante de beauté
qu'on ne parlait que d'elle,   540
commença à son tour cette chanson :
Au matin se leva belle Aélis,
par là va Robin le brun, le joli.
Bien se para, mieux encor se vêtit.
Foulez la feuille, je cueillerai la fleur.   545
Par là va Robin le bel amoureux,
et l'herbe en est plus douce devenue.
De Robin et d'Aélis
ils ont tant chanté qu'ils ont prolongé
les danses jusqu'au coucher.   550
Si le seigneur Eudes de Ronquerolles
avait rencontré un tel roi, on eût été au comble de la joie
    chevaleresque.
Mais l'époque est ainsi faite
qu'on ne trouve personne pour bien agir :
c'est pourquoi, aujourd'hui,   555
la chevalerie se flétrit et disparaît.

Renaut

GALERAN DE BRETAGNE

Il semble maintenant acquis que l'auteur de *Galeran de Bretagne*, écrit vers 1216-1220, n'est pas Jean Renart, mais Renaut, qu'on ne doit pas confondre avec Renaut de Beaujeu (ou plutôt de Bâgé, dans l'Ain), le romancier du *Bel Inconnu*, et qui est d'ailleurs un pseudonyme, à mettre en rapport avec celui de Jean Renart.

Plutôt que de roman réaliste, il convient de parler de « nouveau roman », loin du monde arthurien, dont il refuse le merveilleux, tandis qu'il multiplie les effets de concret et recherche la vraisemblance dans le choix de la matière et qu'il fait une large place à la ville, lieu de libération de la femme, de l'effort et de la conquête personnelle par le travail. Il est évident que le *Lai de Frêne* de Marie de France est l'hypotexte de *Galeran* qui en reprend les motifs principaux (la naissance de jumeaux, la calomnie, l'abandon d'un des deux enfants, la mésalliance) aussi bien que secondaires (les signes de reconnaissance, la beauté féminine, le pardon final). Mais le roman, qui s'organise autour du motif du tissage, tend à plus de complexité : il développe les relations féodales et chevaleresques, il multiplie les noms propres, souvent signifiants ; il sort des frontières de la Bretagne ; il donne aux personnages plus de profondeur psychologique, en particulier par le recours au dialogue et au monologue, et il accumule les péripéties. De son côté, *L'Escoufle* de Jean Renart est le modèle de *Galeran*, et parfois le contre-modèle : force éléments indiquent cette filiation que Renaut se plaît à souligner.

La réécriture de *Frêne* permettait à Renaut d'introduire le motif du double et de mettre son œuvre sous le signe de la dualité. Dans ce roman féminin et surtout binaire qui comporte deux protagonistes, Renaut a multiplié les jeux sur l'apparence et la réalité ; il a exploré toutes les formes du dédoublement et du redoublement : c'est dans les *muances* et les contradictions de la société et des hommes que se trouve la merveille.

Le roman accorde une place privilégiée à deux oreillers qui se ressemblent tout en étant différents : « l'un participe des merveilles d'un chef-d'œuvre inconnu et insaisissable, l'autre est l'œuvre visible, parfaite de Gente », la mère de l'héroïne (R. Dragonetti). C'est le premier que présente notre extrait.

Bibliographie

Éd. de L. Foulet, Paris, Champion, 1966 (« Classiques français du Moyen Âge », n° 37), et trad. de J. Dufournet, Paris, Champion, 1996 («Traductions des Classiques français du Moyen Âge », n° 53).

R. Dragonetti, *Le Mirage des sources. L'art du faux dans le roman médiéval*, Paris, Le Seuil, 1987, p. 229-260 ; L. Lindvall, *Jean Renart et Galeran de Bretagne. Étude sur un problème d'attribution de textes*, Stockholm, 1982 (*Data linguistica*, 15) ; A.-M. Plasson, « L'obsession du reflet dans *Galeran de Bretagne* », *Mélanges Pierre Le Gentil*, Paris, SEDES, 1974, p. 673-689.

Notes

Texte établi d'après le manuscrit unique 24042 du fonds
français de la Bibliothèque nationale et l'éd. de L. Foulet,
Paris, Champion, 1966.

Frise : selon B. Nelson Sargent (lettre du 31 mars 1976), « il
s'agit d'une formule qui sert à remplir le vers et à fournir
la rime, plutôt que d'une réalité géographique. Si l'on est
obligé de choisir entre la Frise et la Phrygie (et c'est le
genre de choix qui s'impose sans relâche au traducteur),
on pourrait entre autres tenir compte des autres noms de
lieu qui figurent dans ce lai. Or ils désignent tous des villes
ou des régions septentrionales de la France. Je serais par
conséquent encline à voir dans le "chastel de Frise" une
ville fortifiée en Frise ; mais l'allusion manque de précision ». Voir, du même auteur, « *Frise* : le nom et le lieu
dans la littérature en ancien et en moyen français »,
Mélanges Burma, Groningue, 1970, p. 18-24.

pierres : au Moyen Âge les pierres précieuses symbolisaient
la richesse, le luxe, la lumière et les sortilèges des pays
lointains ; elles avaient aussi des vertus, en particulier
médicinales.

oiseuses : « futilités ». Chrétien de Troyes a employé fréquemment ce mot au sens de « paroles folles ou frivoles ». Le
mot a désigné un genre littéraire fondé sur le non-sens
relatif.

rubiz : il provient de Libye ; de couleur vermeille comme
carbon qui arde, c'est la plus précieuse des pierres. Le
rubis assure la supériorité de ceux qui le portent, il guérit
les bêtes malades qui boivent l'eau où il se trouve, il
réconforte les désespérés.

decevans : « trompeuse », car aucune couleur réelle ne peut la
définir.

fenis : sur le phœnix, oiseau d'éternité, oiseau unique qui
renaît de ses cendres, symbole héliaque, exemple de foi
dans la résurrection des justes ou en celle du Christ, et sur
la constellation de ses valeurs symboliques (mythe solaire,
de l'unicité, de la beauté absolue, de la mort volontaire, de
la régénérescence ou de la résurrection, de l'engendrement
sans copulation), voir R. Van den Broek, *The Myth of the
Phoenix according to classical and early Christian Tradition*,
Leiden, 1972 ; J.-P. Clébert, *Bestiaire fabuleux*, Paris, 1971,
p. 299-302 ; G. Bianciotto, « De quelques phœnix médié-

vaux », *Mélanges in Memoriam Takeshi Shimmura*, Tokyo, 1998, p. 1-20.

garingaus : racine d'une plante aromatique des Indes orientales.

gris : il s'agit ici de la fourrure d'une espèce d'écureuil appelé petit-gris, de couleur gorge-de-pigeon par-dessus et blanche par-dessous. C'est une fourrure d'un prix élevé. Le *vair* est la fourrure faite avec la peau du ventre, le *gris* la fourrure faite avec la peau du dos.

Anfelise : sœur du roi Thibault de Candie et femme de Foucon. Le nom a été emprunté, selon L. Foulet, à la chanson de geste *Foucon de Candie*, écrite au début du XIIIe siècle par le duc Herbert de Dammartin, dont le héros conquiert le cœur de la princesse Anfélise.

28. [L'oreiller merveilleux]

Et celle d'atourner s'angoisse.
Toust fait la dame appareillier
430 Draps pour l'enfant couchier, tailler
Souefs et delïez de lin.
S'a fait traire d'un sien escrin
Ung oreillier bel a devise,
Que lui ot envoié de Frise★
435 Aude la roÿne sa seur.
En la toille ne mesist fuer
Nuls qui la veïst ne prisast,
N'en l'oreillier souef ou tast,
Car entour avoit maint bouton
440 Qui ne sont mie de leton
N'or ne argent n'autre metal,
Ainz furent pierres★ par igal
Toutes roondes precieuses ;
N'i servoient mie d'oiseuses★,
445 Qu'elles furent de grant bonté
Et belles com beau jour d'esté ;
S'ot aux cornes quatre rubiz★
Que n'achatast Turs n'Arrabiz ;
Ou drap n'ot soie ne fil d'or ;
450 Nul ne trovast pour nul tresor
Son pareil, tant le sceüst querre ;
Car fait ne fu n'en ciel n'en terre
N'en mer, ne ne le tyssy nulz ;
Mais sur ung arbre d'ebenus

28. L'oreiller merveilleux

La dame s'inquiète de prendre des dispositions.
Rapidement elle fait préparer
des draps où coucher l'enfant, taillés   430
dans une douce et fine étoffe de lin.
Et d'un de ses coffres elle a fait tirer
un oreiller de toute beauté
que lui avait envoyé de Frise
sa sœur la reine Aude.   435
Personne qui aurait vu et estimé l'étoffe
n'aurait pu en fixer le prix,
pas plus que celui de l'oreiller, doux au toucher,
car il était bordé tout autour de cabochons
qui n'étaient pas en laiton   440
ni en or ni en argent ni en un autre métal,
mais ils étaient faits de pierres précieuses,
toutes aussi rondes les unes que les autres.
Ce n'étaient pas de simples parures,
car elles avaient un pouvoir extraordinaire   445
et la beauté d'un jour d'été.
Aux coins, quatre rubis
que n'auraient pu acheter Turc ni Arabe.
Le drap n'était pas fait de soie ni de fils d'or.
Personne n'aurait pu, pour aucun trésor, trouver   450
son pareil, quelles que fussent ses recherches.
Car on ne l'avait fabriqué ni au ciel ni sur terre
ni dans la mer, et personne ne l'avait tissé.
Mais ce sont des oiseaux qui, sur un arbre

455 Le firent oysel a leurs becs ;
      Telle est leur nature qu'adés
      Font a leurs ouefs courtine et voile,
      Si com yraigne fait sa toille ;
      Mais la couleur est decevans★ :
460 Ja ne serez si parcevans
      Qu'il ne se moustre a vostre advis
      Pour noir, pour blanc, pour vert, pour bis,
      Pour vermeil, pour jaune, pour inde ;
      S'en fu la plume prise en Ynde
465 D'un oysel qu'on clame fenis★ :
      C'est ung oysel par qui ja nis
      N'est fait que d'un seul, ce me semble,
      Car estre n'en puet q'un ensemble ;
      Li oreilliers grant odeur rent :
470 Espice nulle ne s'i prent,
      Ne giroffle ne garingaus★,
      Tant soit de nouvel prins es gaus
      D'Eüfrates ne de Tygriz.
      Ung pliçon appareillent gris★,
475 Pour ens envelopper l'enfant
      Et en ung petit bers non grant
      Ont fait son lit a grant devise.
      En ce bers fu puis Anfelise★,
      Seur au roy Thibault de Candye,
480 Petite et aletant nourrie.
      A sa fille l'ot chier la dame ;
      Cler et luysant fu comme flamme
      Et fut des coustes d'un poisson,
      Et les cornes furent en son
485 D'un cler yvyere ouvré par art ;
      La couleur d'or y luist et art,
      Et li lïens en est de soye
      Que la dame ot ouvré a joye,
      Que qu'ell'estoit griefz et pesans.

d'ébène, le firent de leurs becs. 455
Leur nature est telle que toujours
ils font pour leurs œufs une tenture et un voile,
comme l'araignée tisse sa toile.
Mais la couleur en est trompeuse :
vous n'aurez jamais la vue assez perçante 460
pour pouvoir déterminer s'il est
noir, blanc, vert, gris,
vermeil, jaune ou indigo.
La plume provenait d'un oiseau
de l'Inde qu'on appelle phénix, 465
et qui est un oiseau dont le nid
ne compte qu'un seul spécimen, à mon avis,
car il ne peut y en avoir qu'un seul à la fois.
L'oreiller répandait une odeur pénétrante
à laquelle ne se compare nulle épice, 470
ni girofle ni garingal,
si fraîchement qu'on les eût cueillis dans les bois
de l'Euphrate ou du Tigre.
On prépare une pelisse doublée de petit-gris
pour en envelopper l'enfant, 475
et dans un petit berceau, pas très grand,
on a fait son lit avec tout le confort imaginable.
C'est dans ce berceau qu'on mit plus tard Anfélise,
la sœur du roi Thibaud de Candie,
quand elle était encore petite et nourrie au sein. 480
La dame y tenait pour sa fille.
Clair et lumineux comme la flamme,
on l'avait fabriqué avec des arêtes de poisson,
et sur le haut les quenouilles étaient
en ivoire clair, ciselé avec art. 485
L'or de sa couleur luisait et flamboyait.
Les courroies étaient en soie :
la dame avait eu beaucoup de joie à les faire,
pendant qu'elle était enceinte.

JOUFROI DE POITIERS

Œuvre exceptionnelle par la frivolité constante d'un héros épris de facéties, de mystifications et de galanteries, et proche par plus d'un trait du roman de *Flamenca*, lui aussi anonyme et inachevé, *Joufroi de Poitiers*, qui n'est rien moins que « réaliste », témoin l'épisode capital du poirier, mais plutôt hors normes, date sans doute de la première moitié du XIIIᵉ siècle, antérieurement au roman de Philippe de Rémy, *Jehan et Blonde*, qui semble en être la réécriture. Il met en scène un héros picaresque, une sorte de Don Juan, qui, au cours de ses aventures, devient l'amant d'Agnès, la femme du sire de Tonnerre, et d'Alis, l'épouse du roi d'Angleterre, et qui contracte de plus deux mariages, d'abord avec Blanchefleur, la fille d'un bourgeois, puis avec Amaubergeon, la fille de son adversaire, le comte de Toulouse.

Sans doute ce roman est-il une réécriture – encore plus fantaisiste que les fameuses *Vidas* – de la vie du troubadour Guillaume IX à laquelle renvoient entre autres, dans notre œuvre, les noms d'Agnès et d'Amaubergeon, et la présence d'un autre troubadour, Marcabru (*Marchabruns*). Joufroi, comte de Poitiers, c'est-à-dire du pays de la tricherie, se teint le visage avec des herbes et change de nom et de profession, ermite, comte vagabond, truand *qui va grant erre* en quête de dames et d'exploits ; il se présente comme

le sire de Cocagne qui, à travers une multitude de jeux
phoniques (en particulier sur *Tonnerre*), place le
roman sous le signe de la largesse chevaleresque et de
l'*inventio* poétique. Il devient de plus en plus indépen-
dant à l'égard du narrateur qui entrelace son aventure
à celle de ses personnages et qui, lui, reste fidèle à
cette Amour vraie, indicible sinon dans le contredit :
« Tout se passe comme si le récit, scandé par des
pauses, les remplissait de la voix du conteur qui, tel
le héraut du roi, proclame, en ces intervalles, la loi
d'Amour et ses châtiments » (R. Dragonetti).

Le texte que nous présentons est la dernière intervention importante du narrateur complètement égaré
par l'amour et dont le désarroi se manifeste par une
complainte dans le style du contredit.

Bibliographie

Joufroi de Poitiers, roman d'aventures du XIIIᵉ siècle, éd. de
     P.B. Fay et J.L. Grigsby, Genève, Droz, 1972 (« Textes lit-
     téraires français », nº 183) ; trad. de R. Noël, New York,
     1987 (*Studies in the Humanities*, 7).
R. Dragonetti, *Le Gai Savoir dans la rhétorique courtoise, Fla-
     menca et Joufroi de Poitiers*, Paris, Le Seuil, 1982, p. 159-
     190 ; J. Dufournet, « Philippe de Rémy et la réécriture :
     I. *Jehan et Blonde* comme réécriture de *Joufroi de Poitiers*
     (XIIIᵉ siècle). D'un roman anglais à l'autre », *Le Moyen
     Âge*, t. CI, 1995, p. 425-445.

Notes

Texte édité d'après le manuscrit unique de la Bibliothèque
     royale de Copenhague, cote Gl. Kgl. Saml. 3555, 8°, et
     l'éd. de P.B. Fay et J.L. Grigsby, Genève, Droz, 1972. Ce
     texte, ressortissant à la langue littéraire française, a été
     écrit ou copié dans le Sud-Est, avec des traits relevant du
     provençal et du franco-provençal.

bestornez : « tourné sens dessus dessous, bouleversé, égaré ». On connaît un poète du nom de Bestourné ; voir J. Dufournet, *Anthologie de la poésie lyrique française des XII*ᵉ *et XIII*ᵉ *siècles*, Paris, Gallimard, 1989, p. 240 et 351.

voi : graphie de *vois*, première personne du présent de l'indicatif du verbe *aller*.

vilains : le mot, qui désignait à l'origine un paysan libre, a pris le sens péjoratif de « bas, méchant, sans noblesse », à cause du mépris dans lequel était tenu le paysan, et de la proximité de l'adjectif *vil*. Voir J. Dufournet « Portrait d'un paysan du Moyen Âge : le vilain Liétard », in *Le Goupil et le paysan (Roman de Renart, branche* X), Paris, Champion, 1990, p. 57-105.

oriol : « loriot ». La forme moderne (XIVᵉ siècle) s'explique par l'agglutination de l'article. Voir aussi *ierre* (du latin *hedera*) et *lierre, endemain* et *lendemain, andier* et *landier*.

roisinol : sur la forme du mot et la symbolique de *rossignol*, voir J. Dufournet, édition de *Courtois d'Arras. L'Enfant prodigue*, Paris, GF-Flammarion, 1995, p. 95-96.

quinçon : « pinson » ; selon une citation du Godefroy : « oiseau que le peuple nomme *quinson* au delà de la Loire ».

aurés : « ein Singvogel », selon Tobler-Lommatzsch.

livieres : mot difficile pour lequel on a proposé plusieurs explications : faut-il y voir une erreur pour *vivieres*, « viviers », ou un dérivé d'**aquarius*, au sens de « rigole, petit canal, vivier, etc. » ?

sauvage : à prendre au sens de « rude, barbare, bizarre ».

corage : « cœur, sentiments, intentions ».

cuidai : *cuidier* a ordinairement le sens de « s'imaginer, croire à tort », sauf à la première personne *je cuit*, suivi de l'indicatif et non du subjonctif, comme au vers 4376. Voir G. Moignet, *Essai sur le mode subjonctif en latin postclassique et en ancien français*, Paris, PUF, 1959, p. 374-379.

por mautalent : ce mot exprime toutes les nuances de la mauvaise humeur : mécontentement, impatience, ressentiment, rancune, colère.

en bien trover : du bas latin **tropare* qui aurait signifié « utiliser des figures de rhétorique (des tropes) », puis « composer, inventer (un air), composer (un poème), inventer », c'est avec ces derniers sens qu'il est attesté en ancien français et en provençal (*trobar*). Les trouvères et les troubadours sont ceux qui *trovent*, composent des poèmes.

29. [Confidences du narrateur]

4345 Or pais ! seignors, si m'escoutez,
S'orreiz con ge sui bestornez★ :
Ne sai si muer o si ge vi,
Ne sai que faz ne que ge di,
Ne sai quant chant ne quant ge plor,
4350 Ne sai si ge ai joie o dolor,
Ne sai quant je dorm ne quant veil,
Ne sai quant ge cri ne conseil,
Ne sai quant ge voi★ ne quant vien,
Ne sai quant ge ai o mal o bien,
4355 Ne sai quant ge ai o fain o seis,
O si sui vilains★ o corteis,
Ne sai don sui ne de quel terre,
Ne quant ge ai [ne] pais ne guerre,
Ne sai si ge ai pere ne mere,
4360 Ne sai si ge ai soror ne frere,
Ne sai si ge sui ome o beste,
Ne sai si ge ai cors ne teste.
Mi braz me resenblent dous maces,
Et li doi de mes mains limaces ;
4365 Mi pié me resenblent chasteus,
Et li ortels [i] sunt creneus.
Quant ge oi fame ne ome chanter,
Si cuit oïr les lou usler ;
Chant d'estornel et d'oriol★
4370 Et de merle et de roisinol★,
De quinçon★, d'aloe et d'aurés★

29. Confidences du narrateur

Paix donc, seigneurs, et écoutez-moi.　　　　　　4345
Ainsi saurez-vous combien je suis égaré :
Je ne sais si je meurs ou si je vis,
Je ne sais ce que je fais ni ce que je dis,
Je ne sais quand je chante ni quand je pleure,
Je ne sais si j'ai joie ou douleur,　　　　　　　4350
Je ne sais quand je dors ni quand je veille,
Je ne sais quand je crie ou chuchote,
Je ne sais quand je vais ni quand je viens,
Je ne sais quand j'ai du mal ou du bien,
Je ne sais quand j'ai faim ou soif,　　　　　　　4355
Ou si je suis vilain ou courtois,
Je ne sais d'où je suis ni de quelle terre,
Ni quand j'ai paix ou guerre,
Je ne sais si j'ai père ou mère,
Je ne sais si j'ai sœur ou frère,　　　　　　　　4360
Je ne sais si je suis homme ou bête,
Je ne sais si j'ai un corps ou une tête.
Mes bras ressemblent à deux massues,
Et les doigts de mes mains à des limaces ;
Mes pieds ressemblent à des châteaux　　　　　4365
Dont les orteils sont les créneaux.
Quand j'entends une femme ou un homme chanter,
Je crois entendre les loups hurler ;
Les chants d'étourneau et de loriot,
De merle et de rossignol,　　　　　　　　　　4370
De pinson, d'alouette et de geai (?)

Me sanblent raines en marés.
Li pré me resenblent livieres*,
Et li bois et li puis riveres.
4375 Ne sai que soit flors ne verdure,
Que del jor cuit soit noit oscure.
Quant ge oi ome que vïele,
Ne sai s'il corne o chalemele :
Tuit estrument m'i sunt sauvage*.
4380 Si m'a bestorné lo corage*
Une amor que ge ai servie ;
Avoir cuidai* leial amie
Et qui m'amasst de cuer verai,
Quant ge cest romanz comenchai.
4385 Or si m'a tot changiez l'afaire
Que ne sai que g'en doie faire ;
Tot mon cuidier m'a fait faillir,
Ne m'en sai mes en coi tenir
De nulle riens qu'ele me die.
4390 Tote ma joie m'est faillie ;
Tot m'a changié et bestorné.
Bien sai follement ai ovré,
Quant ge nen ai sens ne memoire.
Or retornerai a l'estoire,
4395 Si vos en redirai avant ;
Ja nel lairai por mautalant*,
Que cest romanz voil a chief traire,
Si ne voil ja mais autre faire,
Que trop i ai travail et paine.
4400 Mais por savoir que en demeine
Ai ma lengue, si faz ceste ovre,
O ge en bien trover* m'esprove.

Me semblent grenouilles dans un marais.
Les prés ressemblent à des viviers
Et les bois et les monts à des rivières.
Je ne sais ce que peuvent être fleur ou verdure,   4375
Car je crois que le jour, c'est la nuit noire.
Quand j'entends un homme qui joue de la vielle,
Je ne sais si c'est du cor ou du chalumeau.
Tous les instruments me sont étrangers.
Ainsi ai-je le cœur tourneboulé   4380
Par un amour que j'ai servi.
Je croyais avoir une amie loyale
Qui m'aime d'un amour vrai,
Quand je commençai ce roman.
Or cette histoire m'a tellement changé   4385
Que je ne sais ce que je dois faire.
Elle a ruiné tous mes espoirs,
Je ne sais plus à quoi m'en tenir
Sur tout ce qu'elle peut me dire.
Toute ma joie a disparu,   4390
Elle m'a tout changé et bouleversé.
Je sais bien que j'ai agi comme un fou
Puisque je n'ai ni bon sens ni mémoire.
Je reviendrai donc à mon histoire,
Et pour vous je la poursuivrai.   4395
De colère je ne renoncerai pas
À achever ce roman,
Sans vouloir en faire un autre,
Car j'y ai trop de tourment et de peine.
Mais pour savoir si je possède   4400
Ma langue, je compose cette œuvre
Où je m'essaie à de belles inventions.

Philippe de Rémy

JEHAN ET BLONDE

Il convient désormais de distinguer Philippe de Rémy de son fils Philippe de Beaumanoir. Au premier (v. 1205-1266), qui fut bailli du Gâtinais et conseiller de la comtesse d'Artois, on doit deux romans, *La Manekine* et *Jehan et Blonde*, écrits entre 1230 et 1240, des poésies lyriques, des *Oiseuses* (1237) et des *Fatrasies* (après 1250), tandis que le second, son fils cadet, Philippe de Beaumanoir (1253-1296), est l'auteur d'un ouvrage juridique, les *Coutumes de Beauvaisis* (1283).

Jehan et Blonde se place sous le signe de la modernité par ses options politiques et sociales : le mariage n'est plus décidé par les parents mais librement consenti ; la promotion sociale, liée au dynamisme des intéressés qui est un devoir et une nécessité, concerne autant les chevaliers pauvres qui accèdent à la haute noblesse que les gens du commun qui se hissent à la bourgeoisie ; elle dépend non de la naissance mais de la valeur personnelle ; enfin, le service social se fait à la cour plutôt que dans la guerre et les tournois.

C'est aussi un roman de l'ouverture. En politique, nous assistons à la réconciliation de la France et de l'Angleterre, de la monarchie et des grands féodaux, de la haute aristocratie et de la petite noblesse. Si le père de Jehan reste fixé, figé à Dammartin après la vaine agitation des tournois, son fils tente sa chance et réussit en Angleterre, tandis que le comte d'Oxford vivra désormais le plus souvent en France. Socialement, on constate l'ascension de la plupart des personnages et la présence de toutes les classes. Le jargon franglais et les jeux homonymiques explorent les possibilités du langage. *Jehan et Blonde* emprunte à toutes les formes existantes du roman en vers : roman courtois hérité de Chrétien de Troyes ; roman idyllique et chantefable d'*Aucassin et Nicolette* ; roman allégorique de Guillaume de Lorris, contemporain de Philippe ; « nouveau roman » dans le sillage du *Roman de la Rose* (ou *de Guillaume de Dole*) et de *L'Escoufle* de Jean Renart ; roman d'aventures ; roman curial et nuptial…, en sorte que *Jehan et Blonde* devient une véritable somme romanesque, tout en récrivant avec finesse le déroutant *Joufroi de Poitiers*, un autre roman « anglais ».

Dans le passage que nous avons choisi, le protagoniste Jehan, qui est au service du comte d'Oxford, s'éprend de la jeune comtesse Blonde dont il est l'écuyer tranchant.

Bibliographie

Éd. de S. Lécuyer, Paris, Champion, 1984 (« Classiques français du Moyen Âge », n° 107) ; trad. de S. Lécuyer, Paris, Champion, 1987.
J. Dufournet *et al.*, *Un roman à découvrir ; Jehan et Blonde de Philippe de Rémy (XIII*ᵉ* siècle)*, Paris, Champion, 1991 (« Unichamp », n° 29) ; F. Dubost, « D'*Amadas et Ydoine* à *Jehan et Blonde* : la démythification du récit initiatique », *Romania*, t. CXII, 1991, p. 365-405 ; C. Lachet, « La conjuncture dans *Jehan et Blonde* : du roman idyllique au roman utopique », *Revue des langues romanes*, t. CIV, 2000, p. 111-127.

Notes

Texte établi d'après le manuscrit de la Bibliothèque nationale, fr. 1588 (fol. 57-96) et l'éd. de S. Lécuyer, Paris,
Champion, 1984.

trenchier : Jehan est écuyer tranchant de Blonde. Selon J. Flori
(« Les écuyers dans la littérature française du XIIᵉ siècle »,
in *Et c'est la fin pour quoy sommes ensemble. Hommage à
Jean Dufournet*, Paris, Champion, 1993, t. II, p. 579-
592), « Les écuyers s'occupent aussi du bien-être de leur
maître... Ce sont eux que l'on charge de préparer le gîte
et le couvert à l'étape, eux qui, en cours de chevauchée,
étendent les nappes sur l'herbe verte et servent leurs repas
aux chevaliers et aux dames, ou qui vont au loin chercher
le ravitaillement qui fait défaut sur place ». C'est,
au XIIᵉ siècle, une fonction de confiance, mais subalterne :
elle deviendra plus importante par la suite. J. Flori
remarque aussi que le genre littéraire joue un rôle dans la
coloration de l'image des écuyers : « Les romans insistent
sur leur fonction d'entretien que les épopées passent sous
silence. En revanche, Chrétien de Troyes ignore ou
néglige leur fonction guerrière que les épopées signalent
et que confirment surtout les chroniques rimées et les
récits de croisade. »
tume : le verbe *tumer* (du francique **tûmôn*), qui signifiait
« gambader » « faire des culbutes » « choir », a disparu
avant le XVIᵉ siècle au profit de *tomber* qui l'a emporté sur
choir.
Par aventure : dans le nouveau roman médiéval dont *Jehan
et Blonde* est un représentant, *par aventure* désigne une
chose advenue par hasard. À l'origine, c'était la disponibilité de l'être à l'irruption du merveilleux.
le trenchier : infinitif substantivé, « l'acte de trancher ».
se mervelle : le nom *merveille* et le verbe *se merveillier* ne renvoient plus ici aux catégories de l'exceptionnel, de
l'étrange et de l'inexplicable, et signifient seulement un
effet de surprise. Dans le roman arthurien, la merveille
montre les failles de la création ; elle recule les frontières
du réel en transgressant les limites de l'ordre du monde.
de l'arc d'Amours : l'arc est l'attribut traditionnel de Cupidon
et de l'Amour. Voir J. Dufournet, édition du *Roman de la
Rose*, de Guillaume de Lorris, Paris, GF-Flammarion,
1999.

tenser : du latin **tensare* « protéger, sauver ». À ne pas confondre avec *tencier, tancer*, du latin **tentiare*, « quereller, réprimander, insulter ».

songiés : jusqu'au XVIIᵉ siècle, *songe* (du latin *somnium*) se dit des visions du sommeil (voir le songe d'Athalie). Mais le mot s'est étendu aux pensées que l'on a tout en restant éveillé : *Chacun songe en veillant ; il n'est rien de plus doux* (La Fontaine, *Fables*, VII, 10). Il a même désigné une pensée concentrée et active, en particulier dans le tour *songer à*. Le verbe *songer*, pour qualifier les visions du sommeil, a été remplacé par *rêver* (**re-ex-vagare*), qui signifia d'abord « vagabonder », « vagabonder en esprit » « délirer ».

tresalés : « passé, évanoui, anéanti », du verbe *tresaler*, « passer tout à fait, disparaître, s'évanouir ».

cuevrecief, couvrechef : ce mot désignait au Moyen Âge une étoffe couvrant la tête.

30. [L'écuyer tranchant]

425 Un jour seoit Blonde au mengier.
    Jehans dut devant li trenchier*,
    Comme il avoit eu a coustume.
    Mais tex cuide salir qui tume*.
    Par aventure* sa veüe
430 Jete a celi qu'il ot veüe
    Passé ot dis et uit semaines.
    Mais onques mais a si grant paines
    Ses ex arriere ne saça,
    Car par force a li les sacha
435 La grant biauté sa damoisele.
    Tant entendi a tel querele
    Que le trenchier* en oublia
    Si longuement qu'ele li a
    Dit : « Jehan, trenchiés, vous pensés ! »
440 Adont s'est Jehans repensés ;
    Si trence et fu mout abaubis
    Des mos qu'ele li avoit dis,
    Car onques mais de servement
    Ne li convint faire commant,
445 Si se mervelle* dont ce vint
    C'or endroit ensi li avint.
    Ses ex puis ce mot reposa,
    Que plus regarder ne l'osa
    Tant comme dura cis mengiers.
450 Si l'esgardast il volentiers
    Plus que il ne fist onques mais,

30. L'écuyer tranchant

Un jour Blonde était assise à table,   425
Et Jehan eut à trancher devant elle,
Comme il y était accoutumé.
Mais tel qui croit sauter fait la culbute.
Par hasard il jette les yeux
Sur celle qu'il voyait   430
Depuis plus de dix-huit semaines.
Mais jamais il n'eut si grand peine
À en détacher ses yeux,
Car ils étaient retenus de force
Par la grande beauté de la demoiselle.   435
Il était si occupé à la contempler
Qu'il en oublia de trancher
Si longuement qu'elle a dit :
« Jehan, tranchez, vous rêvassez ! »
Jehan s'est alors repris,   440
Et il trancha, abasourdi
Des mots qu'elle lui avait dits,
Car jamais, pour son service,
Elle n'avait rien eu à lui ordonner,
Et il se demanda avec étonnement quelle était la cause   445
De ce qui venait de lui arriver.
Après cette remarque, il baissa les yeux,
N'osant plus la regarder
Tant que dura ce repas.
Pourtant il l'eût volontiers contemplée   450
Plus qu'il ne l'avait jamais fait,

Car il est de l'arc d'Amours★ trais.
Caüs est en tel desirier
Dont il eut maint grant encombrier.
455 Cel jour puis ne la regarda,
Dusk'a l'endemain s'en garda,
Qu'ele fu au disner assise.
Adont ra Jehans paine mise
A li servir si comme il seut,
460 Mais li desirs dont il se deut
Li fait jeter les ex a cele
Dont il esprent de l'estincele,
Si ententiument le regarde
Que de riens ne se donne garde,
465 Fors sans plus de li esgarder.
La seut il son sens mal garder,
Car par cel fol regardement
Dut morir sans recouvrement.
Du regart en tel penser vint
470 Que de trencier ne li souvint.
Blonde qui si le voit penser
De cel penser le veut tenser★,
Si li dist que il trence tost.
Mais il ne l'entent pas si tost.
475 Puis li redist : « Jehans, trenchiés !
Dormés vous chi, ou vous songiés★ ?
S'il vous plaist, donés m'a mengier,
Ne ne voelliés or plus songier ! »
A cel mot Jehans l'entendi,
480 S'est tressalis tout autressi
Com cil qui en soursaut s'esveille.
De s'aventure s'esmervelle.
Tous abaubis tint son coutel
Et quida trenchier bien et bel,
485 Mais de penser est si destrois
Que il s'est trenciés en .II. dois.
Li sans en saut et il se lieve.
Blonde le voit, forment li grieve.
Jehans a un autre escuier
490 Fist devant sa dame trenchier,
Puis s'en est en la chambre alés,

Car il a reçu une flèche d'Amour.
Le voici tombé dans une telle passion
Qu'il en subit bien des ennuis !
Ce jour-là, il ne la regarda plus,   455
Il s'en garda jusqu'au lendemain,
Qu'elle se fut assise pour dîner.
Alors Jehan s'est efforcé
De la servir comme d'habitude,
Mais la passion qui l'afflige   460
Lui fait jeter les yeux sur celle
Qui a enflammé son cœur ;
Il la regarde si intensément
Qu'il ne se préoccupe de rien
D'autre que de la contempler.   465
Il ne sut pas raison garder,
Car de ce regard insensé
Il faillit mourir sans recours.
Ce regard le plongea dans une telle songerie
Qu'il oublia de trancher.   470
Blonde qui le voit ainsi rêver,
Veut l'en délivrer,
Et elle lui dit qu'il se hâte de trancher.
Mais, comme il ne l'entend pas aussitôt,
Elle lui répète : « Jehan, tranchez !   475
Est-ce que vous dormez ou vous rêvez ?
S'il vous plaît, donnez-moi à manger,
Et veuillez désormais ne plus rêver ! »
À ces mots, Jehan l'entendit,
Et il tressaillit tout comme   480
Celui qui s'éveille en sursaut.
Il s'étonne de ce qui lui arrive.
Tout stupéfait, il prit son couteau,
Escomptant trancher bel et bien,
Mais ses pensées l'occupent tant   485
Qu'il s'est coupé deux doigts.
Le sang en jaillit, il se relève.
Blonde le voit : elle en est désolée.
Jehan demande à un autre écuyer
De trancher devant sa dame,   490
Et lui s'est retiré dans sa chambre,

De son premier sens tresalés★.
D'un cuevrecief★ ses dois lia
Une damoisele qui a
495 Courous de çou qu'il est bleciés.
Atant s'est sur un lit couciés.
Raler n'ose la ou on sert
Blonde, pour che qu'il ainsi pert
Tout son sens et sa contenance.
500 Mout a le cuer en grant balance.

Sans avoir recouvré ses esprits.
De sa coiffe une demoiselle,
Qui était fâchée de le voir
Blessé, lui pansa les doigts. 495
Il s'est alors couché sur un lit.
Il n'ose retourner là où l'on sert
Blonde, puisqu'il perd ainsi
Tous ses esprits et son sang-froid.
Son cœur est vraiment écartelé. 500

Guillaume de Lorris

LE ROMAN DE LA ROSE

L'auteur du second *Roman de la Rose*, écrit
entre 1225 et 1230, est sans doute Guillaume II, seigneur de Lorris en Gâtinais, occupé en 1239 au château de Melun à fabriquer des arbalètes et des engins
de guerre, et rendant, en 1242, des sentences arbitrales avec Philippe de Rémy, bailli du Gâtinais.

Si Guillaume de Lorris a emprunté à Chrétien de
Troyes l'inachèvement apparent du roman et s'il a
voulu opposer la *matere bele et neuve* de son œuvre au
premier *Roman de la Rose* que Jean Renart avait qualifié de *novele chose*, il a recouru, pour l'analyse des
sentiments, à l'allégorie qui au Moyen Âge a tendu à
remplacer la mythologie comme figuration littéraire et
artistique de la nature et de la moralité, et qui est
l'association de quelques métaphores de base (la
guerre, le siège, le voyage, le mariage, etc.) qu'elle
prolonge, et de personnifications de notions abstraites
qu'elle dramatise. Il a fait passer l'allégorie du
domaine religieux et moral au domaine profane et
courtois ; il l'a laïcisée, substituant des rapports
fondés sur la psychologie amoureuse à l'opposition de
couples antinomiques de l'ancienne psychomachie,
héritée du poète latin Prudence. Il a instauré entre les

personnifications des dialogues et a mis dans leur bouche des discours qui énoncent ses idées : ainsi Amour donne-t-il à l'amant des conseils, des ordres et des avertissements. Le premier, il a transformé en personnes les forces allégoriques qui demeuraient jusqu'alors invisibles. Il a allégorisé le monde courtois dont il fait en quelque sorte l'inventaire dans une somme exceptionnelle, romanesque et poétique. Le jardin imaginaire d'Amour se substitue à la bataille des psychomachies dans une œuvre qui est une pure fiction romanesque, et où la succession des personnifications est subordonnée à l'aventure singulière arrivée au poète-narrateur qui découvre l'amour. Nous passons insensiblement du monde courtois au monde allégorique : dans le décor printanier du grand chant et du roman (on est en mai, près d'une rivière), les dix premières figures sont des peintures disposées sur les quatre murs d'un jardin, et Oiseuse tient le rôle de la pucelle hospitalière de la tradition arthurienne ; les dix figures du verger dansent la carole comme un groupe de la meilleure noblesse.

L'allégorisation, symbolisation vivante et révélation d'une vérité supérieure, dessine un art d'aimer, un idéal ; elle interprète le drame intérieur qui se déroule dans l'âme de celle dont dépend le bonheur du narrateur ; elle rend compte, par des personnifications, d'états d'âme où s'enchevêtrent les forces instinctives et émotionnelles, se heurtant à celles de la conscience.

Nous avons choisi deux extraits, le portrait d'Oiseuse qui introduit le narrateur-amant dans le jardin de Déduit, et la fontaine de Narcisse dont la découverte précède la rencontre avec le dieu Amour.

Bibliographie

Éd. de F. Lecoy, Paris, Champion, 1965 (« Classiques français du Moyen Âge », n° 92) ; éd. de D. Poirion et trad.

de J. Dufournet, Paris, GF-Flammarion, 1999 ; éd. et
trad. de A. Strubel, Paris, Le Livre de poche, « Lettres
gothiques », 1992.
R. Dragonetti, *Le Mirage des sources*, Paris, Le Seuil, 1987 ;
Études sur le Roman de la Rose, réunies par J. Dufournet,
Paris, Champion, 1984 ; J.V. Fleming, *The Roman de la
Rose. A Study in Allegory and Iconography*, Princeton,
1969 ; G. Kamenetz, *L'Ésotérisme de Guillaume de Lorris*,
thèse de la Sorbonne nouvelle, 1980 ; D. Poirion, *Le
Roman de la Rose*, Paris, Hatier, 1973 ; A. Strubel, *La
Rose, Renart et le Graal*, Paris, Champion, 1989.

Filmographie

La Roue, A. Gance, 1921.

Notes

Textes établis d'après le manuscrit Z, Paris, Bibliothèque
nationale, fr. 25523, et l'éd. de D. Poirion, Paris, GF-
Flammarion, 1974.

Le portrait d'Oiseuse

A l'uis : le motif de la porte étroite, récurrent dans la littérature médiévale, pouvait symboliser un passage dangereux
(d'un monde à l'autre) pénible et ardu, ou accessible à un
petit nombre de privilégiés. L'*huis* (qu'on a encore dans
huis clos) désignait les portes des maisons et les vantaux
des poternes, tandis que *porte* s'appliquait aux grandes
portes des villes et des châteaux. Cet huis évoque l'*huis
estroit* par lequel Lunete vient au-devant d'Yvain dans *Le
Chevalier au lion* (v. 971).
une noble pucele : cette noble jeune fille introduit l'amant
dans le jardin de Déduit et lui fait connaître les personnages de la carole où elle se trouve à côté de Jeunesse ; elle
indique que le héros pénètre dans une société oisive,
vouée au divertissement.
v. 526 : le portrait complet d'Oiseuse est en quelque sorte
un prototype, comportant son portrait physique, son

costume et ses attributs, ses activités et un discours. Il
s'oppose aux portraits négatifs qui précèdent et il
annonce les autres portraits favorables. Voir J. Batany,
« Miniature, allégorie, idéologie : Oiseuse et la mystique
monacale récupérée par la classe de loisir », *Études sur le
Roman de la Rose*, Paris, Champion, 1984, p. 8-36. Préci-
sons qu'au Moyen Âge, dès qu'il y a portrait, il y a
presque nécessairement merveilleux. Enfin, on peut
penser que Guillaume a voulu rivaliser ici avec le portrait
de Liénor dans *Le Roman de la Rose* de Jean Renart (éd.
de F. Lecoy, v. 4350-4386).

blons cum uns bacins : sans doute comme un bassin de
cuivre, c'est-à-dire blond vénitien. Le bassin d'or était
l'attribut de la messagère de l'Autre Monde (*Lai de Désiré*,
v. 143).

yex vairs : yeux brillants dont la couleur change selon l'éclai-
rage.

v. 548 : on remarquera que la description d'Oiseuse s'arrête
à la gorge : rien sur les mains, les jambes, les reins, le
ventre et le reste, au contraire du portrait de Maroie dans
Le Jeu de la Feuillée.

orfrois : tissu mêlé d'or.

cointe : cet adjectif, issu du latin *cognitus*, a deux grands
types de signification : 1) qui connaît bien quelque
chose, expert, prudent, rusé, trompeur ; 2) joli, gracieux,
aimable, élégant. La culture courtoise a contribué à développer le second sens ; peut-être est-ce une innovation
stylistique de Chrétien de Troyes.

Un chapel de roses : chapeau ou couronne de fleurs que portaient dans les fêtes aussi bien les hommes que les
femmes. Cet usage, hérité de l'Antiquité, était en principe
réservé à la noblesse. Les fleurs pouvaient être fixées sur
un *chapel* d'orfroi ou de bisette (galon tissé de fil d'or ou
d'argent).

mireor : le miroir a pu être lié, selon les contextes, à la luxure,
à la vanité, à l'orgueil, à Vénus, mais aussi à la prudence,
à la connaissance de soi, à la vérité, à la vie contemplative.
Il marque, comme le *treceor*, la disponibilité courtoise.

treceor : ce mot peut désigner aussi bien un galon, qui ornait
la chevelure et maintenait les tresses, qu'une pointe
d'ivoire ou de métal pour séparer les mèches qu'on tresse.

uns blans gans : « une paire de gants blancs ». Symbole de
beauté et d'élégance.

un riche vert de Gans : drap de qualité de couleur verte, fabriqué à Gand, grande ville drapière.

Oiseuse : Guillaume de Lorris a donné un sens positif au mot *oiseuse* que Chrétien de Troyes a employé fréquemment avec l'acception de « paroles frivoles ou folles ». Force psycho-sociologique qui caractérise le milieu humain favorable à la naissance de l'amour, elle évoque une certaine disponibilité d'esprit qui refuse le fracas des combats, l'agitation des affaires publiques et l'austère apprentissage du monde des clercs, pour s'adonner à l'*otium* cher aux poètes, aux loisirs du rêve et de l'amour. Elle fait passer de la vie active à la vie contemplative. Il s'agit plus précisément d'une activité permanente, mais désintéressée, visant au plaisir esthétique, au jeu, occupant tout son temps à la toilette et à la parure, à des jeux et divertissements comme la danse et la musique. Voir S. Sasaki, « Sur le personnage d'Oiseuse », *Études de langue et de littérature françaises*, n° 32, 1978, p. 1-24.

Deduit : le personnage représente ici le divertissement actif, le plaisir hors des activités quotidiennes, le plaisir élégant des gens de loisir. Déduit idéalise une félicité à la fois sensuelle et mondaine, associée aux vertus courtoises que personnifient les danseurs : joie, disponibilité, courtoisie, amour, beauté, richesse, largesse et noblesse.

La fontaine de Narcisse

Une fontaine sous un pin : sur le pin, qui marque et solennise la majesté dans ses expressions majeures, voir l'article de A. Planche, « Comme le pin est plus beau que le charme », *Le Moyen Âge*, t. LXXX, 1974, p. 51-70.

Comme le pin, la fontaine, très importante dans les romans du Moyen Âge, est un point de rencontre entre l'ici-bas et l'au-delà. Selon M.-L. Chênerie, « qu'elle serve de frontière ou de lieu d'étape, elle exalte les vertus de la chevalerie errante, elle poétise ses aventures, elle y introduit la femme, ou bien, enclave sacrée, elle donne au chevalier une dimension mythique » (« Le motif de la *fontaine* dans les romans arthuriens en vers des XIIe et XIIIe siècles », *Mélanges Charles Foulon*, Rennes, 1980, t. I, p. 99-104). Lieu d'une aventure féerique ou d'une révélation, l'eau, qui est une image de la volupté ou de la tristesse, peut être un élément purificateur. Sa valeur régénératrice, la fécondité de la matière primordiale, explique que la source soit un lieu sacré, souvent lié à la femme. On a beaucoup joué de l'homophonie d'*eve*, « eau », et d'Ève, la mère du genre humain.

On peut dire que, pour une part, la fontaine de Narcisse est une réécriture de la fontaine aventureuse du *Chevalier au lion*.

li biaus Narcissus : l'histoire de Narcisse a été racontée par Ovide dans les *Métamorphoses* (livre III, v. 356-503). Il ne semble pas que Guillaume ait suivi Ovide ni le *Lai de Narcisse*. Il ne décrit ni les tourments de Narcisse ni ceux d'Écho ; il ne reprend pas non plus le développement d'Ovide sur l'impossibilité d'aimer. C'est le seul récit mythologique dans le roman de Guillaume, et son rôle n'est pas seulement ornemental : Narcisse est là pour prévenir l'amoureux d'un certain danger qu'il court dans son initiation. Cet épisode constitue la frontière entre la contemplation du jardin de Déduit et le drame que déclenchent les flèches d'Amour.

Si vit : le thème du miroir est amené d'une manière habile : il sera repris pour expliquer le mécanisme de l'amour.

ses ombres : la vanité de l'image nous prépare à l'évocation de la beauté insaisissable.

Et fu mors : pourquoi avoir placé la fontaine qui a provoqué la mort de Narcisse dans le jardin de Déduit qui ignore la mort ? En l'identifiant ensuite à la fontaine d'Amour, Guillaume a-t-il voulu montrer le triomphe remporté sur la Mort ?

v. 1504-1510 : la morale déconcerte de prime abord. En fait, Guillaume souligne la culpabilité de Narcisse pour prévenir les amoureux : l'amour a des lois qu'il ne faut pas transgresser sous peine de mort ; il nous montre d'abord ce qu'il ne faut pas faire. Ensuite, il s'agit d'illustrer le piège de l'amour, folle passion qui s'empare de l'homme assoiffé de désir et qui est culte du désir masculin. Narcisse suggère que, dans la lyrique courtoise, aimer l'amour, aimer le désir, c'est s'aimer soi-même sans être attentif à la personne féminine.

31. [Le portrait d'Oiseuse]

A l'uis⋆ començai a ferir ;
520 Autre entree n'i soi querir.
Assés i feri et bouté,
Et par maintes fois escouté
Se j'orroie venir nulle arme,
Tant que un huisselet de charme
525 M'ovri une noble pucele⋆
Qui mout estoit et gente et bele⋆.
Cheveus ot blons cum uns bacins⋆,
La char plus tendre qu'uns pocins,
Front reluisant, sorcis votis.
530 Li entriaus ne fu pas petis,
Ains iere assés grans par mesure ;
Le nes ot bien fet a droiture,
Et les yex vairs⋆ cum uns faucons
Por fere envie a ces bricons.
535 Douce alene ot et savoree,
Et face blanche et coloree,
La bouche petite et grocete ;
S'ot ou menton une fossete.
Li coz fu de bonne moison,
540 Assés gros et lons par raison,
Si n'i ot bube ne malen :
N'avoit jusqu'en Jherusalen
Fame qui plus biau col portast ;
Poliz ere et soef au tast.
545 Sa gorge estoit autresi blanche

31. Le portrait d'Oiseuse

Je commençai à frapper à la porte,
incapable de trouver une autre entrée.   520
Je frappai et tapai à coups redoublés,
et à mainte reprise j'écoutai
pour savoir si j'entendrais venir quelqu'un,
jusqu'au moment où un guichet de charme
me fut ouvert par une noble jeune fille,   525
fort gracieuse et très belle.
Elle avait les cheveux blond vénitien,
la chair plus tendre qu'un jeune poulet,
le front brillant, les sourcils arqués.
L'intervalle entre les yeux, loin d'être petit,   530
était plutôt grand, selon de justes proportions.
Elle avait le nez bien fait et droit,
les yeux brillants comme le faucon,
pour séduire les jeunes écervelés.
Son haleine était douce et parfumée,   535
son visage couleur de lis et de rose,
sa bouche petite et charnue ;
elle avait une fossette au menton
et un cou de bonnes dimensions,
assez gros et de longueur raisonnable,   540
sans bouton ni ulcère :
jusqu'à Jérusalem, il n'existait pas
de femme dotée d'un plus beau cou ;
il était lisse et doux au toucher.
Sa gorge avait la blancheur   545

Cum est la noif desus la branche
Quant il a freschement negié.
Le cors ot bien fait et dougié* ;
Il n'esteüst en nulle terre
550 Nulle plus belle fame querre.
D'orfrois* ot un chapel mignot ;
Onques nulle pucelle n'ot
Plus cointe* ne plus desguisé :
Ne l'avroie a droit devisé.
555 Un chapel de roses* tout frois
Ot dessus le chapel d'orfrois.
En sa main tint un mireor* ;
Si ot d'un riche treceor*
Son chief trecié mout richement.
560 Bien et bel et estroitement
Ot andeus cousues ses manches ;
Et por garder que ses mains blanches
Ne halaissent, ot uns blans gans*.
Cote ot d'un riche vert de Gans*,
565 Cousue a lignoel tout entor.
Il paroit bien a son atour
Qu'ele yere poi enbesoignie.
Quant elle s'ere bien pignie,
Et bien paree et atornee,
570 Elle avoit faite sa jornee.
Mout avoit bon temps et bon may,
Qu'el n'avoit soussi ni esmay
De nulle riens, fors solement
De soi atorner noblement.
575 Quant m'ot overte celle entree
La pucelle ensi acesmee,
Je l'en mercïai bonnement
Et si li demandai coment
Elle avoit non, et qui elle yere.
580 Et el ne fu pas vers moi fiere
De respondre, ne desdaigneuse :
« Je me faiz, dist elle, Oiseuse*
Appeler a mes connoissans.
Riche fame sui et poissans,
585 S'ai d'une chose mout bon temps,

de la neige sur la branche,
quand elle est fraîchement tombée.
Son corps était bien fait et svelte :
inutile de chercher
en nulle terre une plus belle femme.   550
Elle portait une jolie coiffe d'orfroi ;
jamais aucune jeune fille n'en eut
de plus élégante ni de plus fabuleuse ;
je ne saurais la décrire correctement.
Elle avait une couronne de roses toutes fraîches   555
sur la coiffe d'orfroi.
En sa main elle tenait un miroir
et, d'un luxueux galon, elle avait
sompteusement tressé sa chevelure.
C'est avec un art parfait qu'elle avait   560
étroitement cousu ses deux manches ;
et pour protéger ses blanches mains
du hâle, elle portait une paire de gants blancs.
Sa cotte, d'une riche étoffe verte de Gand,
était bordée d'un petit cordon.   565
Il était clair, à voir sa mise,
qu'elle n'était pas accablée de besognes.
Une fois qu'elle s'était bien peignée,
bien parée et habillée,
sa journée était faite.   570
Elle connaissait un bonheur sans nuage,
car elle n'avait d'autre souci
ni d'autre préoccupation
que de s'apprêter noblement.
Quand la porte m'eut été ouverte   575
par la jeune fille ainsi parée,
je l'en remerciai vivement
et je lui demandai comment
elle se nommait et qui elle était.
Ne faisant pas la fière avec moi,   580
elle ne dédaigna pas de répondre :
« Je me fais appeler Oiseuse,
dit-elle, par ceux qui me connaissent.
Je suis une femme riche et puissante,
et une chose me remplit de bonheur :   585

Car a nulle [rien] je ne pens
Qu'a moi joer et solacier
Et a moi pignier et trecier.
Privee sui mout et acointe
590 De Deduit★, le mignot, le cointe. »

je ne m'occupe de rien d'autre
que de jouer et de me réjouir,
de me peigner et de me tresser les cheveux.
Je suis une amie très intime, une proche
du gentil et aimable Déduit. »

590

32. [La fontaine de Narcisse]

1425 En un trop biau leu arrivé
  Au darrenier, ou je trouvé
  Une fontaine sous un pin★.
  Mes puis Charle ne puis Pepin
  Ne fu aussi biaus pins veüs ;
1430 Et si estoit si haus creüs
  Que ou vergier n'ot plus bel arbre.
  Dedens une pierre de marbre
  Ot Nature, par grant metrise,
  Sous le pin la fontainne assise ;
1435 Si ot dedens la pierre escrites,
  Ou bout amont, lectres petites,
  Qui disoient que ci dessus
  Se mori li biaus Narcissus★.
   Narcisus fu uns damoisiaus
1440 Que Amors tint en ses roisiaus,
  Et tant le sot Amors destraindre,
  Et tant le fist plorer et plaindre
  Que li convint a rendre l'ame ;
  Car Equo, une haute dame,
1445 L'avoit amé plus que riens nee,
  Et fu por lui si mal menee
  Qu'el li dist que il li donroit
  S'amor, ou elle se morroit.
  Mes cis fu por sa grant biauté
1450 Plains de desdaing et de fierté,
  Si ne la li vost otroier

32. La fontaine de Narcisse

J'arrivai, en fin de compte,   1425
en un endroit magnifique où je trouvai
une fontaine sous un pin.
Jamais depuis Charlemagne et Pépin,
on ne vit si beau pin,
et il avait poussé si haut   1430
que dans le verger il n'y avait pas de plus bel arbre.
Dans une pierre de marbre,
Nature, avec un art souverain,
avait placé sous le pin la fontaine ;
et dans la pierre, au bord supérieur,   1435
il était inscrit en petites lettres
que là-dessus
était mort le beau Narcisse.
Narcisse était un jeune homme
qu'Amour retint dans ses filets,   1440
et Amour sut tant le harceler,
et le fit tant pleurer et se plaindre
qu'il lui fallut rendre l'âme,
car Écho, une grande dame,
l'avait aimé plus qu'aucun être au monde,   1445
et elle fut par lui si rudement traitée
qu'elle lui dit qu'il lui accorderait
son amour ou qu'elle en mourrait.
Mais lui, à cause de sa grande beauté, fut
plein de dédain et de cruauté,   1450
et il ne voulut pas lui céder,

Ne por chuer ne por proier.
Quant celle s'oï escondire,
Elle en ot tel duel et tel ire
1455 Et le tint en si grant despit
Qu'elle morut sans lonc respit.
Mes tout avant qu'ele morist
Elle pria Dieu et requist
Que Narcisus au cuer forache,
1460 Qu'elle trova d'amors si lasche,
Fust aproiés encore un jour
Et eschaufés de tel amour
Dont il ne peüst joie atendre ;
Si poroit savoir et entendre
1465 Quel duel ont li loial amant
Que l'en refuse si vilment.
    Cele priere fu renable,
Et por ce la fist Diex estable,
Que Narcisus par aventure
1470 A la fontaine clere et pure
S'en vint dessous l'arbre umbroier,
Un jor qu'il venoit de chacier.
Il avoit soffert grant travau
De corre amont, de corre avau,
1475 Tant qu'il ot soif, por l'apreté
Du chaut, et pour la lasseté
Qui li ot tolue l'alainne.
Et quant il vint a la fontainne
Que li pins de ses rains covroit,
1480 Il se pensa que il bevroit.
Sus la fontaine tout adens
Se mist lors por boire dedens,
Si vit* en l'iaue pure et nete
Son vis, son nés et sa bouchete,
1485 Et cis maintenant s'esbahi,
Car ses ombres* l'ot si trahi
Qu'i cuida veoir la feture
D'un enfant bel a desmesure.
Lors se sot bien Amors vengier
1490 Du grant orgueil et du dangier
Que Narcisus li ot mené.

en dépit de ses cajoleries et de ses prières.
Quand elle entendit qu'il l'éconduisait,
elle en éprouva un tel chagrin et une telle colère,
elle se sentit si humiliée   1455
qu'elle en mourut sans aucun délai.
Mais juste avant de mourir,
elle pria et supplia Dieu
que Narcisse au cœur farouche,
qu'elle avait trouvé si indifférent à l'amour,   1460
fût à son tour un jour oppressé
et brûlé par un amour tel
qu'il ne pût en attendre de joie ;
ainsi pourrait-il savoir et comprendre
quelle est la souffrance des amants loyaux   1465
qu'on repousse si honteusement.
    Comme cette prière était fondée,
Dieu l'exauça, si bien
qu'il se trouva que Narcisse
s'en vint à la fontaine claire et pure   1470
pour prendre le frais à l'ombre de l'arbre,
un jour qu'il venait de chasser.
Il avait souffert de grandes fatigues
à courir par monts et par vaux,
tant et si bien qu'il eut soif à cause   1475
de la chaleur torride et de l'épuisement
qui l'avait mis hors d'haleine.
Arrivé à la fontaine
que le pin couvrait de ses rameaux,
il eut l'idée de boire.   1480
Au-dessus de la fontaine,
il se pencha alors pour y boire,
et il vit dans l'eau pure et claire
son visage, son nez et sa petite bouche :
aussitôt il en fut frappé de stupeur,   1485
car son ombre le trompa si totalement
qu'il crut voir les traits
d'un enfant d'une beauté exceptionnelle.
Alors Amour sut bien se venger
du grand orgueil et de la fierté   1490
que Narcisse lui avait manifestés.

Bien li fu lors guerredonné,
Qu'il musa tant a la fontainne
Qu'il ama son umbre demainne,
1495 Si en fu mors a la parclose ;
Ce est la somme de la glose.
Car quant il vit qu'il ne porroit
Acomplir ce qu'il desirroit,
Et qui l'avoit si pris par fort
1500 Qu'il n'en pooit avoir confort
En nulle fin, ne en nul sens,
Il perdi d'ire tout son sens,
Et fu mors* en peu de termine.
Ainsi si ot de la meschine
1505 Qu'il avoit d'amors escondite
Son guerredon et sa merite.
    Dames, cest exemple aprenés,
Qui vers vos amis mesprenés ;
Car se vous les lessiés morir,
1510 Diex le vous saura bien merir.

Il en fut bien récompensé,
car il musarda tant à la fontaine
qu'il aima son propre reflet,
et qu'il en mourut au bout du compte. 1495
Voilà l'essentiel de l'histoire.
En effet, quand il vit qu'il ne pourrait
obtenir ce qu'il désirait
et qui le captivait si inéluctablement
qu'il ne pouvait en trouver 1500
d'aucune manière aucune sorte de réconfort,
il perdit la raison de chagrin
et mourut en peu de temps.
Ainsi reçut-il de la jeune fille
dont il avait repoussé l'amour, 1505
sa juste récompense.
  Mesdames, méditez cette histoire,
vous qui êtes coupables envers vos amis ;
car, si vous les laissez mourir,
Dieu saura bien vous le faire payer. 1510

Jean de Meun

LE ROMAN DE LA ROSE

Jean de Meun – à qui l'on doit, outre un *Testament* et un *Codicille*, des traductions du *Livre des merveilles de Hyrlande* de Giraud de Barri, de *L'Esperituelle Amitié* d'Aelred de Rievaulx (aujourd'hui perdues), du *Livre de chevalerie* de Végèce, de la *Consolation de Philosophie* de Boèce, de la *Vie et Épistres* d'Héloïse et Abélard – écrivit, vers 1270-1275, une longue continuation, en plus de 17 700 vers, du roman de Guillaume de Lorris (4 062 vers), la première partie du très vaste ensemble appelé *Roman de la Rose*.

Cette œuvre, dotée d'une profonde unité malgré son apparence touffue, voire difforme, se veut un traité complet de l'amour, fondé sur une philosophie de la plénitude et de la fécondité. Pour atteindre ce but, elle combine les deux méthodes du récit allégorique de la quête de la Rose et de l'exposition directe du thème à travers les propos de certains personnages dans un large et systématique débat tout au long du roman. Celui-ci raconte comment l'homme, par lentes étapes, détournées et souvent pénibles, croissant en science et en expérience, atteint le point qui lui permet de produire un autre lui-même et de regarnir les rangs de l'humanité dans l'échelle des êtres. Ce développement, qui concerne l'esprit et le cœur autant que le corps, est assuré par les discours d'Amour dans Guillaume de Lorris, de Raison, d'Ami, d'Amour, de Richesse, de la Vieille, de Nature et de Génius dans Jean de Meun : loin d'être des hors-d'œuvre encyclopédiques, ces discours sont des chaînons essentiels dans la quête de la Rose et les moyens de l'éducation et de la maturation des amoureux.

Le héros ressemble à un étudiant qui va d'une école à l'autre, chaque maître défendant un point de vue, essayant de réfuter celui des autres et de retenir le disciple. Certains soutiennent une théorie : Raison représente, dans la tradition de Boèce, une forme rationnelle de l'amour humain, en particulier la véritable amitié, l'amour de l'humanité et l'amour supraterrestre de la divine Raison ; Amour est le porte-parole de l'amour courtois ; Vénus, c'est le désir sexuel qui n'est pas modifié par les codes et les conventions ; Nature et son interprète Génius, qui reprennent la part de vérité des autres discours, n'ont en vue, après Bernard Silvestre et Alain de Lille, que la nécessité de recréer l'ordre naturel et de régénérer constamment le genre humain, la vie étant la valeur suprême et la plus grande beauté de l'univers créé, et ils n'admettent les autres idéaux que dans la mesure où ils contribuent à ce dessein, où ils ne le contrarient pas. D'autres, Ami et la Vieille, expriment les leçons de l'expérience humaine des deux sexes. En marge, mais en relation avec l'histoire, d'un côté, Faux Semblant et Abstinence contrainte défendent les ruses et les mensonges utilisés par les amants dans la lutte contre la chasteté et représentent aussi le célibat et la (vraie et fausse) chasteté qui sont des offenses à la loi naturelle de la génération ; de l'autre, Richesse est le patron de ceux qui, pour trop convoiter les biens, désertent l'armée de l'Amour, et c'est aussi une alliée de Raison qui condamne la folie du gaspillage. Mais chaque personnage marque aussi différents états psychologiques.

Lu par un large public pour qui poésie, philosophie et rhétorique sont des approches de la vérité et des moyens de la mettre en valeur, *Le Roman de la Rose* a été, trois siècles durant, un trésor d'énoncés dont on dispose à son gré, un texte à lire et à relire avec dévotion et humilité, un ensemble de signes dont le sens enfoui est à déchiffrer, une œuvre sacralisée qui, selon Pierre-Yves Badel, échappe à son temps historique et à son espace social.

De cette œuvre colossale, nous avons retenu le portrait satirique de Faux Semblant par lui-même et l'exaltation lyrique de Nature qui, dans sa forge, toujours renoue la belle chaîne des êtres.

Bibliographie

Éd. de F. Lecoy, Paris, Champion, 1965-1970, 3 vol. (« Classiques français du Moyen Âge », n° 92, 95 et 98) ; éd. de D. Poirion, Paris, GF-Flammarion, 1974 ; trad. de A. Lanly, Paris, Champion, 1971-1976, 5 vol. ; éd. et trad. de A. Strubel, Paris, Le Livre de poche, « Lettres gothiques », 1992.

P.-Y. Badel, *Le Roman de la Rose au XIVᵉ siècle, Étude de la réception de l'œuvre*, Genève, Droz, 1980 ; J. Batany, *Approches du Roman de la Rose*, Paris, Bordas, 1973 ; A.M. Gunn, *The Mirror of Love. A Reinterpretation of the Romance of the Rose*, Lubboch (Texas), 1952 ; D. Poirion, *Le Roman de la Rose*, Paris, Hatier, 1973 ; A. Strubel, *Le Roman de la Rose*, Paris, PUF, 1984.

Notes

Textes établis d'après le manuscrit Z, Paris, Bibliothèque nationale, fr. 25523, et l'éd. de D. Poirion, Paris, GF-Flammarion, 1974. Nous avons remédié à certaines lacunes en recourant au manuscrit H, Paris, Bibliothèque nationale, fr. 1573. Ces ajouts sont mis entre crochets.

Portrait de Faux Semblant

À la suite de Rutebeuf, Jean de Meun dénonce en Faux Semblant les ordres mendiants qui ont proliféré au XIIIᵉ siècle : dominicains (appelés aussi prêcheurs ou jacobins), franciscains (cordeliers ou mineurs), carmes, ermites de saint Augustin, servites de Florence, frères sachets... D'autre part, leur influence n'a cessé de croître auprès des puissants (roi de France, pape) comme des femmes et du peuple. Sur quoi se greffe la querelle universitaire : Rutebeuf et Jean de Meun ont pris le parti de leurs maîtres, et en particulier de Guillaume de Saint-Amour (voir le livre de M.-M. Dufeil, *Guillaume de Saint-Amour et la polémique universitaire parisienne*, Paris, Picard, 1972, et J. Dufournet, *Rutebeuf et les frères mendiants. Poèmes satiriques*, Paris, Champion, 1991).

en siecle : ce mot représente les gens qui vivent dans le monde, en particulier les prêtres séculiers.

couvert : a le double sens de « protégé par un vêtement » et de « caché, dissimulé, secret ».

Religion : « ordre religieux ».

v. 11022 : Jean de Meun est en particulier hostile au vœu de chasteté et à la pratique de la mendicité qu'il dénonce dans *Le Roman de la Rose*.

v. 11029 : *Orgoil* est ici personnifié.

v. 11033 : Jean de Meun, après Rutebeuf, dénonce l'hypocrisie et la déloyauté des religieux par un jeu d'images traditionnelles dont la plus fréquente est celle de l'habit. De leur ordre, beaucoup de frères n'ont que l'habit et le nom, ce qui leur permet de vivre sans travailler et de conquérir le pouvoir. L'habit simple, qui ne fait ni l'ermite ni le moine, dissimule la richesse, le luxe vestimentaire, la luxure, la méchanceté, la cruauté ou l'hérésie.

Et vont traçant les granz pitances : *tracer*, c'est poursuivre à la trace, traquer. *Pitance* s'est fixé très tôt, vers 1178, au sens de « portion de nourriture donnée à chacun dans les repas des communautés religieuses ». Alors qu'ils doivent pratiquer l'abstinence, ils s'adonnent à l'épicurisme, puisque, selon Rutebeuf, ils donnent le Paradis *à ceux qui les abreuvent et les enivrent et leur engraissent la panse* (*Dit des Règles*, v. 20-21).

v. 11042-11043 : ils font vœu d'humilité et fréquentent les riches et les puissants, dédaignant les pauvres : selon Rutebeuf, *Helas ! tant en corent a cort/Qu'a povre gent font si le sort/Et au riches font feste et joie/Et prometent a un mot cort/Saint paradis, a coi que tort !/Ja ne diront se Diex l'otroie* (*Dit de Sainte Eglise*, v. 91-96).

v. 11045-11049 : bien qu'ils aient fait vœu de pauvreté, ils recherchent la richesse, accumulent et thésaurisent. De même, Rutebeuf, *Des Jacobins* (v. 33-35) : *Je ne di pas ce soient li Frere Prescheor,/Ainçois sont une gent qui sont bon pescheor,/Qui prenent tel poisson dont il sont mengeor.*

A saÿmes et a tramaus : seine ou *senne* désigne des filets disposés en nappe et formant un demi-cercle. *Tramail* ou *trémail* : grand filet de pêche formé de trois nappes superposées.

v. 11060 : allusion à la tonsure des clercs. Il faut comprendre : « Ils ne savent pas établir les distinctions nécessaires, si grands clercs tonsurés qu'ils soient, et même versés dans la dialectique aristotélicienne. »

Elenches : il s'agit d'un traité de logique d'Aristote, *De sophisticis elenchis*, qui était au programme de la Faculté des Arts, et qui distingue dans les raisonnements sophistiques treize catégories (de là, dans notre vers, les treize branches de rasoir).

Tibers li chas : il apparaît dans *Le Roman de Renart*. Voir J. Dufournet, *Le Roman de Renart. Les Vêpres de Tibert le chat*, Paris, Champion, 1989.

el, al : de *aliud* ou *alid*, « autre chose ».

conchient : du sens de « couvrir d'excréments », on est passé à ceux de « déshonorer, outrager », « ridiculiser » et « tromper ».

serjans : le *sergent* était soit un serviteur domestique qui n'était pas noble (donc inférieur au *valet*) mais qui jouissait d'une considération certaine (par là, il était supérieur au *garçon*), soit l'auxiliaire du chevalier dont il portait avant le combat la lance et le bouclier, ou un homme d'armes non noble qui combattit d'abord à pied, puis à cheval (*sergent à cheval*).

baiesse, baiasse : « servante » ; voir A. Grisay, G. Lavis, M. Dubois-Stasse, *Les Dénominations de la femme dans les anciens textes littéraires français*, Gembloux, Duculot, 1969, p. 221.

La Nature tient en échec la Mort

ce serement : celui d'aimer et d'inciter à aimer.

singulieres pieces : Jean de Meun se réfère à la doctrine d'Aristote : la pérennité des espèces ne peut être assurée que par le renouvellement incessant (*generation*) des individus (les *singulières pieces*), victimes de la *corruption*, de la mort qui est sans cesse à l'œuvre. C'est la nature qui doit veiller à ce renouvellement. Voir G. Paré, *Les Idées et les lettres au XIIIᵉ siècle. Le Roman de la Rose*, Montréal, Université de Montréal, 1947, p. 53-61.

o sa maçue : pour Rutebeuf, déjà, la mort était derrière chacun, la massue levée ou les filets en main : « Laz ! ti dolant, la mors te chace/Qui tost t'avra lassei et pris ;/ Desus ta teste tient sa mace :/Viex et jones prent a un pris./Tantost a fait de pié eschace. » (*Disputaison du Croisé et du Décroisé,* vers 177-181) ; « La mors ne fait nule atendue,/Ainz fiert a massue estandue ;/Tost fait nuit de jor esclerci. » (*Complainte du Comte Eudes de Nevers,* vers 142-144). Rutebeuf avait évoqué la fuite des vivants devant la mort : « Or du fuir ! La mort les chace,/Qui lor fera de pié eschace./Tart crieront : « Trahi ! Trahi ! »,/ Qu'ele a ja entesé sa mache. » (*Complainte de Constantinople,* vers 79-82).

conceper : « enchaîner », entraver les prisonniers avec des pièces de fer, appelées *ceps.*

v. 15925 : les activités humaines sont présentées comme autant de « divertissements » pour fuir la mort.

v. 15945 : nous avons corrigé la leçon de notre manuscrit qui est peu satisfaisante : *Mors, qui de voir les vis ataint...* On remarquera que la personnification *Mors* peut être précédée de l'article.

phisiciens : les *fisiciens* pratiquaient la médecine savante par rapport aux *mires.* Voir M. Boutarel, *Mires, fisisciens, navrés dans notre théâtre comique depuis les origines jusqu'au XVIᵉ siècle,* Caen, 1918.

v. 15959 : Jean de Meun énumère ceux qui étaient considérés comme les plus grands médecins. *Ypocras*, Hippocrate : médecin grec (v. 460 av. J.-C-v. 377), auteur du *Corpus hippocratum,* comprenant divers traités (sur le pronostic, sur les fractures, les luxations, les airs, les eaux et les lieux...) ainsi que des *Aphorismes.* Voir J. Jouanna, *Hippocrate,* Paris, Fayard, 1992. *Galien,* médecin grec (v. 131-v. 201).

Rasis : Rhazès ou Razi, médecin et philosophe arabo-islamique (v. 860-923). Auteur du *Traité sur la petite vérole.* *Constantin* l'Africain, né à Carthage vers 1015, mort au Mont-Cassin en 1087. Il restaura la médecine grecque en Italie et y introduisit la technique des Arabes. *Avicenne,* médecin, philosophe et mystique arabo-islamique (980-1037), auteur du *Canon de la médecine.*

le Fenix : sur le phénix, voir Ovide, *Métamorphoses,* XV, 392-402, et Guillaume le Clerc, *Bestiaire divin.*

33. [Portrait de Faux Semblant]

Fausemblant, qui plus n'i atent,
Commence son sermon a tent ;
11005 Lors dist a touz, en audience :
« Baron, entendés ma sentence :
Qui Fausemblant vodra connoistre,
Si le quiere en siecle* ou en cloistre.
En nul leu aillors je ne mains,
11010 Mes en l'un plus, en l'autre mains.
Briement je me vuel osteler
La ou je me puis miex celer ;
C'est la celee plus seüre
Sous la plus simple vesteüre.
11015 Religieus sont mout couvert*,
Li seculer sont plus ouvert.
Si ne vuel je mie blamer
Religion*, ne diffamer ;
En quelque habit que je la truisse,
11020 Ja religion, que je puisse,
Humble et loial ne blameré.
Ne porquant ja ne l'ameré*.
J'entens des faus religieus,
Des felons, des malicieus,
11025 Qui l'abit en vuelent vestir
Et ne vuelent lor cuers mestir.
Religious sont trop piteus,
Ja n'en verrés un despiteus ;
Il n'ont cure d'Orgoil* ensivre,

33. Portrait de Faux Semblant

Faux Semblant, sans plus attendre,
commence, sur ce, son sermon ;
il dit alors à tous publiquement :
« Barons, écoutez mon sentiment :   11005
Qui voudra connaître Faux Semblant,
qu'il le cherche dans le siècle ou dans un cloître.
Je ne demeure nulle part ailleurs,
mais plus en l'un et moins en l'autre.
En bref, je veux prendre logis   11010
là où je puis mieux me cacher.
La cachette est plus sûre
sous le plus humble vêtement.
Les religieux sont très protégés,
les séculiers plus exposés.   11015
Pourtant, je ne veux pas blâmer
les ordres religieux ni les diffamer ;
sous quelque habit que je les trouve,
jamais, pour autant que je puisse, je ne blâmerai   11020
un ordre religieux humble et loyal,
sans néanmoins jamais l'aimer.
Je veux parler des faux religieux,
des trompeurs, des méchants,
qui veulent en revêtir l'habit   11025
et ne veulent pas maîtriser leur cœur.
Les (vrais) religieux sont pleins de miséricorde,
vous n'en verrez jamais un qui soit arrogant ;
ils ne songent pas à suivre Orgueil,

11030 Il vuelent tuit humblement vivre.
      Avec tex genz ja ne maindré
      Et se g'i mainz, je me faindré ;
      Lor habit porré je bien prendre★,
      Mes miex me lesseroie pendre
11035 Que je de mon propos ississe,
      Quelque chiere que j'en feïsse.
      Je mainz avec les orguilleus,
      Les veziés, les artilleus,
      Qui mout de mes honors convoitent
11040 Et les granz besoignes esploitent,
      Et vont traçant les granz pitances★,
      Et porchassent les acointances
      Des poissanz hommes et les sivent★ ;
      Et se font povre, et si se vivent
11045 De bonz morsiaus delicieus
      Et boivent les vins precieus ;
      Et la povreté vont preschant,
      Et les granz richeces peschant
      A saÿmes et a tramaus★.
11050 Par mon chief, il en istra maus !
      Ne sont religieus ne monde ;
      Il font un argument au monde
      Ou conclusion a honteuse ;
      Cis a robe religieuse,
11055 Donques est il religieus.
      Cis argumens est trop fieus,
      Il ne vaut pas un coutel troine :
      La robe ne fait pas le moine.
      [Ne porquant nus n'i set respondre,
11060 Tant face haut sa teste tondre★,
      Voire rere au rasoir d'Elenches★,
      Qui barat trenche en trese trenches ;
      Nus ne set si bien distinter
      Qu'il en ose un seul mot tinter.]
11065 Mes en quelque leu que je viengne
      Ne comment que je m'i contiengne,
      Nulle riens fors barat n'i chas ;
      Ne plus que danz Tibers li chas★
      Ne quiert fors que soris et ras,

ils veulent tous vivre humblement.   11030
Avec de tels gens jamais je ne resterai,
et si je reste avec eux, je dissimulerai.
Je pourrai bien prendre leur habit,
mais je me laisserais plutôt pendre
que de renoncer à mon dessein,   11035
quelque mine que je fasse.
Je reste avec les orgueilleux,
les rusés et les malins,
qui convoitent beaucoup de mes honneurs
et s'occupent d'affaires importantes,   11040
et sans cesse quêtent les bonnes portions,
et cherchent à fréquenter
les hommes puissants auxquels ils s'attachent ;
ils font les pauvres, tout en vivant
de bons et délicieux morceaux   11045
et en buvant les vins les plus fins.
Ils ne cessent de prêcher la pauvreté
et de pêcher les grandes richesses
à la seine et au tramail.
Je le proclame : il en sortira du malheur !   11050
Ils ne sont ni religieux ni purs.
Ils tiennent devant le monde un raisonnement
dont la conclusion est honteuse :
celui-ci a l'habit religieux,
donc il est religieux.   11055
Ce raisonnement est tout à fait spécieux,
il ne vaut pas un couteau à manche de troène :
l'habit ne fait pas le moine.
Néanmoins personne ne sait y répondre,
si haut qu'il se fasse tondre,   11060
et même raser avec le rasoir d'*Elenches*
qui découpe la tromperie en treize tranches ;
personne ne s'y connaît assez en distinctions
pour oser faire retentir un seul mot.
Mais en quelque lieu que je vienne   11065
et quelque contenance que je prenne,
je ne pourchasse rien d'autre que la tromperie ;
de même que maître Tibert le chat
ne recherche que souris et rats,

11070 N'entenz je a rien fors que baras.
Ne ja certes por mon habit
Ne savrés o quex genz j'abit ;
Non ferés vous voir as paroles,
Ja tant n'ierent simples ne moles.
11075 Les ovres regarder devés,
Se vous n'avés les iex crevés ;
Car s'il font el★ que il ne dient,
Certainnement il vous conchient★,
Quelcunques robes que il aient,
11080 De quelcunques estat qu'il soient,
Soit clers ou laiz, soit hons ou fame,
Sires, serjans★, baiesse★ ou dame. »

je ne m'intéresse qu'à la tromperie.   11070
Jamais, assurément, par mon habit
vous ne saurez avec quels gens j'habite,
et pas davantage, oui vraiment, par mes paroles,
si modestes et mielleuses qu'elles soient.
Vous devez regarder les actes,   11075
si vous n'avez pas les yeux crevés,
car, si ces gens agissent autrement qu'ils ne disent,
il est certain qu'ils vous roulent dans la farine,
quelles que soient les robes qu'ils portent,
quel que soit leur état,   11080
qu'ils soient clerc ou laïc, homme ou femme,
seigneur ou serviteur, servante ou dame. »

34. [La Nature tient en échec la Mort]

Et quant ce serement★ fait orent,
Si que tuit entendre le porent,
Nature, qui pensoit des choses
Qui sont dessous le ciel encloses,
15895 Dedens sa forge entree estoit,
Ou toute s'entente metoit
A forgier singulieres pieces★
Por continuer les espieces ;
Car les pieces tant les font vivre
15900 Que Mors ne les puet aconsivre,
Ja tant ne savra corre aprés ;
Que Nature tant li va prés
Que quant la Mors o sa maçue★
Des pieces singulieres tue
15905 Ceus qu'el trove a soi redevables
(Qu'il en y a de corrumpables
[Qui ne doutent la Mort neant,
Et toutevois vont decheant,]
Et s'usent en temps et porrissent
15910 Dont autres choses se norrissent),
Et quant Mors les cuide atraper,
Ensemble nes puet conceper★ ;
Car quant l'une par deça hape,
L'autre par dela li eschape ;
15915 Car, quant el a tué le pere,
Remaint li fis ou fille ou mere,
Qui s'enfuient devant la Mort

34. La Nature tient en échec la Mort

Quand ils eurent prononcé ce serment
en sorte que tous purent l'entendre,
Nature, qui s'occupait des choses
sous le ciel encloses,
était entrée dans sa forge   15895
où elle mettait tout son zèle
à forger des individus
pour perpétuer les espèces,
que les individus font vivre tant
que Mort ne peut les atteindre,   15900
si acharnée qu'elle soit à les poursuivre.
En effet, Nature la suit de si près
que, lorsque la Mort de sa massue
tue parmi les individus
ceux qu'elle estime lui revenir   15905
– car il y en a qui sont corruptibles,
qui ne redoutent en rien la Mort,
et cependant dépérissent,
et s'usent avec le temps et pourrissent,
et dont d'autres êtres se nourrissent –   15910
quand donc Mort croit les attraper,
elle ne peut tous ensemble les enchaîner,
car, quand elle happe l'un par ici,
l'autre, par là, lui échappe :
quand elle a tué le père,   15915
il reste le fils ou la fille ou la mère
qui s'enfuient devant la Mort

Por avoir de vie confort ;
Puis reconvient iceus morir,
15920 Ja si bien ne savront corir,
N'i vaut medecine ne veus.
Dont saillent nieces et neveus,
Qui fuient por eus deporter
Tant cum piés les pueent porter,
15925 Dont l'un s'en fuit a la quarole★,
L'autre au moutier, l'autre a l'escole,
[Li autre a lor marcheandises,
Li autre as ars qu'il ont aprises,]
Li autre a lor autres deliz
15930 De vins, de viandes, de lis ;
Li autre, por plus tost foïr,
Que Mors ne les face enfoïr,
S'en montent sor les granz destriers
O tout les sordorés estriers ;
15935 L'autre met en un fust sa vie,
Et s'enfuit par mer a navie,
Et mene au regart des estoiles
Sa nef, ses navirons, ses voiles ;
L'autre, qui par veu s'umelie,
15940 Prent un mantiau d'ypocrisie,
Dont en fuiant son penser quevre
Tant qu'il pere dehors par euvre.
Ensi fuient tuit cil qui vivent,
Qui volentiers la Mort eschivent.
15945 Mors, qui de noir le vis a taint★,
Cort aprés tant que les ataint
Si qu'il y a trop fiere chace.
Cil s'enfuient et Mors les chace,
Dis anz ou vint, trente ou quarente,
15950 Cinquante, soissante, septente,
Voire octante, nonante, cent ;
Mors quanque tient va depecent ;
Et s'il pueent outre passer,
Cort elle aprés sanz soi lasser
15955 Tant que les tient en ses liens
Maugré touz les phisiciens★.
Et les fisiciens meïmes

pour trouver le réconfort de la vie.
Ensuite, à leur tour, ceux-ci doivent mourir,
si rapidement qu'ils sachent courir :   15920
remèdes ni vœux n'y font rien.
Surgissent alors des nièces et des neveux
qui fuient pour prendre du plaisir,
autant que leurs pieds peuvent les porter :
l'un fuit à la carole,   15925
l'autre au couvent, le troisième à l'école ;
ceux-ci à leur commerce,
ceux-là aux métiers qu'ils ont appris ;
les uns à d'autres plaisirs,
ceux du vin, de la table et du lit,   15930
les autres, pour fuir plus vite
de peur que Mort ne les fasse mettre en terre,
montent sur les grands destriers
avec leurs étriers dorés ;
celui-ci risque sa vie sur un vaisseau,   15935
et s'enfuit par mer à l'aide d'un navire,
et dirige d'après les étoiles
sa nef, ses avirons et ses voiles ;
celui-là, qui fait vœu d'humilité,
prend un manteau d'hypocrisie   15940
dont, en fuyant, il couvre ses pensées,
jusqu'à ce qu'elles se manifestent par ses œuvres.
Ainsi fuient tous les vivants
qui bien volontiers esquivent la Mort.
Mort, qui a le visage teint de noir,   15945
court après eux si bien qu'elle les rattrape
au terme d'une très cruelle chasse.
Ceux-là s'enfuient, et Mort les prend en chasse
dix ou vingt ans, trente ou quarante,
cinquante, soixante, soixante-dix ans,   15950
voire quatre-vingts, quatre-vingt-dix, cent.
Mort met en pièces tout ce qu'elle tient,
et s'ils peuvent passer outre,
elle court après eux sans se lasser,
tant et si bien qu'elle les tient en ses liens,   15955
malgré tous les médecins.
Quant aux médecins eux-mêmes,

Onc nuz eschaper n'en veïmes,
Pas Ypocras★ ne Galien★,
15960 Tant fussent bon fisicien ;
Rasis★, Constantin★, Avicenne★
Li ont lessie la coenne.
[Et cels qui ne pevent tant corre
Nes respuet riens de mort rescorre.]
15965 Ensi Mors qui n'iert ja saoule,
Glotement les pieces engoule ;
Tant les suit par mer et par terre
Qu'en la fin toutes les enterre.
Mes nes puet ensemble tenir,
15970 Si que n'en puet a chief venir
Des espieces du tout destruire,
Tant sevent bien les pieces fuire ;
Car s'il n'en demoroit que une,
Si vivroit la forme commune ;
15975 Et par le Fenix★ bien le semble,
Qu'il n'en puet estre deus ensemble.

nous n'en vîmes aucun lui échapper,
pas même Hippocrate ni Galien,
malgré toute leur science médicale ;   15960
Rhazès, Constantin, Avicenne
lui ont laissé leur peau.
Ceux qui ne peuvent courir aussi vite,
rien ne peut les sauver de la Mort.
Ainsi Mort qui ne sera jamais rassasiée,   15965
gloutonnement engloutit les individus.
Elle les poursuit tant sur mer et sur terre
qu'à la fin elle les enterre tous.
Mais elle ne peut les tenir tous ensemble,
si bien qu'elle ne peut parvenir   15970
à détruire entièrement les espèces,
tellement les individus savent bien fuir.
Car, s'il n'en demeurait qu'un seul,
pourtant survivrait la forme commune,
comme l'atteste le phénix   15975
dont il ne peut exister deux ensemble.

SONE DE NANSAY

Composé vers 1270-1280 par un clerc brabançon,
Sone de Nansay, qui comprend 21 324 vers (outre
les 2 400 vers environ disparus à la suite de la perte
d'un cahier du manuscrit de la BN de Turin), est une
véritable somme romanesque, au sens où il regroupe
toutes les formes (prose dans le prologue et vers pour
le récit et les pièces lyriques) et catégories du genre :
roman biographique, roman éducatif sur tous les
plans (militaire, sentimental, sexuel et politique),
roman courtois, roman épique narrant la croisade
contre les Sarrasins, roman exotique (avec une peinture pittoresque de la Norvège), roman nuptial,
roman dynastique (Sone est l'ancêtre du chevalier au
cygne), roman pieux et roman du Graal.
    Éconduit à plusieurs reprises par la fière Yde de
Doncheri, Sone de Nansay (peut-être Nambsheim ou
Nancy) cherche à oublier la belle indifférente au service du comte de Saintois, puis lors d'un séjour en
Norvège dont il aide le souverain à repousser l'armée
des Écossais et des Irlandais. Revenu en France, il
s'illustre dans des assemblées chevaleresques à Châ-
lons, Machault et Montargis. Il retourne ensuite en
Norvège pour épouser Odée, la fille du roi défunt
auquel il succède sur le trône. À l'appel du pape, il
rejoint Rome et, sacré empereur, défend la chrétienté.
Avant sa mort, il assiste au triomphe de ses quatre fils,

Margon (enfant que le héros a engendré, avant son mariage, chez la lascive reine d'Irlande) roi de Sicile, Houdiant roi de Norvège, Henri roi de Jérusalem et Milon élu chef suprême de l'Église.

Sone de Nansay est le type même du roman d'aventures en vers, non arthurien. L'aventure est d'abord sociale (ascension d'un puîné, écuyer, « sodoier », tournoyeur, roi et empereur) et amoureuse (après une passion chimérique, Sone s'ouvre à un amour conjugal sincère) ; elle est aussi chevaleresque (guerre privée, croisade, duel judiciaire, tournoi et table ronde) ; elle est encore fantastique (comme dans l'épisode du cimetière empesté de l'île carrée) ; elle est enfin spirituelle (le trouvère rationalise et christianise la légende du graal et accorde la prépondérance à Joseph d'Arimathie).

L'auteur connaît bien la littérature des XIIe et XIIIe siècles. Il a puisé nombre de topiques chez Chrétien de Troyes, auquel il reprend en particulier des figures féminines telles que l'Orgueilleuse d'amour, la veuve éprise du meurtrier de son mari, la suivante malicieuse, la messagère hideuse et la belle demoiselle pauvrement vêtue. Il s'inspire aussi de Jean Renart en situant son intrigue dans un cadre géographique réel, en développant le rôle des ménestrels (Papegai, une harpiste talentueuse, et Rommenal, garant des valeurs chevaleresques et courtoises), et en insérant deux rondets de carole et un lai à l'intérieur du récit.

Le texte proposé se situe lors de la seconde journée de la table ronde de Machault. Sone demeure immobile, complètement stupéfait quand Yde, installée dans la tribune, lui tend une lance blanche pour la prochaine joute.

Bibliographie

Sone de Nansay, éd. de M. Goldschmidt, Tübingen, 1899.
Cl. Lachet, Sone de Nansay et le roman d'aventures en vers au XIIIe siècle, Paris, Champion, 1992 ; K. Normand, A

Study of the Old French Romance of Sone de Nansay, University of Pennsylvania, 1975.

Notes

Le texte est établi d'après le ms. L. I. 13 de la Bibliothèque nationale de Turin (première moitié du XIVe siècle) et l'édition de M. Goldschmidt. Au v. 10918 nous avons supprimé l'article défini *la* présent dans le ms. D'autre part, pour la numérotation des vers, nous comptons le vers abusivement éliminé par Moritz Goldschmidt (voir les v. 10395 et suiv.).

Sone de Nansay et Yde de Doncheri ne se comprennent pas. En effet, c'est au moment où Sone est résolu à oublier Yde que celle-ci lui déclare son amour en recourant aux motifs et aux clichés de la rhétorique courtoise : la lance ornée d'une manche, un rondet de carole conventionnel par sa structure strophique et ses topiques comme ces gages d'amour accordés à un soupirant valeureux, longtemps éconduit (v. 10922-10929), des réminiscences de reverdie (v. 10980-10989), des métaphores, des couleurs symboliques. Son aveu se révèle ainsi artificiel et impersonnel. Quoiqu'elle puisse s'identifier au « je » du refrain de la chansonnette (v. 10922), elle ne s'adresse à son ami qu'indirectement et à la troisième personne alors qu'elle se trouve face à lui ; en outre, elle n'explicite ses sentiments qu'à un tiers, l'oncle du protagoniste. En définitive, loin de favoriser le rapprochement des deux héros, cette scène traditionnelle des romans d'aventures ne fait que sceller leur échec.

hiraus : issu du francique *★heriwald* (« chef d'armée »), le *hiraus/héraut* désigne un officier chargé de s'occuper des tournois et de porter des messages. Professionnels de la communication et de la propagande, les hérauts annoncent solennellement les futures assemblées chevaleresques, y compris dans des régions lointaines. Durant les festivités, ils proclament aussi toutes les décisions officielles. Véritables maîtres des cérémonies et arbitres des joutes dont ils garantissent le bon déroulement, ils veillent au respect des bienséances et des coutumes ainsi qu'à la stricte observation des règles établies. De surcroît experts en héraldique, ils savent reconnaître chaque compétiteur, au visage masqué par le heaume, d'après son blason. Ils révèlent alors l'identité des tournoyeurs aux spectateurs ou aux autres concurrents. Loin de se contenter de hurler les noms et les cris d'armes des chevaliers, ils commentent, semblables à nos reporters actuels, les exploits accomplis sous leurs yeux, vantant l'habileté de celui-ci, exaltant la vaillance de celui-là. Enfin, tout au long de la journée ils ne cessent d'encourager les champions. La hiérarchie de ces officiers était la suivante : roi d'armes (le chef des hérauts), héraut, poursuivant, trompette. Sur les hérauts, voir Cl. Lachet, *Sone de Nansay et le roman d'aventures en vers au XIIIe siècle*, Paris, Champion, 1992, p. 437-443 ; R. Milton, *Heralds and History*, Londres, 1978 ; M. Stanesco, « Le héraut d'armes et la tradition littéraire chevaleresque », *Romania*, t. CVI, 1985, p. 233-53.

Vassal : provenant du latin médiéval *vassalus*, lui-même dérivé de *vassus* (« serviteur »), le terme *vassal* peut être en ancien français un adjectif (« brave, courageux ») ou un substantif dénommant selon les contextes : 1) le subordonné d'un seigneur qui lui a cédé un fief ; mais, dans cette acception conservée aujourd'hui, *vassal* était autrefois moins usuel qu'*home* ; 2) le vaillant guerrier ; 3) comme terme d'adresse, il prend parfois la valeur d'une injure.

tavierne : l'allusion à la taverne n'étonne pas de la part d'un personnage qui fréquenterait cet endroit avec assiduité si l'on en croit certains auteurs. Voir *Le Chevalier de la charrette* de Chrétien de Troyes, éd. de M. Roques, Paris, Champion, 1972, v. 5536-5539 : *a tant ez vos un garnemant,/un hyraut d'armes, an chemise,/qui an la taverne avoit mise/sa cote avoec sa chauceüre* ; *Conte des hérauts* de Baudouin de Condé, éd. de A. Scheler, Bruxelles, t. I, 1866, v. 502-505 : *Quanqu'il cheoit en lor ailliers,/Tout ert porté en lor taverne/ – Par Diu, qui tout le mont governe ! – / Et lues beü et tremelé* ; *Chevalier à la manche* de Jean de Condé, éd. de A. Scheler, Bruxelles, t. II, v. 970-972 : *En la tavierne vont partir/Leur don (mieus y sevent la voie/Que au moustier, se Dieus m'avoie)*. Sur la taverne, voir J. Dufournet, « Variations sur un motif : la taverne dans le théâtre arrageois du XIIIe siècle », *Hommage à J.-C. Payen*, Caen, Université de Caen, 1989, p. 161-174.

s'est pourpensés : le préfixe *por* apporte des nuances d'obstination, d'intensité, de durée ou d'achèvement du procès ; *(se) porpenser*, c'est donc réfléchir profondément, méditer ou comploter.

canchonnete : cette « chansonnette » est un rondet de carole, une chanson de danse qui sert d'ordinaire à accompagner une ronde. Construit autour d'un refrain de deux vers (lettres majuscules), le rondet comprend six vers ou huit vers s'il commence par le refrain selon le schéma suivant : ABaAabAB.

li quens : il s'agit du comte Renaut de Brabant, l'oncle de Sone de Nansay. Âgé de plus de quatre-vingts ans, ce seigneur sage et puissant s'efforce dans un premier temps de favoriser les amours de son neveu et d'Yde de Doncheri en persuadant la jeune fille qu'elle a tout intérêt à laisser parler son cœur. Ensuite, quand il comprend que le protagoniste ne désire plus épouser la demoiselle, il s'éprend d'elle et lui déclare sa flamme, mais sa demande en mariage est énergiquement repoussée (v. 11179-11513).

se pensa : le verbe *penser/panser* qui apparaît sous une double graphie au Moyen Âge possède la même origine que le verbe *peser*. Emprunt au latin *pensare*, fréquentatif de *pendere*, signifiant « peser » au propre et au figuré, *penser* se réfère à une activité intellectuelle et/ou matérielle, selon ses emplois : 1) quand il est intransitif, le sens est purement intellectuel : « méditer, réfléchir », être agité de pensées (souvent pénibles) ; 2) lorsqu'il est transitif indirect, construit avec les prépositions *a* ou *de*, il offre une double acception, intellectuelle : « avoir l'esprit tourné vers, songer à » ; matérielle : « prendre soin de », « s'occuper de », « tâcher de », « veiller à » ; « donner des soins à, soigner » ; 3) transitif direct, le verbe, suivi d'un nom ou d'une proposition complétive introduite par la conjonction de subordination *que*, conserve sa double valeur : d'un côté « concevoir par l'application de son esprit », « songer », « analyser », « juger », « imaginer » ; de l'autre « prendre soin de », « soigner » ; 4) en tant que réfléchi, il ne garde que sa signification intellectuelle : « réfléchir ». Depuis le XVIIᵉ siècle, la graphie sépare les deux sèmes, *penser* assumant le sens intellectuel et *panser* le sens matériel.

bielle Yde : Yde de Doncheri est souvent qualifiée ainsi, à l'instar de la vedette des rondets de carole, *bele Aeliz*, des héroïnes mentionnées dans les chansons de toile, telles que *bele Aiglentine*, *bele Aigline*, *bele Amelot*, *bele Arembor*, *bele Argentine, bele Aude, bele Aye, bele Beatris, bele Doe, bele Doete, bele Euriaus, bele Ydoine, bele Yolanz, bele Ysabiaus,* ou de la sœur de Guillaume de Dole, *bele Lïenor* dans *Le Roman de la Rose ou de Guillaume de Dole* de Jean Renart.

crokiés : le verbe *crokier* signifie « frapper sèchement ». Quand les jouteurs situés à l'extérieur de l'enclos veulent affronter l'un des chevaliers de l'autre camp, ils pénètrent dans le champ clos, heurtent avec une lance et renversent, en signe de défi, l'écu de leur futur adversaire. Pour indiquer cette opération, le romancier dispose de quatre verbes : *ferir* et *crokier,* qui montrent l'accomplissement de l'action consistant à cogner le bouclier pour le décrocher du piquet où il est suspendu, *abatre* et *envierser,* qui insistent sur le résultat.

li chiers : ce cerf couvert d'or est le prix attribué au meilleur jouteur de la table ronde de Machault (v. 9655-9658).

enfanche : venant du latin *infantia* (« incapacité de parler », « bas âge », « les enfants », « la jeunesse »), dérivé lui-même du terme *infans/infantem,* formé du préfixe négatif *in* et du participe présent du verbe *fari* (« parler »), le substantif *enfanc(h)e* présente les acceptions suivantes : 1) comme son étymon, il s'applique d'abord à la première période de l'existence humaine, les débuts de la vie, la jeunesse ; 2) par extension, il qualifie la manière d'agir propre à un enfant, spécialement l'état de puérilité, d'où « enfantillage », « parole d'enfant » ; « légèreté », « folie » ; « farce », « facétie d'enfant » ; 3) au pluriel, le vocable désigne les actes héroïques, les exploits d'un jeune guerrier. Cf. *Les Enfances Guillaume, Les Enfances Vivien.* À l'exception de cette dernière signification, les autres valeurs du mot se sont conservées jusqu'à notre époque. On note en outre depuis le XVIIe siècle le singulier collectif *l'enfance* pour *les enfants* (cf. l'expression : *la protection de l'enfance*) et un emploi figuré : « commencement, début » (par exemple : *c'est l'enfance de l'art*).

35. [Le désarroi de Sone]

10910 Uns hiraus★ qui dedens estoit
Cuide bien que endormis soit.
D'un tronchon le cheval feri
Et dist : «Vassal★, que querés ci ?
Alés dormir en la tavierne★,
10915 Qui maint maleuwireus gouvierne. »
Sones adont s'est pourpensés★
Que li hiraus dist verités.
A la loge pour lanche vient,
A cheli tent que Yde tient.
10920 De main a autre li bailla,
Cheste canchonnete★ canta :
« Je doins mon cuer a mon ami
Et la blanque lanche au jouster.
A mout grant tort li escondi.
10925 Je doins mon cuer a mon ami.
Par sa bonté l'a dessiervi
Tant que ne li puis plus celer.
Je doins mon cuer a mon ami
Et la blanque lanche au jouster. »
10930 Quant li quens★ la puchielle entent,
Pités et grant douchours l'en prent ;
Se muet et de cuer se pensa★
Que de conseil ne li faurra.
Et nonpourquant li quens li prie
10935 Que les senefiances die
Et le pourquoy la blanque lanche

35. Le désarroi de Sone

Un héraut qui était dans l'enclos   10910
s'imagine que Sone est endormi.
D'un morceau de bois il frappe le cheval
puis dit : « Vassal, que cherchez-vous ici ?
Allez dormir à la taverne
qui régente maint malheureux. »   10915
Sone a alors réfléchi
que le héraut disait la vérité.
Il vient à la tribune prendre une lance
et se dirige vers celle que tient Yde.
Elle la lui donne de la main à la main   10920
et chante cette chansonnette :
« Je donne mon cœur à mon ami
et la blanche lance pour jouter.
J'ai eu très grand tort de l'éconduire.
Je donne mon cœur à mon ami.   10925
Par sa valeur il l'a mérité,
si bien que je ne puis plus le lui cacher.
Je donne mon cœur à mon ami
et la blanche lance pour jouter. »
Quand le comte entend la jeune fille,   10930
il s'apitoie et s'attendrit ;
il s'émeut et pense du fond du cœur
qu'il ne manquera pas de l'aider.
Et cependant le comte la prie
de lui dire ce que cela signifie   10935
et pourquoi la lance blanche

Ert garnie de blanque manche.
Dist bielle Yde★ : « Je le dirai.
M'amour trop escondi li ay,
10940 Se li ai entire donnee
Et bielle et blanche et bien curee,
Et blanc ivel l'en raviesti. »
Sones des esporons feri
Et ses jousteres contre lui,
10945 Qui li jousters vient a anui.
Sa lanche fu trop tos brisie ;
Sones a lui ne fali mie,
Ains le feri de tel viertu,
Tout en un mont confu[n]du
10950 Le cheval et le chevalier.
Onques n'i vot resnes lascier
Tant que as liches fu venus.
Lors refu crokiés★ uns escus
D'un court tronchon que il tenoit,
10955 Qui es poins remés li estoit.
A chelui en est retournés
Qu'encor estoit enviers es pres.
Mais les gardes le releverent,
A Sone le cheval menerent.
10960 A tant Sones l'en a mené,
Un sien varlet l'a commandé.
A tant fu amenés li chiers★
Ki richement fu d'or couviers ;
Et .XV. siergant le menoient
10965 Qui richement paré estoient.
A une estaque fu loiiés,
De maint haut homme convoitiés.
Et nonpourquant n'i ont bëanche,
Qu'il cuideroient faire enfanche★,
10970 Car a Sone tout le jugoient,
Nes li bacheler qui joustoient.
Mais Sones, cui li cuers crevoit,
Son joustéour atourné voit
Et voit Ydain appareillie
10975 Qui la lanche li a baillie.
Verde fu, verde manche avoit.

était pourvue d'une manche blanche.
Belle Yde répondit : « Je vais vous le dire.
Je lui ai longtemps refusé mon amour,
mais je viens de le lui donner entier,   10940
beau, blanc et net,
et je l'en investis d'un blanc de même nature. »
Sone piqua des éperons
ainsi que son adversaire lancé à sa rencontre,
car la joute commençait à l'importuner.   10945
Sa lance fut très vite brisée ;
loin de manquer l'autre,
Sone le frappa avec une telle violence
qu'il renversa tout en un tas
le cheval et le chevalier.   10950
Il ne voulut pas lâcher les rênes
jusqu'à son retour aux lices.
Alors il cogna de nouveau un écu
d'un court morceau de lance
qui lui était resté dans les mains.   10955
Il s'en est retourné vers celui
qui gît encore sur le dos dans les prés.
Mais les gardes l'ont relevé
et ont conduit le cheval jusqu'à Sone
qui l'a alors emmené   10960
et confié à son écuyer.
Sur ce fut amené le cerf,
somptueusement couvert d'or ;
quinze hommes d'armes le menaient,
magnifiquement parés.   10965
Attaché à un poteau,
il est convoité par maint grand personnage.
Pourtant ils n'y aspirent pas ;
en effet ils penseraient commettre une folie,
car tous le destinaient à Sone,   10970
même les plus jeunes jouteurs.
Mais Sone dont le cœur éclate
voit son adversaire armé
et Yde toute prête,
elle qui lui a donné la lance.   10975
Celle-ci était verte, pourvue d'une manche verte.

Et li quens ce savoir voloit,
Pourquoi verde lanche bailla.
Et la puchielle li conta :
10980 « Sire, quant iviers est passés,
Li vergiés est tous desnüés
De sa fueille et de sa vredour.
Estés revient et li bel jour
Et li saisons en grant doucheur,
10985 Li boz revienent en vredeur.
Et j'ai fourmené mon ami ;
Or li ai m'amour raverdi,
Verde et nouvielle li otroi
D'ore en avant en bonne foi. »
10990 Et li quens l'a bien escouté.
Sones a le cheval hurté,
Qui son joustëour voit venir,
Si va li uns l'autre ferir.
Mais chieus qui a Sone joustoit
10995 Uns nouviaus chevaliers estoit,
Jones, et si li mesceÿ
Car de cop de lanche caÿ.

Et le comte voulait savoir
pourquoi elle lui avait donné une lance verte.
Et la jeune fille le lui expliqua ;
« Seigneur, à la fin de l'hiver,   10980
le verger est tout dépouillé
de son feuillage et de sa verdure.
L'été revient avec les beaux jours
et la saison si douce,
les bois reverdissent.   10985
Quant à moi, j'ai tourmenté mon ami ;
mon amour a reverdi pour lui,
je le lui accorde vert et nouveau
dorénavant, en toute bonne foi. »
Le comte l'a bien écoutée   10990
et Sone a éperonné son cheval
en voyant venir son adversaire.
Ils vont se frapper l'un l'autre.
Mais celui qui joutait contre Sone
était un nouveau chevalier,   10995
jeune, et il lui arriva malheur
car un coup de lance le fit tomber.

Adenet le Roi

CLEOMADÈS

Adam le Ménestrel (Adenet est un diminutif hypo-coristique) est appelé Roi par sa fonction de chef des ménestrels de la cour comtale. Il entre d'abord au service d'Henri III, duc de Brabant, qui, poète lui aussi, lui apprend son métier, comme Adenet le reconnaît à la fin de *Cleomadès* : *Ce livre de Cleomadès/rimai je, li Rois Adenés./Menestreus au bon duc Henri/fui, cil m'aleva et norri/et me fist mon mestier aprendre.* (v. 18587-18591). À la mort de son protecteur (en février 1261), il devient le serviteur de Gui de Dampierre, comte de Flandre. Durant les années 1269-1285, il rédige trois chansons de geste romanesques : *Buevon de Conmarchis*, remaniement du *Siège de Barbastre*, *Les Enfances Ogier*, *Berthe aux grands pieds* et *Cleomadès*, un roman d'aventures chevaleresques et amoureuses de 18688 vers, inspiré, comme le *Meliacin* de Girard d'Amiens, par l'un des récits des *Mille et Une Nuits*, « L'histoire magique du cheval d'ébène ».

Après plusieurs années de formation passées en Grèce, à Cologne et en France, Cléomadès, le fils du roi Marcadigas, revient en Espagne pour aider son père à repousser l'attaque de cinq souverains voisins. Grâce à un cheval de bois, le héros s'envole jusqu'en

Toscane où il découvre la belle Clarmondine, la fille du roi Carman, dont il s'éprend aussitôt. Enlevée par Crompart, la princesse arrive à Salerne et simule la folie pour échapper au mariage que lui propose le souverain Méniadus. C'est dans cette ville que Cléomadès, parti en quête de sa bien-aimée, la retrouve au terme de ses pérégrinations. Il l'épouse à Séville dans l'allégresse générale.

Adenet, qui insère sept compositions lyriques dans la narration, manifeste également un goût particulier pour les batailles épiques, les instruments de musique, les descriptions détaillées (de festivités, de parures et d'objets précieux), pour le merveilleux oriental et les automates aux mécanismes ingénieux, pour l'analyse de sentiments délicats, les réflexions morales et les débats allégoriques. Il s'attache en outre aux personnages secondaires qu'il mène au bout de leur destin romanesque ; on remarque notamment le traître Crompart, le roi Méniadus qui s'unit avec Marine, la sœur du protagoniste, et surtout le ménestrel Pinçonnet, porte-parole et figure de l'auteur. Dans le texte qui suit, celui-ci vient annoncer à Durban, son ancien maître, les retrouvailles de Cléomadès et de Clarmondine.

Bibliographie

Les Œuvres d'Adenet le Roi, éd. de A. Henry, t. V, *Cleomadès*, Bruxelles, Éditions de l'Université de Bruxelles, 1971, 2 vol.
A. Berthelot, « *Cleomadès*, de la conjointure au déploiement », *Styles et valeurs. Pour une histoire de l'art littéraire au Moyen Âge*, textes réunis par D. Poirion, Paris, Sedes, 1990, p. 9-35 ; R. Colliot, « Courtoisie et amour courtois dans le *Cleomadès* d'Adenet le Roi », *Courtly Literature. Culture and Context*, éd. de K. Busby et E. Kooper, Utrecht, J. Benjamins, 1990, p. 95-111 ; A. Saly, « Les Mille et une nuits au XIIIe siècle. Conte oriental et matière de Bretagne », *Mélanges N. Hepp*, Paris, 1990, p. 15-24.

Notes

Le texte est établi d'après le manuscrit 3142 de la bibliothèque de l'Arsenal, à Paris, et de l'éd. d'A. Henry.

L'extrait choisi expose l'éthique du ménestrel. Ce professionnel du divertissement et de la communication doit
s'attacher à dire et à faire le bien plutôt que commettre
des méfaits et répandre des calomnies. Adenet le Roi rappelle de façon didactique les devoirs du parfait ménestrel.
On notera par exemple la répétition du verbe *devoir*
(v. 14078, 14080, 14083, 14085 et 14087) ainsi que l'opposition lexicale entre le *bien* (v. 14074, 14076, 14080,
14088, 14090) et le *mal* (v. 14080), exprimé aussi par le
préfixe *mes* : *mesdire* (v. 14077), *mesdit* (v. 14086), *mesfaire*
et *mesparler* (v. 14084).

Cette éthique est ensuite illustrée par la conduite exemplaire
du ménestrel Pinçonnet : empressement à venir annoncer
de bonnes nouvelles (v. 14091-14093), habileté à vanter
les qualités de son maître (v. 14116-14121) et à conter les
événements (v. 14154-14156), souci d'apporter des
paroles de réconfort (v. 14146-14153). Le ménestrel est
le messager du bonheur, le dispensateur de la joie. La
visite de Pinçonnet auprès de Durban et de Sartan, le
compagnon de ce dernier, provoque d'ailleurs leur allégresse comme l'atteste la récurrence du terme *joie*
(v. 14095, 14109, 14136, 14138 et 14145). L'accueil
chaleureux (v. 14162, 14163) et les gestes d'affection
qu'on lui témoigne (v. 14096, 14164) constituent pour ce
parangon des ménestrels la plus douce des récompenses.

menestreus : issu du bas latin *ministerialis* (« chargé d'un
service »), dérivé de *ministerium*, le substantif *menestreus*/
ménestrel offre plusieurs acceptions : 1) « artisan, ouvrier,
serviteur », sens conservés jusqu'au XVIᵉ siècle ; 2) « gens
de maison », « officiers de cour » ; 3) par spécialisation, le
terme s'applique aux meilleurs des jongleurs que des seigneurs, courtois et aimant se divertir, « attachaient à leur
personne et à leur cour, admettaient dans leur familiarité de
manière permanente, par souci de représentation et pour
l'agrément de leur commerce » ; 4) bientôt « par vanité et
intérêt, les jongleurs ordinaires s'emparèrent de ce titre
prestigieux, si bien que le mot devint péjoratif et signifia
« faux, menteur, joueur, médisant, débauché », voire « vaurien, gredin ». Le vocable, archaïque dès le moyen français,

fut remplacé par *ménétrier* qui désigne un musicien populaire faisant danser les villageois au son d'un violon, lors des festivités nuptiales. Voir J. Dufournet, *Le Roman de la Rose de Guillaume de Lorris*, Paris, GF-Flammarion, 1999, p. 271, et E. Faral, *Les Jongleurs en France au Moyen Âge*, Paris, Champion, 2ᵉ éd. 1971, p. 103-118.

ramentevoir : ce verbe, dérivé de *mentevoir* provenant lui-même du latin populaire *★mente habere* (« avoir à l'esprit ») signifie rappeler à l'esprit, remettre en mémoire ; « reconnaître » ; « évoquer ».

afaire : formé de la préposition *à* et du verbe *faire*, le substantif *af(f)aire* présente diverses valeurs dans l'ancienne langue : 1) tout d'abord il désigne ce que l'on a à faire, l'occupation, le travail, le soin, la fonction en général ; 2) puis on passe de l'effet à la cause, de la besogne au besoin ; 3) le fait, l'événement ; 4) le rang, la dignité, la condition, le lignage ; 5) le caractère, la disposition, la conduite ; 6) la situation et, par spécialisation sémantique, la difficulté, l'embarras ; 7) par euphémisme, la relation sexuelle, les parties sexuelles ou les besoins naturels.

issir : provenant du latin *exire*, le verbe *issir* signifie « sortir » ; « s'écarter, se désister, renoncer à » ; « provenir, descendre de ». Supplanté vers la fin du XVᵉ siècle par *sortir* qui est issu du latin populaire *★sortire*, réfection du latin classique *sortiri* (« tirer au sort, obtenir par le sort »), *issir* n'a laissé que le participe passé *issu(e)* et le substantif *issue*.

Mont Estrait : ce toponyme désigne le château de Durban en Toscane. Une *male coutume* y régnait. En effet, tout chevalier accueilli à Mont Estrait devait abandonner son cheval et ses armes ou lutter contre deux adversaires en même temps, Durban d'Abel et Sartan de Satre. Cléomadès vainqueur exige l'abolition de cette mauvaise coutume. Au cours de l'affrontement, il a blessé grièvement Sartan. Peu après, les exploits qu'il accomplit lors d'un combat judiciaire lui permettent de sauver Durban d'une mort certaine et de remporter une victoire totale.

entresait : cet adverbe, issu du latin populaire *★intransactum*, possède trois acceptions majeures : 1) « tout de suite, à l'instant, sur-le-champ » ; 2) « dans le même temps, cependant » ; 3) « sans ambages, sans détours, immanquablement, sans faute ».

Mescheans d'amours : « Malheureux en amour », tel est le surnom que se donnait Cléomadès lorsqu'il était séparé de Clarmondine.

36. [Le ménestrel Pinçonnet]

Sachiez que Pinchonnés estoit
mout liez quant bien dire povoit.
14075 C'est chose bien aferissans
que menestreus★ soit bien disans
et que il se gart de mesdire,
car ramentevoir★ doit et dire
li menestreus de bon afaire★
14080 le bien et dou mal se doit taire,
partout, en quel lieu que il soit,
ou n'est pas menestreus a droit.
Drois menestreus se doit garder
de mesfaire et de mesparler ;
14085 ne doit mos issir★ de sa bouche
qui a nul point de mesdit touche.
Tous jours doit estre apareilliez
que par lui soit li biens nonciez
par tous les lieus ou il venra.
14090 Bien ait qui ainsi le fera !
Pinchonnés n'a pas detriié,
tant a erré et chevauchié
qu'il est venus a Mont Estrait★.
Ce vous puis je dire entresait★
14095 que Durbans grant joie li fist,
andeus ses bras au col li mist.
Le premier mot k'a lui parla,
ce fu que il li demanda
que Mescheans d'amours★ faisoit

36. Le ménestrel Pinçonnet

Sachez que Pinçonnet était
très heureux quand il pouvait dire du bien.
Il est tout à fait convenable   14075
qu'un ménestrel dise du bien
et se garde de médire,
car le ménestrel de bonne race
doit rappeler et dire le bien,
mais taire le mal,   14080
partout, où qu'il soit,
ou il ne mérite pas le nom de ménestrel.
Un vrai ménestrel doit se garder
de nuire et de médire ;
aucun propos, tant soit peu médisant,   14085
ne doit sortir de sa bouche.
Il doit être toujours disposé
à proclamer le bien
partout où il viendra.
Béni soit celui qui agira ainsi !   14090
Pinçonnet ne s'est pas attardé ;
à force de cheminer et de chevaucher,
il est arrivé à Mont Estrait.
Je peux vous dire sans ambages
que Durban lui fit fête   14095
et lui mit les deux bras autour du cou.
Les premières paroles qu'il lui adressa
furent pour lui demander
ce que faisait « Malheureux en amour »,

14100 ne pour quoi il laissié l'avoit
ne s'il estoit ou vis ou mors.
Dist Pinchonnés : « Sire, c'est tors
qu'il ait non d'amours Mescheans,
k'ainc d'amours ne fu mieus cheans
14105 nus hom qu'il l'en est or cheü,
conment qu'il l'en fust mescheü.
A grant merveille vous venroit
se saviiez qui cil estoit.
Je croi que mout grant joie avriez,
14110 se le voir de lui saviiés.
Li chevaliers dont vous parlez,
c'est Cleomadés, ce creez,
car c'est certaine chose et voire.
Par ses fais le povez vous croire
14115 et savoir tout certainement ;
sa prouece et son hardement
devez bien metre en retenance,
car valu vous a la vaillance
dont en lui mout grant plenté a,
14120 et croi k'encore vous vaurra
ce k'a vous a amour si grande.
Par moi Cleomadés vous mande
salus et que vers lui venez
au plus tost que onques povez
14125 et se li amenez Sartant ;
ce vous prie, se l'amez tant.
Or vous dirai que il faisoit
en ce pays. Il requeroit
Clarmondine qu'il enporta,
14130 ainsi que vous savez pieç'a.
Sachiez que vraiement vous di
que le darrain jour que je vi
Cleomadés et Clarmondine,
ert li uns de l'autre en saisine.
14135 Cleomadés conme la soie
l'enportoit. » Lors ot si grant joie
Durbans que il ne pot mot dire,
de joie conmença a rire.
Lors Pinchonnet par la main prent,

pourquoi Pinçonnet l'avait laissé,   14100
et s'il était vivant ou mort.
Pinçonnet répondit : « Seigneur, c'est à tort
qu'il porte le nom de "Malheureux en amour",
car jamais personne ne fut plus heureux
en amour qu'il l'est en ce moment,   14105
en dépit de ses malheurs passés.
Vous seriez très étonné
si vous connaissiez son identité.
Je crois que vous ressentiriez une immense joie
si vous saviez la vérité à son sujet.   14110
Le chevalier dont vous parlez,
c'est Cléomadès, croyez-moi,
car la chose est sûre et certaine.
Grâce à ses actions vous pouvez le croire
et le savoir en toute certitude ;   14115
de sa valeur et de sa hardiesse,
vous devez bien vous souvenir,
car vous avez profité de la vaillance
dont il est bien pourvu,
et je crois que vous profiterez encore   14120
de sa profonde affection.
Par mon entremise, Cléomadès vous salue
et vous demande de venir auprès de lui
le plus tôt possible
et de lui amener Sartan ;   14125
il vous en prie, si vous l'aimez vraiment.
Je vais vous dire ce qu'il faisait
dans ce pays. Il recherchait
Clarmondine qu'il enleva,
comme vous le savez depuis longtemps.   14130
Sachez-le, c'est la vérité :
le dernier jour où j'ai vu
Cléomadès et Clarmondine,
ils s'appartenaient l'un à l'autre.
Cléomadès l'emmenait comme sa dame. »   14135
Durban eut alors une si grande joie
qu'il ne put dire un mot,
et de bonheur il se mit à rire.
Il prend alors Pinçonnet par la main,

14140 a Sartan l'enmaine erranment
          au lieu la ou il se gisoit,
          car encor pas garis n'estoit
          dou mal que il avoit eü.
          Quant il a Pinchonnet veü,
14145 tous li cuers de joie li rist.
          Pinchonnés le salue et dist
          que Dieus santé li envoiast ;
          lors li dist que il se hastast
          de garir, car cil le mandoit
14150 en cui toute bontez manoit,
          k'a lui venist hasteement.
          « C'est Cleomadés vraiement,
          sire, fait il, qui vous salue. »
          Ilueques a ramenteüe
14155 trestoute la chose et l'afaire
          conme cil qui bien le sot faire.
          Que feroie lonc parlement ?
          Tout lor a conté ensement
          conment la chose estoit alee
14160 et conment avoit retrouvee
          Clarmondine Cleomadés.
          Se festiiés fu Pinchonnés
          et conjoïs, nel demandés ;
          de maintes pars fu acolés
14165 Pinchonnés a cele venue.

et l'emmène aussitôt auprès de Sartan 14140
à l'endroit même où il était étendu,
car il n'était pas encore guéri
du mal qu'il avait eu.
Quand il a vu Pinçonnet,
tout son cœur se réjouit. 14145
Pinçonnet le salue et dit
que Dieu lui rende la santé ;
puis il ajoute qu'il se hâte
de guérir, car celui qui possédait
toutes les vertus lui demandait 14150
de venir en hâte auprès de lui.
« C'est Cléomadès, oui, vraiment,
seigneur, qui vous salue. »
Alors il a rappelé
toute l'histoire et la situation 14155
en conteur expert.
Pourquoi ferais-je un long discours ?
Il leur a tout narré exactement
comme les événements se sont déroulés
et comment Cléomadès 14160
avait retrouvé Clarmondine.
Si Pinçonnet fut fêté
et bien accueilli, ne le demandez pas ;
de tout côté on accola
Pinçonnet lors de sa venue. 14165

Guillaume de Digulleville

LE PÈLERINAGE DE VIE HUMAINE

Né en Normandie, à Digulleville (dans le Cotentin) en 1295, entré en religion vers 1316, il fréquenta les écoles de Paris et fut moine à l'abbaye de Chaalis (Oise) où il mourut après 1358. On ne sait rien de plus de sa vie, même si ses écrits semblent présenter un aspect autobiographique. Son œuvre en français constitue une trilogie de poèmes allégoriques autour de la question du salut, traitant successivement de la vie ici-bas, du sort dans l'au-delà et de la rédemption par le Christ. *Le Pèlerinage de Vie humaine* dont nous avons deux versions, l'une de 1330-1331, en 13 540 octosyllabes, l'autre de 1355, non éditée, raconte les voyages du pèlerin sur la mer du monde en une structure arborescente de séries d'éléments allégoriques (Vices et Vertus, Infirmité, Vieillesse, Mort…) ; le texte, qui s'adressait d'abord à un public de laïcs, fut destiné à des religieux dans sa seconde version qui, assagie, plus neutre et plus orthodoxe, perd en vivacité. *Le Pèlerinage de l'âme*, de structure plus linéaire, en 11 161 vers (1355-1358), emmène le pèlerin, après le jugement devant le tribunal de saint Michel, à travers le Sein d'Abraham, le Purgatoire, les Limbes et l'Enfer, avant qu'il ne contemple le Paradis. *Le Pèlerinage de Jésus-Christ*, en 11 190 vers (1358), reprend, après le péché originel qui rend nécessaire l'Incarnation, tous les épisodes évangéliques jusqu'à l'Assomption : c'est une vie du Christ qui devient modèle du pèlerinage. Guillaume a aussi écrit onze poèmes en latin (au total 8 040 vers) et un poème allégorique de 1 331 octosyllabes, *Le Rommant de la Fleur de Lis* (1338), autour de la production du blason royal, réflexion sémiotique sur les signes et politique sur les rapports des composantes du corps social : l'auteur accorde la priorité au roi par rapport à l'Église et au peuple.

La longueur des écrits, les digressions et le mélange des genres ont détourné les critiques de ce puissant écrivain allégorique, qui a exploité les signes sur plusieurs plans de signification, et de son œuvre qui a le mérite d'avoir exploré toutes les voies de l'allégorie (descriptive, narrative, dramatique) dans une perspective religieuse, et d'avoir lié la recherche littéraire à la quête du salut.

Les *Pèlerinages*, reproduits en de nombreux manuscrits (plus de quatre-vingts), traduits en plusieurs langues, ont rencontré un énorme succès dans toute l'Europe jusqu'au XVIIᵉ siècle : le premier a été mis en théâtre à Liège dès la seconde moitié du XIVᵉ siècle et en prose à Angers en 1464 (avec révision en 1499 par Pierre Virgin) ; le deuxième a été récrit par Jean Gallopes, dit le Gallois, du diocèse d'Évreux, entre 1422 et 1431 ; les trois ont été remaniés par un moine de Clairvaux vers 1500. Toutes ces versions ont été imprimées à plusieurs reprises, à Lyon et à Paris, entre 1485 et 1518.

Du *Pèlerinage de Vie humaine*, nous avons retenu le portrait de Paresse qui est le premier des vices à agresser le héros.

Bibliographie

Éd. de J.J. Stürzinger, Londres, Roxburghe Club, 3 vol., 1893-1895-1897 ; adaptation dans J. Delacotte, *Guillaume de*

Digulleville. Trois romans-poèmes du XIVᵉ *siècle*, Paris, Desclée de Brouwer, 1932.

P.-Y. Badel, *Le Roman de la Rose au* XIVᵉ *siècle*, Genève, Droz, 1980 ; F. Pomel, *Les Voies de l'au-delà*, Paris, Champion, 2000.

Notes

Texte établi d'après l'édition de J.J. Stürzinger, Londres, Roxburghe Club, 1883.

Le Pèlerinage de Vie humaine s'ouvre sur un songe et la vision, dans un miroir, de la Jérusalem céleste qui fait naître chez le dormeur le désir de s'y rendre. Emmené par Grâce de Dieu, le pèlerin subit d'abord un apprentissage sur les sacrements et se voit remettre par son guide l'équipement allégorique qui lui servira pendant son voyage : la besace, le bourdon et l'armure que Mémoire l'aidera à porter. Une fois parti, le pèlerin rencontre Rude Entendement et Raison, puis il lui faut choisir entre la voie de gauche, celle de Huiseuse (oisiveté), et celle de droite, la voie de Labeur. Le corps lui fait choisir la gauche. C'est alors qu'intervient Paresse, le premier vice à attaquer le héros. Cette place privilégiée de Paresse, annoncée par Huiseuse, est originale et donne lieu à une scène vivante où Paresse saisit par-derrière le pèlerin avant de proposer son autoportrait, comme il le fera chacun des vices suivants : Orgueil, Envie, Ire, Avarice, Gloutonnerie et Vénus. Cette scène a été illustrée dans divers manuscrits du texte.

Les cordes et les las : il s'agit des liens par lesquels Paresse a attaché le pèlerin à son insu. Les *las*, ou lacets, sont des nœuds coulants pour capturer le gibier.

loutriere ou *louviere* : féminin de *loutrier* et de *louvier* qui chassaient les loutres et les loups.

estoussir : « tousser, toussoter » pour signaler sa présence.

gerfaut/faucon/esprevier/esmerillon : ce sont des rapaces dont on se servait pour la chasse au vol.

giez : terme de fauconnerie qui désignait la courroie attachée aux pattes du faucon et des autres rapaces, près de leurs serres, pour les retenir, et qui ensuite a désigné toutes sortes de liens.

37. [La rencontre de Paresse]

Une vieille laide et hideuse,
Contrefaite et malgracieuse,
Que ne veoie pas devant
Pour ce que me venoit suiant,
7055 Les cordes et les las★ tenoit
A une main et empoingnoit.
Quant me retournai et la vi,
Plus que devant fu esbahi,
Quar je la vi toute moussue
7060 Et de mousse toute pellue,
Orde et noire et ville et sale.
Laide chose fust en sale
Qui li veïst venir dancier !
Une coingnie a un bouchier
7065 Pour assommer pourciaux avoit
Dessous s'aisselle et si portoit
Cordes en un fardel liees
Au col et enfardelees.
Bien cuidai, quant vi la maniere,
7070 Que fust loutriere★ ou louviere★ :
Tiex troussiaux ai veu aus louviers
Qui sont au roy et aus loutriers.
[Le pelerin parle]
« Qu'est ce, dis je, vielle puant,
Que me venez vous ci suiant ?
7075 Qui estes vous et par quel droit
M'arrestés vous ici endroit ?

37. La rencontre de Paresse

Une vieille laide et hideuse,
contrefaite et disgracieuse,
que je ne voyais pas auparavant
car elle marchait derrière moi,
tenait d'une main ferme   7055
les cordes et les lacs.
Quand je me retournai et la vis,
je fus encore plus étonné,
car je la vis toute poilue
et de poils toute velue,   7060
répugnante, noire, abjecte et sale.
Quelle horreur si on l'avait vue
venir pour danser dans une salle !
Elle avait sous son aisselle
une masse de boucher pour assommer   7065
les pourceaux, et elle portait,
enroulées autour de son cou,
un paquet de cordes.
Je crus fermement, à voir son maintien,
que c'était une loutrière ou une louvetière :   7070
j'ai vu de tels bagages chez les louvetiers
du roi et chez les loutriers.
[Le pèlerin parle]
« Qu'avez-vous, dis-je, vieille puante,
à venir ici à ma suite ?
Qui êtes-vous et de quel droit   7075
m'arrêtez-vous en cet endroit ?

Ne deussiez pas ainsi venir
Sans parler et vous estoussir★.
Bien pert quë onques ne issistes
7080 De bon lieu ne ne venistes.
Fuiez de ci et me laissiez
Oster ces las d'entour mes piez !
Ne sui pas gerfaut ne faucon
Ne esprevier n'esmerillon★
7085 N'autrë oisel a fauconnier
Pour moi de giez★ ainsi lier. »
Adonc la vielle respondi :
[Peresce parle]
« Par mon chief, dist ellë, ainsi
Com cuides pas n'eschaperas ;
7090 Mal y venis, a moi l'aras.
Vielle puant m'as clamee,
Vielle sui je, mes mesnommee
M'as de ce que puant m'as dit,
Quar puant ne sui pas, ce cuit.
7095 En maint biau lieu ai ore esté
Et en iver et en esté,
Couchiee en chambres d'empereurs,
De rois et d'autres grans seigneurs,
Et en courtines d'evesques,
7100 D'abbez, de prelas et de prestres
Que onques mes puant nommee
Ne fu en nul temps ne clamee.
Dont te vient il comment osas
Ainsi parler, qui en mes las
7105 Ez arrestez et enlaciez ?
Je croi que bien seroies fiers
Et malement tu parleroies
A moi, se cheü n'i estoies ;
Et pour ce, puis que je t'i tien,
7110 Je croi que m'en vengerai bien,
Je te merrai ja en tel lieu
Ou te ferai croirre en mon dieu.
[Le pelerin parle]
–Vielle, dis je, qui estes vous
Qui avez si le cuer estous ?

Vous n'auriez pas dû venir ainsi
sans mot dire ni toussoter.
Il est évident que vous ne sortez pas
ni ne descendez d'une noble famille.   7080
Fuyez d'ici et laissez-moi
enlever ces lacs de mes pieds !
Je ne suis pas un gerfaut ni un faucon
ni un épervier ni un émerillon
ni un autre oiseau de fauconnier   7085
pour m'attacher avec ces liens. »
La vieille répondit alors :
[Paresse parle]
« Je te le jure, dit-elle,
tu n'échapperas pas comme tu le crois.
Tu as eu tort de venir, tu resteras avec moi.   7090
Tu m'as proclamée vieille puante,
je suis vieille, mais tu m'as
calomniée en me traitant de puante,
car, à mon avis, je ne le suis pas.
J'ai été en plus d'un bel endroit,   7095
en hiver comme en été,
couchée en chambres d'empereurs,
de rois et d'autres grands seigneurs,
et sous les courtines d'évêques,
d'abbés, de prélats et de prêtres   7100
sans que je fusse jamais nommée
ni appelée puante à aucun moment.
D'où vient que tu as eu l'audace
de parler ainsi, toi qui es pris
et retenu en mes lacs ?   7105
Je crois que tu serais bien orgueilleux
et que tu me parlerais rudement
si tu n'étais pas tombé dans mes lacs.
Aussi, puisque je te tiens,
je crois que je m'en vengerai bien :   7110
je t'emmènerai en un lieu
où je te ferai adorer mon dieu.
[Le pèlerin parle]
– Vieille, dis-je, qui êtes-vous
pour être aussi effrontée ?

7115 Dire vostre non deüssiez,
     Puis qu'ainsi vous me menaciez.
     [Peresce parle]
     – Certes, dist elle, je vuel bien,
     Que ne te soit celé de rien
     Mon non, qui sui, de quoi je serf.
7120 Fame sui au bouchier d'enfer
     Qui li amaine par cordiaus,
     Aussi com se fussent porciaus,
     Les pelerins quë arrester
     Je puis par les piez et lier.
7125 Mains li en ai pieça menez
     Et en merrai encore assez,
     Des quiex le premier tu seras,
     Se ne m'eschapes de mes las.
     Pour ce ving ainsi lier toi
7130 Repostement et en recoi,
     Quar, s'autrement fusse venue,
     Bien cuidasse avoir perdue
     Ma paine, quar dela passer
     Vouloies et toi en aler. »

Vous devriez dire votre nom, 7115
puisque vous me menacez ainsi.
[Paresse parle]
– À coup sûr, dit-elle, j'accepte
de ne te cacher en rien
mon nom, qui je suis et quel est mon service.
Je suis la femme du boucher d'enfer, 7120
je lui amène, attachés par des cordes
comme si c'étaient des pourceaux,
les pèlerins dont je peux
entraver et lier les pieds.
Je lui en ai déjà amené plus d'un depuis longtemps, 7125
et je lui en amènerai encore beaucoup,
dont tu seras le premier,
si tu n'échappes pas à mes lacs.
C'est pourquoi je suis venue t'attacher ainsi
en catimini et en secret, 7130
car, si j'étais venue autrement,
je crois bien que j'aurais peiné
en vain, car tu voulais passer
ton chemin et t'en aller. »

Jean Froissart

MÉLIADOR

Auteur de poèmes amoureux de forme fixe et de dits narratifs, influencés par *Le Roman de la Rose* et les œuvres de Guillaume de Machaut, chroniqueur, Jean Froissart est aussi romancier puisqu'il composa entre 1365 pour la première rédaction et 1380 pour la seconde, *Méliador*, le dernier grand roman arthurien en octosyllabes (le manuscrit d'ailleurs incomplet comprend 30 771 vers). Dans les *Chroniques* et le *Dit dou florin*, il souligne le plaisir que prenait Gaston Phoebus, comte de Foix et de Béarn, à écouter la lecture que le trouvère lui en faisait chaque soir : [...] *toutes les nuis je lisoie/Devant lui et le solaçoie/D'un livre de Melyador,/Le chevalier au soleil d'or,/Le quel il ooit volentiers/Et me dist : « C'est uns beaus mestiers,/Beaus maistres, de faire telz choses. »/Dedens ce rommanc sont encloses/Toutes les chançons que jadis –/Dont l'ame soit en paradys–/Que fist le bon duc de Braibant/Wincelaus dont on parla tant.* (v. 291-302). Froissart situe son histoire au début du règne du roi Arthur, neuf ou dix ans avant que les membres de la Table ronde ne soient devenus célèbres, et il crée des héros nouveaux. Afin d'échapper à l'amour importun de Camel de Camois, un soupirant atteint de somnambulisme, Hermondine, fille du roi d'Écosse, promet sa main au chevalier qui, au terme d'une quête de cinq années, aura accompli les plus grands exploits. Le récit entrelace les aventures des nombreux chevaliers qui partent ainsi à la recherche de la gloire et de l'amour, notamment du fils du duc de Cornouailles, Méliador, surnommé le « chevalier au soleil d'or », à cause de ses armes. Il tue Camel au tournoi de Montgriés et s'illustre dans tous les combats et joutes auxquels il participe. Il épouse Hermondine dont il a gagné le cœur, tandis que Phénonée, la sœur de Méliador, se marie avec Agamanor.

À une aristocratie qui doute de ses valeurs durant ces temps troublés de la guerre de Cent Ans, Froissart offre l'exaltation nostalgique de l'idéal chevaleresque ancien. D'autre part, il insère dans sa narration des pièces lyriques (onze ballades, seize virelais et cinquante-deux rondeaux) écrites par son mécène, le duc Wenceslas de Brabant. Non sans humour, il joue enfin avec les conventions et les motifs classiques (comme la chasse au blanc cerf) du roman arthurien, dont il est à la fois l'admirateur passionné et le parodiste lucide.

L'extrait choisi s'intéresse au chevalier Sagremor au moment où il pénètre dans la forêt merveilleuse d'Archenai, dans laquelle on ne ressent ni la soif ni la faim ; il se désarme, descend de sa monture et laisse paître son cheval, lorsque surgit un cerf blanc.

Bibliographie

Méliador, éd. de A. Longnon, Paris, SATF, 1895-1899, 3 vol. ; trad. partielle de F. Bouchet dans *La légende arthurienne*, éd. de D. Régnier-Bohler, Paris, Laffont, 1989, p. 1039-1078.

J. Bastin, *Froissart chroniqueur, romancier et poète*, Saint-Genouph, Nizet, 1948 ; P.F. Dembowski, *Jean Froissart and his Meliador. Context, Craft and Sense*, Lexington, Kentucky, French Forum, 1983 ; M. Zink, *Froissart et le temps*, Paris, PUF, 1998.

Notes

Le texte est établi d'après le manuscrit BN fr. 12557 et l'éd. de A. Longnon.

On se souvient que selon le schéma narratif d'un conte morganien, un être surnaturel entraîne un mortel vers l'Autre Monde, souvent à l'occasion d'une chasse. L'animal blanc et enchanté (biche ou cerf, voire sanglier ou chien), émissaire de la fée, éloigne le chevalier du monde des humains pour le conduire dans un mystérieux royaume. Froissart s'amuse ici à parodier la séquence en intervertissant les rôles de l'homme et de la bête. Comme l'explique L. Harf-Lancner, le poète « crée ainsi une scène résolument comique. Le cheval fuit, éperdu, devant le cerf ; Sagremor tente de rattraper sa monture ; et le cerf, fidèle à sa mission, poursuit le chasseur qui refuse de le chasser : le gibier se fait chasseur tandis que le chasseur se désintéresse du gibier pour suivre son cheval » (*Les Fées au Moyen Âge*, Paris, Champion, 1984, p. 231).

Froissart, qui se plaît aussi à jouer sur les mots (*cers/sers*, v. 28427-28428 ; *cours/recours*, v. 28439-28440), accentue l'antithèse burlesque et paradoxale entre le chevalier désemparé (v. 28422 et 28431), ne sachant plus que faire (v. 28443), et le cerf blanc qui sait bien ce qu'il doit faire (v. 28463) et invite Sagremor à l'enfourcher (v. 28447).

Evous : la locution *evous* provient de l'agglutination du présentatif *ez/es* (du latin *ecce*) et du « datif éthique », le pronom personnel *vous*. Cette expression, usuelle dans les chansons de geste, insiste sur la soudaineté de l'apparition.

Saigremor : il ne faut pas confondre ce personnage, fils du roi d'Irlande, avec un autre *Sagremor*, chevalier de la Table ronde, surnommé le *Desreé* à cause de sa démesure et de son impétuosité.

Si grant paour en a eü : la peur de l'animal familier est un indice traditionnel d'une présence surnaturelle. Voir le lai de *Lanval* de Marie de France, v. 6 : *Mes sis chevals tremble forment*.

froais : ce terme cynégétique désigne la « trace », la « piste », la marque laissée par le frottement des bois d'un cerf contre les arbres. Le mot se rattache au verbe *froier* (moderne *frayer*), qui signifie, comme son étymon latin *fricare*, « frotter », mais aussi « frapper » et « briser ».

travail : ce déverbal de *travailler*, issu lui-même du latin vulgaire **tripaliare* (« tourmenter, torturer »), passe de son sens étymologique, « tourment, souffrance », à des acceptions plus atténuées : « effort pénible, fatigue », enfin « activité volontaire et productive ».

haire : provenant de l'ancien francique **harja* (« vêtement grossier fait de poils »), le terme *haire* désigne d'abord « une chemise de crin portée sur la peau par esprit de mortification », puis, par extension, un « tourment », une « peine ».

lac : l'entrée du héros dans l'Autre Monde, celui des fées (voir le v. 28366 : *En celle forest y ot fees*), s'effectue à travers le décor habituel de la forêt et du lac. Voir *Lancelot en prose* dont le protagoniste est enlevé par la Dame du Lac (éd. de A. Micha, t. VII, IIIa 8) et *La Mort le roi Artu*, où une mystérieuse main sort de l'eau pour saisir l'épée jetée dans le lac (texte 26).

Saigremor a de l'aigue au ventre : la perte d'un feuillet nous prive du récit de l'arrivée de Sagremor dans la demeure féerique. Nous retrouvons le jeune homme en train de rêver de son amie Sebille. Quand il s'éveille, trois dames, vêtues de robes blanches, apparaissent et feignent l'étonnement en le découvrant alors qu'elles sont responsables de son enlèvement.

38. [L'étonnante chasse du blanc cerf]

Evous* lors c'uns blans cerfs se rue
Hors dou buisson soudainnement,
Et s'en vient passant radement
28415 Tout droit par devant Saigremor*.
Li chevaus, qui paissoit encor
Lors qu'il a le cerf perceü,
Si grant paour en a eü*,
Ensi comme une mue beste
28420 Qui lieve contremont la teste
Et lance oultre, et s'enfuit au bois.
Saigremor, qui estoit tout quois,
Voit qu'il a perdu son cheval ;
Se li vient ceste cose a mal.
28425 Apriès se met tout le grant cours,
Et li chevaus s'enfuit tous jours.
Saigremor le sieut, et li cers
En fuiant ossi est ses sers,
Car ensi que Saigremor va
28430 Li chers le sieut, et ça et la,
Dont Saigremor est tous tourblés,
Car se li cers se fust emblés
De lui et ne l'euist sieui,
A ce qu'il a bien poursieui
28435 Son cheval et a longe alainne,
Eü le reuist en sa painne ;
Mais, quant li chevaus le cerf sent
Ou que il le voit en present,

38. L'étonnante chasse du blanc cerf

Voici qu'un blanc cerf surgit
soudain hors des buissons
et passe rapidement
juste devant Sagremor.
Le cheval, encore occupé à paître,   28415
dès qu'il a aperçu le cerf,
en est effrayé ;
comme une bête muette,
il lève la tête,
s'élance et s'enfuit dans la forêt.   28420
Sagremor, resté tout coi,
voit qu'il a perdu son cheval,
ce qui le contrarie.
Il se met à courir à toutes jambes derrière lui   28425
mais le cheval continue à fuir.
Sagremor le poursuit et le cerf,
en fuyant lui aussi, le sert comme un serf,
car partout où va Sagremor,
le cerf le suit, çà et là,   28430
au grand trouble du chevalier.
En effet si le cerf l'avait quitté
et ne l'avait pas suivi,
grâce à son ardente poursuite
de longue haleine,   28435
il aurait rattrapé son cheval, non sans peine.
Mais celui-ci, dès qu'il sent le cerf
ou le voit de ses yeux,

Il se remest tantost au cours.
28440 Saigremor n'i voit nul recours :
Tant est lassés qu'il ne poet plus ;
Il s'arreste et si s'assiet jus
Et ne scet mais quel cose il face.
Li cers s'arreste sus la place
28445 Ou Saigremor est arrestés,
Et moustre qu'il soit aprestés
De dire : « Car montés sur moy. »
Saigremor s'avisa en soy
Que dessus le cerf montera
28450 Et son cheval poursieuera,
Car il ne poet aler a piet.
E le vous lors apparilliet
Dou monter, et li cerfs le sueffre,
Qui a ce se consent et oeffre.
28455 Lors que Saigremor montés fu
Sus le cerf, il regarda u
Ses chevaus tenoit son chemin.
Si en poursieui le trahin
Une espasse, mes finalment
28460 Les froais* perdi telement
Que onques n'i peut rassener,
Et li cerfs sans lui rafrener
S'enfuit et bien scet qu'il doit faire.
Sans travail* enporte et sans haire*
28465 Saigremor a son ordenance.
Venus s'en est, sans detriance,
Sus .I. lac* et par dedens entre.
Saigremor a de l'aigue au ventre*.

reprend aussitôt sa course.
Sagremor n'y voit aucun recours :   28440
il est si épuisé qu'il n'en peut plus ;
il s'arrête et s'assoit,
ne sachant plus que faire.
Le cerf s'arrête à l'endroit même
où Sagremor s'est arrêté,   28445
et par son attitude semble prêt
à dire : « Montez donc sur moi. »
Sagremor se dit en lui-même
qu'il montera sur le cerf
et poursuivra son cheval   28450
car il ne peut poursuivre à pied.
Il se dispose alors à enfourcher
le cerf qui le tolère,
il y consent et s'y prête volontiers.
Une fois monté sur le cerf,   28455
Sagremor regarda quel chemin
avait pris son cheval.
Il suivit son allure
un moment, mais finit
par perdre sa piste   28460
sans pouvoir l'atteindre.
Le cerf sans ralentir
s'enfuit, sachant bien ce qu'il doit faire.
Sans effort ni peine il emporte
Sagremor à son gré.   28465
Arrivé sans délai
près d'un lac, il y pénètre.
Sagremor a de l'eau jusqu'au ventre.

Jean d'Arras

MÉLUSINE

C'est en 1392-1393 qu'à la demande de Jean de
Berry, comte de Poitou et d'Auvergne, Jean d'Arras
composa un roman en prose sur la légende de la fée
Mélusine, fondatrice du lignage des Lusignan.

Le roi d'Écosse, Élinas, a épousé la fée Présine qui
disparaît dans l'île d'Avalon avec ses trois filles, Mélusine, Mélior et Palestine, après que son mari eut
manqué à sa promesse de ne pas la voir pendant son
accouchement. Apprenant plus tard la trahison de
leur père, les trois sœurs l'enferment dans une montagne mais elles sont à leur tour punies par leur mère :
Mélusine se transformera en serpent chaque samedi et
ne deviendra mortelle que par son mariage avec un
homme qui ne devra jamais chercher à la voir ce jour-
là. Elle ne tarde guère à épouser Raymond, le fils du
comte de Forez, après leur entrevue à la Fontaine de
Soif. Le couple connaît la prospérité. La fée défriche,
construit cités et châteaux, en particulier Lusignan ;
elle donne aussi la vie à dix garçons dont les huit premiers sont tous marqués par une anomalie physique
rappelant la nature animale de leur mère. Un jour,
poussé par son frère qui soupçonne sa belle-sœur de
se livrer à la débauche, Raymond rompt son engage-

ment et surprend Mélusine au bain sous forme de
« serpente ». Il n'avoue son forfait à personne et Mélusine feint de l'ignorer, mais informé que leur fils Geof-
froi à la Grande Dent a brûlé l'abbaye de Maillezais,
incendie dans lequel ont péri les moines et son propre
frère, le mari impute ce crime à la « serpente ». Mélusine s'envole alors sous forme d'un serpent ailé, tandis
que Raymond se rend en pèlerinage à Rome avant de
se retirer au couvent de Montserrat.

Ce roman généalogique, portant sur trois générations (les parents des héros, puis Mélusine et Raymond, enfin leurs enfants), est construit sur le schéma
d'un conte merveilleux avec trois séquences majeures :
la rencontre d'un mortel et d'un être surnaturel, le
pacte et la transgression de l'interdit. Ce récit dynastique à la gloire des Lusignan, s'il n'est pas dépourvu de
traits épiques lors des nombreux affrontements des fils
de Raymond contre les Sarrasins, offre surtout avec
Mélusine l'image attachante d'une déesse féconde et
maternelle, amoureuse et protectrice, défricheuse et
bâtisseuse.

Le texte proposé se situe au moment où le frère de
Raymond vient d'exprimer des soupçons sur l'incon-
duite de sa belle-sœur.

Bibliographie

Jean d'Arras, *Mélusine, roman du XIVe siècle*, éd. de L. Stouff,
    Dijon, 1932, rééd. Genève, Slatkine, 1975 ; trad. de M. Per-
    ret, Paris, Stock, « Moyen Âge », 1979. Voir aussi Cou-
    drette, *Le Roman de Mélusine ou Histoire de Lusignan*, éd.
    de É. Roach, Paris, Klincksieck, 1982 ; trad. de L. Harf-
    Lancner, Paris, GF-Flammarion, 1993.
F. Clier-Colombani, *La Fée Mélusine au Moyen Âge : images,
    mythes, symboles*, Paris, Léopard d'or, 1991 ; P. Gallais, *La
    Fée à la fontaine et à l'arbre*, Amsterdam, Rodopi, 1992 ;
    L. Harf-Lancner, *Les Fées au Moyen Âge. Morgane et
    Mélusine ou la naissance des fées*, Paris, Champion, 1984 ;
    C. Lecouteux, *Mélusine et le chevalier au cygne*, Paris,

Payot, 1982 ; J. Markale, *Mélusine*, Paris, Retz, 1983, réimpr. Paris, Albin Michel, 1993 ; L. Stouff, *Essai sur Mélusine, roman du XIVe siècle*, Dijon-Paris, Picard, 1930.

Notes

Le texte est établi d'après le manuscrit du XVe siècle BL 234 (3353) de la bibliothèque de l'Arsenal à Paris et l'éd. de L. Stouff.

Aveuglé par la colère et la jalousie, Raymond transgresse l'interdit en perçant un trou dans la porte ; sa détermination et son acharnement à connaître la vérité sont rendus par le rythme binaire et la locution conjonctive *tant que* (l. 9-10 et 20). La violation du pacte a pour conséquence immédiate la révélation de la nature animale et féerique de sa femme. Or devant cette vision surprenante, voire terrifiante, si dans la version postérieure de Coudrette le héros, ne parvenant pas à réprimer un sentiment de répugnance et de crainte, se signe comme s'il était en présence d'une créature diabolique (v. 3077-3084), dans le roman de Jean d'Arras le protagoniste ne manifeste aucune réaction de dégoût ni de frayeur. Cette découverte étonnante, loin d'ébranler son amour, ne fait que le fortifier. Il considère son épouse comme la meilleure des dames ; il multiplie les superlatifs laudatifs à son égard (l. 43 et 78), énumère toutes ses qualités (l. 62-68) ; il oppose à la félonie de son frère, à sa propre traîtrise, à la versatilité de Fortune, la fidélité et la constance de Mélusine, rapprochée de la Vierge (l. 44) et de la *licorne precieuse* (l. 84). Bien qu'il se juge coupable, il s'empresse de dissimuler sa faute en bouchant le trou avec de la cire (l. 34-36) et rejette la responsabilité du forfait sur son frère (l. 42-51) et sur la cruelle Fortune (l. 70-82).

yre : provenant du latin *ira*, le substantif *ire/yre* est ambivalent. En effet, il dénote autant la colère (avec plusieurs nuances : « mécontentement, indignation, fureur ») que la douleur (avec les acceptions suivantes : « chagrin, tristesse, remords, rancœur, ressentiment »), voire la violence. À partir du XVIIe siècle le terme *ire*, relégué dans le domaine de la poésie et de la tragédie ou dans un registre parodique et burlesque, est remplacé par le vocable *cholère/colère* apparu à la fin du XIIIᵉ siècle.

Comment Remond [...] *avoit prommis* : ces lignes en italique constituent une rubrique (du latin *rubrica* : « terre rouge, ocre rouge »), c'est-à-dire une mention inscrite à l'encre rouge. Celle-ci souligne l'importance de la séquence narrative qui suit et précise le nom des divers personnages concernés. Elle joue le même rôle que les titres de chapitres pour les lecteurs modernes.

Fortune : la déesse Fortune qui personnifiait pour les Romains le hasard capricieux et injuste fut popularisée par le *De consolatione philosophiae* de Boèce, où elle apparaissait au philosophe du VIᵉ siècle pour justifier sa conduite : « Je fais tourner une roue rapide ; j'aime à élever ce qui est abaissé, à abaisser ce qui est élevé. Monte donc, si tu veux, mais à la condition que tu ne regardes pas comme une injustice de descendre, quand la règle de mon jeu l'exigera. » Symbolisant la versatilité du destin et le triomphe de l'irrationnel, cette maîtresse impérieuse qui domine le monde est souvent représentée, aveugle ou les yeux bandés, au centre ou à côté de la roue ; sourde et muette, elle ne fournit aucune explication à ses victimes aux mérites et aux prières desquelles elle demeure complètement indifférente. Sur ce thème, voir J. Frappier, *Étude sur la Mort le roi Artu*, Genève, Droz, 1972, p. 258-288, et J. Dufournet, *Adam de la Halle à la recherche de lui-même ou le Jeu dramatique de la feuillée*, Paris, SEDES, 1974, p. 187 et suiv.

grief : dérivé du latin vulgaire **grevem*, à partir du latin classique *gravem* (« lourd, désagréable »), *grief* peut être un adjectif signifiant « pénible, douloureux » ; « triste, malheureux » ; « rude, difficile » ; « grave, sérieux », et un substantif pourvu de diverses acceptions : « peine, souci » ; « dommage » ; « chagrin » ; « situation pénible, difficulté ».

forfait de mon tres chier seigneur : lors d'une chasse au sanglier, Raymond a malencontreusement tué d'un coup d'épieu le comte Aymeri de Poitiers, son oncle et son seigneur.

un cochet a vent : il s'agit d'un petit coq qui tourne au gré du vent. Cette image de la girouette exprime non seulement l'inconstance féminine et masculine, mais encore l'instabilité caractéristique de Fortune. Voir Huon le Roi, *Le Vair Palefroi*, éd. de A. Långfors, Paris, Champion, 1927, v. 17-20 : *Lor cuer samblent cochet au vent,/Quar avenir voit on souvent/Qu'en poi d'eure sont leur corages/Müez plus tost que li orages* et Guillaume de Machaut, *Le Voir Dit*, éd. de P. Imbs, Paris, Le Livre de poche, 1999, v. 8706-8707 : *Aussi n'a il en vous souvent/Nes qu'en un cochelet au vent.*

aspis [...] licorne : tandis que l'aspic représente la cruauté et la perfidie, la licorne, symbole de puissance, de pureté et de spiritualité, n'est plus l'emblème ni du Christ ni du *fin amant,* comme dans les *Bestiaires* du XIIIᵉ siècle ; elle est désormais associée à la dame dont elle incarne la perfection. Voir J.-P. Clébert, *Le Bestiaire fabuleux,* Paris, Albin Michel, 1971, p. 44 et 224-233.

essil : issu du latin *exsilium,* le mot *essil* non seulement garde sa valeur étymologique d'« exil », seule conservée de nos jours, mais offre aussi, par extension, les significations suivantes : « destruction, ravage » ; « ruine, dommage, tourment » ; « prison » ; « mort ».

39. [La serpente au bain]

Lors quant Remond ouy ces mos, si boute la table
ensus de lui, et entre en sa chambre, espris de yre* et
de jalousie, et prent son espee qui pendoit a son
chevez, et la ceint, et s'en va ou lieu ou il savoit bien
5 que Melusigne s'en aloit tous les samedis, et treuve un
fort huis de fer, moult espez, et sachiez de vray que
oncques mais n'avoit esté si avant. Lors, quant il
apperçoit l'uis, si tire l'espee et mist la pointe a
l'encontre, qui moult estoit dure, et tourne et vire tant
10 qu'il y fist un pertuis ; et regarde dedens, et voit Melusigne qui estoit en une grant cuve de marbre, ou il
avoit degrez jusques au fons. Et estoit bien la grandeur
de la cuve de .XV. piez de roont tout autour en
esquarrie, et y ot alees tout autour de bien .V. piez de
15 large. Et la se baignoit Melusigne en l'estat que vous
orrez cy aprez en la vray histoire.

*Comment Remond vit Melusigne baignier, par l'enhor-
tement de son frere le conte de Forests, et lui failly du
convenant qu'il lui avoit prommis*.

20 En ceste partie nous dist l'ystoire que tant vira et
revira Remond l'espee qu'il fist un pertuis en l'uis, par
ou il pot adviser tout ce qui estoit dedens la chambre,
et voit Melusigne en la cuve, qui estoit jusques au
nombril en figure de femme et pignoit ses cheveulx, et
25 du nombril en aval estoit en forme de la queue d'un
serpent, aussi grosse comme une tonne ou on met
harenc, et longue durement, et debatoit de sa coue

39. La serpente au bain

À ces mots, Raymond pousse la table loin de lui, entre dans sa chambre, embrasé de colère et de jalousie, prend son épée, suspendue au chevet de son lit, la ceint et s'en va vers l'endroit où il savait bien que Mélusine se rendait tous les samedis ; il y trouve une solide porte de fer, très épaisse, et soyez assurés que jamais auparavant il n'était allé si loin. Lorsqu'il aperçoit la porte, il tire l'épée, place la pointe qui était très dure contre la porte, tourne et vire jusqu'à ce qu'il y fasse un trou ; puis il regarde à l'intérieur et voit Mélusine dans un grand bassin de marbre, avec des marches descendant jusqu'au fond. Le pourtour du bassin de forme carrée avait bien quinze pieds, et il y avait tout autour des allées d'au moins cinq pieds de large. C'est là que se baignait Mélusine sous la forme que vous apprendrez ci-après dans cette histoire vraie.

Comment Raymond, sur l'instigation de son frère le comte de Forez, vit Mélusine se baigner et manqua à la promesse qu'il lui avait faite.

Dans cette partie l'histoire nous rapporte que Raymond tourna et retourna tant l'épée qu'il fit un trou dans la porte par lequel il pouvait tout voir à l'intérieur de la pièce. Il vit Mélusine dans le bassin : jusqu'au nombril elle avait l'apparence d'une femme et elle peignait ses cheveux, mais à partir du nombril elle avait la forme d'une queue de serpent, aussi grosse qu'un tonneau contenant des harengs, et fort longue ; avec sa queue elle battait l'eau si fort qu'elle la faisait jaillir

l'eaue tellement qu'elle la faisoit saillir jusques a la
voulte de la chambre. Et quant Remond la voit, si fu
30 moult doulent. « Hay, dist il, m'amour, or vous ay je
trahie par le faulx enortement de mon frere, et me sui
parjurez envers vous. »

Lors ot tel dueil a son cuer et telle tristece que cuer
humain n'en pourroit plus porter. Il court en sa
35 chambre, et prent la cire d'une vieille lettre qu'il
trouva, et en estouppa le pertuis. Puis s'en va en la
sale, ou il trouva son frere. Et quant il l'apperçoit, si
voit bien qu'il est courrouciez, et cuida qu'il eust
trouvé quelque mauvaistié en sa femme. Si lui dist :
40 « Mon frere, je le savoye bien. Avez vous bien trouvé
ce que je vous disoye ? » Et Remond lui escrie : « Fuiez
de cy, faulx traitre, vous me avez fait par vostre faulx
traitre rapport parjurer contre la meilleur et la plus
loyal dame qui oncques nasquist aprés celle qui porta
45 Nostre Createur. Vous m'avez apporté toute doulour
et emportez toute ma joye. Par Dieu, se je creoie mon
cuer, je vous feroye mourir de male mort, mais raison
naturelle le me deffent, pour ce que vous estes mon
frere. Alez vous ent, ostez vous hors de devant mes
50 yeulx. Que tous les ministres d'enfer vous puissent
convoier et martirer de .VII. tourmens infernaulx ! »
Quant le conte apperçoit son frere qui fu pres que
tous forcenez, si yst de la sale, lui et ses gens, et monte
a cheval et s'en va grant aleure vers la conté de Forest,
55 forment doulent et repentant de sa folie entreprise, car
bien scet que Remond ne l'aimera jamais ne ne le
vouldra veoir. Cy me tairay de lui et vous diray de
Remond, qui s'en entre dans sa chambre et se couche
en son lit, si doulens que oncques homs mortelz ne le
60 fu plus, et faisoit les plus piteux regrez que oncques
nulz homs mortelz ouist retrere.

« Haa, Melusigne, dist Remond, dame de qui tout le
monde disoit bien, or vous ay je perdue sans fin. Or ay
je perdu joye a tousjours mais. Or ay je perdu beauté,
65 bonté, doulçour, amistié, sens, courtoisie, charité,
humilité, toute ma joye, tout mon confort, toute
m'esperance, tout mon eur, mon bien, mon pris, ma

jusqu'à la voûte de la salle. En la voyant, Raymond fut très affligé. « Hélas, dit-il, mon amour, je viens de vous trahir sur les perfides conseils de mon frère et je me suis parjuré envers vous. »

Il éprouva alors en son âme un tel chagrin et une telle tristesse qu'un cœur humain ne pourrait en supporter de plus grands. Il courut dans sa chambre, prit la cire d'une vieille lettre qu'il trouva et en boucha le trou. Puis il gagna la grande salle où il rencontra son frère qui, en l'apercevant, se rendit bien compte qu'il était fâché et pensa qu'il avait découvert quelque perfidie dans la conduite de sa femme. Il lui dit : « Mon frère, je le savais bien. Avez-vous donc découvert ce dont je vous parlais ? » Mais Raymond lui cria : « Hors d'ici, sale traître, par vos propos perfides et mensongers, vous m'avez amené à me parjurer envers la meilleure et la plus loyale dame qui fût jamais née, après celle qui porta Notre Créateur. Vous m'avez causé un immense chagrin et vous emportez tout mon bonheur. Par Dieu, si j'en croyais mon cœur, je vous ferais mourir d'une mort ignoble, mais la loi de nature me l'interdit, parce que vous êtes mon frère. Allez-vous-en, ôtez-vous de ma vue. Que tous les serviteurs de l'enfer puissent vous accompagner et vous torturer des sept tourments infernaux ! » Voyant que son frère est près de perdre la raison, le comte sort de la grande salle avec sa suite, monte à cheval et part à vive allure vers le comté de Forez, fort affligé et regrettant son intervention insensée, car il sait bien que Raymond ne l'aimera plus jamais ni ne voudra plus le voir. Désormais je me tairai à son sujet et je vous parlerai de Raymond qui entre dans sa chambre et se couche dans son lit, si affligé que jamais aucun mortel ne le fut davantage, et exprimant les regrets les plus pitoyables qu'un homme mortel ait jamais entendu raconter.

« Ah ! Mélusine, dit Raymond, dame dont tout le monde disait du bien, je viens de vous perdre à tout jamais. Je viens de perdre le bonheur pour toujours. Je viens de perdre la beauté, la bonté, la douceur, l'affection, la sagesse, la courtoisie, la charité, l'humilité, toute ma joie, tout mon réconfort, toute mon espérance, tout mon

vaillance, car tant pou d'onneur que Dieu m'avoit
prestee me venoit de vous, ma doulce amour. J'ay fait
70 le borgne. Aveugle Fortune★, dure, sure et amere, bien
m'as mis du hault siege de ta roe ou plus bas et ou plus
boueux et ort lieu de ta maison ou Jupiter abevre les
laz, chetifs, doulereux et maleureux. Tu soies de Dieu
maudite ! Par toy fiz je le grief★ forfait de mon tres
75 chier seigneur★. Or le me veulz faire comparer.
Heelas, tu m'en avoiez getté et mis en haulte auttorité
par le sens et la valour de la meilleur des meilleurs, de
la plus belle des belles, de la plus saige des saiges. Or
le me fault perdre par toy, faulse borgne, traitre,
80 envieuse. Bien est fol qui en tes dons s'affie. Or hés, or
aimes, or fais, or despieces, il n'a en toy de seurté ne
d'estableté ne qu'en un cochet a vent★. Las, ma tres
doulce amie, je sui le faulx crueux aspis★ et vous estes
la licorne★ precieuse. Je vous ay par mon faulx venin
85 trahie. Helas ! vous m'aviez mediciné de mon premier
crueulx venin. Or le vous ay je crueusement mery,
quant je vous ay traÿe et menty ma foy envers vous.
Par Dieu, se je vous pers pour ceste cause, je m'en
yray en essil★ en tel lieu ou on n'ourra jamais nou-
90 velles de moy. » Ainsi comme vous ouez, se dementoit
Remond, et se fiert et debat par telle maniere qu'il n'a
si dur cuer ou monde, s'il le veoit et ouoit, a qui il n'en
preinst pitié. Et se repent fort de ce qu'il n'a osté au
conte, son frere, la vie du corps.

bonheur, ma richesse, ma gloire, ma vaillance, car ce peu d'honneur que Dieu m'avait prêté me venait de vous, mon tendre amour. J'ai fait le borgne. Fortune aveugle, dure, aigre et amère, tu m'as fait tomber du haut siège de ta roue au plus bas, dans l'endroit le plus fangeux et sale de ta maison, là où Jupiter abreuve les malheureux, les infortunés, ceux qui souffrent, les désespérés. Sois maudite par Dieu ! À cause de toi j'ai commis un terrible crime contre mon très cher seigneur. À présent tu veux me le faire payer. Hélas ! tu m'avais épargné ce châtiment et tu m'avais accordé une grande puissance grâce à la sagesse et à la valeur de la meilleure des meilleures, de la plus belle parmi les belles, de la plus sage parmi les sages. Maintenant il me faut tout perdre à cause de toi, sale borgne, traîtresse, envieuse. Bien fou qui se fie à tes présents ! Tantôt tu hais, tantôt tu aimes, tantôt tu construis, tantôt tu détruis, il n'y a pas plus de certitude ni de stabilité en toi qu'en une girouette. Hélas ! ma très douce amie, je suis le perfide et cruel aspic et vous êtes la précieuse licorne. Je vous ai trahie avec mon sale venin. Hélas ! vous m'aviez soigné de mon premier cruel venin. Je viens de vous en récompenser cruellement puisque je vous ai trahie et j'ai violé mon serment à votre égard. Au nom de Dieu, si je vous perds pour ce motif, je m'en irai en exil dans un endroit où l'on n'entendra plus jamais parler de moi. » Comme vous l'entendez, Raymond se lamentait ; il se frappe et se bat de telle manière qu'il n'y a pas au monde cœur assez endurci pour ne pas s'apitoyer sur son sort, s'il le voyait et l'entendait. Et Raymond regrette vivement de ne pas avoir ôté la vie au comte, son frère.

Antoine de La Sale

SAINTRÉ

Né dans la région d'Arles, vers 1385, Antoine de La Sale passa la majeure partie de sa vie au-delà des Alpes, au service des princes d'Anjou, rois de Naples et de Sicile, Louis II, Louis III et René ; ce dernier lui confia le préceptorat de son fils aîné, Jean de Calabre, pour qui il écrivit un ouvrage didactique, *La Salade* (1444-1446), dans lequel il inséra ses premières œuvres ; écrites vers 1437-1440, ce sont pour l'essentiel des relations de ses voyages aux îles Lipari en 1407 et au lac de la Sibylle en 1420 (*Le Paradis de la reine Sibylle, L'Excursion aux îles Lipari*), ainsi qu'une géographie du monde. Rentré en France en 1440, il passa au service de Louis de Luxembourg, comte de Saint-Pol, à qui il dédia *La Sale*, achevée en octobre 1451, qui est un exposé allégorique des vertus romaines, nourri des historiens latins. C'est dans cette cour qu'il écrivit un roman, *Saintré*, son chef-d'œuvre (1456-1457), *Le Réconfort de Madame de Fresne* (1457), et un traité, *Des anciens tournois et faits d'armes* (1459). Il mourut en 1461.

Saintré est le roman d'apprentissage d'un jeune homme, Jehan, fils aîné du seigneur de Saintré en Touraine, à travers une série d'expériences qui vont faire de lui l'égal de Lancelot. C'est aussi une histoire d'amour. Madame des Belles Cousines, qui a entrepris de faire l'éducation du jeune page, s'éprend de sa créature, comme Pygmalion de sa statue ; mais cet amour s'achève sur un échec : Saintré tend à s'émanciper, tandis que la dame cède aux sollicitations d'un vigoureux abbé, lubrique et lâche, dont le héros finit par se venger cruellement grâce à une ruse. Au-delà de cette histoire à trois personnages, ce qui retient l'attention, c'est le tableau, souvent ironique, d'une société aristocratique, fidèle à un idéal archaïque fondé sur la courtoisie et la prouesse, et refusant d'évoluer vers plus de réalisme.

Pour rendre compte de ce monde incertain qu'on a envie de rejoindre mais qu'on redoute, pour suggérer d'autres valeurs qu'on voudrait proposer, La Sale utilise deux modalités, pédagogique et narrative, qui se superposent et se mélangent. L'allusion à une réalité négative s'oppose à l'affirmation d'un idéal désuet. La nécessité du nouveau, que l'auteur ressent tout en la refusant, se traduit par des micro-unités narratives qui s'apparentent à des nouvelles. *Saintré* est la mise en forme d'exigences contradictoires, qui entraîne la parcellisation de l'œuvre, l'ouverture à la discontinuité d'un tissu narratif qui se fragmente. Ce double mouvement, de fuite dans un monde idéal et de quête d'une vie nouvelle, suscite une poétique de l'alternance entre la positivité des parties didactiques et la négativité du réel dans les parties narratives, entre le sens officiel et la valeur profonde. La Sale, tenté par le retour rassurant au passé, aux idéaux anciens et au cérémonial de la vie chevaleresque, est sensible aux ambiguïtés du réel qui se font jour dans son roman, ressortissant à une poétique du fragment.

Nous avons retenu une partie du chapitre III où Madame des Belles Cousines et ses suivantes s'amusent de la naïveté du jeune Jehan.

Bibliographie

Éd. de J. Misrahi et Ch. Knudson, Genève-Paris, Droz-
   Minard, 1965 ; éd. de Y. Otaka, Tokyo, 1967 ; éd. de
   M. Eusebi, Paris, Champion, 1993, 2 vol. ; trad. de
   R. Dubuis, Paris, Champion, 1995 ; éd. bilingue de J. Blan-
   chard et M. Quéreuil, Paris, Le Livre de poche, « Lettres
   gothiques », 1995.
Pour les autres œuvres de La Sale, utiliser les éd. de F. Desonay, Paris-Liège, 1930, 1935 et 1941, et la trad. du *Paradis
   de la reine Sibylle* de F. Mora-Lebrun, Paris, Stock, 1983.
A. Coville, *Le Petit Jehan de Saintré : recherches complémentaires*, Paris, Champion, 1937 ; F. Desonay, *Antoine de La
   Sale, aventurier et pédagogue. Essai de biographie critique*,
   Liège-Paris, 1940 ; J. Dufournet (dir.), *Saintré d'Antoine
   de La Sale : entre tradition et modernité*, Revue des langues
   romanes, t. CV, 2001 ; L. Pierdominici, *Du pédagogique au
   narratif. Écriture fragmentaire et poétique de la nouvelle dans
   l'œuvre d'Antoine de La Sale*, thèse de la Sorbonne nouvelle (Paris-III), 1996 et *La Bouche et le corps. Images littéraires du XVe siècle français*, Paris, Champion, 2003 ;
   M. Szkilnik, *Jean de Saintré. Une carrière chevaleresque au
   XVe siècle*, Genève, Droz, 2003.

Notes

Texte établi d'après le manuscrit Barrois (Paris, Bibliothèque
   nationale, nouv. acq. fr. 10057) et l'éd. de M. Eusebi, Paris,
   Champion, 1993-1994, 2 vol.
Dans cette scène délicieuse, Madame des Belles Cousines
   s'amuse de la candeur de Saintré et prend plaisir à lui faire
   perdre contenance. Nous sommes au début de l'histoire :
   le jeune page, en qui on a pu voir le modèle de Chérubin,
   est doté de grandes qualités, mais il est encore très naïf et
   ne comprend pas ce que Madame des Belles Cousines
   attend de lui.

Ceste dame : il nous est dit au chapitre II que c'est une assez
   jeune veuve qui, pour ressembler aux authentiques veuves
   des histoires romaines ou pour une autre raison, ne voulut
   jamais s'allier à un nouveau mari.

le petit Saintré : il est présenté au chapitre I comme un jeune homme très bien fait et de très grande qualité… qui dut à ses mérites exceptionnels d'être remarqué par le roi Jean II le Bon qui fit de lui son page. Très habile et très hardi, il était très apprécié et aimé de chacun, et tous estimaient qu'il deviendrait un des plus illustres gentilshommes de France, comme il le fut véritablement. C'est le fils aîné du seigneur de Saintré en Touraine. Il a existé un personnage historique de ce nom, grand homme de guerre mentionné par Froissart, sénéchal d'Anjou et du Maine à partir de 1354, mort vers 1368. Mais notre roman ne doit à l'histoire que son nom ; il s'est plutôt inspiré de la biographie de J. de Lalain. *Les Fais de messire Jacques de Lalain* (éd. de E. Springer, Ann Arbor, University Microfims International, 1991).

l'araisonna : *araisoner* ou *araisnier*, du latin *adrationare*, a signifié d'abord « interpeller », « adresser la parole », puis, au XIVᵉ siècle, « convaincre par des arguments ». Le verbe s'est limité, au XIVᵉ siècle, au sens d'« inspecter un navire », « le contrôler de manière autoritaire ». Sur la famille de *raison*, voir N. Andrieux-Reix, *Ancien Français. Fiches de vocabulaire*, Paris, PUF, 1987, p. 119-126.

40. [Première rencontre de Saintré et de Madame des Belles Cousines]

Ceste dame*, comme dit est, ayant emprins, pour quelque occasion que fust, de jamais ne soy marier, et non obstant ce, elle ayant son cœur en diverses penssees, entre lesquelles par maintes fois s'appensa
5 que vrayement elle voulloit en ce monde faire d'aucun josne chevalier ou escuyer ung renommé homme, et en celle pensee s'arresta totallement : sy regarda par plusieurs jours, ça et la, les bonnes mœurs et condicions de tous les josnes gentilz hommes et enfans de la
10 court, pour en choisir ung le plus a son gré, mais a la parfin sur le petit Saintré* se arresta. Sy advint que elle, pour veoir son maintien et son parler, pluiseurs foiz publicquement de pluiseurs choses l'araisonna*, dont, tant plus a lui elle parloit, et tant plus lui venoit
15 a plaisir. Mais d'aultre chose que d'amours touchast ne s'en osoit ou ne vouloit descouvrir.

Sy advint, ainsy que Fortune et Amours le eurent permis, Madame venoit en sa chambre, qui sur jour la royne avoit mis a dormir, et en passant sur les galleries
20 avec ses escuiers, dames et damoiselles qui aprés elle venoient, trouva le petit Saintré la, qui regardoit bas en la court les joueurs de palme jouer. Et quant il vit les escuiers de Madame passer, incontinent a genoulz se mist lui faisant sa reverence. Mais quant Madame le

40. Première rencontre de Saintré et de Madame des Belles Cousines

Cette dame, comme on l'a dit, avait décidé, pour une raison quelconque, de ne plus jamais se marier ; mais, néanmoins, elle avait en son cœur diverses pensées : entre autres, à plusieurs reprises, elle projeta de mettre toute sa volonté en ce monde à faire d'un jeune chevalier ou d'un écuyer un homme réputé ; et à cette idée elle s'arrêta définitivement. Aussi examina-t-elle, plusieurs jours durant, à droite et à gauche, les bonnes mœurs et les façons de faire de tous les jeunes gentilshommes et des enfants de la cour pour en choisir un qui lui convînt le mieux ; mais, à la fin des fins, elle fixa son choix sur le petit Saintré. Il arriva donc que, pour juger de son maintien et de sa conversation, elle lui adressa publiquement la parole à différentes reprises sur différents sujets ; et plus elle lui parlait, plus elle y trouvait du plaisir. Mais sur autre chose qui touchât à l'amour, elle n'osait ni ne voulait se montrer à découvert.

Or il arriva, avec la permission de Fortune et d'Amour, que, comme Madame se rendait dans sa chambre après avoir assisté, avant la fin du jour, au coucher de la reine, et qu'elle passait dans les galeries avec ses écuyers, ses dames et ses demoiselles qui l'accompagnaient, elle trouva le petit Saintré qui était là à regarder en bas, dans la cour, les gens qui jouaient à la paume. Quand il vit passer les écuyers de Madame, aussitôt il s'agenouilla pour faire sa révérence. Ce

25 vist, fut bien aise, et, en passant oultre, lui dist :
« Saintré, que faictes vous cy ? Est ce la contenence
d'un escuier de bien, que de non convoier les dames ?
Or ça, maistre, passez et vous mettez devant ! » Alors
le petit Saintré, tout honteux, le viz de honte tout enf-
30 flamé, soy inclinant, se met devant avec les aultres. Et
quant Madame le vit devant, alors s'en alla tout en
riant avec ses femmes et leur dist : « Mais que soyons
a la chambre, nous rirons ! » Lors dist dame Jehanne :
« Madame, de quoy ? – De quoy ? dist Madame, vous
35 verrez tantost la bataille du petit Saintré et de moy.
– Helas, madame, dist dame Katerine, et que a il fait ?
il est sy bon filz ! » Et endementiers que ces parolles
estoient, Madame en sa chambre entra. Alors dist a
tous ses gens : « Allez vous en, entre vous, hommes,
40 et nous laissiez icy ! » A ces parolles chacun sailli
dehors, et le petit Saintré a genoulz prent congié. Et
quant Madame le vist a genoulz, elle lui dist : « Vous
demourrez, maistre, vous n'estes pas au compte des
hommes ; je vueil cy parler a vous. »

45   Alors la porte fut close. Madame, assise sur les piez
du petit lit, le fist entre elle et ses femmes venir, et lors
prist la foy et de lui dire de toutes ses demandes la
verité. Mais le povre josvencel, qui ne penssoit pas ad
ce ou Madame voulloit venir, sy lui promist, et en ce
50 faisant pensoit : « Las ! et que ay je fait ? ne que sera
ce cy ? » Et en ces penssemens, Madame en sousriant
a ses femmes lui dist : « Or ça, maistre, ça, par la foy
que j'ay de vous, dittes moy, tout premier, combien il
y a que ne veistes vostre dame par amours. » Et quant
55 il oÿ parler de dame par amours, comme cellui qui
oncques ne l'avoit em penssé, les yeulx lui larmoiant,
le ceur lui fremist et le viz lui pallist, par sy qu'il ne
sceust ung seul mot parler. Alors Madame lui dist :
« Et que est ce cy, maistre ? et que vuelt dire ceste
60 chiere ? » Les aultres dames, qui entour rioient, lui
dirent : « Et ! Saintré, mon ami, pourquoy ne dittes

spectacle remplit de joie Madame qui, tout en passant son chemin, lui dit :

« Saintré, que faites-vous ici ? Est-ce le comportement d'un bon écuyer que de ne pas escorter les dames ? Allons donc, maître, filez et marchez devant nous ! »

Alors le petit Saintré, tout confus et le visage rouge de honte, s'inclina et prit place devant avec les autres. Quand Madame le vit devant, elle s'éloigna en riant avec ses femmes et leur dit :

« Vivement que nous soyons dans la chambre, nous allons rire !

– De quoi, Madame ? dit dame Jeanne.

– De quoi ? répondit Madame : vous verrez bientôt la bataille entre le petit Saintré et moi.

– Hélas ! Madame, fit dame Catherine, qu'a-t-il donc fait ? C'est un si bon garçon ! »

Pendant cet échange, Madame entra dans sa chambre et dit alors à ses gens :

« Allez-vous-en, vous les hommes, et laissez-nous ici ! »

Sur ce, chacun de sortir, et le petit Saintré de prendre congé à genoux. Le voyant ainsi, Madame lui dit :

« Vous, vous resterez, maître ; vous n'êtes pas à compter parmi les hommes. Je veux ici même parler avec vous. »

Une fois la porte fermée, Madame, assise au pied du petit lit, le fit venir entre elle et ses femmes, et lui demanda alors de promettre de lui dire la vérité sur toutes ses demandes. Mais le pauvre jouvenceau, qui ne voyait pas où Madame voulait en venir, promit, tout en pensant :

« Hélas ! qu'ai-je donc fait ? Que va-t-il se passer ? »

Pendant qu'il était dans ses pensées, Madame, en souriant à ses femmes, lui dit :

« Eh bien ! maître, eh bien ! par la promesse que vous m'avez faite, dites-moi tout d'abord depuis combien de temps vous n'avez pas vu votre dame bien-aimée. »

Quand il entendit parler de dame bien-aimée, en garçon qui n'en avait pas la moindre idée, les larmes lui montèrent aux yeux, son cœur battit la chamade et son visage pâlit, au point qu'il fut incapable de dire un mot. Alors Madame lui dit :

« Que se passe-t-il donc, maître ? Pourquoi cette mine ? »

Les autres dames, qui riaient alentour, lui dirent :

« Eh bien ! Saintré, mon ami, pourquoi ne pas dire à

vous a Madame puis quant vostre dame ne veistes ?
Ce n'est pas grant demande ! » Et tant le presserent
qu'il dist : « Madame, je n'en ay point. – N'en avez
65 vous point ? dist Madame ; puet bien estre que n'en
avez point l'ottroy. Mais de celle que plus vous amez
et vouldriez que fust vostre dame, puis quant ne la
veistes vous ? » Le petit Saintré, qui encores, comme
dit est, n'avoit senti ne gousté des amoreux desirs nul-
70 lement, dont par ce avoit perdue toute contenance,
fors de entortellier le pendant de sa ceinture entour
ces dois, sans mot parler fut longuement. Et quant
Madame vist qu'il ne respondoit riens, lui dist : « Et !
beau sire, quel contenance est la vostre ! Ne direz vous
75 mot ? Se je vous demande puis quant ne veistes celle
que plus desirez a estre scien, je ne vous fais nul tort. »
Alors dame Jehanne, dame Katherine, Isabel et les
autres, qui de ce toutes rioient, en eurent pitié. Lors
dirent a Madame : « Il n'est pas ores pourveu de vous
80 faire telle responce ; mais s'il vous plaist ceste fois lui
pardonner, il la vous fera demain. – Demain ? dist
Madame, ains qu'il se parte de cy je le vueil savoir ! ».
Alors toutes lui dirent, l'une : « Mon filz », l'autre :
« Mon amy », et l'autre : « Petit Saintré, dittes seure-
85 ment a Madame puis quant ne veistes vostre dame, ou
aultrement vous estes son prisonnier. » Et quant il fut
bien d'elles tout assailli, il dit : « Que voullez vous que
je vous dye, quant je n'en ay point ? Et se je l'eusse, je
le diroye voullentiers. – Dittes sans plus de celle que
90 plus vous amez. – De celle que plus j'ayme, c'est
madame ma mere, et aprés est ma sereur Jacqueline. »

Madame depuis quand vous n'avez pas vu votre dame ? Ce n'est pas une demande exorbitante ! »

Elles le pressèrent tant qu'il dit :

« Madame, je n'en ai point.

– Vous n'en avez pas ? dit Madame. Peut-être qu'elle ne s'est pas déclarée. Mais celle que vous aimez le plus et dont vous voudriez qu'elle fût votre dame, depuis quand ne l'avez-vous pas vue ? »

Le petit Saintré qui, comme il a été dit, n'avait jamais encore ressenti ni éprouvé aucun amoureux désir, était, pour cette raison, sans réaction : il ne faisait qu'entortiller autour de ses doigts le bout de sa ceinture, sans dire un mot pendant un bon bout de temps. Quand Madame vit qu'il ne répondait rien, elle lui dit :

« Eh bien ! cher monsieur, quelle tête vous faites ! Vous ne direz pas un mot ? Si je vous demande depuis quand vous n'avez pas vu celle à qui vous désirez le plus appartenir, je ne vous cause aucun tort. »

Alors dame Jeanne, dame Catherine, Isabelle et les autres, qui riaient toutes de la scène, eurent pitié de lui :

« Madame, dirent-elles, il n'est pas maintenant en état de vous donner une réponse ; mais, s'il vous plaît de lui pardonner pour cette fois, il le fera demain.

– Demain ? fit Madame. Mais c'est avant qu'il ne parte d'ici que je veux le savoir ! »

Alors toutes de lui dire, l'une : « Mon fils », l'autre : « Mon ami », et une troisième :

« Petit Saintré, dites sans crainte à Madame depuis quand vous n'avez pas vu votre dame, ou autrement vous êtes son prisonnier. »

Quand elles l'eurent bien harcelé, il répondit :

« Que voulez-vous que je vous dise, puisque je n'en ai pas ? Si j'en avais une, je le dirais volontiers.

– Dites seulement celle que vous aimez le plus.

– Celle que j'aime le plus, c'est madame ma mère, et, après, c'est ma sœur Jacqueline. »

LES CENT NOUVELLES NOUVELLES

Le recueil des *Cent Nouvelles Nouvelles* a été constitué au cours des années 1456-1467, dans l'entourage
du duc Philippe le Bon, sur le modèle du *Décaméron*
de Boccace. L'auteur, demeuré inconnu, tend à être
une voix venue de nulle part, insaisissable, multipliant
les timbres et les tonalités à travers le manège de nombreux narrateurs, reprenant des schémas hérités des
fabliaux et s'inspirant aussi des Italiens, des *Facéties* du
Pogge autant que de Boccace.

Les *Cent Nouvelles Nouvelles* donnent à foison des
ripailles, des joutes amoureuses, des ruses, des rires,
des feintes, mais aussi tout un arrière-plan de jeux de
mots, d'allusions, de pointes ironiques, de questions
surgissant à chaque instant. C'est avec prodigalité
qu'elles égarent : ici, survient tout à coup un dénouement inattendu ; là, le narrateur multiplie les prises de
parole et demeure pourtant insaisissable. La dérobade
est partout : dans le comportement des personnages,
dans celui du narrateur, dans la fuite du sens moral à
tirer de chaque histoire. Le lecteur se perd dans ce
dédale de traitements contradictoires donnés à un
même événement : il y expérimente la faillite de l'univocité, sémantique comme morale.

Ces textes convient leurs lecteurs à une vaste entreprise de désillusion. Promesses, mariage, amour filial,
amitié, rien n'est épargné dans cette dégradation qui

répète la soumission du monde aux forces de la tromperie. C'est finalement la réciprocité sincère dans les
relations humaines qui se voit sans cesse attaquée. Les
Cent Nouvelles Nouvelles, qui mettent en scène les pou-
voirs de la parole au centre de toutes les tromperies,
en révèlent les mécanismes, la maîtrise savante, en
particulier à travers les glissements de sens qui affec-
tent deux mots emblématiques, *dévotion* et *courtoisie*,
qui renvoient aussi à la sexualité et deviennent anti-
phrastiques, avec le jeu homonymique sur *saints/seins*,
comme dans la nouvelle 18 : « Mais j'ai si grant devocion aux saints, et si en ay fait tant de poursuites qu'il
fault que je besoigne. » Ces glissements de sens souli-
gnent l'ébranlement de l'univocité, qui se retrouve
partout : duplicité sémantique du jeu métaphorique,
duplicité syntaxique, duplicité stylistique, au point
que cette duplicité pourrait être la seule loi de ces
incroyables récits et qu'elle assumerait du même coup
l'exquise tâche de rendre le texte perpétuellement
vivant, parce que le sens y serait toujours escamotable
et sa dérobade un véritable plaisir.

Nous avons retenu la quarante-cinquième nouvelle
qui est bien représentative du recueil, car c'est l'histoire d'une tromperie par travestissement.

Bibliographie

Éd. de P. Champion, Paris, Droz, 1928 ; éd. de F.P. Sweetser,
     Genève-Paris, Droz-Minard, 1966 ; trad. de R. Dubuis,
     Lyon, Presses universitaires de Lyon, 1992.
R. Dubuis, *Les Cent Nouvelles Nouvelles et la tradition de la
     nouvelle en France au Moyen Âge*, Grenoble, Presses uni-
     versitaires de Grenoble, 1973, et *Lexique des Cent Nou-
     velles Nouvelles*, Paris, Klincksieck, 1996.

Notes

Texte établi d'après le manuscrit de l'université de Glasgow
     (fonds Hunter, n° 252) et l'édition de F.P. Sweetser, Genève,
     Droz, 1966.

L'Écossais de cette nouvelle, homme du travestissement et de
la transgression, agit sous les traits d'une lavandière, c'est-à-
dire d'une femme qui maîtrise la blancheur, la restitue aux
draps. Mais l'homme de cette parfaite candeur est ce qui
s'oppose le plus à la pleine franchise de la blancheur, un
masque, un travesti qui prend au piège Rome tout entière,
trompe tous les maris de la ville : il est celui qui, à l'opposé de
la lumineuse blancheur, n'agit que « sous cet umbre ».

Monseigneur de La Roche : Philippe Pot (1428-1494). Très
important à la cour de Bourgogne, familier de Philippe le
Bon, il remplit d'importantes fonctions sous ce duc et son
fils Charles le Téméraire. À la mort de ce dernier, il prit le
parti du roi de France et participa aux états généraux de
Tours en 1484. D'une éloquence hors pair, le seigneur de
La Roche (aujourd'hui Rochepot) était appelé *la Bouche
de Cicéron*. Certains lui ont attribué la composition des
Cent Nouvelles Nouvelles.

des marches d'Ytalie : les marches étaient à l'origine des provinces qui confinaient aux frontières terrestres et échap-
paient à l'organisation habituelle, puisque tous les pou-
voirs étaient concentrés entre les mains du chef des
troupes, appelé *comes marchae*, *markgraf* en germanique
(*margrave*), *marchio*, *marchisus*, qui est devenu notre *mar-
quis*. La marche dans *La Chanson de Roland* est un
« territoire frontière ». Ensuite, le mot a désigné une province, une région, voire un pays étranger.

donne : « dame ». Cet italianisme ne se trouve que dans cette
nouvelle.

a rate de temps : « en fonction du moment (dont la personne
dispose) », selon R. Dubuis, *Lexique des Cent Nouvelles
Nouvelles*, Paris, Klincksieck, 1996, p. 411.

linges : de *lineu* ; est ici un adjectif qui signifiait « de lin, de
toile », « fin, délié ».

labour : du latin *labor* a ici le sens ancien de « travail, activité
laborieuse », « souffrance ». Sur l'évolution de *labourer*
(*labeur, labour*), de *travailler* et d'*ouvrer*, voir G. Gougenheim, *Les Mots français dans l'histoire et dans la vie*,
Paris Picard, 1962, p. 199-203.

galiofle : de *gaglioffo*, « vaurien » ; a le sens de « débauché ».
C'est encore un italianisme.

41. [Madame Marguerite

La quarante-cinquième nouvelle,
par
Monseigneur de La Roche*]

Combien que nulle des histoires precedentes
n'ayent touché ou racompté aucun cas advenu es
marches d'Ytalie*, mais seullement face mencion des
advenues en France, Alemaigne, Angleterre, Flandres
5 et Brabant, si s'estendra elle toutesfoiz, a cause de la
fresche advenue, a ung cas a Romme nagueres advenu
et connus, qui fut tel. A Romme avoit ung Escossois
de l'eage d'environ vingt a XXII ans, lequel par l'espace de XIIII ans se maintint et conduisit en l'estat et
10 habillement de femme, sans ce que dedans le dit terme
il fust venu a la cognoissance publicque qu'il fust
homme ; et se faisoit appeller donne* Margarite. Et
n'y avoit gueres bon hostel en la ville de Romme a rate
de temps* ou il n'eust son tour et cognoissance, et
15 specialement estoit il bien venu des femmes, comme
entre les chambrieres, meschines de bas estat, et aussi
des aucunes des plus grandes de Romme. Et affin de
vous descouvrir l'industrie de ce bon Escossois, il
trouva fasson d'apprendre a blanchir les draps linges*,
20 et s'appelloit la lavendiere. Et soubz cest umbre, han-
toit, comme dessus est dit, par tout es bonnes maisons
de Romme, car il n'y avoit femme qui sceust l'art de
blanchir draps comme il faisoit. Mais vous devez

41. Madame Marguerite

La quarante-cinquième nouvelle,
par
Monseigneur de La Roche

Bien qu'aucune des nouvelles précédentes n'ait abordé ou raconté une histoire survenue dans les provinces d'Italie, mais seulement mentionné des aventures arrivées en France, en Allemagne, en Angleterre, en Flandre et en Brabant, cependant, celle-ci portera, à cause de son caractère récent, sur une histoire arrivée et divulguée naguère à Rome. La voici.

À Rome, il y avait un Écossais, âgé de vingt à vingt-deux ans, lequel, durant quatorze ans, se comporta et s'habilla en femme, sans que, pendant tout ce temps-là, on sût publiquement que c'était un homme. Il se faisait appeler dame Marguerite. Il n'y avait guère, dans la ville de Rome, de bons hôtels où, à intervalles réguliers, il n'eût son tour de fréquentation. Il était spécialement bien accueilli par les femmes, entre autres par les chambrières et les servantes de bas état, mais aussi par certaines des plus grandes dames de Rome. Pour vous révéler l'esprit industrieux de ce bon Écossais, sachez qu'il trouva le moyen d'apprendre à blanchir les draps fins, et il se donnait le nom de lavandière. Sous ce prétexte, il fréquentait, comme on l'a dit, toutes les bonnes maisons de Rome, car il n'était femme qui sût l'art de blanchir les draps aussi bien que lui. Mais il faut que vous sachiez qu'il avait

savoir qu'encores savoit il bien plus. Car puis qu'il
25 se trouvoit en quelque part a descouvert avecques
quelque belle fille, il luy monstroit qu'il estoit homme.
Il demouroit bien souvent [au coucher], a cause de
faire la buee, ung jour et deux jours, es maisons dessus
dictes ; et le faisoit on coucher avecques la chambriere
30 et aucunes foiz avecques la fille. Et bien souvent et le
plus, la maistresse, si son mary n'y estoit, vouloit bien
avoir sa compaignie. Et Dieu scet s'il avoit bien le
temps, et moyennant le labour★ de son corps, il estoit
bien venu par tout ; et n'y avoit bien souvent meschine
35 ne chambriere qui ne se combatist pour luy bailler la
moitié de son lit. Les bourgois mesmes de Romme, a la
relacion de leurs femmes, le v[e]oient tres voluntiers en
leurs maisons. Et s'ilz alloient quelque part dehors,
tresbien leur plaisoit que donne Margarite aidast a
40 garder le mesnage avecques leurs femmes ; et qui plus
est la faisoit coucher avecques elles, tant la sentoient
bonne et honeste, comme dessus est dit. Par l'espace de
XIIII ans continua donne Margarite sa maniere de
faire. Mais fortune bailla la cognoissance de l'abus de
45 son estat dessus dit par la bouche d'une jeune fille, qui
dist a son pere qu'elle avoit couché avec elle, et luy dist
qu'elle l'avoit assaillie, et luy dist veritablement qu'elle
estoit homme. Ce pere feist preuve a la relacion de sa
fille de donne Margarite. Elle fut regardee par ceulx de
50 la justice, qui trouverent qu'elle avoit tous telz membres
et oustilz que les hommes portent, et que vrayement
elle estoit homme, et non pas femme. Si ordonnerent
qu'on le mectroit sur ung chariot et qu'on le mainroit
par la ville de Romme, de quarrefour en quarrefour, et
55 la monstreroit on, voyant chacun, ses genitoires. Ainsi
en fut fait. Et Dieu scet que la pouvre donne Margarite
estoit honteuse et soupprinse ! Mais vous devez savoir
que comme le chariot venist en ung quarrefour, et
qu'on faisoit ostension des denrées de donne Marga-
60 rite, ung Rommain qui le vit dist tout hault : « Regardez
quel galiofle★ : il a couché plus de vingt nuiz avecques
ma femme. » Et le dirent aussi pluseurs aultres comme
luy. Pluseurs ne le dirent point qui bien le savoient,

d'autres cordes à son arc. Car, dès qu'il se trouvait quelque part en tête à tête avec une belle fille, il lui montrait qu'il était un homme. Il restait bien souvent coucher, à cause de la lessive, un jour ou deux dans les maisons dont il a été question. On le faisait coucher avec la chambrière et quelquefois avec la fille. Plus d'une fois, voire la plupart du temps, la maîtresse, en l'absence de son mari, recherchait sa compagnie. Et Dieu sait s'il en avait le temps ! Et, à condition qu'il payât de sa personne, il était partout bien accueilli, et il arrivait souvent que servantes et chambrières se battent pour lui donner la moitié de leur lit. Les bourgeois de Rome eux-mêmes, sur le rapport de leurs femmes, le voyaient très volontiers dans leurs maisons. S'ils sortaient quelque part, ils étaient ravis que dame Marguerite aidât à garder la maison en compagnie de leurs femmes. Bien plus, ils la faisaient coucher avec elles, tant ils la trouvaient bonne et honnête, comme on l'a dit. Pendant quatorze ans, dame Marguerite poursuivit son manège.

Mais le destin fit que la tromperie sur son état fut dévoilée par la bouche d'une jeune fille qui dit à son père qu'elle avait couché avec elle, et qu'elle l'avait assaillie, et qu'en vérité, c'était un homme. Ce père, après la révélation de sa fille, chercha à savoir la vérité sur dame Marguerite. Celle-ci fut examinée par les gens de justice qui conclurent qu'elle possédait tous les attributs et outils que portent les hommes, et que c'était véritablement un homme et non pas une femme. Aussi ordonnèrent-ils qu'on le mettrait sur un chariot, qu'on le mènerait à travers la ville de Rome de carrefour en carrefour et que là, à la vue de tous, on montrerait ses génitoires. Ainsi fut-il fait. Dieu sait si la pauvre dame Marguerite était honteuse et accablée !

Mais il faut que vous sachiez que, comme le chariot arrivait à un carrefour et qu'on exhibait les objets de dame Marguerite, un Romain, à cette vue, s'écria : « Regardez-moi cette canaille ! Il a couché plus de vingt nuits avec ma femme. » Plusieurs autres dirent la même chose. Bon nombre ne le dirent pas, qui étaient bien au courant, mais, par souci de leur honneur, ils se turent.

mais pour leur honneur ilz s'en teurent. En la fasson
65 que vous oyez fut puny nostre pouvre Escossois qui la
femme contrefist. Et aprés ceste punicion il fut banny
de Romme, dont les femmes furent bien desplaisantes.
Car oncques si bonne lavendiere ne fut, et avoyent bien
grand regret que si meschantement l'avoient perdu.

C'est de cette manière que fut puni notre pauvre Écossais qui se fit passer pour une femme. Après cette punition, il fut banni de Rome, pour le plus grand déplaisir des femmes, car jamais il n'y eut de si bonne lavandière ; et elles regrettaient terriblement d'avoir eu cette malchance de le perdre.

LES QUINZE JOIES DE MARIAGE

Composées au début du XVᵉ siècle vraisemblablement par un clerc, *Les Quinze Joies de mariage*, dont le titre parodie des prières à la Vierge, nommées *Les Quinze Joies de Notre-Dame*, s'inscrivent dans le courant antimatrimonial et dans la tradition antiféministe, héritée du *Mariage Rutebeuf*, du *Roman de la Rose* de Jean de Meun et des *Lamentations de Matheolus*.

Ces « joies » désignent, par antiphrase, les malheurs des maris victimes de la perfidie féminine. Les neuf premières retracent d'une manière chronologique la dégradation progressive des couples mariés, marquée par les étapes suivantes : difficultés financières aggravées par la coquetterie de la dame, jalousie de l'époux, naissance d'un enfant, vieillissement prématuré de l'homme qui devient avare, tandis que sa femme, toujours aussi ardente, va chercher « fortune » ailleurs, deuxième accouchement, impotence du mari. Les maux qui accablent les conjoints ne sont pas dus seulement aux différences d'âge, de milieu ou de caractère, à la niaiserie des hommes et à la rouerie des femmes autoritaires, dépensières, hypocrites et volages. Ils résultent aussi de l'indissolubilité du mariage (dizième, onzième et douzième joies), ainsi que des guerres, des croisades et des tournois, sources de dangers et de misère (douzième et treizième joies). En définitive, plus que la bêtise et la passivité des maris, ridi-

culisés, humiliés et trompés, plus que la fourberie et
l'infidélité des épouses, victorieuses de cette « guerre
des sexes », l'auteur dénonce les interdits religieux et les
contraintes des institutions sociales.

Les *Quinze Joies de mariage* constituent une œuvre
unique, tenant à la fois du traité moral et satirique, du
fabliau aux situations concrètes et comiques, de la
farce aux dialogues animés, de la nouvelle avec ces
« scènes de la vie conjugale » vues par un auteur lucide
et épris de liberté.

Le texte choisi est extrait de la cinquième joie, relative à l'intimité du couple : tantôt la dame, qui se
réserve pour son amant, se refuse à son mari, tantôt
elle feint la frigidité ; mais lorsqu'elle a quelque chose
à lui demander, elle se montre plus aimable.

Bibliographie

Les *Quinze Joies de mariage*, éd. de J. Rychner, Genève,
   Droz, 1967 ; trad. de M. Santucci, Paris, Stock, « Moyen
   Âge », 1986.
G. Mermier, « La ruse féminine et la fonction morale des
   Quinze Joies de mariage », *Romance Notes*, t. XV, 1973-
   1974, p. 495-503 ; J. Dauphiné, « Le jeu de la transgression dans *Les Quinze Joies de mariage* », *Amour, mariage et
   transgressions au Moyen Âge*, Göppingen, Kümmerle,
   1984, p. 471-479.

Notes

Le texte est établi d'après le manuscrit n° 1052 de la bibliothèque municipale de Rouen, daté de novembre 1464,
   « d'origine occidentale, probablement poitevine », et l'éd.
   de J. Rychner.
Par cette scène proche d'un fabliau ou d'une farce, l'auteur
   illustre la rouerie de la dame. Celle-ci, désireuse d'obtenir
   une nouvelle toilette d'un mari plutôt chiche, sait profiter
   du moment le plus opportun, celui du désir et du plaisir,
   pour lui réclamer une robe. D'abord elle se montre plus

souriante, plus accueillante et plus caressante qu'à l'ordinaire. Puis elle avoue son amour heureux, fidèle et unique pour un époux dont elle s'est éprise dès le premier regard. Enfin elle atteste sa sincérité en se référant très souvent à Dieu (l. 14, 16, 18, 19, 29, 45, 50, 53) et en utilisant le langage des dévots ou des cagots (*paradis, je croy, je vous pri, par mon ame*). Elle s'attache aussi à flatter son mari en vantant sa douceur et sa grâce, en le préférant au dauphin de France, en suscitant sa fierté. De surcroît, par le motif du « don contraignant » qui consiste à demander une faveur, sans en préciser la teneur, à quelqu'un tenu ensuite de l'octroyer (l. 35-39), la femme s'efforce d'obliger son époux à lui accorder ce qu'elle veut.

Bien que le *bon home* (l. 12-13) le *proudomme* (l. 47) – et ces expressions révèlent assez le penchant de l'auteur – ne soit pas dupe du manège de sa femme, il ne semble pas en mesure de lui tenir tête et finit par céder à sa requête, sans doute pour sa plus grande infortune.

avise : dérivé de *viser*, *aviser* est un verbe polysémique : 1) « regarder », « apercevoir », « distinguer », « reconnaître » ; 2) « considérer », « examiner » ; 3) « songer à, penser à », « imaginer » ; 4) « réfléchir », « comprendre », « se rendre compte » ; 5) « décider » ; 6) « faire attention », « prendre garde ».

chiere : venant du bas latin *cara*, lui-même emprunté au grec *kara*, le substantif *chiere/chère* conserve tout d'abord sa valeur étymologique de « visage », « tête ». Par glissement sémantique, il définit aussi « l'expression du visage, la physionomie, la mine ». Puis, par extension, il revêt le sens d'« accueil », en particulier dans une locution telle que : *faire bonne chiere* (faire bon visage, être accueillant, avoir le sourire). Le vocable *chère* désigne en outre le repas servi par l'hôte à son visiteur, cette évolution étant sans doute favorisée par l'homonymie avec *chair* (du latin *carnem*).

daulphin de Viennois : à partir du nom propre latin *Delphinus*, devenu un patronyme traditionnel, le *dau(l)phin* est un titre d'abord attaché à certaines seigneuries comme l'Auvergne et le Dauphiné, puis porté par le fils aîné du roi de France après la réunion du Dauphiné à la Couronne en 1349.

jolye : issu de l'ancien norrois *jôl*, nom d'une grande fête païenne du milieu de l'hiver, ou d'un latin populaire **gau-*

divus rattaché à *gaudere* (se réjouir), l'adjectif *joli* qualifie soit le caractère soit l'aspect extérieur ; il offre plusieurs acceptions : 1) « gai, joyeux, enjoué » ; 2) « tendre, amoureux, lascif, ardent » ; 3) « vigoureux, hardi » ; 4) « galant, empressé » ; 5) à partir du moyen français, il signifie « élégant, plaisant, agréable à voir ». Le mot correspond ensuite à une atténuation de *beau*. Voir G. Lavis, *L'Expression de l'affectivité dans la poésie lyrique française du Moyen Âge (XIIe-XIIIe siècles)*, Paris, Les Belles Lettres, 1973, p. 258-259 et 519-520.

bureau : sans doute dérivé de *bure*, le substantif *bureau* désigne une « étoffe de laine brune grossière » puis un vêtement de cette étoffe. Dès le XIVe siècle, il s'applique à un tapis de table, puis à la table elle-même. À partir du XVIe siècle, par une nouvelle extension métonymique, il définit la pièce où est installée la table de travail ainsi qu'un établissement ouvert au public (par exemple le *bureau de poste*).

nous n'emprunteron rien d'eulx : J. Rychner propose une autre traduction de cette expression dans le glossaire de son édition : « nous n'avons pas besoin d'eux ni de leurs conseils » (p. 182).

non fais je : le verbe vicaire *faire* qui se substitue à *sembler* (l. 54) est nié, comme si le verbe antérieur l'était aussi. Il s'agit en fait d'une formule restrictive : *je ne semble que a une chamberiere*.

42. [L'enjôleuse]

Mais s'il avient que ceste dame vieult avoir robe ou
aultre chouse de son mary, et scet bien ses condicions,
c'est assavoir que, a l'aventure, il est home qui scet
bien ou il met le sien, elle avise* de le trouver en bon
5 temps pour avoir ce que elle demande. Et quant ilz
sont en leur chambre en leur grans deliz et plaisances
et que la dame voit qu'il a affere d'elle, elle lui fait si
bonne chiere* et si estrange que c'est merveilles, car
femme bien aprinse scet mil manieres toutes nouvelles
10 de faire bonne chiere a qui el veult. Et en ce faisant le
bon homme est bien aise, qui n'a pas acoustumé a
avoir bonne chiere. Lors l'accolle et le baise et le bon
home lui dit : «Vroiement, m'amie, je cuide que vous
me voulez aucune chose demander. – Par Dieu, mon
15 amy, je ne vous demande rien fors que bonne chiere
fassez. Pleust a Dieu, fait elle, que je n'eusse jamés
aultre paradis fors estre tourjours entre voz braz ! Par
Dieu, je n'en vouldroie point d'aultre. Vroiement, fait
elle, ainxin me veille Dieu aider que ma bouche ne
20 atoucha oncques a homme fors a la vostre et a voz
cousins et aux miens, quant ilz viennent ciens, que
vous me commandez que je les baise. Mais je croy
qu'il ne soit ou monde home si doulx ne si gracieux
come vous estes. – Non, m'amie ? fait il. Si estoit tel
25 escuier qui cuida estre marié avecques vous. – Fy ! fy !

42. L'enjôleuse

Mais s'il arrive que cette dame veuille obtenir une robe ou autre chose de son mari, comme elle connaît bien son caractère (c'est-à-dire c'est parfois un homme qui sait bien comment il dépense son argent), elle décide de le rencontrer au bon moment pour obtenir ce qu'elle demande. Et quand ils sont dans leur chambre en train de jouir des plus grands plaisirs et que la dame voit qu'il la désire, elle lui réserve un accueil merveilleusement chaleureux et inaccoutumé, car une femme experte connaît mille manières, toutes nouvelles, de faire bonne figure à qui elle veut. Et, ce faisant, elle satisfait le brave homme qui n'a pas l'habitude d'être accueilli chaleureusement. Alors elle le prend par le cou, l'embrasse et le brave homme lui dit : « Vraiment, m'amie, je crois que vous voulez me demander quelque chose.

– Par Dieu, mon ami, je ne demande rien d'autre que votre bonheur. Plût à Dieu, poursuit-elle, que je n'eusse jamais d'autre paradis que d'être toujours entre vos bras ! Par Dieu, je n'en voudrais point d'autre. En vérité, ajoute-t-elle, que Dieu veuille me secourir, aussi vrai que jamais ma bouche n'a touché une autre bouche que la vôtre et celle de vos cousins et des miens que vous me demandez d'embrasser lorsqu'ils viennent ici. Mais je crois qu'il n'y a pas au monde d'homme aussi doux et aussi aimable que vous.

– Non, ma mie ? demande-t-il. Pourtant l'était bien certain écuyer qui s'imaginait devenir votre mari.

fait elle. Par mon ame, quant je vous eu veu premiere-
ment, si vous vi ge de bien loing et ne vous fiz que
entreveoir, mais je n'eusse jamés prins aultre et eust il
esté daulphin de Viennois*. Je croy que Dieu voulit
30 ainxin, que mon pere et ma mere me cuiderent marier
a lui, mes jamés ne le feisse. Je ne scey que c'est, je
croy qu'il estoit destiné que ainxin fust. »
    Lors fait ses plaisirs et la damme se rent assés agille
et abille. Aprés dit au bon home : « Mon amy, fait elle,
35 savez vous que je vous demande ? Je vous pri que ne
me reffusez pas. – Non feroy ge, m'amie, par ma foy,
si je le puis faire. – Mon amy, fait el, savez vous ? La
femme de tel a maintenant une robe fourree de gris ou
de menu ver ; je vous pri que j'en aye une. Par mon
40 ame, je ne le dy pas pour envie que je aye d'estre
jolye*, mes pour ce qu'il m'est avis que vous estes bien
a la vallue de me tenir auxi honnestement et plus que
n'est son mary. Et quant a moy, je ne le dy pas a com-
parager a ma personne. Je ne le dy pas pour moy
45 louer, mais, par Dieu, je le faiz plus pour ce qu'elle
s'en tient ourgueilleuse que pour aultre chouse. » Lors
le proudomme, qui a l'aventure est avaricieux, ou luy
semble que el a assés robes, pense ung poy et puis lui
dit : « M'amie, n'avez vous pas assés robes ? – Par
50 Dieu, fait el, mon amy, ouyl, et quant a moy, si je
estoie vestue de bureau*, je n'en faiz compte ; mais
c'est honte. – Ne vous chault, m'amie, lessés les
parler : nous n'emprunteron rien d'eulx*. – Par Dieu,
mon amy, voire ! Mes je ne semble que a une cham-
55 beriere emprés elle ; non fais je* emprés ma seur et si
sui ge aisnee d'elle, qui est laide chouse. »
    A l'aventure le bon home lui baillera ce qu'elle
demande, qui n'est que son dommage, car el en sera
plus preste pour aller aux festes et aux dances que elle
60 ne estoit davant, et tel se aidera, a l'aventure, de la
fourreure qu'il ne cuideroit jamés.

– Fi ! Fi ! reprend-elle. Sur mon âme, dès que je vous ai vu – et encore était-ce de très loin, et je ne fis que vous entrevoir – je n'aurais jamais épousé quelqu'un d'autre, eût-il été dauphin de France. Je crois que Dieu le voulait ainsi, car mon père et ma mère espéraient mon mariage avec lui, mais jamais je ne l'aurais accepté. Je ne sais ce que c'est, je crois que c'était mon destin. »

Alors le mari prend son plaisir et la dame se montre très agile et habile. Puis elle dit au brave homme : « Mon ami, interroge-t-elle, savez-vous ce que je vous demande ? Je vous prie de ne pas me le refuser.

– Je ne le ferai pas, par ma foi, si je le puis.

– Mon ami, reprend-elle, savez-vous de quoi il s'agit ? La femme d'untel a maintenant une robe fourrée de petit-gris et de menu-vair ; je vous prie de faire en sorte que j'en aie une. Sur mon âme, je ne le dis pas parce que je désire être élégante, mais parce qu'il me semble que vous êtes tout à fait en état de m'entretenir aussi convenablement, voire plus, que son mari. De mon point de vue, elle ne peut soutenir la comparaison avec ma personne. Je ne le dis pas pour me flatter, mais, par Dieu, je le fais plus parce qu'elle s'en enorgueillit que pour un autre motif. »

Alors le brave homme qui, selon les cas, est avare ou estime qu'elle a assez de robes, réfléchit un moment puis lui dit : « Ma mie, n'avez-vous pas assez de robes ?

– Par Dieu, répond-elle, mon ami, oui, et personnellement, si j'étais vêtue d'une robe de bure, je n'en ferais aucun cas ; mais c'est une honte pour les autres.

– Cela ne vous importe pas, ma mie, laissez-les parler ; nous ne ferons pas appel à eux.

– Par Dieu, mon ami, c'est vrai ! Mais je n'ai l'air que d'une chambrière auprès d'elle ; il en est de même auprès de ma sœur, et pourtant je suis son aînée, ce qui aggrave la situation. »

Quelquefois le brave homme lui donnera ce qu'elle demande, et pour son dommage, car elle sera alors plus encline à se rendre aux fêtes et aux bals qu'auparavant, et tel que le mari ne soupçonnerait jamais profitera peut-être de la fourrure.

III
LES CHRONIQUES

Geoffroy de Villehardouin

LA CONQUÊTE DE CONSTANTINOPLE

Né vers 1150, Geoffroy de Villehardouin devint maréchal de Champagne en 1185. Peut-être prit-il part à la troisième croisade avec Henri II de Champagne. Il fut l'un des organisateurs et des chefs de la quatrième croisade qui, au lieu d'aller délivrer Jérusalem, aboutit à la prise de Constantinople le 17 juillet 1203, puis le 12 avril 1204. Maréchal de Romanie (à l'automne 1204), il eut à faire face aux révoltes des Grecs, aux incursions des Bulgares et des Valaques, à la reconquête de l'Empire byzantin. Toujours au premier plan sous les empereurs latins de Constantinople Baudouin Ier et Henri Ier, il reçut en 1207 de Boniface de Montferrat le fief de Messinople. Il ne semble pas être revenu en France. On ignore le lieu et la date exacte de sa mort.

On a pris l'habitude de désigner sous le titre *La Conquête de Constantinople* les souvenirs et réflexions que Villehardouin dicta après 1207, en se servant de la prose, pour expliquer aux autres et à lui-même pourquoi la croisade s'était enlisée à Constantinople sans qu'il y eût faute de la part des chefs croisés, bien qu'ils eussent disposé des meilleurs moyens et soutenu la meilleure cause. Son histoire est pour une large part un subtil plaidoyer en faveur des protagonistes français et de leurs alliés. Conservée dans cinq manuscrits, elle a été imprimée en 1585, avec une adaptation de Blaise de Vigenère. Ce qui caractérise la personnalité de Villehardouin, qui fut un ambassadeur habile et probe, un conciliateur éloquent et un grand capitaine, c'est une vive hostilité aux forces de dissolution qui menacent l'unité du moi, de l'armée et du récit, qui, d'une parfaite unité de ton et d'une sobre grandeur, ne conserve que l'essentiel, par une sorte de répugnance pour le détail sans signification.

Parmi les alliés des croisés, Villehardouin privilégie le doge de Venise, Henri Dandolo, qui, malgré son très grand âge, joua un rôle très important dans la croisade, jusqu'à sa mort en juin 1205, à l'âge de quatre-vingt-quinze ans. C'est un véritable *prodome* dont les vertus épiques (courage, force morale, loyauté, sens de l'honneur) et courtoises (culture, largesse, comportement irréprochable) s'enracinent dans une foi profonde. Lors de la première prise de Constantinople, un miracle semble même garantir la justesse de sa cause et lui donner une stature surnaturelle.

Bibliographie

La Conquête de Constantinople, éd. et trad. de E. Faral, Paris, Les Belles Lettres, 2 vol., 2ᵉ éd., 1961 ; éd. de J. Dufournet, Paris, GF-Flammarion, 1969.
J. Dufournet, *Les Écrivains de la quatrième croisade.Villehardouin et Clari*, Paris, SEDES, 1973, 2 vol. ; G. Jacquin, *Le Style historique dans les récits français et latins de la quatrième croisade*, Paris-Genève, Champion-Slatkine, 1986 ; J. Longnon, *Recherches sur la vie de Geoffroy de Villehardouin*, Paris, Geuthner, 1939 ; *Les Compagnons de Villehardouin. Recherches sur les croisés de la quatrième croisade*, Genève, Droz, 1978.

Notes

Nous avons reproduit le texte de l'édition de N. de Wailly (3ᵉ éd., 1882) en hommage à ce grand philologue (1805-

1886). Le texte a été établi à partir du manuscrit A (Paris, Bibliothèque nationale, fonds français 4972, seconde moitié du XIVe siècle), avec des emprunts aux manuscrits B, C, D, E et F.
Ce passage tend à suggérer que Dieu approuva, par un miracle, le choix politique des chefs croisés qui avaient décidé, avec les Vénitiens, de passer par Constantinople avant d'aller à Jérusalem, et à donner une preuve éclatante du rôle décisif et de la vaillance du vieux doge de Venise qui prend une stature épique et dont le comportement entraîna la victoire des croisés.

nés, nefs : navires de transport, navires marchands ; *huissiers,* navires munis de portes (*huis*), destinés à transporter la cavalerie, hommes et chevaux.
Lors veïssiez : formule épique, qui fait participer le public à l'action. Villehardouin a utilisé, pour une part, la technique de la chanson de geste.
mangoniaus, mangonneaux : machines à lancer des pierres et des dards. Le mangonneau lançait des pierres moins grosses que les pierrières.
vialz hom : Henri Dandolo avait été élu doge de Venise en 1192 à l'âge de 82 ans ; il avait donc 94 ans en 1204.
galie, galée : navire de guerre par excellence, mû à la rame et à la voile, plus rapide et plus maniable que la nef.
barges : canots qui servaient à communiquer avec d'autres bateaux, à débarquer des troupes.
ce tesmoigne Joffrois de Vile-Harduin : ce tour, qui revient à neuf reprises dans la chronique, souligne les faits et les idées que Villehardouin juge importants.
batel : bâtiment employé pour la navigation fluviale ou portuaire.
messages : désignait en ancien français à la fois le message, celui qui le porte et la fonction de messager.
barons : ce sont de hauts et puissants seigneurs, les chefs de la croisade, que Clari appelle les *hauts barons*. Villehardouin, qui est l'un d'eux, s'emploie à justifier leurs choix.
li empereres Alexis : Alexis III Ange devint empereur de Constantinople en renversant son frère Isaac II (1195) et régna jusqu'en 1203 ; il fut alors chassé par les barons de la quatrième croisade qui soutenaient son neveu Alexis. Alexis III fut emprisonné par son gendre Théodore Ier Lascaris et mourut en 1210.

1. [Le miracle du gonfanon de Venise]

172. Et li dux de Venise ne se fu mie obliés ; ainz ot
ses nés* et ses uissiers* et ses vaissiaus ordenez d'un
front, et cil fronz duroit bien trois arbalestrees ; et
comencent la rive a aprochier qui desoz les murs et
5 desoz les tors estoit. Lors veïssiez* mangoniaus* giter
des nés et des uissiers, et quarriaus d'arbalestre traire,
et ces ars traire mult delivrement ; et cels dedenz desfendre des murs et des tours mult durement, et les
eschieles des nés aprochier si durement que en plusors
10 leus s'entreferoient d'espees et de lances ; et li huz ere
si granz que il sembloit que terre et mers fondist. Et
sachiez que les galies n'osoient terre prendre.

173. Or porroiz oïr estrange proesce, que li dux de
Venise, qui vialz hom* ere et gote ne veoit, fu toz
15 armez, el chief de la soe galie, et ot le gonfanon Saint
Marc pardevant lui ; et escrioit as suens que il le meïs-
sent a terre, ou se ce non il feroit jutise de lor cors. Et il
si firent, que la galie* prent terre, et il saillent fors ; si
portent le confanon Saint Marc pardevant lui a la terre.

20 174. Et quant li Venisien voient le confanon Saint
Marc a la terre, et la galie lor seignor qui ot terre prise
devant als, si se tint chascuns a honi, et vont a la terre
tuit ; et cil des uissiers saillent fors et vont a la terre, et
cil des granz nés entrent es barges* et vont a la terre,
25 qui ainz ainz, qui mielz mielz. Lors veïssiez assaut

1. Le miracle du gonfanon de Venise

172. Et le doge de Venise n'avait pas perdu de temps,
mais il avait ordonné ses nefs, ses huissiers et ses vaisseaux
sur un front, qui s'étendait environ sur trois portées
d'arbalète ; et ils commencent à s'approcher du rivage au-
dessous des murailles et des tours. Alors vous auriez vu
les mangonneaux, des nefs et des huissiers, lancer des
pierres, et voler les carreaux d'arbalète, et les arcs tirer à
profusion ; et ceux de dedans se défendre vigoureusement
du haut des murailles et des tours ; et les échelles des nefs
s'approcher si rudement que, en plusieurs endroits, ils se
frappaient les uns les autres à coups d'épées et de lances ;
et le vacarme était si fort qu'il semblait que la terre et la
mer s'effondrassent. Et sachez que les galères n'osaient
aborder.

173. Maintenant vous pourrez entendre une étrange
prouesse : le doge de Venise, qui était un vieil homme et qui
ne voyait goutte, était tout armé à la tête de sa galère, et il
avait le gonfanon de Saint-Marc devant lui ; et il criait à ses
gens qu'ils le missent à terre ou que, sinon, il les châtierait
dans leur corps. Ils le firent si bien que la galère aborda,
qu'ils sautèrent dehors et portèrent le gonfanon de Saint-
Marc devant lui sur terre.

174. Quand les Vénitiens virent le gonfanon de Saint-
Marc sur la terre, et la galère de leur seigneur qui avait
abordé devant eux, chacun se tint pour déshonoré, et tous
de débarquer. Ceux des huissiers sautent dehors et gagnent
la terre, et ceux des grandes nefs entrent dans les barges et
gagnent la terre au plus vite et à qui mieux mieux. Alors

grant et merveillox ; et ce tesmoigne Joffrois de Vile-
Harduin★ li mareschaus de Champaigne, qui ceste
ovre traita, que plus de quarante li distrent por verité
que il virent le confanon Saint Marc de Venise en une
30 des tors, et mie ne sorent qui l'i porta.

175. Or oiez estrange miracle : et cil dedenz s'enfuient, si guerpissent les murs ; et cil entrent enz, qui
ainz ainz, qui mielz mielz, si que il saississent vint cinq
des tors et garnissent de lor gent. Et li dux prant un
35 batel★, si mande messages★ as barons★ de l'ost, et lor
fait assavoir que il avoient vint cinq tors, et seüssent por
voir que il nes pooient reperdre. Li baron sont si lié que
il nel pooient croire que ce soit voirs ; et li Venicien
comencent a envoier chevaus et palefroiz a l'ost en
40 batiaus de cels que il avoient gaaigniez dedenz la vile.

176. Et quant li empereres Alexis★ vit que il furent
ensi entré dedenz la vile, si comence ses genz a envoier
a si grant foison vers els que cil virent que il nes por-
roient soffrir. Si mistrent le feu entr'els et les Grex ; et
45 li venz venoit de vers nos genz ; et li feus comence si
granz a naistre que li Gré ne pooient veoir noz genz.
Ensi se retraistrent a lor tors que il avoient saisies et
conquises.

vous auriez vu un merveilleux assaut. Et ce que témoigne
Geoffroy de Villehardouin, le maréchal de Champagne, qui
composa cette œuvre, c'est que plus de quarante personnes
lui certifièrent comme véridique qu'ils virent le gonfanon de
Saint-Marc de Venise sur l'une des tours, et qu'ils ne surent
pas qui l'y porta.

175. Écoutez donc un étrange miracle : ceux de dedans
s'enfuient et abandonnent les murailles, et les autres entrent
à l'intérieur au plus vite, à qui mieux mieux, si bien qu'ils se
saisissent de vingt-cinq des tours et les garnissent de leurs
gens. Et le doge prend un bateau et dépêche des messagers
aux barons de l'armée pour leur faire savoir qu'ils déte-
naient vingt-cinq tours et qu'ils tiennent pour certain qu'ils
ne pouvaient les reperdre. Les barons en sont si joyeux
qu'ils ne peuvent croire que ce soit vrai ; et les Vénitiens
commencent à envoyer à l'armée par bateaux des chevaux
et des palefrois d'entre ceux qu'ils avaient conquis dans la
ville.

176. Quand l'empereur Alexis vit qu'ils étaient ainsi
entrés dans la ville, il commença à envoyer contre eux ses
gens en si grand nombre que les Vénitiens virent qu'ils ne
pourraient leur résister. Aussi mirent-ils le feu entre eux et
les Grecs. Le vent soufflait de devers nos gens, et le feu
commença à se développer tellement que les Grecs ne pouvaient voir nos hommes qui ainsi se retirèrent dans les tours
qu'ils avaient prises et conquises.

Robert de Clari

LA CONQUÊTE DE CONSTANTINOPLE

Robert de Clari est un petit seigneur picard, dont Villehardouin ne cite jamais le nom. Lui-même ne se mentionne pas parmi les croisés. Il possédait le fief de Cléry-lès-Pernois (Somme) qui, d'environ six hectares et demi, était insuffisant à le nourrir. Il prit part à la quatrième croisade qu'il raconta, à partir de 1207, dans une chronique comportant deux parties : la première (112 chapitres) rapporte les faits de 1198 à 1205 ; la seconde, très brève (7 chapitres) va de la bataille d'Andrinople (1205) à la mort de l'empereur Henri Ier (1216), si bien qu'on peut penser que Clari avait quitté Constantinople en 1205.

Si Robert de Clari a le sentiment d'avoir participé à une entreprise épique, il demeure partagé entre l'hostilité envers les Grecs, hérétiques, déloyaux, lâches, cruels et versatiles, et le remords d'avoir commis une injustice en allant contre Constantinople plutôt qu'à Jérusalem. Porte-parole des petits chevaliers déçus, il est presque indifférent à l'égard des Vénitiens qu'admire Villehardouin, mais sévère envers Boniface de Montferrat, cupide et ambitieux, mauvais vassal de l'empereur Baudouin, et pour les « hauts hommes », les grands barons qui ont conduit et détourné la croisade.

Plus ethnographe que les autres historiens, Clari a
été émerveillé par les beautés de Constantinople, par les
nombreuses reliques, par la mer qu'il découvre lors de
la traversée. Curieux de tout ce qui ressortit au merveilleux et à l'exotisme des coutumes byzantines, il
nous a laissé une relation faite de fragments et d'anecdotes dont le charme vient de ce que l'histoire et l'extraordinaire baignent dans un climat de familiarité et de
réalisme. L'extrait sur les Coumans témoigne de cette
curiosité.

Bibliographie

Robert de Clari, *La Conquête de Constantinople*, éd. de
    P. Lauer, Paris, Champion, 1956 (« Classiques français
    du Moyen Âge », n° 40), et trad. de J. Dufournet dans
    Croisades et pèlerinages, Paris, Robert Laffont, « Bou-
    quins », 1997, p. 725-801.
P. Dembowski, *La Chronique de Robert de Clari. Étude de la
    langue et du style*, Toronto, 1963 ; J. Dufournet, *Les Écri-
    vains de la quatrième croisade, Villehardouin et Clari*, Paris,
    SEDES, 1974, t. II ; G. Jacquin, *Le Style historique dans
    les récits français et latins de la quatrième croisade*, Paris-
    Genève, Champion-Slatkine, 1986.

Notes

Texte établi d'après le manuscrit 487 de la Bibliothèque
royale de Copenhague, datant de la fin du XIIIe siècle ou
du début du XIVe siècle, et d'après l'édition de P. Lauer.

Jehans, Johannisse (Johannitza ou Kalojan) fut roi de Vala-
    chie et de Bulgarie après 1196. Le paragraphe qui pré-
    cède notre extrait raconte comment Johannitza avait
    quitté la cour de Constantinople après avoir été humilié et
    frappé par un eunuque.
Blakie : les Valaques ou Vlaques (*Blas, Blac*) descendaient
    des colons romains établis par Trajan en Dacie et habi-
    taient non seulement les Carpates mais aussi les mon-

tagnes balkaniques, Haemos, Rhodope et Pinde. Les Bulgares (*Bougres*), peuple turc établi entre le Kouban et la mer d'Azov, furent attaqués vers 642 par les Khazars ; émigrant alors vers l'ouest, ils occupèrent la Dobroudja, puis la Scythie et la Mésie, entre le Danube et les Balkans : les Slaves qui occupaient ces provinces fusionnèrent avec eux et leur imposèrent leur langue. Convertis au christianisme au IXe siècle, ils furent l'objet d'une lutte d'influence entre Rome et Byzance. Bulgares et Valaques, ralliés d'abord vers 1202 à l'Église romaine, s'en éloignèrent ensuite, quand le pape Innocent III favorisa l'empereur Henri dans sa lutte contre eux.

Commains : Coumans. Peuplades païennes, d'origine turque, venues des steppes russes et établies au nord du Danube. Quand les Bulgares et les Valaques se soulevèrent contre Byzance, les tsars Asén et Johannitza les utilisèrent comme auxiliaires : de 1195 à 1206, ils aidèrent à ruiner la Macédoine et la Thrace.

erent : de *arer* « labourer » (du latin *arare*), à ne pas confondre avec *esrer, errer* « cheminer » (du latin *iterare*).

mandoit : Johannitza avait fait savoir « aux grands barons de l'armée des croisés que, s'ils voulaient le couronner roi et seigneur de sa terre de Valachie, il se déclarerait leur vassal pour sa terre et son royaume et qu'il viendrait les aider à prendre Constantinople avec cent mille hommes armés » (LXIV).

molt grans deus : annonce de la défaite d'Andrinople (14-15 avril 1205).

si fu coronés a roi : le pape reconnut Johannitza roi des Bulgares et des Valaques par une lettre du 25 février 1204.

2. [Les Coumans]

LXV

Quant Jehans⋆ fu venus, si commenche a atraire les
haus homes de Blakie⋆, comme chis qui estoit rikes
hons et qui auques pooir i avoit, si leur commenche a
prumetre et douner et as uns et as autres, et fist tant
5   que tout chil du païs furent tot subjet a lui, et tant que
il fu sires d'aus. Quant il fu sires d'aus, si traist il as
Commains⋆, si fait il tant, que par un que par el, qu'il
fu leur amis et que il furent tot en s'aiwe et que il fu
ansi comme tous sires d'aus. Or est Commaine une
10 tere qui marchist a Blakie ; si vous dirai quel gent chil
Commain sont.

Che sont une gent sauvage qui ne erent⋆ ne ne sem-
ment, ne n'ont borde ne maison, ains ont unes tentes
de feutre, uns habitacles ou il se muchent, et se vivent
15 de lait et de formage et de char. Si y a en esté tant de
mouskes et de mouskerons que il n'osent issir hors de
leur tentes waire preu devant en l'iver. En yver si
issent hors de leur tentes et de leur païs, quant il voellent faire leur chevauchie. Si vous dirons que il font.
20 Cascuns d'aus a bien dis chevax ou douse ; si les ont
si duis qu'il les sivent partout la ou il les voellent
mener, si montent puis seur l'un et puis seur l'autre. Si
a cascuns des chevax, quant il oirrent, un sakelet
pendu au musel la ou se viande est ; si menjue si
25 comme il siut sen maistre, ne ne cessent d'esrer et par

2. Les Coumans

LXV

Quand Johannitza fut de retour, il commença à rallier les grands personnages de Valachie, en homme riche qui avait du pouvoir, et à promettre et à faire des dons aux uns et aux autres, tant et si bien que tous les gens du pays devinrent entièrement ses sujets et qu'il fut leur seigneur. Cela réalisé, il se rendit chez les Coumans et il réussit, par divers moyens, à être leur ami, à obtenir toute leur aide et à devenir pour ainsi dire leur maître absolu. Or la terre des Coumans est limitrophe de la Valachie. Je vais vous présenter ce peuple des Coumans.

C'est un peuple sauvage qui ne laboure ni ne sème. Ils n'ont ni cabanes ni maisons, mais des tentes de feutre : ce sont les demeures où ils se calfeutrent. Ils vivent de lait, de fromage et de viande. Il y a en été tant de mouches et de moucherons qu'ils n'osent sortir de leurs tentes que très peu de temps avant l'hiver. En hiver, ils sortent de leurs tentes et de leur pays, quand ils veulent faire leurs chevauchées. Nous vous dirons comment ils procèdent. Chacun d'eux a bien dix ou douze chevaux, si bien dressés qu'ils les suivent partout où ils veulent les mener, montant tantôt l'un tantôt l'autre. Chacun des chevaux, pendant leurs voyages, porte un petit sac pendu à son museau et qui contient sa nourriture ; il mange en suivant son maître sans qu'ils cessent de cheminer de nuit et de jour. Ils

nuit et par jour. Si vont si durement que il vont bien
en une nuit et en un jor sis journees ou set ou uit
d'esrure. Ne ja tant comme il vont, riens ne carkeront
ne ne prenderont devant au repairier ; mais quant il
30 repairent, dont si acuellent proies, si prennent
hommes, si prenent chou qu'il pueent ataindre ; ne ja
n'iront autrement armé fors qu'il ont unes vesteures
de piax de mouton et portent ars et saietes avec aus ;
ne ne croient autrement fors en le premiere beste qu'il
35 encontrent le matinee, et chis qui ll'encontre, si i croit
toute jour quele beste che soit. Ichés Commains avoit
Jehans li Blakis en s'aiwe et venoit cascun an preer le
tere l'empereur dusk'a meesme de Coustantinoble, ne
n'avoit li empereres tant de pooir qu'il s'en peust def-
40 fendre.
      Quant li baron de l'ost seurent chou que Jehans li
Blakis leur mandoit★, si disent qu'il s'en conselle-
roient ; et quant il se furent conseillé, si eurent malvais
consel, si respondirent que ne de lui ne de s'aiwe
45 n'avoient il cure, mais bien seust il que il le greveroient
et que il mal li feroient s'il pooient, et il leur vendi puis
molt kier. Che fu molt grans deus★ et molt grans
damages. Et quant il eut fali a aus, si envoia a Rome
pour se corone, et li apostoiles y envoia un cardounal
50 pour lui coroner : si fu coronés a roi★.

chevauchent si fort qu'en une nuit et un jour ils accom-
plissent six journées de marche, ou sept ou huit. Tant
qu'ils avancent, ils ne se chargeront de rien ni ne pren-
dront rien avant le retour ; mais alors ils attrapent des
proies, capturent des hommes et prennent tout ce
qu'ils peuvent saisir. Dans leurs déplacements, ils n'ont
comme armures que des vêtements en peaux de
mouton, et ils portent avec eux des arcs et des flèches.
Ils n'accordent leur confiance qu'à la première bête
qu'ils rencontrent le matin, et celui qui la rencontre lui
fait confiance tout le jour, quelque bête que ce soit. Ce
sont ces Coumans que Johannitza le Valaque avait
comme alliés, et chaque année il venait piller la terre de
l'empereur jusque dans Constantinople, et l'empereur
n'avait pas assez de forces pour s'en défendre.

Quand les barons de l'armée connurent le contenu
du message de Johannitza le Valaque, ils dirent qu'ils se
concerteraient sur ce sujet, et, quand ils l'eurent fait, ils
prirent une mauvaise décision : ils répondirent qu'ils ne
se souciaient ni de lui ni de son aide, et qu'il fût
convaincu qu'ils lui nuiraient et lui feraient du mal s'ils
pouvaient : il le leur fit payer très cher par la suite. Quel
grand malheur ce fut, quel grand dommage ! Après son
échec auprès d'eux, il envoya un messager à Rome
pour sa couronne : le pape lui adressa un cardinal pour
le couronner. Ainsi fut-il couronné roi.

Jean de Joinville

LA VIE DE SAINT LOUIS

Jean, seigneur de Joinville (actuellement chef-lieu de canton de la Haute-Marne) et sénéchal de Champagne, naquit en 1225 et prit part à la septième croisade en Égypte, aux côtés du roi Louis IX qu'il rejoignit à Chypre en 1248. Il débarqua à Damiette, se mêla à la bataille de Mansourah et revint en France en 1254. Lors de son séjour en Orient, il noua avec son souverain des liens d'amitié et de confiance. Il refusa pourtant de le suivre à la huitième croisade (1270). Par ses témoignages, il contribua à la canonisation de Louis IX, prononcée par le pape Boniface VIII en 1297. Il mourut en 1317.

À la demande de la reine Jeanne de Navarre, l'épouse de Philippe le Bel, il commença vers 1305 le *Livre des saintes paroles et des bons faits de notre roi Saint Louis* qu'il acheva en 1309, et dédia au futur Louis X le Hutin, l'arrière-petit-fils de Saint Louis. Écrivain octogénaire, Joinville est le premier laïc à rédiger une vie de saint. Aussi, contrairement aux hagiographes traditionnels, s'attache-t-il plus à montrer les prouesses du roi guerrier et les faiblesses, les rires ou les larmes d'un homme qu'à illustrer les vertus théologales et les miracles d'un saint, adoptant une perspective plus chevaleresque que cléricale. Mais il profite de cette biographie d'un Louis IX *preudome* pour parler de lui-même à la première personne, pour confier ses préoccupations et ses états d'âme. *La Vie de Saint Louis* se transforme peu à peu en une « Vie de Joinville », en une authentique autobiographie, au demeurant la première écrite en langue française.

La Vie de Saint Louis comprend deux parties inégales : l'une, assez courte, rassemble un florilège des pieuses paroles et des enseigements exemplaires du roi, tandis que la seconde, plus longue, décrit *ses granz chevaleries et ses granz faiz d'armes* auxquels Joinville, chevalier croisé, a assisté lui-même. En revanche, il ne fut pas présent lors des derniers instants du souverain, qui succomba à Tunis victime d'une épidémie de typhus. Après avoir évoqué le procès de canonisation et la cérémonie de l'élévation du corps, Joinville clôt son livre par la relation de ce rêve.

Bibliographie

Vie de Saint Louis de Joinville, éd. bilingue de J. Monfrin, Paris, Dunod, Classiques Garnier, 1995.

J. Le Goff, *Saint Louis*, Paris, Gallimard, 1996 ; *Le Prince et son historien : La Vie de Saint Louis de Joinville*, études recueillies par J. Dufournet et L. Harf-Lancner, Paris, Champion, 1997 ; *Jean de Joinville : de la Champagne aux royaumes d'outre-mer*, études recueillies par D. Quéruel, Langres, Dominique Guéniot, 1998.

Notes

Le texte retranscrit est celui du ms. A de Bruxelles cote 13 568 (date : 1330-1340) ; les ajouts entre crochets proviennent du ms B, Paris, Bibliothèque nationale, nouv. acq. fr. 6273 (date : 1520-1540).

Il s'agit du second rêve de Joinville. Dans le premier, symbolique et prémonitoire (§ 731-732), il voyait Louis IX

revêtu d'une chasuble de serge vermeille, à genoux devant
un autel. Selon le prêtre consulté, c'était l'annonce de
l'échec de la future croisade à laquelle le sénéchal refusa
de participer. Si la relation de ce premier songe répondait
au besoin de justifier l'abandon de son souverain, la narration du deuxième montre que le sénéchal de Champagne est encore obsédé par sa « trahison ». Loin d'être un
spectateur passif, il est cette fois l'acteur de son propre
rêve : il parle au roi, l'écoute, ressent une joie analogue à
la sienne. Comme dans le livre où le biographe témoin se
transforme progressivement en acteur héroïque, Joinville
devient le personnage de son deuxième songe, au même
titre que Louis IX. Quoi qu'en dise l'auteur, ce rêve est
plus à son honneur qu'à celui du roi. Celui-ci, en effet,
par sa visite à Joinville, son désir d'y séjourner, son bonheur, prouve qu'il ne tient pas rigueur de sa désertion à
son compagnon. Le rêve de Joinville le purifie de son
péché. Mieux encore que pardonné, le mémorialiste est
toujours aimé par le saint roi.

Encore weil je [...] que je veïs [...] il me sembloit : la multiplicité
   des pronoms personnels de la première personne traduit
   le caractère autobiographique de cet épilogue de *La Vie de
   Saint Louis*. L'écrivain installe son ami dans un espace qui
   lui appartient. Les formes atones (*ma* et *mon*) puis
   toniques (*moie*) de l'adjectif possessif sont révélatrices de
   sa volonté de s'approprier la présence du défunt.
Chevillon : village de la Haute-Marne, sis près de Joinville.
   Dans son article « Joinville ne pleure pas mais il rêve »
   (*Poétique*, t. XXXIII, 1978, p. 28-45), M. Zink souligne
   que « dans ce rêve les noms propres eux-mêmes disent le
   lien dont Joinville voudrait être uni au roi. Il voudrait être
   chevillé à lui en le logeant dans sa maison et son village de
   Chevillon ; il voudrait être *joint* à lui à *Joinville*. Jugera-
   t-on ces calembours dépourvus de sens ? Mais est-ce
   vraiment un hasard si le roi, qui, tout au long du livre, n'a
   jamais appelé Joinville autrement que "sénéchal", pour la
   première et unique fois s'adresse à lui ici en l'appelant
   "sire de Joinville" ? » (p. 43).
Et il me respondi en riant : l'intimité et la complicité d'autrefois semblent reconstituées avec les rires et la gaieté qui
   font écho aux scènes enjouées d'Acre et de Césarée
   (§ 506 et 566).

mon seigneur le roy Looys : Joinville souhaiterait obtenir du dédicataire de l'ouvrage, le futur roi Louis X le Hutin, des reliques de son illustre aïeul pour consacrer dignement l'autel qui lui est dédié. Jacques Le Goff précise que « les ossements du saint roi sont donc dans la châsse où ils ont été déposés le 25 août 1298 derrière le maître-autel de Saint-Denis. Selon la coutume du temps, les rois de France successeurs de Saint Louis firent des cadeaux de ces reliques en offrant à telle église ou à tel personnage un os de leur ancêtre. Cette véritable politique des reliques fut pratiquée d'une façon quasi maniaque par Philippe le Bel » (*op. cit.*, p. 306).

que je ai veu et oÿ : la matière du livre de Joinville est surtout alimentée par son témoignage direct, oculaire et auriculaire. Les deux verbes sensoriels, souvent associés, attestent la véracité du document présenté.

en un romant : ce livre en langue romane désigne les *Grandes Chroniques de France*, rédigées entre 1285 et 1297, auxquelles l'auteur emprunte notamment le texte de l'ordonnance royale de 1254 sur la réforme de l'administration et de la prévôté de Paris (§ 693 à 714) et les « Enseignements de Saint Louis à son fils » (§ 740 à 754).

769 : l'ultime phrase reproduit presque littéralement la formule de datation utilisée dans les chartes. Elle rappelle l'expression de type diplomatique par laquelle Joinville ouvrait son ouvrage.

3. [Le rêve de Joinville]

766. Encore weil je dire de nostre saint roy aucunes choses [que je veïs de lui en mon dormant] qui seront a l'onneur de li, c'est a savoir que il me sembloit* en mon songe que je le veoie devant ma chapelle, a
5 Joinville ; et estoit, si comme il me sembloit, merveilleusement lié et aise de cuer ; et je meismes estoie moult aise pour ce que je le veoie en mon chastel, et li disoie : « Sire, quant vous partirés de ci, je vous herbergerai a une moie meson qui siet en une moie ville
10 qui a non Chevillon*. » Et il me respondi en riant* et me dit : « Sire de Joinville, foi que doi vous, je ne bee mie si tost a partir de ci. »

767. Quant je me esveillai, si m'apensai et me sembloit que il plesoit a Dieu et a li que je le herberjasse en
15 ma chapelle. Et je si ai fet, car je li ai establi un autel a l'onneur de Dieu et de li [la ou l'on chantera a tous jours mais en l'honneur de luy], et y a rente perpetuelment establie pour ce faire. Et ces choses ai je ramentues a mon seigneur le roy Looys*, qui est heritier de
20 son non ; et me semble que il fera le gré Dieu et le gré nostre saint roy Looys, s'i pourchassoit des reliques le vrai cors saint et les envoioit a la dite chapelle de saint Lorans a Joinville, par quoy cil qui venront a son autel que il y eussent plus grant devocion.

25 768. Je fais savoir a touz que j'ai ceans mis grant partie des faiz nostre saint roy devant dit, que je ai veu et oÿ*, et grant partie de ses faiz que j'ai trouvez, qui

3. Le rêve de Joinville

766. Je veux encore dire au sujet de notre saint roi
certaines choses qui seront à son honneur, que je vis de
lui pendant mon sommeil : c'est à savoir qu'il me semblait dans mon rêve que je le voyais devant ma chapelle,
à Joinville, et il était, ainsi qu'il me semblait, étonnamment joyeux et content en son cœur ; et moi-même,
j'étais très heureux parce que je le voyais dans mon
château et je lui disais : « Sire, quand vous partirez
d'ici, je vous hébergerai dans une maison à moi qui se
trouve dans un village à moi, nommé Chevillon. » Et il
me répondit par ces mots en riant : « Seigneur de Joinville, sur la foi que je vous dois, je ne désire pas partir
si tôt d'ici. »

767. Quand je m'éveillai, je me mis à réfléchir et il
me semblait qu'il plaisait à Dieu et à lui que je l'héber-
geasse dans ma chapelle. Et c'est ce que j'ai fait car je
lui ai établi un autel en l'honneur de Dieu et de lui, où
l'on chantera à jamais la messe en son honneur et il y a
une rente établie à perpétuité pour cela. Et j'ai raconté
ces faits à monseigneur le roi Louis, qui est héritier de
son nom ; et il me semble qu'il agirait au gré de Dieu et
au gré de notre saint roi Louis, s'il se procurait des
reliques du vrai corps saint et les envoyait à ladite chapelle Saint-Laurent à Joinville, pour que ceux qui vien-
dront à son autel y eussent une plus grande dévotion.

768. Je fais savoir à tous que j'ai mis ici une grande
partie des actions de notre saint roi mentionné ci-
dessus, actions que j'ai vues et entendues, et une

sont en un romant⋆, les quiex j'ai fet escrire en cest
livre. Et ces choses vous ramentoif je pour ce que cil
30 qui orront ce livre croient fermement en ce que le livre
dit, que j'ai vraiement veus et oÿes. [Et les autres
choses qui sont escriptes ne vous tesmoigne que soient
vrayes par ce que je ne les ay veues ne oÿ.]

769. Ce fu escript en l'an de grace mil .CCC. et
35 .IX., ou moys d'octovre⋆.

grande partie de ses actions que j'ai trouvées dans un livre en français, lesquelles j'ai fait écrire dans ce livre. Et je vous rappelle cela pour que ceux qui entendront ce livre croient fermement ce que le livre dit, que j'ai vraiment vu et entendu. Et les autres choses qui y sont écrites, je ne vous certifie pas qu'elles soient vraies parce que je ne les ai ni vues ni entendues.

769. Ce fut écrit en l'an de grâce 1309, au mois d'octobre.

Jean Froissart

LES CHRONIQUES

Né à Valenciennes vers 1337, Jean Froissart entra dès 1361 au service de Philippa de Hainaut, reine d'Angleterre par son mariage avec Édouard III. À la mort de sa protectrice, il trouva appui auprès du duc de Brabant, Wenceslas de Luxembourg, avant de devenir le chapelain de Guy, comte de Blois. Il décéda après 1404.

Héritier de Guillaume de Machaut, Jean Froissart composa tout d'abord des œuvres poétiques, ballades, rondeaux, virelais, des dits comme *L'Espinette amoureuse* ou *La Prison amoureuse*, un long roman de trente mille vers, *Méliador*, puis des *Chroniques* relatant en particulier le conflit entre la France et l'Angleterre, depuis l'avènement d'Édouard III (en 1327) jusqu'à la mort de son petit-fils et successeur Richard II (en 1400). L'ouvrage, qui comporte quatre livres et plusieurs rédactions, se fonde sur diverses sources écrites – notamment les *Vrayes Croniques* de Jean le Bel, *Les Grandes Chroniques de France* et la *Chronique de Flandre* – et orales. En effet, soucieux de recueillir des informations sûres, ce grand voyageur n'hésite pas à se déplacer en France, en Angleterre, en Écosse, en Italie, dans le comté de Foix, à la cour de Gaston

Phœbus, pour interroger les témoins et les acteurs des événements narrés ou visiter les lieux des batailles évoquées. Son dessein est double : sauver de l'oubli les hauts faits guerriers et offrir aux bacheliers des modèles de comportement qu'ils pourront imiter. *Les Chroniques* proposent à la classe aristocratique un vaste tableau de la société chevaleresque de son époque, de ses actes, de ses fêtes, de ses rituels, de ses rêves, de ses préoccupations et de ses aspirations.

Le texte choisi se situe vers la fin du premier livre ; vainqueur à Crécy, le roi d'Angleterre, Édouard III, attaque Calais (1347) ; au terme d'un siège de plusieurs mois, il consent à épargner les habitants, à la condition que six des plus notables bourgeois de la cité viennent lui apporter les clefs de la ville.

Bibliographie

Œuvres complètes de Froissart, éd. de K. de Lettenhove, Bruxelles, 1867-1877, 28 vol. (réimpr. 1967) ; *Les Chroniques de Jean Froissart*, éd. de S. Luce, G. Raynaud et L. Mirot, pour la Société de l'Histoire de France, Paris, 1869-1975, 15 vol. ; *Chroniques de Froissart (dernière rédaction du premier livre)*, éd. de G.T. Diller, Genève, Droz, 1972 ; *Chroniques de Flandre, de Hainaut et d'Artois au temps de la guerre de Cent Ans de Jean Froissart*, trad. de D. Poulet, La Ferté-Milon, Corps 9 Éditions, 1987 ; *Jean Froissart, Chroniques*, livres I et II, éd. de P. Ainsworth et G.T. Diller, Paris, Le Livre de poche, « Lettres gothiques », 2001.

P.F. Ainsworth, *Jean Froissart and the Fabric of History, Truth, Myth and Fiction in the Chroniques*, Oxford, Clarendon Press, 1990 ; J. Bastin, *Froissart chroniqueur, romancier et poète*, Bruxelles, 1942 ; G.T. Diller, *Attitudes chevaleresques et réalités politiques chez Froissart. Microlectures du premier livre des Chroniques*, Genève, Droz, 1984 ; M.-T. de Medeiros, *Hommes, terres et histoire des confins. Les marges méridionales et orientales de la chrétienté dans les Chroniques de Froissart*, Paris, Champion, 2003 ; J. Picoche, *Le Vocabulaire psychologique dans les Chroniques de Froissart*, Paris, Klincksieck, 1976 et Amiens, Université de Picar-

die, 1984 ; M. Zink, *Froissart et le temps*, Paris, PUF,
« Moyen Âge », 1998.

Filmographie

Le Siège de Calais, H. Andréani, 1911.

Notes

Le texte est établi d'après le ms. de Rome, Reg. lat. 869
(entre 1399 et 1405) et l'éd. de G.T. Diller. Nous avons
supprimé le *et* à la ligne 33 : *Gautiers de Manni et n'osa…*
C'est l'un des épisodes les plus célèbres de la guerre de Cent
Ans. Froissart dépeint une scène très émouvante et veille à
la progression dramatique en évoquant les supplications
successives des bourgeois, des barons d'Édouard III, de
Gautier de Mauny et de la reine. Chacun, désireux de flé-
chir le souverain, s'adresse à des sentiments différents : à sa
noblesse (l. 11), à sa pitié (l. 20), à sa magnanimité (l. 24),
à sa renommée qu'il risque de ternir en ordonnant l'exé-
cution des six Calaisiens (l. 25-26), à sa piété et à son
amour (l. 45). Le pathétique tient à une habile mise en
scène faite de regards (l. 14 et 47), de silences (l. 13 et 47),
de pleurs (l. 13, 18, 38 et 48), de gestes symboliques (l. 1
et 40).
À l'intransigeance et à la cruauté du roi furieux de la résistance des habitants de Calais et déterminé à appliquer en
quelque sorte la loi du talion (l. 35-36), s'opposent le
dévouement des six bourgeois prêts à se sacrifier pour
sauver leurs concitoyens, la sagesse et la mesure de Gautier de Mauny, enfin l'humanité de la reine Philippa de
Hainaut pour laquelle Jean Froissart éprouve une profonde sympathie.

bourgois : dérivé de *borc* qui désigne « un lieu fortifié » puis
« la partie de l'agglomération regroupant les commerces
et les édifices publics », le terme *bo(u)rgois* qualifie l'habi-
tant d'un bourg ou d'une ville ; parfois synonyme de
« marchand », il s'applique aussi au propriétaire de biens
possédés sur le territoire de la cité.

L'auteur nomme dans les lignes précédentes les six hono-
rables bourgeois : Eustache de Saint-Pierre, Jean d'Aire,
Jacques de Wissant, Pierre de Wissant, Jean de Fiennes et
André d'Ardres.

en tel point que vous nous veés : Édouard III a exigé que les six
bourgeois de Calais se présentent à lui tête et pieds nus,
en chemise et culotte, la corde au cou (éd. de G.T. Diller,
CCLIV, p. 841, l. 64-66 et CCLV, p. 844, l. 80-84).

droite : l'adjectif *droit*, issu du latin *directum* (« qui est en ligne
droite »), dénote la rectitude matérielle (« direct ») ou
morale avec les significations suivantes : « juste, légitime » ;
« vrai, véritable, entier » ; « convenable ». À partir des xv^e
et xvie siècles, *droit* prend aussi le sens de *destre* pour indiquer la droite au moment où *gauche* se substitue à *senestre*.

courous : ce substantif est un déverbal de *corrocier* qui provient lui-même du latin vulgaire *corruptiare* et signifie
« altérer, gâter », puis, par glissement sémantique, « fâcher »,
« irriter », ou « chagriner », « affliger ». Le terme *courous/
corroz* conserve cette ambivalence, d'où les acceptions de
« colère », « indignation », « chagrin », « vexation ». Le mot est
sorti de l'usage courant au xvie siècle, même s'il est encore
employé dans le vocabulaire de la tragédie au xviie siècle.

Gautiers de Manni : ce personnage est l'un des chevaliers les
plus dévoués au roi d'Angleterre. Vaillant capitaine, il a
participé à toutes les expéditions, notamment aux sièges
de Cambrai et de Tournai. Sage conseiller, il parvient à
modérer la colère d'Édouard III et à négocier la reddition
de Calais, sans effusion de sang.

se grigna : *grignier* signifie selon les contextes « plisser les
lèvres en montrant les dents (comme un chien) », « grincer
des dents », « froncer les moustaches », attitudes exprimant
un accès de colère.

nobles : il s'agit d'une monnaie d'or anglaise d'une valeur
de 8 shillings et 8 pence sterling. G.T. Diller précise dans
le glossaire de son édition qu'« Édouard III ne fit frapper
le noble à Calais qu'après la prise de cette ville en 1347 ».

4. [Les bourgeois de Calais]

Chils siis bourgois⋆ se missent tantos en genouls
devant le roi et dissent ensi en joindant lors mains :
« Gentils sires et nobles rois, veés nous chi siis, qui
avons esté d'ancesserie bourgois de Calais et grans
5 marceans par mer et par terre, et vous aportons les clefs
de la ville et dou chastiel de Calais et les vous rendons
a vostre plaisir, et nous mettons en tel point que vous
nous veés⋆ en vostre pure volenté, pour sauver le
demorant dou peuple de Calais qui sousfert a moult de
10 grietés. Si voelliés de nous avoir pité et merchi par
vostre haut noblece. » Certes il n'i ot adont en la place,
conte, baron, ne vaillant homme, qui se peuist astenir
de plorer de droite⋆ pité, ne qui peuist parler en grant
piece. Li rois regarda sus euls tres crueusement, car il
15 avoit le coer si dur et si enfellonniet de grans courous⋆
que il ne pot parler ; et quant il parla, il conmanda en
langage englois que on lor copast les testes tantos. Tout
li baron et li chevalier qui la estoient, en plorant prioient
si acertes que faire pooient au roi que il en vosist avoir
20 pité et merchi, mes il n'i voloit entendre.

Adont parla li gentils chevaliers mesires Gautiers de
Manni⋆ et dist : « Ha ! gentils sires, voelliés rafrener
vostre corage. Vous avés le nom et renonmee de sou-
verainne gentillece et noblece. Or ne voelliés dont faire
25 cose par quoi elle soit noient amenrie, ne que on puist
parler sur vous en nulle cruauté ne vilonnie. Se vous
n'avés pité de ces honmes qui sont en vostre merchi,

4. Les bourgeois de Calais

Les six bourgeois se mirent aussitôt à genoux devant le roi et dirent ces paroles en joignant les mains : « Noble sire et excellent roi, nous voici tous les six, qui sommes depuis longtemps bourgeois de Calais et riches marchands sur mer et sur terre ; nous vous apportons les clefs de la ville et de la citadelle de Calais et nous vous les livrons selon votre bon plaisir et nous nous soumettons à votre entière volonté, dans l'état où vous nous voyez, pour sauver le reste du peuple de Calais qui a enduré de nombreux malheurs. Veuillez avoir pitié et merci de nous, au nom de votre grande noblesse. » Assurément personne alors sur la place, comte, baron ou vaillant chevalier ne put s'abstenir de pleurer de vraie pitié, ni prononcer un mot pendant un long moment. Le roi les regarda très cruellement, car il avait le cœur si dur et enflammé d'une telle fureur qu'il ne pouvait parler ; enfin quand il se mit à parler, il ordonna en anglais de leur couper la tête immédiatement. Tous les barons et les chevaliers présents priaient, en pleurant, le roi, aussi instamment qu'ils le pouvaient, de bien vouloir avoir pitié et merci des bourgeois, mais il ne voulait rien entendre.

Le noble chevalier, messire Gautier de Mauny, prit alors la parole : « Ah ! noble sire, veuillez modérer vos sentiments. Vous êtes très renommé pour votre noblesse et votre magnanimité souveraines. Ne veuillez donc pas désormais commettre un acte qui pourrait les amoindrir quelque peu et susciter à votre endroit des propos cruels et infâmes. Si vous n'avez pas pitié de ces hommes qui sont à votre merci, tout le monde vous accusera de grande

toutes aultres gens diront que ce sera grans cruaultés,
se vous faites morir ces honestes bourgois qui de lor
30 propre volenté se sont mis en vostre ordenance pour
les aultres sauver. » Adont se grigna* li rois et dist :
« Manni, Manni, soufrés vous. Il ne sera aultrement. »
Mesires Gautiers de Manni n'osa plus parler, car li
rois dist moult ireusement : « On fache venir la cope
35 teste ! Chil de Calais ont fait morir tant de mes
honmes que il convient ceuls morir aussi. »

Adont fist la noble roine d'Engleterre grande hume-
lité, qui estoit durement enchainte, et ploroit si tendrement de pité que on ne le pooit soustenir. La vaillans
40 et bonne dame se jetta en genouls par devant le roi son
signour et dist : « Ha ! tres chiers sires, puis que je
apassai par deçà la mer en grant peril, ensi que vous
savés, je ne vous ai requis ne don demandet. Or vous
prie je humlement et reqier en propre don que, pour
45 le Fil a sainte Marie et pour l'amour de mi, vous voelliés avoir de ces siis honmes merchi. »

Li roi atendi un petit a parler et regarda la bonne dame
sa fenme qui moult estoit enchainte et ploroit devant lui
en genouls moult tenrement. Se li amolia li coers, car
50 envis l'euist courouchiet ens ou point la ou elle estoit ; et
qant il parla, il dist : « Ha ! dame, je amaisse trop mieuls
que vous fuissiés d'autre part que chi. Vous priiés si
acertes que je ne vous ose escondire le don que vous me
demandés ; et conment que je le face envis, tenés, je les
55 vous donne, et en faites vostre plaisir. » La vaillans dame
dist : « Monsigneur, tres grant merchis. »

Lors se leva la roine et fist lever les siis bourgois et
lor fist oster les cevestres d'entours lors cols, et les
enmena avoecques lui en son hostel et les fist revestir
60 et donner a disner et tenir tout aise ce jour. Et au
matin, elle fist donner a casqun siis nobles* et les fist
conduire hors de l'oost par mesire Sanse d'Aubreci-
court et mesire Paon de Ruet, si avant que il vorrent,
et que il fu avis as deus chevaliers que il estoient hors
65 dou peril, et au departir il les conmanderent a Dieu.
Et retournerent li chevalier en l'oost, et li bourgois alerent a Saint Omer.

cruauté pour avoir fait mourir ces honorables bourgeois
qui, de leur propre volonté, s'en sont remis à votre discré-
tion pour sauver les autres. » Alors le roi répondit en grin-
çant des dents : « Mauny, Mauny, taisez-vous. Il n'en sera
pas autrement. » Messire Gautier de Mauny n'osa plus
parler, car le roi dit avec une extrême colère : « Qu'on fasse
venir le bourreau ! Les Calaisiens ont tué tant de mes
hommes que ceux-là doivent mourir à leur tour. »

Alors la noble reine d'Angleterre fit un acte d'une
grande humilité. Elle était enceinte de plusieurs mois et
pleurait si doucement de pitié qu'on ne pouvait le supporter. La digne et bonne dame se jeta à genoux devant
le roi son époux et lui dit : « Ah ! très cher sire, depuis
que j'ai passé la mer en grand péril comme vous le savez,
je ne vous ai jamais rien demandé. À présent je vous prie
humblement et je vous demande comme une faveur personnelle, au nom du Fils de sainte Marie et pour l'amour
de moi, de bien vouloir avoir pitié de ces six hommes. »

Le roi attendit un moment pour parler et regarda la
bonne dame, sa femme, qui était enceinte de plusieurs
mois et pleurait très doucement, à genoux devant lui.
Son cœur s'adoucit car il n'aurait pas voulu la contrarier
dans l'état où elle se trouvait ; et quand il se mit à parler,
il lui dit : « Ah ! madame, je préfèrerais que vous fussiez
ailleurs qu'ici. Vous me priez si instamment que je n'ose
vous refuser la grâce que vous me demandez ; et bien
que je le fasse à contre-cœur, tenez, je vous les donne,
faites-en ce que vous voulez. » La noble dame répondit :
« Monseigneur, très grand merci. »

Alors la reine se leva et fit relever les six bourgeois ;
puis elle leur fit ôter les carcans qu'ils avaient au cou et
les emmena avec elle dans ses appartements ; elle leur fit
porter des vêtements, leur donna à manger et leur procura ce jour-là tout le confort. Le lendemain matin, elle
fit donner à chacun six nobles et les fit conduire hors du
camp par messire Samson d'Auberchicourt et messire
Paon de Ruet, aussi loin que les bourgeois le voulurent et
que les deux chevaliers le jugèrent nécessaire pour les
mettre hors de danger. Au moment de se séparer, les chevaliers les recommandèrent à Dieu puis retournèrent au
camp, tandis que les bourgeois s'en allèrent à Saint-
Omer.

Philippe de Commynes

MÉMOIRES

Né en 1445 dans une famille de hauts fonctionnaires bourguignons, Commynes devint très vite
conseiller et chambellan de Charles de Bourgogne.
Dans la nuit du 7 au 8 août 1472, il passa au service
de Louis XI dont il fut pendant cinq ans un ministre
tout-puissant. Après la mort du roi en août 1483, il
soutint Louis d'Orléans et s'opposa aux régents Anne
et Pierre de Beaujeu. Chassé de la cour, emprisonné
de janvier 1487 à mars 1489, condamné le 24 mars
1489 à l'exil dans une de ses propriétés et à la confiscation d'un quart de ses biens, il se retira à Dreux où
il dicta en 1489-1490 les livres I à V de ses *Mémoires*
et, en 1492-1493, le livre VI. Pendant l'expédition
d'Italie (1494-1495), il représenta Charles VIII à
Venise et à Milan. De retour en France, relégué au
second plan, il rédigea, de la fin de 1495 à 1498, les
livres VII à VIII de ses *Mémoires*. Il mourut le
18 octobre 1511.

C'est à la demande de l'archevêque Angelo Cato
que Commynes décida de mettre *par mémoire* ses
souvenirs sur Louis XI et les princes contemporains.
Comme il avait pris part aux événements et qu'il
n'avait pas reçu la formation des historiographes, il

donna une nouvelle forme à la chronique, créant les
Mémoires dans le sillage de Jean de Haynin et d'Olivier de La Marche, et leur donnant la forme et le ton
qu'ils auront dans les siècles suivants. Il fut ainsi
amené à réfléchir sur l'action politique et ses acteurs,
si bien que ses *Mémoires*, avant les œuvres de
Machiavel et de Guichardin, constitueront pour les
princes une sorte de bréviaire dont les leçons se déga-
gent de digressions plus ou moins longues, de portraits ou du récit d'épisodes privilégiés. Sa pensée
politique s'est formée au contact de Louis XI et des
ambassadeurs italiens, sans qu'il faille négliger
l'influence de la chronique de Chastelain et de l'entourage de Charles V dont les idées ont été vulgarisées par
des poètes comme Alain Chartier, Christine de Pizan
et Eustache Deschamps. Le fait de s'adresser, par-
delà Angelo Cato, aux princes et à leurs conseillers, le
souci de rendre intelligible la réalité et de procurer des
règles de conduite efficaces, le désir de faire comprendre et de composer un récit au plus près de la
vérité, ont conduit Commynes à faire œuvre de mora-
liste à la manière de Montaigne qui lui doit sans doute
plus qu'il ne le dit expressément. Il nous livre une
vision du monde sans complaisance et une analyse
lucide de l'humanité qui vit dans une instabilité quasi
constante, emportée par les puissances trompeuses
que sont l'imagination et la volonté qui désigne dans
les *Mémoires* toutes sortes de comportements irration-
nels. Les hommes, occupés à des marchandages suspects, sont menés par la déloyauté, l'impatience,
l'orgueil, la cruauté et la cupidité, en sorte que Dieu
intervient pour les châtier, souvent par une mort
affreuse.

Louis XI occupe une place centrale dans les
Mémoires. Son portrait signale les qualités qui font un
grand roi : il faut être persévérant, savoir écouter et
connaître beaucoup de gens, être généreux, craintif,
méfiant et humble, dénué d'amour-propre et d'entête-
ment. Commynes se livre à une démythification des
princes qui sont « hommes comme nous ». Il en va de

même pour la guerre : dans la boue, la pluie, le froid et la faim, la peur se nourrit des fantasmes de l'imagination, et les fautes n'empêchent pas d'être victorieux, car le hasard y règne en maître.

Bibliographie

Mémoires, éd. de B. de Mandrot, Paris, Picard, 1901-1903, 2 vol. ; éd. de J. Calmette et G. Durville, Paris, Les Belles Lettres, 1924-1925, 3 vol. ; *Mémoires sur Louis XI (1464-1483)*, éd. de J. Dufournet, Gallimard, « Folio », 1979 ; *Philippe de Commynes, Mémoires*, éd. de J. Blanchard, Paris, Le Livre de poche, « Lettres gothiques », 2001 ; *Commynes, Mémoires sur Charles VIII et l'Italie (livres VII et VIII)*, éd. bilingue de J. Dufournet, Paris, GF-Flammarion, 2002.

J. Blanchard, *Commynes l'Européen. L'Invention du politique*, Genève, Droz, 1996 (« Publications romanes et françaises », n° 216) ; J. Demers, *Commynes mémorialiste*, Montréal, Presses universitaires, 1975 ; J. Dufournet, *La Destruction des mythes dans les Mémoires de Philippe de Commynes*, Genève, Droz, 1966 (« Publications romanes et françaises », n° 89) ; *La Vie de Philippe de Commynes*, Paris, SEDES, 1969 ; *Études sur Philippe de Commynes*, Paris, Champion, 1975 ; *Sur Philippe de Commynes. Quatre études*, Paris, SEDES, 1982 ; *Philippe de Commynes : un historien à l'aube des temps modernes*, Bruxelles, De Boeck, 1994 ; J. Liniger, *Philippe de Commynes : un Machiavel en douceur*, Paris, Perrin, 1978.

Notes

Textes établis d'après le manuscrit D du musée Dobré de Nantes, datant du premier quart du XVIe siècle et comportant quatorze miniatures.

Portrait de Louis XI

travailloit : ce verbe, qui est un des mots clés des *Mémoires*, comporte l'idée de « tourment », voire de « torture morale ».

Il ne prendra le sens moderne qu'au XVIe siècle, pour remplacer le verbe *ouvrer*.

pratiquoit : autre mot clé des *Mémoires* qui désigne les
intrigues secrètes, les tractations plus ou moins tortueuses
en vue d'obtenir un résultat.

congnoissoit : la répétition de ce verbe montre que, pour
Commynes, l'action politique est fondée sur la connaissance et la psychologie.

par petitz moyens : on notera que, dans ce portrait de
Louis XI qui est un éloge de l'humilité, Commynes mêle
les roses aux épines. Le roi est le plus sage, mais surtout
pour sortir d'un mauvais pas au temps de l'adversité. Dans
le besoin, il fut particulièrement généreux envers les gens
habiles qu'il avait commis la faute de disgracier et de
chasser à l'époque de la prospérité et de la paix. S'il était
sage dans la tempête, dès qu'elle était apaisée et qu'il s'imaginait ne plus courir de danger, incapable de rester en
repos, il mécontentait sujets et voisins par « de petits
moyens », sans grand profit.

et fuyt soubz le duc Philippes de Bourgongne : le dauphin Louis
vécut à la cour de Bourgogne de septembre 1456 à la fin
de juillet 1461.

ne pensa que aux vengeances : allusion à la disgrâce de grands
personnages et de serviteurs de Charles VII, au début du
règne de Louis XI.

ceste follie et cest erreur : même les plus grands princes, qui disposent de la sagesse (*sens*) et de la fermeté (*vertu*), commet-
tent des erreurs et des folies ; aussi est-il nécessaire qu'ils
soient entourés de bons conseillers et qu'ils les écoutent. Voir
notre article « Les *Mémoires* de Commynes, ou comment
remédier à la faiblesse des princes ? », *Mémoires de la société
d'histoire de Comines-Warneton et de la région*, t. XXIX, 1999,
p. 75-84.

Une fausse alerte

Cet épisode (livre I, chap. XI) se situe à la fin de la guerre du
Bien Public entre les grands féodaux et Louis XI, après la
bataille de Montlhéry (16 juillet 1465). On notera dans
cet extrait l'humour de Commynes.

Nostre artillerie : celle des Bourguignons. Commynes combat
alors aux côtés de Charles de Bourgogne, contre les
troupes royales.

mons^r du Lau : Antoine de Castelnau, sire du Lire, grand chambellan du roi.

deux lieues : la lieue commune était de 4 500 mètres.

noz chevaucheurs : sans doute soldats chargés de la sécurité éloignée, de la recherche de renseignements, même chez l'ennemi.

ceste ymagination : ce mot, péjoratif dans les *Mémoires*, désigne une illusion, une opinion mal fondée.

devers ces seigneurs : les chefs de la ligue du Bien Public, entre autres le comte de Charolais, Jean de Calabre, Charles de Berry, François II de Bretagne.

hors de nostre champ : le comte de Charolais et Jean de Calabre s'étaient éloignés du camp des féodaux pour accueillir les ducs de Berry et de Bretagne.

et les assurerent de la bataille : on peut comprendre aussi : « ils les assurèrent de la présence de l'armée ennemie ».

l'estendart (ou l'enseigne) : il était peint aux couleurs du prince ou du chevalier et portait sa devise ; la *bannière* était carrée ou rectangulaire ; le *guydon* était le petit étendard de la grosse cavalerie.

nous aulnerons à l'aulne de la ville : sans doute est-ce une adaptation du proverbe que nous avons dans *Le Chevalier de la charrette* (v. 5563), *Or est venuz qui l'aunera*, traduit par J. Frappier : « Il est arrivé, le vainqueur du tournoi », et par J.-Cl. Aubailly : « Il est arrivé celui qui donnera la mesure. » La phrase de Commynes signifie : « Nous les rosserons de belle manière. »

Ainsi alla resconfortant la compaignie : un peu plus haut, Commynes semble faire un portrait favorable de Jean de Calabre : « [...] à tous alarmes c'estoit le premier homme armé, et de toutes pieces, et son cheval toujours bardé. Il portoit ung habillement que ces conducteurs [*condottieri*] portent en Italie, et sembloit bien prince et chef de guerre, et tiroit tousjours droit aux barrieres de nostre ost, pour garder les gens de saillir [*sortir*]. Et y avoit d'obeissance autant que mondit seigneur de Charroloys, et luy obeissoit tout l'ost de bon cuer, car a la verité il estoit digne d'estre honoré. » Voir J. Dufournet, *Études sur Philippe de Commynes*, Paris, Champion, 1975, p. 33-36.

avec ce que le paige avoit dit la nuyct : un page du côté français « était venu crier de l'autre côté du fleuve que certains bons amis des seigneurs les avertissaient de l'entreprise que vous avez entendue, et il donna des noms avant de s'en aller aussitôt ».

5. [Portrait de Louis XI]

Je me suys mys en ce propoz pour ce que j'ay veu
beaucoup de tromperies en ce monde, et a beaucoup
de serviteurs envers leurs maistres, et plus souvent
tromper les princes et seigneurs orguilleux qui peu
5 veullent ouyr parler les gens, que les humbles et qui
voulentiers escoutent. Et entre tous ceulx que j'ay
jamais congneu, le plus saige pour soy tyrer d'un
mauvais pas en temps d'adversité, c'estoit le roy Loys
unziesme, nostre maistre, et le plus humble en parolles
10 et en habitz, qui plus travailloit* a gaigner ung homme
qui le povoit servir ou qui luy povoit nuyre. Et ne se
ennuyoit point a estre reffusé une fois d'ung homme
qu'il pratiquoit* a gaigner, mais y continuoit en luy
promectant largement et donnant par effect argent et
15 estatz qu'il congnoissoit* qui luy plaisoient, et ceulx
qu'il avoit chassez et deboutez en temps de paix et de
prosperité, il les rachatoit bien cher quant il en avoit
besoing, (et s'en servoit), et ne les avoit en nulle hayne
pour les choses passees.
20 Il estoit naturellement amy des gens de moyen estat
et ennemy de tous grans qui se povoient passer de luy.
Nul homme ne presta jamais tant l'oreille aux gens, ny
ne s'enquist de tant de choses comme il faisoit, ny ne
voulut congnoistre tant de gens. Car aussi veritable-
25 ment il congnoissoit toutes gens d'auctorité et de val-
leur qui estoyent en Angleterre et en Espaigne, en Portugal, en Italie et seigneuries du duc de Bourgongne et

5. Portrait de Louis XI

J'ai abordé ce sujet parce que j'ai vu beaucoup de tromperies en ce monde, et de beaucoup de serviteurs envers leurs maîtres, et (j'ai vu) plus souvent tromper les princes et les seigneurs orgueilleux qui veulent peu écouter parler les gens que les humbles qui écoutent volontiers. Parmi tous ceux que j'ai jamais connus, le plus sage pour se tirer d'un mauvais pas en temps d'adversité, c'était le roi Louis XI, notre maître, le plus humble en paroles et en habits, qui s'acharnait le plus à gagner un homme qui pouvait le servir ou qui pouvait lui nuire. Et il ne se décourageait pas d'essuyer un refus de la part d'un homme qu'il s'efforçait de gagner, mais il continuait en lui promettant beaucoup et en lui donnant effectivement de l'argent et des charges dont il savait qu'elles lui plaisaient ; et ceux qu'il avait chassés et disgraciés en temps de paix et de prospérité, il les rachetait bien cher quand il en avait besoin, et il se servait d'eux sans leur garder de haine pour les événements passés.

Il était naturellement ami des gens de condition moyenne et ennemi de tous les grands qui pouvaient se passer de lui. Jamais personne ne prêta tant l'oreille aux gens, ni ne s'enquit de tant de questions qu'il faisait, ni ne voulut connaître tant de gens. Car il connaissait tous les gens influents et puissants qui vivaient en Angleterre et en Espagne, au Portugal et en Italie, dans les seigneuries du duc de Bourgogne et

en Bretaigne, ainsi comme il faisoit ses subjectz. Et ces
termes et façons qu'il tenoit, dont j'ay parlé icy dessus,
30 luy ont saulvé la couronne, veu les ennemys qu'il
s'estoit luy mesmes acquis a son advenement au
royaulme.

Mais sur tout luy a servy sa grant largesse, car, ainsi
comme saigement conduysoit l'adversité, a l'opposite,
35 des qu'il cuydoit estre asseur, ou seullement en une
trefve, se mectoit a mescontenter les gens par petitz
moyens⋆ qui peu luy servoient et a grant peine povoit
endurer paix. Il estoit leger a parler de gens, et aussi
tost en leur presence que en leur absence, sauf de
40 ceulx qu'il craignoit, qui estoit beaucoup, car il estoit
assez craintif de sa propre nature. Et quant, pour
parler, il avoit receu quelque dommaige, ou en avoit
suspicion, et il le vouloit reparer, il usoit de ceste
parolle au personnaige propre : « Je scay bien que ma
45 langue m'a porté grant dommaige, aussi m'a elle faict
quelquefois du plaisir beaucoup. Toutesfois c'est
raison que je repare l'amende ». Et ne usoit point de
ses privees parolles qu'il ne feist quelque bien au personnaige a qui il parloit, et n'en faisoit nulz petitz.

50 Encores faict Dieu grant grace a ung prince quant il
scet bien et mal, et par especial quant le bien precede,
comme au roy nostre maistre dessusdit. Mais a mon
advis que le travail qu'il eut en sa jeunesse, quant il fut
fugitif de son pere et fuyt soubz le duc Philippes de
55 Bourgongne⋆ ou il fut six ans, luy vallut beaucoup, car
il fut contrainct de complaire a ceulx dont il avoit
besoing. Et ce bien luy aprint adversité, qui n'est pas
petit. Comme il se trouva grant et roy couronné,
d'entree ne pensa que aux vengeances⋆, mais tost luy
60 en vint le dommaige, et quant et quant la repentance ;
et repara ceste follie et cest erreur⋆ en regaignant
ceulx a qui il tenoit tort, comme vous entendrez cy
aprés.

en Bretagne, aussi profondément qu'il connaissait ses sujets. Ces propos et ces manières, dont j'ai parlé ci-dessus, ont sauvé sa couronne, vu les ennemis qu'il s'était lui-même créés à son avènement.

Mais ce qui lui a surtout servi, c'est sa grande générosité, car, de même qu'il gérait sagement l'adversité, à l'opposé, dès qu'il s'imaginait être en sécurité ou seulement bénéficier d'une trêve, il se mettait à mécontenter les gens par des mesquineries qui lui étaient de peu d'utilité, et c'est à grand-peine qu'il pouvait endurer la paix. Il parlait légèrement des gens, aussi facilement en leur présence qu'en leur absence, sauf de ceux qu'il craignait, ce qui faisait beaucoup de monde, car il était par nature assez craintif. Et, quand, par ses propos, il avait reçu quelque dommage, ou qu'il redoutait d'en éprouver, et qu'il voulait réparer, il usait de ces termes à la personne même : « Je sais bien que ma langue m'a causé grand dommage, mais elle m'a procuré aussi quelquefois du plaisir, et même beaucoup. Toutefois, il est juste que je paie l'amende ». Et il ne prononçait pas ces paroles en tête-à-tête sans faire du bien à la personne à qui il parlait, et il n'en faisait aucun qui fût petit.

De plus, Dieu accorde une grande grâce à un prince quand il distingue le bien et le mal, et spécialement quand le bien l'emporte, comme c'était le cas du roi notre maître. Mais je pense que les difficultés qu'il rencontra dans sa jeunesse, quand il s'enfuit de chez son père et se réfugia auprès du duc Philippe de Bourgogne où il resta six ans, lui furent très profitables, car il fut contraint de complaire à ceux dont il avait besoin. L'adversité lui apporta ce bien, qui n'est pas négligeable. Lorsqu'il se retrouva puissant et roi couronné, d'entrée de jeu il ne pensa qu'à se venger, mais rapidement il en résulta pour lui des dommages, et en même temps le repentir. Il répara cette folie et cette erreur en regagnant ceux à qui il faisait du tort, comme vous l'entendrez par la suite.

6. [Une fausse alerte]

Nostre artillerie★ avoit fort tiré quant ceulx de mons^r du Lau★ s'en estoient approchez si prés. Le roy avoit bonne artillerie sur la muraille a Paris, qui tira plusieurs coups jusques en nostre ost, qui est grant chose, car il y
5 a deux lieues★, mais je croy bien que on avoit levé aux bastons le nez bien hault. Ce bruyt d'artillerie faisoit croire de tous les deux costez quelque grant entreprise. Le temps estoit fort obscur et trouble, et noz chevaucheurs★, qui s'estoient fort approchez de Paris, veoient
10 plusieurs chevaucheurs et, bien loing oultre, veoient grant quantité de lances debout, ce leur sembloit, et jugeoient que c'estoient toutes les batailles du roy qui estoient aux champs, et tout le peuple de Paris. Et ceste ymagination★ leur donnoit l'obscurité du temps.
15 Ilz se reculloient droit devers ces seigneurs★, qui estoient hors de nostre champ★, et leur signifierent ces nouvelles, les assurerent de la bataille★. Les chevaucheurs sailliz de Paris s'aprochoient tousjours pour ce qu'ilz veoyent reculler les nostres, qui encores les fai-
20 soit myeulx croire. Lors vint le duc de Calabre la ou estoit l'estendart★ du conte de Charroloys, et la pluspart des gens de bien de sa maison pour l'accompaigner, et sa banniere★ preste a desployer, et le guydon★ de ses armes, qui estoit l'usance de ceste maison. Et
25 nous dist a tous ledit duc Jehan :

« Or ça ! nous sommes a ce que nous avons tous desiré. Veez la le roy et tout ce peuple sailly de la ville !

6. Une fausse alerte

Notre artillerie avait abondamment tiré quand les hommes de monseigneur du Lau s'en étaient approchés de très près. Le roi avait, sur les murailles de Paris, une bonne artillerie qui tira plusieurs coups dans notre armée, ce qui est une grande portée, car il y a deux lieues, mais je suis persuadé qu'on avait dressé très haut les tubes des canons. Ce bruit d'artillerie faisait croire à une entreprise de grande envergure des deux côtés. Le temps était fort obscur et sombre, et nos chevaucheurs, qui s'étaient bien approchés de Paris, voyaient plusieurs chevaucheurs et, beaucoup plus loin, ils voyaient une grande quantité de lances dressées, à ce qu'il leur semblait, et ils jugeaient que c'étaient tous les bataillons du roi qui étaient en campagne et tout le peuple de Paris. Cette illusion leur venait de l'obscurité du temps.

Ils reculaient tout droit vers ces seigneurs, qui s'étaient éloignés de notre camp ; ils leur firent part de ces nouvelles et les assurèrent de l'imminence de la bataille. Les chevaucheurs sortis de Paris s'approchaient toujours parce qu'ils voyaient reculer les nôtres, ce qui les persuadait encore plus. Alors le duc de Calabre vint à l'endroit où se trouvait l'étendard du comte de Charolais, avec la plupart des gentilshommes de sa maison pour l'accompagner, et sa bannière prête à être déployée, et le guidon avec ses armoiries : c'était l'usage de cette maison. Le duc Jean nous dit à tous :

« Allons ! Nous tenons ce que nous avons tous désiré. Voyez là-bas le roi et tout ce peuple sorti de la ville ! Et ils

Et marchent, comme dient noz chevaucheurs. Et pour
ce, que chascun ait bon cueur ! Tout ainsi qu'ilz
30 saillent de Paris, nous aulnerons a l'aulne de la ville*,
qui est la grant aulne ».

Ainsi alla resconfortant la compaignie*.

Noz chevaucheurs avoient ung petit reprins de
cueur, voyant que les autres chevaucheurs estoient foi-
35 bles, et se rapprocherent de la ville, et trouverent
encores ces batailles au lieu ou ilz les avoient laissees,
qui leur donna nouveau pensement. Ilz s'en approche-
rent le plus qu'ilz peurent, et le jour estoit ung peu
haulsé et esclarcy : ilz trouverent que c'estoient grans
40 chardons ; et furent jusques auprés des portes, et ne
trouverent rien dehors. Le manderent a ces seigneurs
qui s'en allerent ouyr messe et disner ; et en furent honteux ceulx qui avoyent dit ces nouvelles, mais le temps
les excusa, avec ce que le paige avoit dit la nuyct*.

avancent, comme disent nos chevaucheurs. Pour cette raison, que chacun ait du cœur ! Tout comme ils sortent de Paris, nous leur mesurerons les côtes à la mesure de la ville, qui est la grande mesure. »

Ainsi réconfortait-il la compagnie.

Nos chevaucheurs avaient repris un peu courage, en voyant que les chevaucheurs ennemis étaient faibles : ils se rapprochèrent de la ville, et ils trouvèrent encore ces bataillons au lieu où ils les avaient laissés, ce qui leur donna de nouveau à penser. Ils s'en approchèrent le plus possible. Le jour avait commencé à se lever, il faisait plus clair. Ils découvrirent que c'étaient de grands chardons, et ils allèrent jusqu'aux portes, sans rien trouver dehors. Ils le firent savoir à ces seigneurs qui s'en allèrent écouter la messe et déjeuner. Quelle honte pour ceux qui avaient répandu ces nouvelles ! Mais le temps les excusa, comme ce que le page avait dit la nuit précédente.

CHRONOLOGIE

Vers 1050 : *Vie de saint Alexis*. Mort de Raoul Glaber, auteur des *Histoires*.

1060 : Philippe Iᵉʳ, roi de France.

1066 : conquête de l'Angleterre par les Normands.

1071 : prise de Bari par les Normands.

1077 : rencontre à Canossa de Grégoire VII et Henri IV.

Entre 1087 et 1095 : naissance de *La Chanson de Roland*.

1090 : conquête de la Sicile par les Normands.

1094 : consécration de Saint-Marc à Venise.

1095-1096 : première croisade.

1096-1132 : Vézelay, église de la Madeleine.

Vers 1097 : tapisserie de Bayeux, dite Tapisserie de la reine Mathilde.

1098 : fondation de Cîteaux par Robert de Molesme.

1099 : prise de Jérusalem par les croisés.

1100 : Henri Iᵉʳ Beauclerc, roi d'Angleterre.

Vers 1100 : diffusion des doctrines cathares. Sculptures de Moissac. Poésies latines d'Hildebert de Lavardin. *Livre des Sentences* d'Anselme de Laon. *Elucidarium* d'Honorius Augustodunensis.

Entre 1100 et 1127 : chansons de Guillaume IX de Poitiers.

Après 1104 : Guibert de Nogent, *Histoire de la première croisade* (*Gesta Dei per Francos*), *Autobiographie* (*De vita sua*), traité critique sur les reliques (*De pignoribus sanctorum*).

1108 : Louis VI le Gros, roi de France. Fondation de l'abbaye Saint-Victor à Paris.

Vers 1110 : *Voyage de saint Brendan* de Benedeit.

1112 : révolution communale à Laon, où l'évêque est tué. Saint Bernard entre à Cîteaux.

1118-1122 : Héloïse et Abélard.

1119 : fondation de l'ordre des Templiers.

1120 : fondation de l'ordre de Prémontré par saint Norbert.

1120-1154 : enseignement à Chartres de Guillaume de Conches.

1121-1128 : traduction latine de la *Nouvelle Logique* d'Aristote.

1124-1126 : grande famine en Occident.

Vers 1125 : *De Sacramentis*, de Hugues de Saint-Victor.

Vers 1127 : les villes flamandes obtiennent des chartes de franchise. *Histoire de Jérusalem* de Foulques de Chartres.

1130 : on commence à édifier la cathédrale de Tournai et l'abbaye cistercienne de Fontenay.
Saint Bernard, *Éloge de l'ordre du Temple*. Philippe de Thaon, *Bestiaire*.

1132-1144 : reconstruction de Saint-Denis par Suger : début du gothique.

Vers 1134 : Geoffroy de Monmouth, *Prophetiae Merlini*.

Vers 1135 : Hugues de Saint-Victor, *Didascalicon*. Wace, *Vie de sainte Marguerite*.

1136 : Abélard, *Sic et non*.

1137 : Louis VII, roi de France, épouse Aliénor d'Aquitaine. Vers cette date, *Chanson de Guillaume*.

1138 : début des rivalités entre Guelfes et Gibelins en Italie. Geoffroy de Monmouth, *Historia Regum Britanniae*.

Vers 1139 : *Guide du pèlerin de Saint-Jacques-de-Compostelle*.

1140 : au concile de Laon, saint Bernard fait condamner Abélard. *Décret de Gratien*, fondement du corpus du droit canon.

1140-1150 : nef de la cathédrale de Sens.
Hildegarde de Bingen, *Liber Scivias*. Poésies de Jaufré Rudel et de Bernard de Ventadour.
Le Couronnement de Louis, *Le Charroi de Nîmes*.

1141 : Pierre le Vénérable fait traduire le Coran en latin.

1142 : Orderic Vital, *Histoire ecclésiastique* (*Historia Ecclesiastica*).

1144 : Geoffroy Plantagenêt, duc de Normandie.

1144-1146 : grande famine en Occident.

1145 : saint Bernard prêche contre le catharisme à Albi ; il prêche la deuxième croisade à Vézelay.
Guillaume de Saint-Thierry, *Lettre d'or. Cantar de mio Cid*.

1146 : avènement de Nouraddin à Alep.

1148 : échec de la deuxième croisade devant Damas. Bernard Silvestre, *Cosmographie*.

Vers 1150 : première organisation de l'Université de Paris. Fondation de Moscou.

1150-1174 : nef de la cathédrale du Mans.

Naissance de Geoffroy de Villehardouin. *Dies Irae*. Wace, *Roman de Brut*, d'après l'*Historia Regum Britanniae* de Geoffroy de Monmouth, et *Vie de saint Nicolas*. *Le Roman de Thèbes*, roman d'Antiquité d'après *La Thébaïde* de Stace. *Isengrimus*, l'une des principales sources du *Roman de Renart*.

1151 : grande famine en Allemagne.

1152 : Aliénor d'Aquitaine, que Louis VII a répudiée, épouse Henri Plantagenêt.

À cette époque, Pierre Lombard : les *Sentences*, « somme de toutes les connaissances théologiques rassemblées selon un ordre logique pour former un exposé doctrinal complet ». De la même époque, *Le Jeu d'Adam* et le *Policraticus* de Jean de Salisbury, traité d'économie politique. Chansons de Raimbaut d'Orange.

1153 : mort de saint Bernard. Début du règne d'Henri II Plantagenêt et de la construction des cathédrales de Noyon et de Senlis.

1155 : Frédéric Barberousse empereur. Adrien VI proclame le droit des serfs à se marier librement.

1157 : rupture de l'empereur avec la chrétienté.

1158 : début de l'essor de Lübeck.

1159 : Alexandre III pape.

1160 : début de l'exploitation des mines de fer en Dauphiné.

1160-1207 : cathédrale gothique de Laon.

Vers 1160 : *Le Roman d'Énéas*, qui suit la trame de l'*Énéide* de Virgile. Les *Niebelungen*. *Floire et Blancheflor*. Averroès entreprend son commentaire d'Aristote. De cette décennie datent les *Lais* de Marie de France (selon Jean Rychner) et les poèmes de l'Archipoète, le plus grand des goliards.

1163-1268 : Notre-Dame de Paris.

1164 : création de l'archevêché d'Uppsala en Suède.

1165 : canonisation de Charlemagne. Prise de Rome par Frédéric Barberousse.

Vers 1165 : *Le Roman de Troie* de Benoît de Sainte-Maure, non d'après Homère, mais d'après des œuvres attribuées à Darès (VIᵉ siècle apr. J.-C.) et Dictys (IVᵉ siècle). Premières œuvres de Chrétien de Troyes (*Philomena*, deux chansons d'amour et peut-être *Guillaume d'Angleterre*). *Vie de saint Édouard le Confesseur* par la religieuse de Barking.

1167 : concile cathare à Saint-Félix-de-Caraman.

1170 : assassinat de Thomas Becket. Le commerçant lyonnais P. Valdès se convertit à une vie pauvre et évangélique ; de là le mouvement vaudois.

Érec et Énide de Chrétien de Troyes. Guillaume de Tyr, historien de la deuxième croisade et archevêque de Tyr, rédige son *Historia rerum in partibus transmarinis gestarum* ou *Historia Hierosolymitana*. Mathieu de Vendôme, *Ars versificatoria*. De la même époque, le *Livre des manières* d'Étienne de Fougères, tableau critique des états du monde. Guillaume de Berneville, *Vie de saint Gilles*.

1170-1180 : achèvement de Saint-Trophime d'Arles.

1171 : émeutes à Constantinople contre les Vénitiens.

1174 : Baudouin IV le Lépreux, roi de Jérusalem. Privilège du pape Clément III aux maîtres et étudiants de Paris. Canonisation de saint Bernard. Campanile de Pise. Création par le comte de Champagne de gardes de foire pour en assurer le bon fonctionnement. Pèlerinage d'Henri II sur le tombeau de Thomas Becket.

Guernes de Pont-Sainte-Maxence, *Vie de saint Thomas Becket*.

Entre 1174 et 1179 : les branches les plus anciennes du *Roman de Renart* (II, Va, III, IV, XIV, V, XV, I).

1175 : cathédrale de Cantorbéry.

1176 : l'Asie Mineure tombe sous la domination turque. Les villes lombardes l'emportent sur l'empereur à Legnano.

Vers cette date, Chrétien de Troyes, *Cligès*. Gautier d'Arras, *Éracle* et *Ille et Galeron*. Hue de Rotelande, *Ipomédon*.

1177 : Raymond V de Toulouse écrit à l'ordre de Cîteaux pour exposer le péril cathare.

Entre 1177 et 1181 : Chrétien de Troyes compose simultanément *Le Chevalier au lion* (Yvain) et *Le Chevalier de la charrette* (Lancelot). Selon A. Fourrier, de 1172-1175 date le *Tristan* de Thomas.

1180 : Philippe Auguste roi de France. Les Vaudois sont condamnés par l'Église. Apparition du moulin à vent en Normandie et en Angleterre.

Branche X du *Roman de Renart*. Lambert le Tort, *Le Roman d'Alexandre* (version d'Alexandre de Paris).

Vers 1182 : Chrétien de Troyes, *Le Conte du graal* (Perceval). Durant ces années, chansons de Conon de Béthune, de Blondel de Nesle, du Châtelain de Couci, de Gace Brulé. *Partonopeus de Blois. Raoul de Cambrai. Jaufré.* Marie de France, *Fables.*

1183 : Frédéric Barberousse reconnaît la liberté des villes lombardes. Porche gothique de la Gloire à Saint-Jacques-de-Compostelle.

1184 : le pont d'Avignon. Inquisition épiscopale.

Vers 1185 : André Le Chapelain expose l'art d'aimer courtois dans son *De amore.* Hue de Rotelande, *Protheselaüs.*

1187 : Saladin reprend Jérusalem. Troisième croisade.

1188 : Aimon de Varennes, *Florimont.*

1189 : Richard Cœur de Lion roi d'Angleterre.

1190 : Henri VI empereur. Fondation des Chevaliers teutoniques. Branches VI, VIII et XII du *Roman de Renart.* Entre 1190 et 1195, branche Ia et Ib du même roman. Marie de France, *Espurgatoire saint Patrice.* Ambroise, *Histoire de la troisième croisade.* Hélinand, les *Vers de la Mort.* Joachim de Flore, *Expositio in Apocalypsim.* Selon J. Frappier, les *Tristan* d'Eilhart d'Oberg et de Béroul, les *Folies Tristan* de Berne et d'Oxford datent du troisième tiers du XIIᵉ siècle. Denis Piramus, *Vie de saint Edmond.*

1191 : les croisés s'emparent de Saint-Jean-d'Acre.
La boussole apparaît en Occident. En France et en Allemagne, on rédige les premiers traités de droit féodal. On entreprend la construction des cathédrales de Bourges et de Chartres.

Entre 1195 et 1200 : branches VII et XI du *Roman de Renart. La Prise d'Orange. Fierabras. Garin le Lorrain.* Jean Bodel, *La Chanson des Saisnes* (Saxons). De la fin du siècle, *Aucassin et Nicolette* (?). Renaut de Beaujeu, *Le Bel Inconnu.* Jean Bodel, *Fabliaux.* Simon de Freine, *Vie de saint Georges.*

1196-1197 : effroyable famine en Occident. Les grands vassaux rédigent les premières chartes d'hommage à Philippe Auguste.

1197 : avènement de Gengis Khan.

1198 : mort d'Averroès. Innocent III, pape.

1199 : Jean sans Terre roi d'Angleterre. Le 28 novembre, Thibaud de Champagne, Louis de Blois et Villehardouin prennent la croix : ce sera la quatrième croisade.

1200 : fondation de Riga. Ruine de la civilisation maya. Robert de Boron, *Joseph* et *Merlin* en prose, *Roman de* *l'Estoire dou Graal.* Chansons de geste : *Les Quatre Fils Aymon, Ami et Amile, Girart de Vienne, Girart de Roussillon. L'Escoufle* et *Le Lai de l'Ombre,* de Jean Renart. *Enfances Gauvain. Roman de Renart,* IX.

Le Jeu de saint Nicolas, de Jean Bodel.

1202 : Philippe Auguste confisque les fiefs français de Jean sans Terre. Quatrième croisade. Début de la construction de la cathédrale de Rouen. *Congés,* de Jean Bodel.

Poèmes du vidame de Chartres. Mort de Joachim de Flore. *Roman de Renart,* XVI.

1204 : seconde prise de Constantinople par les croisés. Fondation de l'empire latin de Constantinople. Unification de la Mongolie par Gengis Khan. Mort d'Aliénor d'Aquitaine.

1205 : Baudouin Ier de Constantinople est capturé par les Bulgares (bataille d'Andrinople).

Bible de Guiot de Provins. Poèmes de Peire Cardenal.

1207 : mission de saint Dominique en pays albigeois.

1209 : le concile d'Avignon interdit danses et jeux dans les églises. Début de la croisade contre les Albigeois. Première communauté franciscaine. Gengis Khan attaque la Chine.

Histoire ancienne jusqu'à César.

1210 : interdiction aux maîtres parisiens d'enseigner la métaphysique d'Aristote.

1211 : début de la construction de la cathédrale de Reims.

1212 : enceinte de Philippe Auguste autour de Paris.

1213 : Simon de Montfort écrase les Albigeois à Muret.

Le Roman de la Rose ou de Guillaume de Dole, de Jean Renart. *Chroniques,* de Robert de Clari et de Villehardouin. *Chanson de la croisade albigeoise* (première partie). *Meraugis de Portlesguez* et *Vengeance Raguidel,* de Raoul de Houdenc. *Les Narbonnais. Athis et Prophilias.*

1214 : victoire française de Bouvines. Premiers privilèges accordés à Oxford.

Les Faits des Romains.

1215 : grande charte en Angleterre. Statuts de l'Université de Paris. Quatrième concile de Latran. Prise de Pékin par les Mongols.

Bible d'Hugues de Berzé. *Durmart le Galois.*

1216 : Frédéric II roi des Romains. Henri III roi d'Angleterre. Honorius III pape. Approbation papale de l'ordre des Frères prêcheurs.

Galeran de Bretagne. Guillaume de Ferrers, *Vie de saint Eustache*. Guillaume, *Vie de sainte Marie-Madeleine*.

1217 : famine en Europe centrale et orientale. Chœur de la cathédrale du Mans.

1218-1222 : cinquième croisade.

1220 : Frédéric II empereur. Vitraux de Chartres. Album de l'architecte Villard de Honnecourt. *Pratique de la géométrie*, de Léonard Fibonacci.

Miracles de Notre-Dame, de Gautier de Coinci. *Huon de Bordeaux*.

1221 : raid mongol en Russie.

Blancandin et l'Orgueilleuse d'Amour.

1223 : Louis VIII roi de France. Approbation par Honorius III de la règle franciscaine.

Poèmes de Huon de Saint-Quentin.

1224 : stigmates de saint François d'Assise. Famine en Occident (jusqu'en 1226).

Lancelot en prose. *Perlesvaus*. *Jaufré*. *Le Besant de Dieu*, de Guillaume le Clerc.

1226 : Louis IX (le futur Saint Louis) roi de France. Régence de Blanche de Castille. Mort de saint François d'Assise.

Cantique du Soleil. Début de la construction de la cathédrale de Burgos.

Vie de Guillaume le Maréchal.

1227 : concile de Trèves. Grégoire IX pape. Début de la construction des cathédrales de Trèves et de Tolède. Mort de Gengis Khan.

1228 : canonisation de saint François d'Assise. Sixième croisade.

1228-1240 : Jacques de Vitry, *Sermones vulgares*.

1229 : annexion du Languedoc au domaine royal. Grève de l'Université de Paris (jusqu'en 1231).

Le Roman de la Rose, de Guillaume de Lorris. À cette époque, poésies de Thibaut IV de Champagne, de Moniot d'Arras, de Guillaume le Vinier, de Guiot de Dijon, de Thibaut de Blaison.

1230 : les *Commentaires* d'Averroès sur Aristote pénètrent en Occident.

1231 : le pape Grégoire IX confie l'Inquisition aux frères mendiants.

Quête du Saint Graal. La Mort le roi Artu. Tristan en prose. Roman de la Violette et *Continuations de Perceval*, de Gerbert de Montreuil. *Continuation de Perceval*, de Manessier.

1232 : invasion mongole en Europe orientale (jusqu'en 1242).

1234 : canonisation de saint Dominique. Majorité de Louis IX. *Décrétales*, traité de droit canon de Raymond de Penafort.

La Manekine, puis *Jehan et Blonde* de Philippe de Rémy (entre 1230 et 1240). Matthieu Paris, *Vie de saint Alban*.

1235 : sculptures de la cathédrale de Reims.

1236 : papier-monnaie en Chine.

1238 : prise de Valence par les Aragonais.

1239 : rappel du Parlement en Angleterre. Tentative de reprise de la croisade, jusqu'à Gaza.

Le Tournoiement de l'Antéchrist, de Huon de Méry. *Gui de Warewic*. Matthieu Paris, *La Estoire de saint Aedward le Rei*.

1240 : destruction de Kiev par les Mongols. Révolte des Prussiens contre les Chevaliers teutoniques. Traduction de l'*Éthique* d'Aristote par Robert Grossetête.

1241 : Villard de Honnecourt en Hongrie. Destruction de Cracovie par les Mongols.

1242 : victoires de Saint Louis à Taillebourg et Saintes.

1243 : Innocent IV pape. Écrasement des Seldjoukides par les Mongols. Début de la construction de la Sainte-Chapelle.

Poèmes de Philippe de Nanteuil, de Robert de Memberolles. *Guiron le Courtois. L'Estoire Merlin. L'Estoire del Saint Graal. Fergus* de Guillaume le Clerc.

1244 : perte définitive de Jérusalem par les chrétiens.

1245 : enseignement à Paris de Roger Bacon et d'Albert le Grand. Début de la construction de l'abbaye de Westminster.

1246 : Charles d'Anjou (le frère de Saint Louis) comte de Provence.

1247 : cathédrale de Beauvais.

1248 : septième croisade : Saint Louis en Égypte. Prise de Séville par les Castillans. Début de la construction de la cathédrale de Cologne.

L'Image du monde, de Gossuin de Metz.

1250 : constitution du Parlement de Paris. Nouveaux affranchissements de serfs. Saint Louis est vaincu à Mansourah. La mort de Frédéric II ouvre dans l'Empire une crise qui durera jusqu'en 1273.

Chansons de Colin Muset, de Garnier d'Arches, de Jean Érart. *Roman de la Poire*, de Tibaut. *Historia Tartarorum*, de Simon de Saint-Quentin. *Grand Coutumier* de Normandie. *Li Remedes d'Amours*, de Jacques d'Amiens. *Speculum majus*, encyclopédie de Vincent de Beauvais.

1251 : le *Paradisus magnus* transporte deux cents passagers de Gênes à Venise.

1252 : la monnaie d'or apparaît à Gênes et à Florence. Innocent IV autorise l'Inquisition à utiliser la torture. Mort de Blanche de Castille.

Saint Thomas d'Aquin enseigne à Paris, jusqu'en 1259, tentant de concilier le christianisme et la pensée aristotélicienne.

1253 : le plus ancien exemple d'escompte connu. Condamnation des clercs bigames à Arras. Guillaume de Rubrouk chez les Mongols.

Mort du prince-poète Thibaud IV de Champagne. Église supérieure d'Assise.

1254 : Saint Louis ordonne une enquête sur la gestion des baillis. Emploi des chiffres arabes et du zéro en Italie. Conflit entre les réguliers et les séculiers à l'Université de Paris : Guillaume de Saint-Amour pourfend les ordres mendiants dans le *De periculis novissimorum temporum*. Rutebeuf attaque les frères mendiants dans *La Discorde de l'Université et des Jacobins*.

1255 : *La Légende dorée* de Jacques de Voragine : c'est la grande encyclopédie hagiographique du Moyen Âge. Matthieu Paris, *Chronica majora*. *Armorial Bigot*, début du langage héraldique.

1257 : Robert de Sorbon fonde à Paris la Sorbonne, à l'origine collège pour les théologiens. Miniatures du psautier de Saint Louis.

Rutebeuf continue à écrire contre les frères mendiants : *Le Pharisien* et *Le Dit de Guillaume de Saint-Amour*.

1258 : prise de Bagdad par les Mongols. Michel VIII Paléologue, empereur byzantin.

Rutebeuf, *Complainte de Guillaume de Saint-Amour*.

1259 : traité de Paris entre la France et l'Angleterre. Saint Bonaventure, *Itinéraire de l'esprit vers Dieu*. Rutebeuf, *Les Règles des moines*, *Le Dit de sainte Église* et *La Bataille des vices contre les vertus*.

1260 : Saint Louis interdit la guerre privée, le duel judiciaire, le port d'armes. Le moulin à vent se répand en Occident. Portail de la Vierge à Notre-Dame de Paris. Nicola Pisano, chaire du baptistère de Pise.

Récits du Ménestrel de Reims. *Méditations* du Pseudo-Bonaventure sur les aspects humains de Jésus. Rutebeuf, *Les Ordres de Paris.*

1261 : fin de l'empire latin de Constantinople. Louis IX interdit sa cour aux jongleurs. Rutebeuf, *Les Métamorphoses de Renart* et *Le Dit d'Hypocrisie.*

1262-1266 : Saint-Urbain de Troyes : gothique flamboyant. Rutebeuf, *Complainte de Constantinople*, fabliau de *Frère Denise*, puis, sans doute, *Poèmes de l'infortune*, poèmes religieux (*Vie de sainte Marie l'Égyptienne* et *La Voie de Paradis*), et peut-être *Miracle de Théophile*. Robert de Blois, *L'Enseignement des princes.* Alard de Cambrai, *Le Livre de Philosophie.*

1263 : écu d'or en France. Famine en Bohême, en Autriche et en Hongrie. Émeute anticléricale à Cologne.

1263-1278 : Jean de Capoue, dans le *Directorium vitae humanae*, donne une traduction latine du *Kalila et Dimna* (traduction arabe du *Pantchatantra).*

1264 : institution de la Fête-Dieu pour toute l'Église latine. *Le Livre du Trésor*, encyclopédie d'un Florentin exilé en France, Brunetto Latini, rédigée en français.

1265-1268 : Charles d'Anjou conquiert le royaume de Sicile. Clément V établit le droit des papes à s'attribuer tous les bénéfices ecclésiastiques. Roger Bacon, dans ses *Opera*, s'efforce de concilier raison et expérience. Rutebeuf écrit des chansons de croisade : *La Chanson de Pouille, La Complainte d'outremer, La Croisade de Tunis, Le Débat du croisé et du décroisé.*

1266-1274 : saint Thomas d'Aquin, *Somme théologique* (*Summa theologiae*).

1267 : naissance de Giotto.

1268 : découverte par Peregrinus de l'attraction entre deux pôles magnétiques. Moulins à papier à Fabriano, en Italie. Début de la seconde querelle de la pauvreté à Paris. Nicola Pisano, chaire de la cathédrale de Sienne.

1269 : Pierre de Maricourt, *Lettre sur l'aimant.*

1270 : Saint Louis meurt à Tunis lors de la huitième et dernière croisade. Règne de Philippe III. Première condamnation de l'averroïsme et de Siger de Brabant. Au tympan de la cathédrale de Bourges, *Le Jugement dernier.* Huon de Cambrai, *Vie de saint Quentin* ; poésies de Baudouin de Condé.

1271 : après la mort d'Alphonse de Poitiers, rattachement de la France d'oc à la France d'oïl.

1271-1295 : grand voyage et séjour de Marco Polo en Chine et dans l'Asie du Sud-Est.

1272 : Édouard Ier, roi d'Angleterre.

Mort de Baude Fastoul (*Les Congés*) et de Robert le Clerc (*Les Vers de la Mort*). Cimabue, *Portrait de saint François d'Assise*. Œuvres d'Adenet le Roi.

1274 : concile de Lyon : tentative d'union des Églises. Mort de saint Thomas et de saint Bonaventure.

Grandes Chroniques de Saint-Denis.

1275 : vers cette date, on brûle des sorcières à Toulouse. Seconde partie du *Roman de la Rose*, de Jean de Meun ; *Speculum judiciale*, encyclopédie juridique, de G. Durand, et *Chirurgia* de Guillaume de Saliceto de Bologne ; Raymond Lulle, *Le Livre de Contemplation* et *Le Livre du Gentil et des trois sages*.

1276 : les Mongols dominent la Chine.

Raymond Lulle fonde un collège pour apprendre l'arabe aux missionnaires, et écrit *L'Art de démonstration*. Adam de la Halle, *Le Jeu de la Feuillée*.

1277 : les doctrines thomistes et averroïstes sont condamnées par l'évêque de Paris, Étienne Tempier, ainsi que *L'Art d'aimer* d'André le Chapelain.

Rutebeuf, *Nouvelle Complainte d'outremer*. *Tabula exemplorum secundum ordinem alphabeti*.

1278 : disgrâce et pendaison de Pierre de la Brosse ; de là des poèmes sur la toute-puissance de Fortune. *Dit de Fortune*, de Moniot d'Arras.

1279 : construction d'un observatoire à Pékin.

À cette époque, activité d'Albert le Grand. *Somme le Roi*, de frère Laurent, encyclopédie morale.

1280 : un peu partout, à Bruges, Douai, Tournai, Provins, Rouen, Béziers, Caen, Orléans, des grèves et des émeutes urbaines. L'échevin de Douai, Jean Boinebroke, réprime la grève des tisserands.

Achèvement de Saint-Denis. *Flamenca*, roman en langue d'oc, *Joufroi de Poitiers*. Diffusion du *Zohar*, somme de la cabale théosophique, et des *Carmina burana*, anthologie des poèmes écrits en latin aux XIIe et XIIIe siècles par les goliards. Raymond Lulle, *Le Livre de l'ordre de Chevalerie*. Girard d'Amiens, *Escanor*. *Sone de Nansay*.

1282 : les Vêpres siciliennes chassent les Français de Sicile ; les Aragonais les remplacent. Andronic II, empereur de Constantinople.

Cathédrale d'Albi.

1283 : les chevaliers teutoniques achèvent la conquête de la Prusse.

Philippe de Beaumanoir, *Les Coutumes du Beauvaisis*. De 1275 à 1283, Lulle compose à Montpellier *Le Livre d'Evast et de Blanquerne*.

1284 : croisade d'Aragon. Les foires de Champagne passent sous le contrôle du roi de France. Effondrement des voûtes de la cathédrale de Beauvais.

1285 : Philippe le Bel devient roi. Édouard Ier soumet le pays de Galles. Pluies torrentielles.

La victime d'une épidémie est disséquée à Crémone.

La Châtelaine de Vergy. *Madame Rucellai*, de Duccio à Sienne (préciosité).

1288 : les artisans se révoltent à Toulouse. Cologne devient ville libre en se libérant de la domination de son archevêque.

Départ pour la Chine du frère franciscain Jean de Montecorvino. Début de la construction du palais communal de Sienne.

Raymond Lulle, *Le Livre des Merveilles*, qui comprend *Le Livre des bêtes*.

1289 : Lulle refond à Montpellier *L'Art de démonstration*, écrit *L'Art de philosophie désiré*, *L'Art d'aimer le bien*. *Renart le Nouvel*, de Jacquemart Gielée.

1290 : Édouard Ier expulse les Juifs d'Angleterre. Le rouet apparaît. L'Angleterre exporte 30 000 sacs de laine. À Amiens, *La Vierge dorée*. Duns Scot écrit ses œuvres.

Jakemes, *Roman du Châtelain de Coucy*. Concours poétique de Rodez avec Guiraut Riquier. Raymond Lulle, *Le Livre de Notre-Dame*. Drouart la Vache, *Le Livre d'Amours*. Adenet le Roi, *Cléomadès*.

1291 : naissance de la Confédération helvétique. Chute de Saint-Jean-d'Acre : fin de la Syrie franque.

Début de la construction de la cathédrale d'York.

1292 : Paris compte 130 métiers organisés. Raymond Lulle tertiaire franciscain.

1294 : guerre franco-anglaise pour la Guyenne. Philippe le Bel dévalue la monnaie. Élection du pape Boniface VIII.

Début de la construction de Santa Croce à Florence.

1295 : Édouard Ier appelle des représentants de la bourgeoisie au Parlement anglais.

Vita nuova de Dante. Mort de Guiraut Riquier. Raymond Lulle, *L'Art de science*.

1296-1304 : Giotto peint à Assise *La Vie de saint François d'Assise.*

1297 : Édouard Ier reconnaît les prérogatives financières du Parlement anglais. L'aristocratie de Venise n'admet plus en son sein les hommes nouveaux.

1298 : liaisons régulières par mer entre Gênes, la Flandre et l'Angleterre.

1298-1301 : Marco Polo, *Le Livre des merveilles*, encyclopédie de l'Asie. Lulle à Paris (*Arbre de Philosophie d'Amour*), puis à Majorque et à Chypre.

1300 : il est certain qu'à cette date on porte des lunettes. La lettre de change se répand en Italie. À cette époque, cesse le commerce des esclaves, sauf en Espagne.

Lamentationes Mattheoli. Eckhart le mystique à Cologne. Baudouin de Condé, *Voie de Paradis.* Nicolas de Margival, *La Panthère d'Amour. Passion du Palatinus.*

1302 : première réunion des états généraux à Paris. Les milices flamandes battent les chevaliers français à Courtrai.

1303 : attentat d'Anagni. Mort de Boniface VIII.

Dante commence *La Divine Comédie.*

1304-1306 : Giotto peint les fresques de la chapelle Scrovegni à Padoue. Nicole Bozon, *Le Char d'Orgueil.*

1304-1308 : Duns Scot à Paris.

1304-1309 : Joinville, *Vie de Saint Louis.*

1306 : Piero de Crescenzi, *Ruralia Commoda*, somme de la science agricole.

1308-1314 : procès et condamnation des Templiers.

1309 : la papauté s'installe en Avignon.

1310 : première représentation de la Passion sur le parvis de la cathédrale de Rouen. Statue de la Vierge d'Ecouis.

Premier livre de *Fauvel.*

1310-1315 : Occam à Paris.

Vers 1313 : Dante termine *La Divine Comédie* par *Le Paradis.*

1312 : Jacques de Longuyon, *Les Vœux du Paon.*

1314 : Louis X roi de France.

Second livre de *Fauvel.* Traduction de la *Chirurgia* d'Henri de Mondeville.

1315 : Raymond Lulle meurt lapidé en Afrique du Nord.

1315-1317 : grande famine en Occident.

1316 : construction du palais des Papes en Avignon.

Jean Maillart, *Le Roman du comte d'Anjou.* Jean de Condé, œuvres poétiques.

1317 : Philippe V le Long roi de France.

Dante, *De monarchia*.

Vers 1320 : *Roman de Perceforest*. Jean de Vignay traduit le *De re militari* de Végèce. Miniatures de Jean Pucelle.

1321 : mort de Dante.

1322 : Charles IV le Bel roi de France.

1324 : Marsile de Padoue, le *Defensor Pacis*.

1328 : Philippe VI roi de France. Victoire de Cassel sur les Flamands.

Ovide moralisé. Poèmes de Watriquet de Couvin. *Petites Heures de Jeanne d'Évreux*.

1330 : Nicole Bozon, *Contes moralisés*. Jean de Ruysbroek, les *Noces spirituelles*.

1331 : Guillaume de Digulleville, *Le Pèlerinage de Vie humaine*.

1332 : Jean Acart, *La Prise amoureuse*.

1335 : Philippe de Vitry, *Chapel des Trois Fleurs de lis*. Giotto, campanile de Florence.

1337 : mort de Giotto. Naissance de Froissart. Rupture de Philippe VI et d'Édouard III. Condamnation d'Occam par Paris. Université d'Angers.

1337-1340 : A. Lorenzetti, *Le Bon et le Mauvais gouvernement*.

Vers 1338 : Jean Dupin, *Livre de Mandevie* et *Mélancolies*.

1339 : débarquement anglais.

De 1339 à 1382 : *Miracles de Notre-Dame par personnages*.

1340 : bataille de l'Écluse. Naissance de Chaucer et de Claus Sluter ; Jean de Le Mote, *Le Parfait du Paon*.

1341 : Pétrarque couronné prince des poètes à Rome.

Guillaume de Machaut, *Le Remède de Fortune* et *Le Jugement dou roy de Behaingne*.

1342 : avènement du pape Clément VI. Guerre de Bretagne.

Fin de la seconde rédaction de *Renart le Contrefait*. Poèmes de Jean de Le Mote.

1346 : bataille de Crécy. Naissance d'Eustache Deschamps.

1347 : reddition de Calais le 3 août. Fondation de l'Université de Prague.

1348 : Jean Buridan recteur de l'Université de Paris.

1348-1349 : la Peste noire.

1349 : mort de Guillaume d'Occam.

Guillaume de Machaut, *Jugement dou roy de Navarre*. Boccace, *Décaméron*.

1350 : Jean II le Bon roi de France.

Baudouin de Sebourc.

1352-1356 : début de la *Chronique* de Jean le Bel.

1356 : le Prince noir envahit le Poitou. Bataille de Poitiers et captivité de Jean le Bon. Étienne Marcel : réunion des états généraux.

Jean de Mandeville, *Voyages*. Traduction de Tite-Live par Bresuire.

1357 : Pétrarque, *I trionfi*. Guillaume de Digulleville, *Le Pèlerinage de l'âme*. Guillaume de Machaut, *Confort d'Ami. Tristan de Nanteuil*.

1358 : révolte et mort d'Étienne Marcel. Jacqueries. Guillaume de Digulleville, *Le Pèlerinage de Jésus-Christ*.

1360 : traité de Brétigny-Calais. Prise d'Andrinople par les Turcs.

1361 : Guillaume de Machaut, la *Fontaine amoureuse*. Jean Froissart, *Le Paradis d'Amour*.

1362 : Philippe le Hardi duc de Bourgogne. Froissart en Angleterre.

1363 : Gui de Chauliac, *La Grande Chirurgie*.

1364 : Charles V roi de France. Du Guesclin vainqueur à Cocherel. Fondation de l'Université de Cracovie.

Nicole Oresme, le *Livre de Divinacions* et le *Traité de la sphère*. Guillaume de Machaut, le *Voir Dit*.

1366 : Du Guesclin à la tête des routiers en Espagne.

1367 : Urbain V quitte Avignon pour Rome.

1369 : reprise de la guerre franco-anglaise. Froissart en Hainaut.

Après 1369 : Guillaume de Machaut, *La Prise d'Alexandrie*. Froissart, *L'Espinette amoureuse* et rédaction du livre I des *Chroniques* (1369-1377).

1370 : Du Guesclin connétable : il reconquiert le Limousin, puis le Poitou et la Saintonge.

1370-1374 : Nicole Oresme traduit et commente l'*Éthique*, la *Politique* et l'*Économique* d'Aristote.

1373 : Boccace, *De genealogiis deorum gentilium*.

1374 : mort de Pétrarque.

1375 : mort de Boccace.

1376 : Jean Le Fèvre, *Le Respit de la Mort*.

1377 : Richard II roi d'Angleterre. Grégoire XI à Rome. Mort de Guillaume de Machaut.

Nicole Oresme achève *Le Livre du Ciel et du Monde*.

1377-1381 : *Apocalypse* d'Angers.

1378 : révolte des *ciompi* à Florence, troubles à Rome. Élection d'Urbain VI et de Clément VII : début du grand schisme en Occident.

1379 : révolte de la Flandre : Philippe Van Artevelde. Clément VII, vaincu en Italie, s'installe en Avignon et s'allie à Louis d'Anjou.

Wyclif, *Speculum ecclesiae.*

1380 : mort de Du Guesclin et de Charles V. Charles VI roi de France.

Wyclif : *De eucharistia. Voie de Paradis.* Gaston Phébus, *Livre des oraisons.* Seconde rédaction du *Méliador* de Froissart.

1380-1385 : André Beauneveu enlumine le *Psautier de Bourges.*

1381 : révolte des Maillotins à Paris.

1382 : victoire de Charles VI à Roosebeke.

1384 : tapisserie des *Preux et des Preuses.*

1385 : mariage de Charles VI avec Isabeau de Bavière.

Claus Sluter : portail de la chartreuse de Champmol.

1386 : fondation de l'Université de Heidelberg.

1387 : mariage de Louis d'Orléans avec Valentine Visconti. Sigismond roi de Hongrie.

Début de la construction de la cathédrale de Milan.

Chaucer, *Canterbury Tales.* Froissart, second livre des *Chroniques.* Gaston Phébus, *Livre de la Chasse.*

De la même époque datent, de Philippe de Mézières, le *Livre de la vertu du sacrement de mariage et du réconfort des dames mariées* (exemplum de *Griseldis*) et le *Songe du viel Pèlerin*, et, d'Honoré Bovet, *L'Arbre des batailles.*

1389 : en mai, fêtes de Saint-Denis. Pierre d'Ailly chancelier de l'Université de Paris.

Livre des cent ballades. Jacques d'Ableiges, *Le Grand Coutumier de France.*

De 1390 à 1392 : livre III des *Chroniques* de Froissart.

1391 : Gerson demande à Charles VI de mettre fin au grand schisme.

1392 : folie de Charles VI.

Jean d'Arras, *Mélusine.*

1393 : Eustache Deschamps, *Art de dictier*, premier art poétique.

Le Mesnagier de Paris, manuel d'économie domestique.

1394 : naissance d'Henri le Navigateur.

1394-1395 : Richard II soumet l'Irlande.

1395 : naissance de Jacques Cœur. Gerson chancelier de l'Université de Paris. Tamerlan atteint le Caucase.

1395-1396 : Claus Sluter, *Le Puits de Moïse.*

1396 : défaite des croisés chrétiens à Nicopolis. Début du conflit entre les ducs de Bourgogne et d'Orléans.

1398 : Honoré Bovet, *Apparicion maistre Jehan de Meun*. *Estoire de Griseldis*, pièce dramatique.

Entre 1398 et 1400 : livre IV des *Chroniques* de Froissart.

1399 : déposition de Richard II d'Angleterre.

Christine de Pizan, *Epistre au Dieu d'Amour*.

1400 : Tamerlan ravage la Syrie. Début de la construction de la chartreuse de Pavie.

Laurent de Premierfait, traduction du *De Casibus* de Boccace. Simon de Hesdin et Nicole de Gonesse, traduction des *Facta et dicta memorabilia* de Valère Maxime.

1401 : guerre entre la Pologne et les Chevaliers teutoniques. Fondation de la *Taula de canvi* de Barcelone, première banque publique de l'histoire. Naissance de Nicolas de Cues et de Masaccio. Cour amoureuse de Charles VI.

Christine de Pizan, *Epistre Othea*. Jacques Legrand, *Archiloge Sophie*.

1401-1402 : querelle du *Roman de la Rose*.

1402 : Jean Hus recteur de l'Université de Prague.

Christine de Pizan, *Le Livre de Mutacion de Fortune* et *Le Livre du chemin de long estude*.

1403 : Benoît XIII fuit Avignon. Ghiberti exécute les bas-reliefs du baptistère de Florence.

1404 : mort de Philippe le Hardi. Jean sans Peur duc de Bourgogne.

Venise occupe Padoue, Vérone et Vicence.

Christine de Pizan, *Livre des fais et bonnes meurs du sage roy Charles V*. Première rédaction du *Livre des bonnes meurs* de Jacques Legrand. Jean de Werchin, *Songe de la barge*.

1404-1405 : Christine de Pizan, *Le Livre de la Cité des Dames*.

1405 : Christine de Pizan, *Le Livre de la Prod'ommie*, *Epistre à la reine Isabeau*, *Le Livre des trois vertus*, *L'Advision Christine*. Laurent de Premierfait, traduction du *De Senectute* de Cicéron.

1406 : les Florentins occupent Pise.

1407 : assassinat du duc Louis d'Orléans par Jean sans Peur. Christine de Pizan, *Le Livre du corps de Policie*.

1409 : les deux papes sont déchus au concile de Pise : élection d'Alexandre V.

Livre des fais du bon messire Jehan Le Meingre dit Bouciquaut. Christine de Pizan, *Cent Ballades d'amant et de dame*.

1410 : Jagellon écrase les Chevaliers teutoniques à Tannenberg. Révolte populaire en faveur de Jean Hus.

Christine de Pizan, *Le Livre des fais d'armes et de chevalerie*.

1410-1416 : les frères de Limbourg commencent les *Très Riches Heures du duc de Berry.*

1412 : Christine de Pizan, *Le Livre de la paix.*

1413 : avènement de Henry de Lancastre.

1414 : Laurent de Premierfait, traduction du *Décaméron* de Boccace.

1415 : bataille d'Azincourt. Captivité de Charles d'Orléans. Supplice de Jean Hus.

1416 : Alain Chartier, *Le Livre des quatre dames.* Laurent de Premierfait, traduction du *De amicitia* de Cicéron.

1417 : déposition du pape Benoît XIII ; élection de Martin V.

1418 : prise de Paris par les Bourguignons ; massacre des Armagnacs.

1419 : Henry V maître de la Normandie. Assassinat de Jean sans Peur. Philippe le Bon duc de Bourgogne : il s'allie avec Henry V.

1420 : traité de Troyes.

Passions de Semur et d'Arras.

1421 : Leonardo Bruni, traduction du *Phèdre* de Platon. *Imitation de Jésus-Christ.*

1422 : mort de Charles VI et de Henry V. Charles VII roi de France.

Alain Chartier, *Le Quadrilogue invectif.*

1424 : défaite de Charles VII à Verneuil.

Alain Chartier, *La Belle Dame sans merci.*

1425 : fondation de l'Université de Louvain.

Baudet Hérenc, *Parlement d'Amour.*

1428 : Alain Chartier, *Le Livre de l'Espérance.*

1429 : Jeanne d'Arc délivre Orléans. Sacre de Charles VII à Reims. Échec devant Paris.

Christine de Pizan, *Le Ditié de Jehanne d'Arc.*

1430 : Jeanne d'Arc prisonnière.

1431 : procès et supplice de Jeanne d'Arc. Convocation du concile de Bâle. Eugène IV pape.

Lorenzo Valla, *De voluptate.*

1432 : Van Eyck, *L'Agneau mystique.* Baudet Hérenc, *Doctrinal de la seconde rhétorique.*

1433 : exil de Côme de Médicis. Jacques Cœur à Damas. Conférence de Prague avec les Hussites.

1434 : soulèvement de la Normandie contre les Anglais. Côme de Médicis prend le pouvoir à Florence.

Van Eyck, *Arnolfini et sa femme.*

1435 : traité d'Arras entre Charles VII et Philippe le Bon. Charles VII reconquiert l'Île-de-France. Jacques Cœur maître des monnaies de Charles VII.

Van der Weyden, *Descente de croix*.

1436 : Charles VII prend Paris. Scission du concile sur la réforme du Saint-Siège.

Van Eyck, *Vierge au chanoine Van den Paele*.

1437 : construction de Saint-Maclou à Rouen.

1439 : la Serbie devient une province turque.

1440 : retour de Charles d'Orléans en France. Révolte féodale de la Praguerie. Procès de Gilles de Rais. Jacques Cœur argentier royal.

Nicolas de Cues, *De docta ignorantia*. Brunelleschi commence la construction du palais Pitti à Florence. Donatello, *David*.

1441 : *Le Mystère du siège d'Orléans*. Michault le Caron, dit Taillevent, *Le Passe-temps*.

1442 : Alphonse V prend Naples. Jacques Cœur membre du Conseil du roi.

Martin Le Franc : le *Champion des dames*. Charles d'Orléans, poésies. Alberti, *Della tranquillitate dell'anima*. *Annonciation* d'Aix-en-Provence.

1443 : fondation du parlement de Toulouse. Hôtel Jacques Cœur à Bourges.

1444 : L. Valla, *Elegantiae linguae latinae*. Antoine de La Sale, *La Salade*. Pierre Chastellain, *Le Temps perdu*.

1445 : Charles VII crée les Compagnies d'Ordonnance. Jean Fouquet, *Portrait de Charles VII*.

1447 : le dauphin Louis se retire en Dauphiné.

1448 : institution des Francs Archers.

Martin Le Franc, *L'Estrif de Fortune et de Vertu*. Jean Miélot, *Miroir de l'humaine salvation*.

1449 : Charles VII reconquiert la Normandie. Abdication de Félix V. Fin du concile de Bâle.

Journal d'un bourgeois de Paris.

1450 : bataille de Formigny. Gutenberg ouvre un atelier d'imprimerie à Mayence. Construction du chœur du Mont-Saint-Michel. Van der Weyden, le *Jugement dernier*. J. Fouquet, *Livre d'heures d'Étienne Chevalier*. Jacques Milet, *Istoire de la destruction de Troye la Grant*. Louis de Beauvau, *Roman de Troyle et Criseida*.

1451 : Antoine de La Sale, *La Sale*. Pierre Chastellain, *Le Temps recouvré*. Arnoul Gréban, *Mystère de la Passion*. Jean Miélot, traduction du *Miroir de l'âme pécheresse*.

Chœur du Mont-Saint-Michel.

1452 : réforme de l'Université de Paris. Procès de Jacques Cœur.

1453 : prise de Constantinople par les Turcs.

Georges Chastelain, *Les Princes*. Nicolas de Cues, *De pacis fide*.

Donatello travaille à Florence : statue du Gattamelata.

1454 : fondation de la Communauté des Minimes par saint François de Paule. *Le Banquet du Faisan*.

René d'Anjou, *Le Mortifiement de Vaine Plaisance*.

1455 : début de la guerre des Deux Roses en Grande-Bretagne. Calixte III pape.

Gutenberg imprime la Bible.

J. Le Prieur, *Le Mystère du Roy Advenir. Farce du Nouveau Marié*.

1456 : les Portugais atteignent le golfe de Guinée.

Réhabilitation de Jeanne d'Arc ; le dauphin Louis se réfugie chez le duc de Bourgogne.

Villon, *Le Lais*. Antoine de La Sale, *Le Petit Jehan de Saintré*. Marsile Ficin, *Institutiones platonicae*. *Roman des seigneurs de Gavre*. *Mystère de la Résurrection d'Angers*.

Paolo Uccello peint *Les Batailles de San Romano*.

1457 : René d'Anjou, *Le Cœur d'amour épris*.

Donatello, *Saint Jean-Baptiste*.

1458 : les Turcs occupent Athènes. Pie II pape.

David Aubert, *Les Conquêtes de Charlemagne*. E. Marcadé, *La Vengeance Jésus-Christ*.

1459 : Jean Milet, *La Forêt de Tristesse*.

Jean Fouquet peint Jean Juvénal des Ursins ; entre 1459 et 1463, Benozzo Gozzoli fait les peintures de la chapelle des Médicis.

1460 : mort d'Antoine de La Sale.

Filippo Lippi achève les fresques du dôme de Prato.

Danse macabre de La Chaise-Dieu.

1461 : mort de Charles VII ; Louis XI roi. Chute de l'Empire grec de Trébizonde.

Villon, *Le Testament. Sottie des Menus Propos*.

Entre 1461 et 1465 : Jean Meschinot, *Les Lunettes des princes*.

1462 : Ivan III, grand-duc de Moscou.

Van der Weyden peint *Le Triptyque des Rois Mages*.

1463 : naissance de Pic de la Mirandole. Jean Miélot traduit Roberto della Porta. Marsile Ficin commence sa traduction de Platon.

1464 : ligue du Bien Public dirigée contre Louis XI.

Raoul Lefèvre, recueil des *Troyennes Histoires*.

1465 : mort de Charles d'Orléans. Bataille de Montlhéry.

Impression de *L'Ars moriendi* à Cologne.

Henri Baude, *Testament de la Mule Barbeau*.

1466 : naissance d'Érasme. Chaire de grec à l'Université de Paris.

Jean de Bueil, *Le Jouvencel*. Entre 1456 et 1467, *Les Cent Nouvelles Nouvelles*. *Le Livre de Maistre Regnart*, de Jean Tennesax. *Le Roman de Jean d'Avesnes*.

1467 : Charles le Téméraire devient duc de Bourgogne à la mort de son père Philippe le Bon. Révolte de Liège.

Naissance de Guillaume Budé.

Filippo Lippi, *Couronnement de la Vierge*.

1468 : entrevue de Péronne.

Monologue du Franc Archer de Bagnolet.

1469 : avènement de Laurent de Médicis. Isabelle de Castille épouse Ferdinand d'Aragon.

Naissance de Machiavel.

1470 : Guillaume Fichet installe une imprimerie à la Sorbonne.

Livre des faits de Jacques de Lalain. *Farce du pâté et de la tarte*. Traduction de Xénophon en français par Vasque de Lucène. Olivier de La Marche commence ses *Mémoires*.

Fouquet peint les *Antiquités judaïques* et Botticelli *Judith*.

1471 : naissance d'Albert Dürer.

Mystère de la Passion d'Autun.

1472 : Philippe de Commynes passe au service de Louis XI.

Martial d'Auvergne, *Les Vigiles de Charles VII*. Traduction des *Commentaires* de César.

1473 : naissance de Copernic.

Theseus de Cologne.

Botticelli, *Saint Sébastien*, Martin Schongauer, *La Vierge au buisson de roses*.

1474 : naissance de l'Arioste.

Marsile Ficin, *De christiana religione*.

Commencement de la chapelle Sixtine.

1475 : fin de la guerre de Cent Ans, entrevue de Picquigny entre Louis XI et Édouard IV d'Angleterre. Naissance de Michel-Ange et de Grünewald.

Sixte IV ouvre au public la Bibliothèque vaticane.

Miracles de sainte Geneviève. Les Évangiles des Quenouilles.

Verrocchio : *David*. Molinet : *Le Temple de Mars* ; il commence ses *Chroniques*.

1476 : victoires des Suisses sur Charles le Téméraire.

Nicolas Froment, *Le Buisson ardent.*

1477 : défaite et mort de Charles le Téméraire sous les murs de Nancy. Maximilien d'Autriche épouse Marie de Bourgogne. Impression du premier livre en français.

Fin des *Mémoires* de Jean de Haynin. Jean Molinet, *Le Naufrage de la Pucelle.*

1478 : conspiration des Pazzi. Sixte IV excommunie Laurent de Médicis et lui déclare la guerre. Sixte IV met Florence en interdit. Botticelli, *Le Printemps.*

Jean Molinet, *Le Chappellet des Dames.*

1479 : avènement de Ferdinand le Catholique. Ludovic le More prend le pouvoir à Milan.

Jean Molinet, *Le Testament de la guerre.* Memling, *Mariage mystique de sainte Catherine.*

1480 : mort du roi René. Louis XI occupe le Barrois et l'Anjou.

1481 : institution de l'Inquisition en Espagne : Torquemada. Jean II roi de Portugal. Les Turcs sont chassés d'Otrante. Mort de Jean Fouquet.

Jean Molinet, *Ressource du petit peuple.*

1482 : saint François de Paule en France. Rattachement de la Provence à la France. Botticelli, troisième version de *L'Adoration des Mages.*

Henri Baude, *Dictz moraulx pour faire tapisserie.*

1483 : mort de Louis XI. Charles VIII roi. Régence des Beaujeu.

Mort d'Édouard IV. Richard III roi d'Angleterre. Naissance de Luther, de Guichardin et de Raphaël.

Olivier de La Marche, *Le Chevalier délibéré.*

1489-1498 : Philippe de Commynes compose ses *Mémoires.*

1492 : découverte de l'Amérique par Christophe Colomb.

BIBLIOGRAPHIE

I. OUVRAGES BIBLIOGRAPHIQUES

BOSSUAT, R., *Manuel bibliographique de la littérature française du Moyen Âge*, Melun, Librairie d'Argences, 1951. Supplément (1949-1953), Paris, Librairie d'Argences, 1955. Deuxième supplément (1954-1960), Paris, Librairie d'Argences, 1961. Troisième supplément (1960-1980) par F. Vieillard et J. Monfrin, Paris, CNRS, t. I, 1986, t. II, 1991.

Bulletin bibliographique de la Société internationale arthurienne.

Bulletin bibliographique de la Société internationale Rencesvals.

Cahiers de civilisation médiévale (tables bibliographiques).

Encomia, Bulletin de la Société internationale d'études courtoises.

KLAPP, O., *Bibliographie der französischen Literaturwissenschaft*, Frankfurt, Klostermann, depuis 1956.

RANCŒUR, R., *Bibliographie de la littérature française du Moyen Âge à nos jours*, Paris, Armand Colin, depuis 1966.

WOLEDGE, B., *Bibliographie des romans et nouvelles en prose française antérieurs à 1500*, Genève, Droz, 1954. Supplément, Genève, Droz, 1975.

Zeitschrift für romanische Philologie (tables bibliographiques).

II. Dictionnaires, tables et index

Di Stefano, G., *Dictionnaire des locutions en moyen français*, Montréal, CERES, 1991.

Dubuis, R., *Lexique des Cent Nouvelles Nouvelles*, Paris, Klincksieck, 1996.

Flutre, L.-F., *Table des noms propres avec toutes leurs variantes figurant dans les romans du Moyen Âge écrits en français ou en provençal et actuellement publiés ou analysés*, Poitiers, CESCM, 1962.

Godefroy, F., *Dictionnaire de l'ancienne langue française et de tous ses dialectes du IXᵉ au XVᵉ siècle*, 10 vol., Paris, Vieweg, 1891-1902, réimpr., Genève-Paris, Slatkine, 1982.

Guerreau-Jalabert, A., *Index des motifs narratifs dans les romans arthuriens en vers (XIIᵉ-XIIIᵉ siècles)*, Genève, Droz, 1992.

Lalande, D., *Lexique des chroniqueurs français* (XIVᵉ siècle, début du XVᵉ siècle), Paris, Klincksieck, 1995.

Langlois, E., *Table des noms propres de toute nature compris dans les chansons de geste imprimées*, Paris, 1904.

Moisan, A., *Répertoire des noms propres de personnes et de lieux cités dans les chansons de geste françaises et les œuvres étrangères dérivées*, Genève, Droz, 1986, 5 vol.

Tobler, A. et Lommatzsch, E., *Altfranzösisches Wörterbuch*, 10 vol. parus de *a* à *väire*, Wiesbaden, Steiner, depuis 1925.

Wartburg, W. von, *Französisches etymologisches Wörterbuch*, Tübingen et Basel, depuis 1922 (25 vol. parus).

III. Ouvrages de langue

Andrieux-Reix, N., *Ancien Français. Fiches de vocabulaire*, Paris, PUF, 1987.

Baumgartner, E., Ménard, Ph., *Dictionnaire étymologique de la langue française*, Le Livre de poche, Paris, 1996.

Bloch, O., Wartburg, W. von, *Dictionnaire étymologique de la langue française*, Paris, PUF, 1968.

Burgess, G.S., *Contribution à l'étude du vocabulaire précourtois*, Genève, Droz, 1970.

Buridant, C., *Grammaire nouvelle de l'ancien français*, Paris, SEDES, 2000.

FOULET, L., *Glossary of the First Continuation*, Philadelphie, The American Philosophical Society, 1955.

GOUGENHEIM, G., *Les Mots français dans l'histoire et dans la vie*, Paris, Picard, 1968-1975, 3 vol.

GRISAY, A., DUBOIS, M., LAVIS, G., *Les Dénominations de la femme dans les anciens textes littéraires français*, Gembloux, Duculot, 1969.

HOLLYMAN, K.J., *Le Développement du vocabulaire féodal en France pendant le haut Moyen Âge (Étude sémantique)*, Genève, Droz – Paris, Minard, 1957.

KLEIBER, G., *Le Mot « ire » en ancien français (XIᵉ-XIIIᵉ siècles). Essai d'analyse sémantique*, Paris, Klincksieck, 1978.

MARCHELLO-NIZIA, Ch., *Histoire de la langue française aux XIVᵉ et XVᵉ siècles*, Paris, Bordas, 1979.

MARTIN, R., WILMET, M., *Syntaxe du moyen français*, Bordeaux, Sobodi, 1980.

MATORÉ, G., *Le Vocabulaire et la société médiévale*, Paris, PUF, 1985.

MÉNARD, Ph., *Syntaxe de l'ancien français*, 4ᵉ éd. revue, corrigée et augmentée, Bordeaux, Éditions Bière, 1994.

MOIGNET, G., *Grammaire de l'ancien français*, Paris, Klincksieck, 1979.

PERRET, M., *Le Signe et la mention : adverbes embrayeurs ci, ça, la, illuec en moyen français*, Genève, Droz, 1988.

PICOCHE, J., MARCHELLO-NIZIA, Ch., *Histoire de la langue française*, Paris, Nathan, 1989.

REY, A., *Dictionnaire historique de la langue française*, Paris, Le Robert, 1992, 2 vol.

WAGNER, R.-L., *Les Vocabulaires français*, Paris, Didier, 1967, 2 t.

WAGNER, R.-L., *L'Ancien Français*, Paris, Larousse, 1974.

IV. LITTERATURE DU MOYEN ÂGE

1. *Ouvrages généraux*

BADEL, P.-Y., *Introduction à la vie littéraire du Moyen Âge*, Paris, Bordas, 1969, éd. revue, 1984.

BAUMGARTNER, E., *Histoire de la littérature française, Moyen Âge (1050-1486)*, Paris, Bordas, 1987.

BÉDIER, J., HAZARD, P., *Littérature française*, nouv. éd. revue et augmentée sous la direction de P. Martino. *Première partie : Le Moyen Âge*, Paris, Larousse, 1948.

BERTHELOT, A., *Histoire de la littérature française du Moyen Âge*, Paris, Nathan, 1989.

BOUTET, D., *Histoire de la littérature française du Moyen Âge*, Paris, Champion, 2003.

Dictionnaire des Lettres françaises, sous la direction du cardinal G. Grente, I, *Le Moyen Âge*, éd. révisée et mise à jour sous la direction de G. Hasenohr et M. Zink, Paris, Le Livre de poche, 1992.

GALLY, M., MARCHELLO-NIZIA, Ch., *Littératures de l'Europe médiévale*, Paris, Magnard, 1985.

Grundriss der romanischen Literaturen des Mittelalters, Heidelberg, Carl Winter Verlag, depuis 1972 (13 vol. sont prévus).

LE GENTIL, P., *La Littérature française du Moyen Âge*, 4e éd., Paris, Armand Colin, 1972.

PAYEN, J.-Ch., *Littérature française, Le Moyen Âge. I. Des origines à 1300*, Paris, Arthaud, 1970 ; 2e éd. Paris, GF-Flammarion, 1990.

POIRION, D., *Littérature française. Le Moyen Âge. II. 1300-1480*, Paris, Arthaud, 1971 ; *Précis de littérature française du Moyen Âge*, Paris, PUF, 1983.

ZINK, M., *Littérature française du Moyen Âge*, Paris, PUF, 1992.

ZUMTHOR, P., *Histoire littéraire de la France médiévale, VIe-XIVe siècles*, Paris, PUF, 1954.

2. *Études*

BEZZOLA, R.R., *Les Origines et la formation de la littérature courtoise en Occident (500-1200)*, Paris, Champion, 1944-1967 (« Bibliothèque de l'École des hautes études », n° 286), 5 vol.

BOUTET, D., STRUBEL, A., *Littérature, politique et société dans la France du Moyen Âge*, Paris, PUF, 1979.

BOUTET, D., *Charlemagne et Arthur ou le Roi imaginaire*, Paris, Champion, 1992.

BRETEL, P., *Les Ermites et les moines dans la littérature française du Moyen Âge (1150-1250)*, Paris, Champion, 1995.

CERQUIGLINI, B., *La Parole médiévale*, Paris, Éditions de Minuit, 1981.

CURTIUS, E.R., *La Littérature européenne et le Moyen Âge latin*, Paris, PUF, 1956.

DUBOST, F., *Aspects fantastiques de la littérature narrative médiévale (XIIe-XIIIe siècles). L'Autre, l'Ailleurs, l'Autrefois*, Paris, Champion, 1991, 2 vol.

FRAPPIER, J., *Amour courtois et Table Ronde*, Genève, Droz, 1973.

FRAPPIER, J., *Histoire, mythes et symboles*, Genève, Droz, 1976.

HARF-LANCNER, L., *Les Fées au Moyen Âge. Morgane et Mélusine*, Paris, Champion, 1984.

JONIN, P., *L'Europe en vers au Moyen Âge. Essai de thématique*, Paris, Champion, 1996.

LAZAR, M., *Amour courtois et fin'amors dans la littérature du XIIᵉ siècle*, Paris, Klincksieck, 1964.

MÉNARD, Ph., *Le Rire et le sourire dans le roman courtois en France au Moyen Âge (1150-1250)*, Genève, Droz, 1969.

MICHA, A., *De la chanson de geste au roman*, Genève, Droz, 1976.

PAYEN, J.-Ch., *Le Motif du repentir dans la littérature française médiévale (des origines à 1230)*, Genève, Droz, 1968.

POIRION, D., *Le Merveilleux dans la littérature française du Moyen Âge*, Paris, PUF, 1982.

POMEL, F., *Les Voies de l'au-delà et l'essor de l'allégorie au Moyen Âge*, Paris, Champion, 2001.

REY-FLAUD, H., *Le Charivari. Les rituels fondamentaux de la sexualité*, Paris, Payot, 1985.

RIBARD, J., *Le Moyen Âge. Littérature et symbolisme*, Paris, Champion, 1984.

RIBARD, J., *Du mythique au mystique. La littérature médiévale et ses symboles*, Paris, Champion, 1995.

RIBARD, J., *Symbolisme et christianisme dans la littérature médiévale*, Paris, Champion, 2001.

RIDOUX, Ch., *Évolution des études médiévales en France de 1860 à 1914*, Paris, Champion, 2000.

RYCHNER, J., *La Narration des sentiments, des pensées et des discours dans quelques œuvres des XIIᵉ et XIIIᵉ siècles*, Genève, Droz, 1990.

STRUBEL, A., *La Rose, Renart et le Graal. La Littérature allégorique en France au XIIIᵉ siècle*, Paris, Champion, 1989.

VINAVER, E., *À la recherche d'une poétique médiévale*, Paris, Nizet, 1970.

VINCENSINI, J.-J., *Pensée mythique et narrations médiévales*, Paris, Champion, 1996.

VINCENSINI, J.-J., *Motifs et thèmes du récit médiéval*, Paris, Nathan, 2000.

ZINK, M., *La Subjectivité littéraire : autour du siècle de Saint Louis*, Paris, PUF, 1985.

ZUMTHOR, P., *La Lettre et la Voix. De la littérature médiévale*, Paris, Le Seuil, 1987.

V. LES GENRES LITTÉRAIRES

1. *Premiers textes et vies de saints*

CERQUIGLINI, B., *Naissance du français*, Paris, PUF, 1991.
DELEHAYE, H., *Les Légendes hagiographiques*, Bruxelles, 1955 (4ᵉ éd.).
GAIGNEBET, C., LAJOUX, J.-D., *Art profane et religion populaire au Moyen Âge*, Paris, PUF, 1985.
GÉRARD, M., *Les Cris de la sainte. Corps et écriture dans la tradition latine et romane des Vies de saintes*, Paris, Champion, 1999.
LAURENT, F., *Plaire et édifier. Les récits hagiographiques composés en Angleterre aux XIIᵉ et XIIIᵉ siècles*, Paris, Champion, 1998.
WAGNER, R.-L., *Textes d'études*, Genève, Droz, 1964.

2. *Le roman*

BAUMGARTNER, E., *Le Récit médiéval*, Paris, Hachette, 1995.
BERTHELOT, A., *Le Roman courtois. Une introduction*, Paris, Nathan, 1998.
CHÊNERIE, M.-L., *Le Chevalier errant dans les romans arthuriens en vers des XIIᵉ et XIIIᵉ siècles*, Genève, Droz, 1986.
CROIZY-NAQUET, C., *Thèbes, Troie et Carthage. Poétique de la ville dans le roman antique au XIIᵉ siècle*, Paris, Champion, 1994.
DRAGONETTI, R., *Le Mirage des sources, l'art du faux dans le roman médiéval*, Paris, Le Seuil, 1987.
FOURRIER, A., *Le Courant réaliste dans le roman courtois en France au Moyen Âge ; I : Les Débuts, XIIᵉ siècle*, Paris, Nizet, 1960.
GAULLIER-BOUGASSAS, C., *Les Romans d'Alexandre. Aux frontières de l'épique et du romanesque*, Paris, Champion, 1998.
JAMES-RAOUL, D., *La Parole empêchée dans la littérature arthurienne*, Paris, Champion, 1997.
KOEHLER, E., *L'Aventure chevaleresque. Idéal et réalité dans le roman courtois*, Paris, Gallimard, 1980.
LACHET, C., *Sone de Nansay et le roman d'aventures en vers au XIIIᵉ siècle*, Paris, Champion, 1992.
LEUPIN, A., *Le Graal et la littérature*, Lausanne, L'Âge d'homme, 1982.

LOUISON, L., *De Jean Renart à Jean Maillart. Les romans de style gothique*, Paris, Champion, 2004.

LYONS, F., *Les Eléments descriptifs dans le roman d'aventure au XIIIᵉ siècle*, Genève, Droz, 1965.

MÉLA, Ch., *La Reine et le Graal. La conjointure dans les romans du Graal*, Paris, Le Seuil, 1984.

PETIT, A., *Naissances du roman. Les techniques littéraires dans les romans antiques du XIIᵉ siècle*, Paris, Champion, 1985.

PICKFORD, C.E., *L'Évolution du roman arthurien en prose vers la fin du Moyen Âge*, Paris, Nizet, 1960.

POIRION, D., *Résurgences : mythe et littérature à l'âge du symbole (XIIᵉ siècle)*, Paris, PUF, 1986.

RAYNAUD DE LAGE, G., *Les Premiers Romans français*, Genève, Droz, 1976.

SÉGUY, M., *Les Romans du Graal ou le Signe imaginé*, Paris, Champion, 2001.

STANESCO, M., ZINK, M., *Histoire européenne du roman médiéval. Esquisse et perspectives*, Paris, PUF, 1992.

WALTER, Ph., *La Mémoire du temps. Fêtes et calendriers, de Chrétien de Troyes à la Mort Artu*, Paris, Champion, 1993.

3. *Les chroniques*

CROIZY-NAQUET, C., *Écrire l'histoire romaine au début du XIIIᵉ siècle*, Paris, Champion, 1999.

DUFOURNET, J., *Les Écrivains de la quatrième croisade, Villehardouin et Clari*, Paris, SEDES, 1973.

DUFOURNET, J., *La Destruction des mythes dans les Mémoires de Philippe de Commynes*, Genève, Droz, 1966.

GAUCHER, É., *La Biographie chevaleresque. Typologie d'un genre (XIIIᵉ-XVᵉ siècles)*, Paris, Champion, 1994.

GUENÉE, B., *Histoire et culture historique dans l'Occident médiéval*, Paris, Aubier, 1980.

JACQUIN, G., *Le Style historique dans les récits français et latins de la quatrième croisade*, Paris, Champion, 1986.

VI. CIVILISATION ET MENTALITÉS MÉDIÉVALES

BLOCH, M., *La Société féodale*, Paris, Albin Michel, 1939-1940, 2 vol.

CONTAMINE, Ph., *La Vie quotidienne pendant la guerre de Cent Ans en France et en Angleterre*, Paris, Hachette, 1976.

CONTAMINE, Ph., *La Guerre au Moyen Âge*, Paris, PUF, 1980.

Dictionnaire du Moyen Âge, sous la direction de C. Gauvard, A. de Libera et M. Zink, Paris, PUF, 2002.

DUBY, G., *L'Europe des cathédrales*, Paris, Skira, 1966 ; *Le Dimanche de Bouvines*, Paris, Gallimard, 1973 ; *Les Trois Ordres ou l'Imaginaire du féodalisme*, Paris, Gallimard, 1978 ; *Le Chevalier, la femme et le prêtre. Le mariage dans la France féodale*, Paris, Hachette, 1981 ; *Le Moyen Âge de Hugues Capet à Jeanne d'Arc (987-1460)*, Paris, Hachette, 1987 ; *Mâle Moyen Âge*, Paris, Flammarion, 1988.

FARAL, E., *La Vie quotidienne au temps de Saint Louis*, Paris, Hachette, 1938.

FAVIER, J., *Dictionnaire de la France médiévale*, Paris, Fayard, 1993.

FLORI, J., *L'Idéologie du glaive. Préhistoire de la chevalerie*, Genève, Droz, 1984 ; *L'Essor de la chevalerie (XIᵉ-XIIᵉ siècles)*, Genève, Droz, 1986 ; *Chevaliers et chevalerie*, Paris, Hachette, 1998.

FOURNIAL, É., *Histoire monétaire de l'Occident médiéval*, Paris, Nathan, 1970.

GANSHOF, F.L., *Qu'est-ce que la féodalité ?*, 2ᵉ éd., Bruxelles, 1947.

GONTHIER, N., *Éducation et cultures dans l'Europe occidentale chrétienne (du XIIᵉ au milieu du XVᵉ siècle)*, Paris, Ellipses, 1998.

HEERS, J., *Fêtes des fous et carnavals*, Paris, Fayard, 1983.

HUIZINGA, J., *L'Automne du Moyen Âge*, Paris, Payot, 1977.

LE GOFF, J., *Les Intellectuels au Moyen Âge*, Paris, Le Seuil, 1957 ; *La Civilisation de l'Occident médiéval*, Paris, Arthaud, 1964 ; *Pour un autre Moyen Âge*, Paris, Gallimard, 1977 ; *L'Imaginaire médiéval*, Paris, Gallimard 1985 ; (dir.) *L'Homme médiéval*, Paris, Le Seuil, 1989 ; *Dictionnaire raisonné de l'Occident médiéval*, Paris, Fayard, 1999.

LEMARIGNIER, J.-F., *La France médiévale, institutions et société*, Paris, Armand Colin, 1970.

LORCIN, M.-T., *La France au XIIIᵉ siècle, économie et société*, Paris, Nathan, 1975.

LOT, F., FAWTIER, R., *Histoire des institutions françaises au Moyen Âge*, Paris, 1957-1962, 3 vol.

PASTOUREAU, M., *La Vie quotidienne en France et en Angleterre au temps des chevaliers de la Table ronde (XIIᵉ-XIIIᵉ siècles)*, Paris, Hachette, 1976 ; *Figures et couleurs. Études sur la symbolique et la sensibilité médiévales*, Paris, Le Léopard d'or, 1986.

INDEX

Pour le premier index des termes étudiés, le premier chiffre en romain indique le volume (soit t. I : *Littérature française du Moyen Âge. Romans & Chroniques* ; t. II : *Littérature française du Moyen Âge. Théâtre & Poésie*). Le deuxième chiffre en arabe indique la page où le mot est traité.

Pour les deux autres index, le premier chiffre en romain indique le volume, le deuxième chiffre en romain précise la section. Enfin, le troisième chiffre en arabe désigne l'extrait où figure le mot cité.

INDEX
DES TERMES ÉTUDIÉS

La forme moderne du mot peut figurer entre parenthèses. Pour les formes verbales, l'infinitif est indiqué.

INDEX
DES THÈMES ET NOTIONS

INDEX
DES NOMS

II. ROMANS

TABLE 605

TABLE 607

III. LES CHRONIQUES

GF Flammarion

231401-IX-2018 – Impression MAURY IMPRIMEUR, 45330 Malesherbes.
N° d'édition L.01EHPNFG1083.C005 – septembre 2003 – Printed in France.